謝伯陽 編纂

全明散曲

任半塘敬題

（增補版）

（三）

齊魯書社

王宗正

王宗正，號海月。生平不詳。

小令

【北雙調清江引】

次前韻

功名古來卑晏管。何似投閒散。休誇齊二桃。請看周三飯。博南山人同我懶。（陶情樂府）

案：此乃和楊升庵清江引和康對山「人間榮華無主管」一曲而作。

陸世明

陸世明，南直隸長洲（今蘇州）人。陸世浚同宗。約正德、嘉靖年間在世。

小令

【南黃鍾點絳唇】

三尺冰弦。夜深彈破。青天竅。意中人杳。只有青光到。〔前腔換頭〕雲雨無緣。總是相思調。愁懷抱。嫦娥心照。訴與他知道。（堯山堂外紀）

周瑞

周瑞，字秋汀，南直隸（今江蘇）崑山人。工散曲，曲品云：「周家郎顧誤名高。」生卒年不詳，約嘉靖中前後在世。

套數

春閨 白雪齋改本

【南仙吕二犯傍粧臺】（傍粧臺頭）景凄凉。畫眉人去深院鎖垂楊。花影亂闌干上。蝶翅舞砌臺傍。（八聲甘州）歡娱自古嫌春短。寂寞須知怯漏長。（皂羅袍）琴絃難整。釵頭倦粧。（傍粧臺尾）慵慵不覺減容光。

【前腔換頭】無明無夜費思量。小窗寂静空鎖綉鴛鴦。雲髻鬢因愁重。珠迸眼爲春傷。茶蘼架底曾携手。芍藥亭前記舉觴。長辰虚度。牽衣掛裳。幾回魂夢赴高唐。

【不是路】竚立西廂。俛首無言欲斷腸。空惆悵。音書不寄兩三行。暗心傷。語惺惺空憶臨岐謊。熱簌簌分開雙鳳凰。誰承望。經年冷落銷金帳。共誰説向。共誰説向。

【掉角兒序】損香肌藥宜甚方。消紅頰成何模樣。對蒼天暗祝歸期。卜金錢卦成無妄。莫不是殢天涯。淹旅邸。貪新愛。落在誰傍。從他別後。巫山渺茫。想那人何時得至。慰我愁腸。

【前腔】下羅幃慵臨象牀。空繡被寒侵斗帳。困騰騰夢中見他。急煎煎鷄聲頻唱。想只是夙緣慳。孤辰犯。合分離。雲迷煙障。相思萬種。牽纏怎當。歎光陰愁中蕭瑟。病裏郎當。

【尾聲】倚朱樓。空凝望。何處覔天涯浪蕩。總有音書憑誰遠寄將。（吴騷合編）

複出

小令

【南商調黄鶯兒】

美人洗浴

衣褪半含羞。

南宫詞紀、吴歈萃雅、南音三籟題作「美人洗浴」，彩筆情辭題作「贈妓新浴」，南詞韻選無題，俱注周秋汀撰。惟已見伯虎雜曲，此不重出。

套數

春閨

【北雙調新水令】碧桃花外一聲鐘。

吴騷合編題作「春閨」，注周秋汀作。梨雲寄傲、詞謔、詞林摘艷、群音類選、南北詞廣韻選、北宫詞紀俱注陳大聲撰。兹已輯於陳鐸卷中，不重録。

張恒純

張恒純，字隱君，號文臺，南直隷（今江蘇）崑山人。生平不詳，約嘉靖二十年（一五四一）前後在世。工散曲，曲品云：「張隱君浮白采直。」

小　令

【南商調集賢賓】

丹陽道中

天寒夜寂歸雁早。砧聲何處頻敲。風動林梢驚宿鳥。猛飛去餘枝空裊。江村静悄。正淡月疎星斜照。〔合〕鄉思繞。途路裏歸心如搗。（南宫詞紀）

關山月落天漸曉。寒鷄野店聲高。客夢驚回情未了。聽水外行舟吟嘯。晨光尚渺。兩岸上疎林烟罩。〔合前〕（南宫詞紀）

按：吴歈萃雅、南詞韻選亦録。韻選無題，萃雅題同詞紀。

鄭若庸

鄭若庸，字中伯，又作仲伯，號虚舟，别稱蛣蜣生、虚舟山人，南直隸（今江蘇）崑山人。屢試不第。嘉靖初，受趙康王朱厚煜聘入鄴，凡二十年，編成類雋一千卷。嘉靖三十九年（一五六〇）趙王殁，移居山西清源。一生殫精詞曲，尤工詩文，詩與謝榛齊名。有虚舟詞餘一卷，蛣蜣集八卷，北遊漫稿二卷及唐類函、虚舟尺牘等。所作傳奇有玉玦記、大節記、珠球記三種，今存玉玦記一種。弘治三年（一四八九）生，萬曆五年（一五七七）卒，年八十九。

套數

遣懷[一]

【南商調金梧桐】香醪爲解愁。酒醒愁依舊。斜月殘燈。正是愁時候。愁憑酒破除。酒被愁迤逗。酒力無多。酒去愁還又。愁深酒薄難禁受。

【東甌令】花凝恨。柳含羞。花柳傷春人病酒。鶯啼燕語清明候。全不管人憔瘦。殘雲剩雨兩悠悠。遮斷晚粧樓。

【大聖樂】桃源洞花事都收。許劉郎重到否。啼痕濕透春衫袖。傷白傅惱江州。我這裡瑶琴罷却求鸞奏。恰正是紅葉誰人寄御溝。陽臺夢杳。苦追踪問跡。似無還有。

【解三酲】忘不了共携纖手。忘不了東園秉燭遊。忘不了同心帶結鴛鴦扣。忘不了羅襪雙鈎。忘不了香囊雜彩親挑繡。忘不了百寶珍珠絡臂韝。閒窮究。把嬌歡美愛。盡付東流。

【尾聲】好姻緣還成就。繡幃錦帳共綢繆。月底新詩再和酬。（詞餘）

四時閨怨〔三〕

【南商調黄鶯兒】彈指怨東君。好直恁辜負人。曉粧羞對菱花鏡。花枝懶簪。脂粉懶匀。暗將心事占天問。〔合〕冷清清。一春過了。争得見意中人。

【前腔】無語倚閑庭。不由人不動情。花間粉蝶相隨趁。鶯啼幾聲。鵑啼數聲。晚風吹落紅成陣。〔合前〕

【六幺憶多嬌】鴛鴦睡濃。芰荷香送薰風。懶將紈扇掩酥胸。試把窗兒推起。只見花影重。好景難逢。好景難逢。又見榴花照眼紅。

【前腔】簾垂幾重。怎不遮攔愁入芳容。縱有美酒泛金鍾。少箇人兒共飲。教我愁轉濃。好景難逢。好景難逢。又見荷花映水紅。

【雁過燈犯】秋風早入庭幃。又見梧葉乍飛。薄情人杳沒音書寄。淚彈點滴如珠。闌干悶倚。捱幾箇黄昏滋味。〔合〕悵望人千里。伊怎知。又聽得樓頭上嘹嘹嚦嚦數聲雁兒。

【前腔】登高負却佳期。羞覩黄菊紫萸。劣冤家戀酒迷花底。知他還共别的。尋龜買卜。他許我綢繆佳配。〔合前〕

【琥珀猫兒墜】幾回猛省。發願和你斷相思。不覺腰肢減帶圍。沉吟半晌心轉癡。只落得背地裡長吁氣。〔合〕瘦損呵情人在那裡。瘦損呵黄花怎比。

【前腔】晚風吹雨。翻作六花飛。江上漁翁罷釣歸。寒威透入銷金帳裡。天天怎教奴獨睡。〔合前〕

【尾聲】絮飄綿。荷出水。桂花零落雪花飛。盼殺多才不見歸。〔詞餘〕

南北雙調合套

阻歡[三]

【珍珠馬南】簫聲喚起瑶臺月。獨倚欄杆情慘切。此恨和誰説。正值那黄昏時節。花飛也。一點點似離人淚血。

【新水令北】離人點點淚流血。倚欄杆悶懷凄切。多情難割捨。無語自傷嗟。暗想當年。暗想當年。羅帕上曾把新詩寫。

【步步嬌南】暗想當年羅帕上曾把新詩寫。偷綰着同心結。心猿乖意馬劣。都將軟玉温香。翠擁紅遮。琴瑟正和協。不覺花影轉過梧桐月。

【雁兒落北】不覺的梧桐月轉過西。銀臺上昏慘慘燈將滅。怎禁他紗窗外鐵馬兒敲。這些時一團嬌香肌瘦怯。

【沉醉東風南】一團嬌香肌瘦怯。半含羞粉容輕貼。微咲對人悄説。休忘了今夜。等閒間將海棠開徹。把山盟共設。不許片時棄撇。若有個負心的教他隨燈兒便滅。

【得勝令北】呀。若有個負心的教他隨燈滅。慘可可山盟海誓對誰説。海神廟現放着勾魂帖。那神靈仔細寫。你休要心斜。非是俺難割捨。你休要癡呆。他殷勤將春心漏泄。

【忒忒令南】他殷勤將春心漏泄。我風流迷了寸腸中熱。因此上楚雲深鎖黃金闕。休把後期頓撇。湘江竭。燕山截。斷魚封雁帖。

【沽美酒北】湘江竭燕山截。湘江竭燕山截。他一去了信音絶。想着他負德辜恩倒將謊話説。眼見得花殘月缺。自別來甚時節。自別來甚時節。

【好姐姐南】自別。逢時遇節。冷淡了風花雪月。柰柔腸萬結。怎禁窗外鐵。無休歇。一似珮環摇明月。又被西風將錦帳揭。

【七弟兄北】又被西風將錦帳揭。倚圍屏情慘切。這些時信斷恩絶。眼中流血。心内刀割。淚痕千疊。因此上渭城人肌膚瘦怯。

【嘉慶子南】渭城人肌膚瘦怯。楚天秋難禁病疊。停勒了畫眉郎京尹。停勒了畫眉郎京尹。補填了河陽令滿缺。

【梅花酒北】補填了河陽令滿缺。一片似火燒也。心間事與誰説。好教我行眠立盹無明夜。今日個吹簫無伴彩雲遮。聞箏的月下踈狂劣。呀。畫眉郎手脚拙。竊玉的性情別。把歡娱成歎嗟。

【荳葉黄南】嘆嗟。懽娱事能幾些。痛切。相思病無了絶。朋友們知疼熱。負心的早回寧貼。待捨。想着你至誠心。教我怎生樣捨。待撇。想着你嬌模樣。教我怎生樣撇。

【脱布衫北】想着你至誠心。教我怎生樣撇。空守着如年夜。枉擔了雪月風花。也傷我連枝帶葉。

【園林好南】也傷我連枝帶葉。勾引得狂蜂浪蝶。鬧炒起歌臺舞榭。回首處楚雲遮。堪歎處水痕賒。

【倘秀才北】堪歎處水痕賒。何日裏共歡悦。當初指望。美滿前程。到如今翻成吴越。

【川撥棹南】成吴越。怎禁他巧言搬鬭諜。平白地送暖偷寒。平白地送暖偷寒。猛可地搬唇弄舌。水晶丸不住撇。蘸鋼鍬一謎撅。

【川撥棹北】他將那蘸鋼鍬一謎撅。劈鉛刀在手中撇。打撈起塊丹楓葉。鴛鴦被半牀歇。蝴蝶夢冷些些。破香囊覆成血。楚館焚。秦樓拽。

【錦衣香南】他將楚館焚。秦樓拽。洛浦填。涇河竭。梅家莊水罐湯瓶。打爲磁屑。賈充宅守粉牆缺。武陵溪澗。把花兒釘了椿橛。楚襄王夢驚蝴蝶。漢相如趕翻車轍。

緊閉芙蓉闕。紫簫吹裂。碧桃花下。鳳凰把翎毛生扯。

【收江南北】呀。你敢在碧桃花下將鳳毛扯。人生最苦是離別。山長水遠路途賖。何年上是徹。響叮噹菱花鏡碎玉簪折。

【漿水令南】響叮噹將菱花鏡碎跌。側楞箏把冰絃斷絶。圪支支將同心帶扯。咭叮噹將寶簪墜折。採蓮人偏把並頭折。比目魚就池中將水車竭。連枝樹。生砍折。打撈起御水流紅葉。藍橋下。翻滾滾。波濤捲雪。祆神廟。焰騰騰。火走金蛇。

【尾聲南】饒君總把機謀設。怎禁那負心薄劣。一一向夢兒中對他分説。（詞餘）

春閨

【南仙呂入雙調沉醉東風】海棠花開還未開。倦停鍼繡窗閑待。花睡去冷閒階。教人憐愛。須避却妬花風霾。把門兒謾開。不許蜨蜂參拜。若等得着那負心的便隨着進來。

【忒忒令】盼得個春風滿街。好花枝没人簪戴。對花無語。空立遍蒼苔。擔害得人無賴。愁無奈。恨無端。磨穿了繡鞋。

【品令】相思默默。没個好安排。脂憔粉悴。也是命合該。匆匆話别。不見尺書來。

何處遨遊。忘却故園歡愛。驀地思量。推不出寃家在我懷。

【豆葉黄】我忘餐廢寢。日夕難挨。總然我骨瘦如柴。也燒不過愁城高大。這些寃債。何時擺劃。除非是那人兒相見。除非是那人兒相見。和息了相思。勾銷紙牌。

【玉交枝】他毒如蜂蠆。戀花心花還受災。芳心從此被伊家賣。説甚麽有地重栽。桃源洞口信已乖。武陵溪上春難再。頓忘却雙頭鳳鞋。頓忘却同心鴛帶。

【月上海棠】鸞鏡臺。何時得揭香羅蓋。並雙肩同照。玉樹花腮。搵滅了秋水啼痕。重掃個春山眉黛。身通泰。這姻緣除非是。夢裏和諧。

【江兒水】見月頻生怪。因花更自猜。一春無事爲相思害。千般消遣心難解。萬椿擺脱情難懈。除是鴻門樊噲。打破愁關。提出了淒涼法界。

【川撥棹】情忒歹。沒音書三四載。全不記那日書齋。全不記那日書齋。曾道遇鱗鴻足書繫帛。到如今呆打孩。筆無情手懶擡。

【尾聲】香肌瘦得容如菜。病久空教尋艾。只落得怨瑟愁琴付鴻雁哀。（吴騷合编）

複出

套數

夜思

【南商調山坡羊】風兒疎喇喇吹動。

吴歈萃雅、詞林逸響、古今奏雅題作「夜思」，注鄭虛舟作。月香亭稿、秋碧樂府、群音類選、南宫詞紀、吴騷二集、吴騷合編、南詞韻選、南音三籟、南詞新譜俱屬陳大聲。茲已輯於陳鐸卷中，不重出。

閨情

【南南吕梁州小序】幽香新染。

吴歈萃雅、詞林逸響、南音三籟、古今奏雅題作「春閨憶别」，注鄭虛舟撰。群音類選、昔昔鹽、樂府争奇不注作者。新編南九宫詞注「舊詞」。吴騷集、樂府先春俱署祝枝山。未知孰是，茲姑輯於祝氏卷中，此不重録。

恨別

【南南吕針線箱】自別來杳無音信。

吴歈萃雅、南音三籟題作「恨別」，俱注鄭虚舟撰。伯虎雜曲題作「傷春」。兹已輯於唐寅卷中，不重出。

閨怨

【南中吕瓦盆兒】教人對景無言終日減芳容。

吴歈萃雅、詞林逸響、南音三籟、古今奏雅題作「閨怨」，俱注鄭虚舟作。群音類選署賈仲明撰。樂府先春注李集虚撰。兹已輯於李氏卷中，此不重録。

姻緣

【南仙吕醉扶歸】效于飛鴛侣天生就。

吴歈萃雅、南音三籟題作「姻緣」，俱注鄭虚舟撰。彩筆情辭、吴騷合編皆署名沈伯英。太霞新奏注沈子勺撰。未知孰是，兹姑以之歸沈璟，此不重録。

〔一〕群音類選題作「題情」，南宮詞紀題作「憶情」，吴騷合編、彩筆情辭題作「春思」，南詞韻選無題，俱注陳秋碧。三徑閑題、樂府争奇無題，昔昔鹽題作「酒遣愁懷」，皆不注撰人。吴歈萃雅、詞林逸響、樂府珊珊集、南音三籟、怡春錦、古今奏雅題作「遣愁」，吴騷集、樂府先春無題，俱注鄭虚舟著。陳大聲樂府全集可雪齋稿題作「春怨」。未知孰是，兹互見陳、鄭兩家曲中。

〔二〕吴歈萃雅、詞林逸響、古今奏雅題同鄭氏詞餘，俱作「四時閨怨」，南音三籟題作「閨怨」，皆注鄭虚舟。吴騷集佚名，新編南九宮詞注舊詞，樂府先春注古調，俱無題。群音類選題作「四景閨情」，署名陳秋碧，惟不見陳大聲樂府全集。且雜用真文、庚青、侵尋、東鐘、齊微、支思等韻，疑爲僞託，非陳、鄭所作。

〔三〕盛世新聲、吴騷集、雍熙樂府、舊編南九宮譜、南詞韻選、樂府先春、盛世詞林俱無題，詞林摘艷題作「怨别」，昔昔鹽題作「憶舊結盟」，新編南九宮詞題作「情」，吴騷合編題作「閨怨」，群音類選題作「閨情」，南北詞廣韻選題作「離恨」，南宫詞紀題作「大揭帖」。絃索辨訛、吴歈萃雅、樂府珊珊集、詞林逸響、南音三籟、古今奏雅俱同詞餘，題作「阻歡」。王世貞曲藻等謂此套元人作，廣韻選注元，吴騷合編注元詞，南曲九宮正始徵引各支俱注元散套，萃雅、珊珊集、三籟俱注高東嘉。類選注李愛山。詞紀、逸響、奏雅俱同詞餘注鄭虚舟作。吴騷集、先春俱注王百穀作。盛世新聲、摘艷、雍熙、絃索、新編南九宮詞、昔昔鹽、舊編南九宮詞、南詞韻選、盛世詞林俱不注時代與撰人。新編南九宮詞、絃索、萃雅、珊珊集、逸響、三籟、奏雅同詞餘，俱爲南北合套，雍熙、類選南北合套與南套一題兩曲，其餘各集祇有南曲而無北曲，曲牌數皆不同。今兩曲並收之，合套歸鄭氏，南套姑屬李愛山。

康　河

康河，字德清，號漳川，别署漳川居士，陜西武功人。海弟。嘉靖二年（一五二三）進士，授户部主事，歷員外郎、郎中、兖州知府，終贛州知府。有漳川集。弘治三年（一四九〇）生，嘉靖二十三年（一五四四）卒，年五十五。

套　數

寄壽康對山太史

【北中吕粉蝶兒】花甲從頭。喜容光宛然依舊。正今朝海屋添籌。啓瓊筵。傾玉斝。舞裙歌袖。畫堂中萊彩歡逐。這的是太平仙百年長壽。

【醉春風】佳氣遶簾櫳。光風生户牖。蓬萊仙客盡驂鸞。都來勸酒。酒。果獻蟠桃。饌湌麟脯。麝添金獸。

【普天樂】士林宗。簪纓胄。丹霄鳳羽。金榜龍頭。志不羣。才無右。錦綉文章千人後。説甚麽萬户封侯。看山縱遊。開尊共友。此外何求。

【醉高歌】身居閬苑瀛洲。門對桃源洞口。金昆玉季承天祐。共保龎眉皓首。

【紅綉鞋】也不索門栽五柳。也不索湖泛扁舟。利和名自不會掛心頭。西堂人似玉。北海酒如油。一日一個醉淋漓鶵罷手。

【牆頭花】薰風永晝。檻外花香透。簾捲高樓月上鈎。況逢着海晏河清。受用些天長地久。

【煞尾】享榮華已過六十三。論高年不説九十九。見如今青霞洞裏還丹就。直到那萬載千秋再不朽。（北宫詞紀）

朱厚照

朱厚照，明孝宗朱祐樘長子。弘治五年（一四九二）立爲太子。十八年（一五〇五）即位，在位十六年。生於弘治四年辛亥（一四九一），卒於正德十六年辛巳（一五二一），年三十一。

小令

失牌名

武宗南巡，道中見一村婦，令后乘載歸。因賦詞曰：

出得門來三五。偶逢村婦謳歌。紅裙高露足。挑水上南坡。俺這裡停驂佇轡。他那裡偷眼睃。雖然不及俺宮娥。野花偏有色。村酒醉人多。（堯山堂外紀）

按：此曲失曲牌，然曲味濃郁，句式近似［黄鶯兒］，姑且録之。

沐崧

沐崧，字希甫，號石岡。黔寧昭靖王沐英六世孫。祖籍濠州定遠（今屬安徽），正德元年（一五〇六）襲父（沐詳）職，任參將，鎮守金齒、騰衝；遷指揮僉事，署都督僉事，充右將軍。嘉靖初因劾落職。石岡嗜吟詠，嫺翰札，珍繪事，耽典籍，與楊升庵交厚。生於弘治四年（一四九一），卒於嘉靖十六年（一五三七），年四十六。

小令

【南仙吕一封書】

次韻

高唐曉夢終。暈眉梢卧髻鬆。愁鸚别翠籠。家住錢塘東復東。深閨暗緑添新恨。芳徑殘紅憶舊踪。鏡盤龍。瑟離鴻。腸斷桃根渡口風。（陶情樂府）

按：此係次楊升庵「粉席送别」（陽關曲易終）一曲而作。陶情樂府作石岡沐著。南宫詞紀題作「次韻送別」，彩筆情辭題作「席間送妓」，俱注沐石岡撰，是。飲虹簃所刻曲臆補作希甫哲嗣沐太華著。

金鑾

金鑾，字在衡，號白嶼，陝西（今甘肅）隴西人，僑居金陵。性任俠，喜交遊，與盛時泰、顧東橋、黄淳父、金子坤、吴懷梅諸人交篤。洞解音律，善填詞，好作嘲調小曲。吕天成曲品評云：「金白嶼響振江南。」著有金白嶼集、蕭爽齋（一作閣）詞、徙倚軒集、蕭爽齋樂府等。生於弘治七年（一四九四），卒於萬曆十五年（一五八七），年九十三。

小令

【北正宫小梁州】

閒適五首

得高歌處且高歌。問東君花事如何。紫檀翠袖錦雲窩。齊聲和。何處月明多。勸君莫把光陰錯。歎當年枉自蹉跎。白髮添。青春過。被咱識破。贏得笑呵呵。（蕭爽齋樂府）

得留連處且留連。醉來時仰面青天。山閒林下總陶然。追游徧。終日對花眠。老天乞與身强健。任春來秋去年年。酒百杯。詩千卷。蓬頭垢面。不奉帝王宣。（蕭爽齋樂府）

得酕醄處且酕醄。又何須錦帳羊羔。野花村外有香醪。家家到。隨意兩三瓢。是誰跳出愁圈套。還來尋安樂窩巢。燕子喧。雞兒叫。莫教驚覺。睡到日頭高。（蕭爽齋樂府）

得猖狂處且猖狂。再休提往日行藏。銀轡白馬紫絲韁。平康巷。終日爲誰忙。算來總是糊塗帳。又一番傀儡登場。誰做卿。誰爲相。邯鄲道上。各自夢黄粱。（蕭爽齋樂府）

得朦朧處且朦朧。管甚麼皂白青紅。是非窩裏虎狼叢。終何用。都當耳邊風。眼前楚漢和唐宋。實坯坯多少英雄。一縷輕。千金重。任他搬弄。我自哈哈哄。（蕭爽齋樂府）

詠漁樵耕牧四首(二)

得糊塗處且糊塗。恰便似没嘴葫蘆。入門休得問榮枯。前程路。滿地是江湖。漁家

自得煙波趣。受用些新酒活魚。雲裏烏。天邊兔。朝來暮去。忙不到漁夫。（蕭爽齋樂府）

得粧呆處且粧呆。我這裏暗裏裁劃。忙人忙盡忙還在。都休怪。難與你說明白。樵夫每少欠下肩頭債。挨不了幾捆乾柴。大擔子挑。長街上賣。無災無害。明日再擔來。（蕭爽齋樂府）

得安身處且安身。眼見的世事紛紛。任他出假與包真。都休論。各自一鄉村。農家自有農家分。自耕來自食誰嗔。白酒新。黃雞嫩。風調雨順。但見長兒孫。（蕭爽齋樂府）

得便宜處且便宜。窮不了一領簑衣。飢時淡飯與黃虀。名和利。丟在六州西。牧兒每自有抽身計。漫坡子管甚高低。風雨裏行。山溪閒睡。一鞭牛背。獨自唱歌歸。（蕭爽齋樂府）

【北雙調沽美酒帶過太平令】

四時讌為侯家作四首

畫梁閒補燕泥。綠窗前綰蛛絲。正日煖風柔堪賞時。早元宵上巳。盼清明過寒食。

剛道是踏青遊劇。卻原來拾翠歸遲。趁蝶影舞腰輕細。助鶯喉歌聲流麗。海棠屏這壁。牡丹亭近西。荼蘼架那裏。只㖞到玉繩低月兒初墜。（蕭爽齋樂府）

綠雲鬟暎碧紗。紫檀槽按紅牙。還戴着遊春兩鬢花。卻又早涼亭上戲耍。布沈李設浮瓜。垂柳岸淡煙一抹。宴重開水陸交加。鬆寶釧齊紈輕撒。絡銀鈎湘簾低掛。汗浸溼玉娃。風搖動翠華。香流出鳳罘。只㖞到畫樓頭月兒西下。（蕭爽齋樂府）

釀葡萄㶊酒香。採芙蓉怯風涼。纔過了炎蒸夏日長。儘華堂氣爽。奏雲和舞霓裳。早打迭碧霞仙帳。恰收拾紫玉胡牀。拂金飈天街疏放。洗銀河露臺高曠。歌聲繞綵梁。歡聲出粉牆。笑聲傳畫舫。只㖞到繡檐前梧桐月上。（蕭爽齋樂府）

纔深秋又小春。漸嚴寒透重裀。擺列着十二燕姬粉黛新。把一箇玉山來扶穩。盡都是皂貂裘紫駝裙。卻又道一年將盡。慣追歡公子王孫。喜瑞雪紛紛成陣。盼芳春看看來近。把羊羔再溫。將龍涎細熏。趁鴛幃閉緊。只㖞到畫闌邊梅花月印。（蕭爽齋樂府）

【南商調黃鶯兒】

秋　雨〔三〕

點點滴空堦。透幽窗惱病懷。枕邊正覺無聊賴。離尊怕開。鄉書懶裁。芭蕉聲裏垂

楊外。夢初來。被他禁害。和淚下陽臺。（蕭爽齋樂府）

秋　風〔三〕

何處響琳瑯。漸輕颸送晚涼。隔窗吹過芙蓉帳。飄飄繞廊。蕭蕭滿堂。采蓮人正在秋江上。采蓮腔。一聲聲吹向。猶恨隔瀟湘。（蕭爽齋樂府）

秋　月〔四〕

萬里坐冰壺。看清光何處無。小堂一夜明如素。故人已疏。芳尊久虛。桂花香斷天邊路。笑蟾蜍。朝朝暮暮。只恨影兒孤。（蕭爽齋樂府）

秋　露〔五〕

清淚滴嬋娟。墜瓊珠顆顆圓。幾回立遍閒庭院。香凝翠鈿。涼生綺筵。芙蓉冷落殘粧面。望甘泉。君恩漸遠。渴殺病文園。（蕭爽齋樂府）

新　月〔六〕

又見掛城頭。遞微明過小樓。憑闌漸近黄昏後。雙眉斂愁。孤形暗羞。梅梢瘦影新

涼透。拭唫眸。幾番醉醒。錯認作釣詩鈎。（蕭爽齋樂府）

新 霽

細雨捲輕雷。趁西風過小溪。夕陽芳草渾無際。浮雲片時。長空萬里。江城獨立生愁思。拂虹霓。糢糊老眼。還當作上天梯。（蕭爽齋樂府）

詠 燕〔七〕

花落燕飛來。棄高梁過小齋。當時故主今還在。門兒半開。簾兒半擡。聲聲只向茅檐外。莫疑猜。綠楊庭院。還是去年栽。（蕭爽齋樂府）

詠 蝶〔八〕

花落蝶飛頻。繞園林雨正昏。可憐粉謝胭脂褪。殘英滿村。餘香滿身。東風怨殺吹花信。引芳魂。石家金谷。別是一番春。（蕭爽齋樂府）

春 怨二首〔九〕

花落水流紅。盼桃源路未通。紫簫吹斷秦樓鳳。鴛幃幾重。雲鬟半鬆。而今都做了

游仙夢。恨萍踪。隨風搬弄。一任各西東。（蕭爽齋樂府）

花落水流香。趁東風過短牆。天涯遊子心偏蕩。書修幾行。詩題數章。而今都做了糊塗帳。惹愁腸。鶯勞燕攘。贏得一春忙。（蕭爽齋樂府）

【南仙吕一封書】

閒　適四首〔一〇〕

青溪畔小舟。趁西風下淺流。綠楊外小樓。帶斜陽暎遠洲。半蓑好夢三更雨。一笛青商萬頃秋。任沉浮。隨去留。與我忘機是白鷗。（蕭爽齋樂府）

青溪畔小堂。四壁雖空書滿牀。碧巖下小窗。半世雖貧酒滿缸。好山有意常當户。明月多情遠過牆。伴詩狂。與酒狂。唾向西風枕簟香。（蕭爽齋樂府）

青溪畔小園。任荒蕪種幾年。黄庭畔小莊。任生疏寫半篇。分來紅藥春前好。摘去青葵雨後鮮。又不顛。又不仙。拾得榆錢當酒錢。（蕭爽齋樂府）

青溪畔小庵。奉如來燈半龕。黄茅下小潭。照楞伽月半函。何須野老通經典。只與鄰僧供笑談。也粧憨。也戒貪。是箇閒人好放參。（蕭爽齋樂府）

【北雙調沉醉東風】

病起閒適四首

聞理亂埋頭縮頸。遇笙歌側耳聽聲。參不透懵懂禪。害不死風流病。老先生吐與箇真情。丢了前程顧後程。這夢兒誰曾喚醒。（蕭爽齋樂府）

狼虎隊幾乎着手。燕鶯巢幸爾抽頭。要扶的拖桿牢。只打的機關透。老先生說與箇原由。除得熬煎破得愁。輸了我這歪詩薄酒。（蕭爽齋樂府）

使不出軍門計策。用不着翰院文才。笑將村酒沽。戲把山花戴。老先生這樣襟懷。山自青青雲自白。那用你銅錢去買。（蕭爽齋樂府）

歎白髮新來漸長。怪青春過去偏忙。坐薰風楊柳樓。捲夜月芙蓉帳。老先生這樣行藏。聞的花香與酒香。腳步兒時閒就癢。（蕭爽齋樂府）

挽徐髯仙

幾曾見折腰五斗。多管是長揖諸侯。說繁華在眼前。酣歌舞忘身後。七十年逞盡風

流。見而今海内人將詞翰收。落得個名兒不朽。（萧爽齋樂府）

夏　旱

我則見赤焰焰長空噴火。怎能勾白茫茫平地生波。望一番雲雨來。空幾箇雷霆過。只落得焦煿煿煮海煎河。料着這露水珠兒有幾多。也難與俺相如救渴。（萧爽齋樂府）

題冰月仙姑

對語笑清華自別。接風神精彩偏澈。貯蓬壺一片秋。汎銀海千金夜。終有箇透靈光打破塵刼。聞道長生有秘訣。直走上珠宫貝闕。（萧爽齋樂府）

贈方童子

小童子生來俊雅。老先生唤出英華。恭然向客前。難久居人下。碧瑩瑩美玉無瑕。見説文章世業家。應有箇班楊董馬。（萧爽齋樂府）

嘲王都閫送米不足〔二〕

實支與官糧一斗。乃因而減半徵收。既不係坐地分。有何故臨倉扣。這其閒須要追

求。火速移文到地頭。查照有無應否。（蕭爽齋樂府）

風情嘲戲四首〔二〕

要好時其實就好。說開交便要開交。儘着你信意兒嫖。沿門子跳。我這裏冷眼偷瞧。勸哥哥請箇先生再去學。學到老不會到老。（蕭爽齋樂府）

論見景輸咱見景。道雜情數你雜情。猜不破腹内言。醫不着心頭病。還自待掩耳偷鈴。只爲你寃家不至誠。生把我心腸兒弄冷。（蕭爽齋樂府）

人面前瞞神下鬼。我根前口是心非。只將那冷語兒劖。常把箇血心來昧。閃人的寸步難移。便要撐開船頭待怎的。誰和你一篙子到底。（蕭爽齋樂府）

鼻凹裏砂糖怎餂。指甲上死肉難粘。盼不得到口吞。恨不的連鍋咱。管甚麼苦辣酸鹹。這般樣還教不解饞。也是箇天生餓臉。（蕭爽齋樂府）

嘲　眇　妓〔三〕

這些時逢人就躲。袖稍兒斜掩定秋波。見一行情淚流。界半頰香痕破。悶厭厭懶畫雙蛾。還打平康舊路過。眼挫裏何曾抹我。（蕭爽齋樂府）

【北雙調水仙子帶過折桂令】

壽張沙南隱君

風流常占錦屏春。瀟灑何妨白髮新。豪華一任黄金盡。説高情成話本。唾珠璣座擁王孫。聲藹藹五湖嘉遯。世緜緜三朝舊隱。樂陶陶四海閒身。喜丁年甲子初旬。纔履陽剛。又值蕤賓。幸相逢嘯倚蘇門。一曲清歌。九醖芳尊。誰鍊養活潑潑仙家玄牝。自消磨翻滚滚世路紅塵。迹比劉殷。美並陳遵。晚歲熊羆。盛世麒麟。（蕭爽齋樂府）

壽許石城尚寶

遥憐北海飲方豪。卻喜東山臥正高。昌陽本是長年藥。遮莫你享康寧增壽考。先可也立清時名滿當朝。早打透歡娱關竅。忙蹬脱憂愁絡索。急尋來安樂窩巢。問先生當日勛勞。朝也趨朝。暮也趨朝。請先生今日量度。去也名高。就也名高。你本是舊版築商巖的故老。權當做着羊裘嚴瀨的知交。常只願白髮青袍。紫蓋黄鶴。少甚麽韓柳文章。李杜風騷。（蕭爽齋樂府）

題潔泉為淮南胡君

九秋明月照金波。五夜晴空落絳河。一堂新爽揮珠唾。景由他情在我。這其間我和他情景俱多。洗浄了眼前塵污。潑滅了胸頭慮火。消除了醉裏煩疴。雖然是静潺潺流處無多。霎時間散滿江湖。填塞溝壑。這塔兒你試經過千頃汪洋。萬象森羅。俺也曾向桃源横撑着釣舸。下桐江歷遍了煙簑。情卻如何。景卻如何。遠近波光。多少漁歌。（蕭爽齋樂府）

仙桂分香圖為莆田陳侍御後人題

狀元榜眼探花郎。三色花分紅白黄。喜一門貴子三公相。際明時羅雋網。一箇箇拂秋風萬里天香。紅桂是火靈昭象。白桂是金精布爽。黄桂是土德呈祥。想當年老桂傳芳。瑞應羅含夢協吴剛。少甚麽瓊宇迢迢。銀河耿耿。玉露瀼瀼。有一日跨綵鳳飛來天上。共嫦娥行過花傍。落幾個年少仙郎。恰又早價重明堂。奕世簪纓。華國文章。（蕭爽齋樂府）

【北雙調落梅風】

詠　蠅[一四]

從交夏。攘到秋。纏定了不離左右。饒你滿身都是口。嘗得出那些兒香臭。（蕭爽齋樂府）

詠　虱[一五]

憎頭銳。憐性拙。一塔兒熱窩中依藉。又不曾苦貪人些多氣血。湯抹着子孫族滅。（蕭爽齋樂府）

詠　蚊[一六]

明明的去。暗暗的來。怎當他毒如蜂蠆。死來頭上還不採。天生的嘴尖舌快。（蕭爽齋樂府）

詠　蚤[一七]

纔離了睡。又蜇上身。纏殺人怎生安頓。些娘箇兒偏走滚。任遮攔遣他不盡。（蕭爽齋

樂府）

【北中呂朝天子】

寄酬杞縣張兑園昆季四首

烏絲。錦鯉。細寫泥金字。晴窗盡日展封題。多少閒情思。白髮千莖。青燈兩地。念知音聊寄此。小詞。半紙。傳與梅花使。（蕭爽齋樂府）

雪消。汴橋。盼不到王猷棹。北風千里托神交。雞黍何年約。明月江村。清霜籬落。夢來遲人去早。碧簫。畫角。總是梅花調。（蕭爽齋樂府）

非熊。臥龍。争似您河東鳳。當年垂翅向冥鴻。朝野皆珍重。東壁圖書。西堂歌咏。水低回山半擁。志同。道窮。付與梅花夢。（蕭爽齋樂府）

水光。月光。隨處添佳況。洛陽住近午橋莊。自古多豪放。桃李溪邊。牡丹亭上。待他時來共賞。淡粧。暗香。引入梅花帳。（蕭爽齋樂府）

懷楚中故人

斜陽。野航。西風短檣夜夜聞漁唱。洞庭千里帶瀟湘。有多少閒風浪。新酒多情。

故人無恙。望天涯成夢想。武昌。漢陽。今古空相向。（蕭爽齋樂府）

煮茶

玉泉。惠泉。香露冷瓊珠濺。石爐松火手親煎。細擣入梅花片。春早羅𡁠。雨晴陽羨。載誰家詩畫船。酒仙。睡仙。只要見盧仝面。（蕭爽齋樂府）

秋雨

早來。晚來。偏不離窗兒外。一聲聲滴向空堦。只慣把人禁害。夢繞江湖。愁深關塞。夢先驚愁未解。這其閒好懷。惡懷。都一樣無聊賴。（蕭爽齋樂府）

秋燈

長檠。短檠。孤焰小寒牕静。空齋猶自對殘更。看瘦影憐衰病。白髮無情。青氈有幸。共消磨已半生。酒醒。夢驚。照幾處人孤另。（蕭爽齋樂府）

問花

問花。問花。爲甚把人牽掛。當時曾醉美人家。春似海顔如畫。到而今剛值殘春。

又逢初夏。空香車閒寶馬。這幾時怨他。恨他。夢不到荼蘼架。（蕭爽齋樂府）

問　燕

燕兒。燕兒。秋至也尋歸計。想當初桃花香蹴錦江泥。將舊主重尋覓。來也何言。去時何意。近前來還問你。對東風故知。笑楊花蕩子。不知他何處裏同飄寄。（蕭爽齋樂府）

席　上

醉來。興來。屢犯高陽戒。主人不惜酒重開。明月還相待。起舞燈前。放歌天外。晚風輕涼露白。雅懷。好懷。總是君相愛。（蕭爽齋樂府）

嘲金回回父子〔一八〕

金家。把把。生下箇滿喇衕。自己擡聲價。是人都道不如他。只有他爺兒們大。一箇做幾首歪詩。一箇臨幾家邪畫。常則是欺同行壓當家。老誇。小誇。也是你祖代傳流下。（蕭爽齋樂府）

【北雙調水仙子】

酬友人寄扇

湘娥斑竹薛濤牋。錦水凝脂膩更鮮。美人製就合歡扇。念情深勞寄遠。疊金泥象軸犀錢。常好是伴明月瑶天一片。握清風瓊華半展。寫新詞錦字千言。（蕭爽齋樂府）

廣陵夜泊

城邊燈火幾家樓。江上風波一葉舟。月中簫鼓三更後。聽誰家猶唤酒。正煙花二月揚州。人已去錦窗鴛甃。物猶存青蒲細柳。怨難平舞態歌喉。（蕭爽齋樂府）

暮春偶集任城村園亭

小園初試碧桃花。細雨新抽紫笋芽。野亭旋搭薔薇架。晚涼生高興發。半幽閒半入繁華。喜處處吟餘清暇。笑日日斟殘緑斝。任蕭蕭老盡白髮。（蕭爽齋樂府）

中　秋

人從今夜不須醒。月到中秋分外明。陰晴來日誰能定。笑閻浮成泡影。問蟾蜍那得長生。催玉漏幾聲人静。望瑶京諸天露冷。瀉銀河一派風清。（蕭爽齋樂府）

侯家雙壽

紫金丹駐赤靈砂。連理枝生並蒂花。藍田玉重連城價。水雲鄉公相家。正清秋飯煮胡麻。雲藹藹同臨鶴駕。花簇簇雙斟鳳斝。笑吟吟齊赴龍華。（蕭爽齋樂府）

友人嘗食以果餡湯餅甚美久而不能忘作此識笑〔一九〕

包藏青鳳口中酥。宛轉驪龍頷下珠。金盤捧出薔薇露。搗香粳團玉乳。費君家多少工夫。假若你填不滿老夫腸肚。撑不壞窮人臟腑。再開箇東閣何如。（蕭爽齋樂府）

夏日轅門燕集

白蓮深暎粉牆低。緑柳平張翠蓋齊。元戎舊府開新例。列笙歌排劍戟。布袍寬笑趁

朱衣。愛恁箇多蕭散高情劉毅。慣疏狂無羈阮籍。逞風流有道桓伊。（蕭爽齋樂府）

戲謝友人[二〇]

送來熏腿與燒鵝。又有陳倉米半盒。老夫望想何曾過。歎交情誰念我。愛將軍禮數偏多。陳熟米何須簸。爛肥甘不用火。這其間五臟神也知感王哥。（蕭爽齋樂府）

戲呈鍾怡山

買花日日醉湖船。曾是瓊林會上仙。白頭始識春風面。酒懷寬歌袖緩。畫橋西楊柳隄邊。自別來幾能相見。又無甚關河路遠。止不過雲雨情牽。（蕭爽齋樂府）

答王十岳病中見嘲

朝朝紈扇寫新詩。夜夜銀箏唱小詞。司空見慣渾閒事。笑蘇州韋刺史。逞風騷勾引相思。儘賣弄邊孝先當年張致。空欺負漢相如新來病體。枉褒彈沈休文舊日腰肢。（蕭爽齋樂府）

戲謝張右泉神劑〔二〕

添些歸芎血全生。加上芎蘇氣漸行。這方兒正對着咱家症。你便是李東垣張仲景。只恁般起死回生。也是我多病的婆兒有命。撞着你大德的先生好請。誰知他没錢的藥兒偏靈。（蕭爽齋樂府）

奇　遇

與君今夕乍相逢。纔得靈犀一點通。雖然半霎嬌摶弄。打熬出惡相思千萬種。可惜是雲雨匆匆。果若你恩深情重。拚了箇天長地永。又何妨水遠山重。（蕭爽齋樂府）

【北中吕滿庭芳】

淮上追吴厚丘至揚州戲作〔三〕

我和你西湖分首。實指望平和橋下。同上蘭舟。誰知解纜争先後。早來到寶應灣頭。又被你幾篙子撑離了界首。一篷風使過了高郵。我這裏望着露觔廟無昏晝。沿着邵伯湖邊兒徑走。只趕到揚州。（蕭爽齋樂府）

長干春興

鳳凰臺下。見兩行楊柳。千樹桃花。當年燕子添聲價。又來到百姓人家。看白晝香塵走馬。聽黄昏老樹啼鴉。便做到春如畫。漸風飄雨灑。芳草遍天涯。（蕭爽齋樂府）

嘲高北橋送年節〔三三〕

北橋減省。年年送節。只有虚名。醬油酒醋安排定。大小三瓶。粧扮的門面兒比别人齊整。消磨的分兩兒較往日全輕。假若到來歲還申敬。自不如折乾是本等。兩下裏見人情。（蕭爽齋樂府）

友人有以絹衣一襲見貽者偶爾戲答〔三四〕

送來的深衣兒特晃。蘇州熟絹。光素沉香。恰便似可着身裁翦下時新樣。不短不長。撈到手没些兒牽强。對着人改樣的輕狂。正打在心窩兒上。越爬着越癢。添一件兒有何妨。（蕭爽齋樂府）

【北正宫醉太平】

漫　興四首

粗粗的布袍。舊舊的麻縧。花邊竹杖柳邊橋。也不須動脚。三餐淡飯從吾好。幾杯薄酒隨人笑。一畦野菜任咱挑。落一箇醉飽。（蕭爽齋樂府）

下一盤始棊。作幾首歪詩。興來唱箇小曲兒。是我老年的見識。伊周事業彌天地。孔顔道德昭星日。班楊詞賦耀今昔。到頭來如此。（蕭爽齋樂府）

深深的草萊。小小的亭臺。多山多水少塵埃。任流光過客。好人兒留得百年在。好酒兒落得千家賣。好花兒常得四時開。大家來合采。（蕭爽齋樂府）

武陵溪釣舸。七里灘煙簑。九疑山下舊松蘿。有誰來尋我。不耕不稼不飢餓。無官無爵無災禍。有花有酒有笙歌。是咱的結果。（蕭爽齋樂府）

【北正宫脱布衫帶過小梁州】

燈下許尚寶召賞牡丹

寫花神宛在吟邊。鬬春工最是燈前。剛顯出紫深黄淺。又暎着緑攙紅間。恰才箇金屋銀屏敞繡筵。一笑嫣然。笙歌如沸酒如泉。天香徧。飛落九華仙。清宵豈爲紅粧戀。奈新來白髮堪憐。暮雨情。春風面。縱年年相見。不費買花錢。（蕭爽齋樂府）

寄王生

記當時人醉花朝。閒亭静月底聞簫。聲嚦嚦笙簧鬬巧。步盈盈粉香含笑。恰道東風滿畫橋。掩暎梅梢。荼蘼淺淡海棠嬌。寒猶峭。花氣惹春袍。別來咫尺無音耗。漸園林景物蕭條。春又歸。秋將到。恨芳尊零落。夢斷楚天高。（蕭爽齋樂府）

【北雙調河西六娘子】

閨情八首

海棠陰輕閃過鳳頭釵。没人處款款行來。好風兒不住的吹羅帶。猜也麽猜。待説口難開。待動手難擡。淚點兒和衣暗暗的揩。（蕭爽齋樂府）

錦園林春意已蕭條。更那禁雨打風飄。負心人做事天知道。焦也麽焦。書兒也曾捎。夢兒枉徒勞。淚點兒如梭暗暗的抛。（蕭爽齋樂府）

畫樓空香散彩雲收。輕輕的捲上簾鈎。對粧臺忽覺的龐兒瘦。休也麼休。一半爲春愁。一半爲花羞。淚點兒如珠暗暗的流。（蕭爽齋樂府）

恨西風吹不到錦長安。折倒的改換朱顏。琵琶聲已斷潯陽岸。彈也麼彈。湘江水漸寒。巫山雨又殘。淚點兒羞揾暗暗的乾。（蕭爽齋樂府）

柳絲柔輕颭石榴裙。靜孱孱門掩黄昏。倩霜毫寫一紙平安信。嗔也麼嗔。負了我的恩。瞞了那箇人。淚點兒和書暗暗的湮。（蕭爽齋樂府）

碧紗厨低暎月兒明。我這裏好夢將成。隔窗兒誰送過相思令。聽也麼聽。分明兩地情。翻成一樣聲。淚點兒和愁暗暗的傾。（蕭爽齋樂府）

繡屏閒空負卻舞腰纖。這幾時恨壓眉尖。怕人知鬼病兒成積漸。懨也麼懨。心兒久粘黏。意兒苦拘鉗。淚點兒如絲暗暗的添。（蕭爽齋樂府）

寄離情織不就錦囊詩。空撩亂萬縷千絲。耳邊言一字字都牢記。癡也麼癡。娘行也不知。他行也不知。淚點兒無人暗暗的垂。（蕭爽齋樂府）

【北雙調胡十八】

風情嘲戲十首〔三五〕

走將來冷厮侵。動不動洎淘氣。誰着你討便宜。前緣前世少他的。熱粘着死皮。眼睜的鬼迷。有一日終着閃。四撲子定着地。（蕭爽齋樂府）

尋思的意兒癡。作念的口兒破。睜着眼跳黄河。甜言甜語謊兒多。弄殺你小哥。圖甚麽養活。喫的虧做一堆。識的破忍不過。（蕭爽齋樂府）

好漢錢只待去還。涎頭債不住的要。藏頭蝎笑中刀。茶裏不着飯裏着。長擔子短挑。慢鍋兒緊燒。割着肉不覺疼。忍着氣轉陪笑。（蕭爽齋樂府）

伸着腳待你拴。拎着頭等他赦。不教你便寧貼。篾兒紐緊筋兒折。我又不來打趄。又不來討賒。多了言當不的錢。許了借準不得謝。（蕭爽齋樂府）

腳跟兒委的勤。舌尖兒果然溜。甜如密滑如油。全憑軟款與温柔。纔留下箇想頭。又尋了箇歹頭。眼睜睜盼不的來。血滴滴捨不的呪。（蕭爽齋樂府）

馬蹄般精徹金。鴉翎般挺生鈔。恨不的把籮挑。越教擡起價兒高。偷眼兒冷瞧。暗

拳兒軟掏。使不着呆裏奸。弄不出眼前俏。（蕭爽齋樂府）

纔離了眼角清。剛得箇耳根淨。骨朵嘴掛油瓶。誰人是你眼中丁。撅了箇火坑。安下座老營。喫的是這服藥。害的是那家病。（蕭爽齋樂府）

横着心一密裏猜。對着面百般家怪。封着口不容開。終朝有日得明白。暗使着小乖。明粧着老呆。捨着箇好的丢。留着箇歹的在。（蕭爽齋樂府）

使盡了百樣心。討不的一句話。越閙阻越情洽。空教就裏使奸猾。拚了箇遺發。誰伏你管轄。你那裏伴意兒摔。我這裏指名兒罵。（蕭爽齋樂府）

他自道開不的交。我只説攏不的帳。鼻凹裏抹砂糖。何曾得到口中嘗。空嚷了一場。暗着了幾槍。省可裏到不的邊。急流裏下不的槍。（蕭爽齋樂府）

【南仙吕入雙調玉抱肚】

春閨集唐詩結尾五首[三六]

笑他心性。這些時全無志誠。輕狂如風裏楊花。飄零似水上浮萍。水流花謝兩無情。十二樓中月自明。（蕭爽齋樂府）

別來容貌。對粧臺蛾眉懶描。梨花院閒殺鞦韆。牡丹亭睡損鮫綃。青山隱隱水迢迢。
腸斷春風爲玉簫。（蕭爽齋樂府）

歸期未準。盼多情空勞夢魂。闌珊盡月夕花朝。生疏了舞袖歌裙。誰家池上又逢春。
不見當年勸酒人。（蕭爽齋樂府）

相思情債。悶厭厭何曾下懷。風兒颼吹透疏欞。雨兒淋滴盡空堦。何因吹送落花來。
幾度呼童掃不開。（蕭爽齋樂府）

冰肌瘦損。也只因當初那人。空將箇軟玉温香。翻騰做怨雨愁雲。月明花落又黄昏。
争奈君恩别處新。（蕭爽齋樂府）

秋閨集唐詩結尾五首〔三七〕

一天新爽。想當日春風畫堂。逡巡閒過了清明。省可里又早重陽。桂花吹盡月中香。
此夜嫦娥應斷腸。（蕭爽齋樂府）

當時分首。漸春歸看看到秋。向斜陽鷗鷺洲邊。對西風楊柳樓頭。思君不見下渝州。
人自傷心水自流。（蕭爽齋樂府）

佳人才子。歎當年相逢已遲。芙蓉冷狼籍秋香。海棠嬌想像風姿。如今不似洛陽時。

露葉如啼欲恨誰。（蕭爽齋樂府）

機中織錦。訴離愁山高水深。緑窗幽忍負佳期。朱絃斷可惜知音。更無消息到而今。

碧海青天夜夜心。（蕭爽齋樂府）

孤幃獨守。冷清清寒燈半篝。這些時夢繞巫山。終朝裏目斷秦樓。暮天新雁起沙洲。

水緑蘋香人自愁。（蕭爽齋樂府）

【北雙調清江引】

酬美人饋酥餅〔二八〕

香酥軟鋪綿細疊。玉手摶冰雪。輕匀臉上春。漸吐懷中月。舌尖上試嘗着滋味別。

（蕭爽齋樂府）

酬美人饋香茶〔二九〕

桂花餅兒勞寄我。是你親調和。酥含齒上香。軟沁舌尖唾。夜深醒來猶半顆。（蕭爽齋樂府）

贈美人染指

鳳仙採來常自染。不許傍人占。金盆夜似膏。銀甲朝如茜。白蓮瓣頭紅一點。（蕭爽齋樂府）

紗扇

輕絲挽紅紗細翦。巧貼做合歡扇。嬌籠菡萏芽。笑掩芙蓉面。怎隄防有人先過眼。（蕭爽齋樂府）

繡囊〔三〇〕

香羅紫囊親自解。常則要收得在。桃成並蒂花。繫向同心帶。失落了有錢無處買。（蕭爽齋樂府）

玉梳

青絲嚲雲雲半缺。掩暎着初生月。金鬆螺髻偏。玉小羊脂趄。春纖嬾扶將墜也。（蕭爽齋樂府）

古　鏡

菱花鏡兒清似水。常則是空相對。誰憐我別離。偏照人憔悴。幾番爲他羞見你。（蕭爽齋樂府）

【南雙調鎖南枝】

風情集常言四首〔三〕

浮皮兒好。外面兒光。頭髮梢兒裏使貫香。多大箇倈兒。也來學衝象。那些箇捏着疼。爬着癢。頭上敲。腳下響。（蕭爽齋樂府）

堅如石。冷似冰。識不透你心腸兒横竪生。只管里滿口胡柴。倒把人拴縛定。誰撇虛。誰志誠。人的名。樹的影。（蕭爽齋樂府）

當不的取。筭不的包。過的橋來還拆橋。動不動熱臉子鎗白。冷鍋裏豆兒炮。不是煎。便是炒。瓜兒多。子兒少。（蕭爽齋樂府）

麵不是麵。油不是油。鴨蛋裏還來尋骨頭。瘦殺的羔兒。他是塊真羊肉。見面的情。背地裏口。不聽升。只聽斗。（蕭爽齋樂府）

風情集常言四首〔三〕

閒言來嗑。野話兒劖。偷嘴的猫兒分外饞。只管里嚇鬼瞞神。喫的明喫不的暗。搭上了他。瞞定了俺。七個頭。八個膽。（蕭爽齋樂府）

長三丈。闊八尺。説來的話兒葫蘆提。每日家帶醉徉醒。没氣的還尋氣。假若你瞞了心。昧了己。一尺天。一尺地。（蕭爽齋樂府）

心腸兒窄。性氣兒粗。聽的風來就是雨。尚兀自撥火挑燈。一密里添鹽加醋。前怕狼。後怕虎。篩破的鑼。擂破的鼓。（蕭爽齋樂府）

撒甚麽唔。賣甚麽乖。三尺門兒難自開。把我那一擔恩情。都漾做黄虀菜。説着不聽。罵着不睬。山不移。性不改。（蕭爽齋樂府）

【南正宫玉芙蓉】

四時閨怨四首〔三〕

春風歲歲來。春病年年害。惜花心牽惹愁懷。喬才負我心腸歹。薄倖撩人情性乖。

人何在。把行踪謾猜。這些時粉香消。常是淚盈腮。（蕭爽齋樂府）

長天暑未消。長恨何時了。玉肌柔倦倚冰綃。妝臺羞對花如貌。舞袖空憐柳似腰。人不到。把盟香暗燒。這些時粉香消。常是淚珠拋。（蕭爽齋樂府）

新涼咽暮蟬。新月羞團扇。悔當初誓說星前。雕龍不鎖鴛鴦殿。錦帕空遺翡翠鈿。人不見。對黃花自憐。這些時粉香消。常是淚潺湲。（蕭爽齋樂府）

殘燈照鳳幃。殘夢驚鴛被。透紗窗幾陣寒威。天涯有路書難寄。枕上無言恨自知。人不至。枉行思坐思。這些時粉香消。常是淚如絲。（蕭爽齋樂府）

【南中呂駐雲飛】

麗　情二首〔三四〕

一幅羅巾。提起依然有淚痕。欲寄心頭恨。誰遞花間信。君。斷夢與勞魂。再托芳尊。難解真愁。還把金錢問。十二巫山一片雲。（蕭爽齋樂府）

一點殘燈。倚遍西窗翡翠屏。銀漢連天淨。玉漏催人定。卿。何處更調箏。月朗風清。深掩重門。依舊成孤另。想像高唐夢未成。（蕭爽齋樂府）

【北仙呂一半兒】

閨　情二首

飄零江上採蓮舟。冷落天涯燕子樓。老卻春風杜若洲。爲誰留。一半兒因花一半兒酒。（萧爽齋樂府）

幾年飄泊夢中思。兩字平安紙上題。人來猶未定歸期。問虛實。一半兒離愁一半兒喜。（萧爽齋樂府）

【北雙調水仙子帶折桂令】

邢雉山疥臥山莊戲投藥方

聞君多病臥山莊。外感全無盡內傷。猛然升表在肥膚上。是皮虛何待講。卻教他好肉上生瘡。有時節渾身作脹。到晚來四肢發癢。落得個雙手齊忙。恨年時爲害非常。覓得神醫傳與仙方。也不用和血的當歸。消風的羌活。敗毒的硫黃。單只用大楓子一停打樁。柏油燭兩分防荒。說枯礬殺水偏強。用花椒除濕爲良。再加上輕粉三分。

管教恁一掃精光。（北宮詞紀）

【北雙調沉醉東風】

嘲張尚舉

舊中的人人傾倒。新科的個個相交。行動時緊緊隨。相見時欣欣笑。儘陪些美酒嘉肴。無事沿門走一遭。又打聽春闈揭曉。（北宮詞紀）

嘲楊喫寺

口角兒何曾沾着佛法。脚跟兒踏遍了僧家。動不動八句詩。時不時一幅畫。祇圖些浪酒閑茶。管甚南朝四百八。一個個都着你喫煞。（北宮詞紀）

套　數

丙申年除夕〔三五〕

【北南吕一枝花】寒威正解權。暖律初傳信。星宫猶在丑。木德漸歸寅。雖然是兩歲平分。不争這畫角兒攛斷的今宵盡。怎禁他曉鐘兒促迫的明歲緊。便總然添得些春色無多。卻又早減去箇年華半瞬。

【梁州第七】我則見鬧炒炒神儺烈竹。亂紛紛荼壘懸門。況逢着初陽暗裏交殘閏。我將這金花細翦。寶炬齊焚。早難道賢愚共俗。今古同聞。歎芳時快活殺王孫。恨儒冠誤賺了閒人。你便有顔子賢免不的婦不織男不耕衣食關心。宋玉才賣不出神不驚鬼不怪文章打盹。向平高遣不去兒不成女不就嫁娶纏魂。自思。自忖。窮通只合由天分。送甚麽窮鬼文。說甚麽錢神論。且戀着深夜寒燈酒半温。也當箇送舊迎新。

【隔尾】盼着那青陽黄道開新運。儘着他翠軟紅嬌媚早春。一任教黄虀白髮挨孤困。自我這無官的守身。無錢的守貧。安樂窩中到頭穩。（蕭爽齋樂府）

南北中吕合套

重過蔣南泠休園有懷〔三六〕

【粉蝶兒北】翠竹軒窗。掩暎着緑槐門巷。淡濛濛煙鎖垂楊。帶隋隄。連晉苑。恍疑是習家池上。想當日醉倒高陽。那裏也唱銅鞮恁般豪放。

【泣顔回南】細路遶羊腸。福地從來蕭爽。愛梨花院落。更和柳絮池塘。追遊宴賞。正融融煖日春駘蕩。歌唇似花吐猩紅。舞裙如柳染鶯黄。

【石榴花北】自被那賣花聲驚起了睡鴛鴦。武陵源何處覓漁郎。見放着五湖春水帶三江。趁東風畫槳。載細雨紅香。我這裏敞南樓明月看看上。捲簾時無限風光。雖無甚錦層層金谷藏春幛。自他那浣花溪不弱似午橋莊。

【泣顔回南】江鄉芳草帶斜陽。落花滿地文章。丹青想像。分明一段瀟湘。臨風鼓掌。喜金蕉依舊羅屏幛。儘山深臥穩煙霞。任江空歌徹滄浪。

【鬭鵪鶉北】早難道寺遠林疏。常聽的鐘鳴鼓響。不争他水秀山明。暢好是年豐歲穰。莫怪我新來飲興長。怕園林春去忙。儘着箇翠軟紅嬌。一任教蜂勞蝶攘。

【撲燈蛾南】漸新篁出短牆。正乳燕繞雕梁。向登臨幾回開笑口。斜倚定紫藤鳩杖。忽聽的雞聲人語。怎知他竹掩梅藏。剛落箇繁華過眼。又一番野塘新雨芰荷香。

【上小樓北】天開成緑野堂。門臨着濯錦江。見了些萬頃波濤。三徑松筠。十畝柴桑。早難道勝地不常。盛筵難再。故人無恙。不覺的對西風暗添惆悵。

【撲燈蛾南】放懷處天高地廣。賞心時風清月朗。留連着良夜歡。提攜着長劍舞。安排下淺斟低唱。眼見的金飈送爽。怎禁他玉露凋傷。赤緊的流光逝水。卻又早碧梧涼影墮銀床。

【尾聲北】對南山苦憶陶元亮。待到東籬菊正黃。乘興還來倒玉缸。（蕭爽齋樂府）

早春西園宴集贈徐王孫[三七]

【北黄鍾醉花陰】嫩柳雛鶯報春早。春色到梁園多少。寒已退雪纔消。細雨如膏。漸滿地生芳草。道月夕與花朝。歌舞叢中翠紅繞。

【喜遷鶯】見彩鸞黄鶴。向瑶空擁下金鰲。雲飄。正星輝月皎。十二闌干花影摇。天氣好。透羅幃煖回春信。沁銀瓶香吐梅梢。

【出隊子】一簇兒綵花金誥。耀龍紋宮錦袍。繡屏開宴飲羊羔。畫棟凝香補燕巢。但願長春人不老。

【幺篇】花霧裏銀箏斜抱。粉香中檀板敲。再陳水陸出珍庖。重按霓裳舞細腰。更染霜毫揮醉稿。

【刮地風】見塵寰驀然成海島。鳳樓中幾度吹簫。牡丹亭歌徹清平調。簾捲生綃。出瓊林九醞葡萄。獻瑶池千載蟠桃。海棠嬌。芍藥嫩。天付妖嬈。怯荼蘼香夢老。愛梨花淺淡粧描。

【四門子】天桃豔李兼含笑。問春工何太巧。金樽莫惜頻傾倒。賞芳時須及早。花擁着堤。柳拂着橋。指湖山遠通雲竇。小蜂陣兒。狂蝶翅兒。飄趁清波一雙嬌鳥。

【古水仙子】喜相逢皆俊髦。聽了他白雪陽春曲轉高。剛道是文雅桓伊。不争這風流袁紹。一箇箇吐襟懷雲漢表。怎教他公孫弘不重東閣。白馬翩翩壓錦貂。戟門朱履金花帽。還來學吹笙江上覓王喬。

【尾聲】錦繡園林見應少。儘千金一刻春宵。尚兀自賞不盡風光無限好。（蕭爽齋樂府）

寄懷滄洲李舜卿〔三八〕

【北商調集賢賓】自別來嬾斟花下酒。非酒病爲花羞。花有意難傳幽恨。酒無情不解真愁。近新來滿眼傷春。更和那困人晴晝。梨花院落芳杜洲。拚了個雨拖雲逗。這些時楚天高遊。雨散巫峽遠彩雲收。

【掛金索】常記的低簌珠簾。露濕湘紋皺。深鎖蘭堂。人在湖山後。慢理瑤箏。指滑冰弦溜。困倚薰籠。香暖流蘇透。

【金菊香】到而今餘情都付水長流。往事難將筆盡鈎。苑邊落花堤畔柳。誰共追遊。羞燕語妬鶯喉。

【醋葫蘆】我這裏盼泥金小柬遲。寄香羅離恨久。近新來御溝紅葉傍誰流。常則是牢繫在心苗閒掛在口。不離了黄昏清晝。到而今碧雲明月兩悠悠。

【後庭花】想當初睡鴛鴦沙上偶。今日箇折鸞凰枝上友。想當初醉夜月芙蓉帳。今日箇鎖春風楊枝樓。想當初乍相離剛暮秋。挨過了春前春後。我這裏望天台雲又稠。指藍橋水暗流。盼桃源花盡休。遊絲兒抓斷了頭。靈鼉兒占罷了手。喜鵲兒啼破了口。

【青歌兒】這幾時精神精神僝僽。語言語言差謬。總把新詞訴舊愁。曲載蘭舟。淚濕江州。人阻青樓。惱亂蘇州。望不斷碧天銀漢遠横秋。歸雁杳驚鴻驟。

【金菊香】當日箇寶簪曾爲故人留。到而今錦字翻成薄倖羞。金鈿剖來和淚收。早則是相會無由。一件件在心頭。

【浪裏來煞】春殘花事餘。秋老人歸後。半年來猶自夢滄州。花間按歌燈下酒。盼不見翠裙紅袖。好教我傷春來已復悲秋。（蕭爽齋樂府）

雪夜集高玉機草堂〔三九〕

【北雙調新水令】海天寥廓凍雲同。霎時間遍天街一場風。送玉蟾光漸吐。銀漢影初横。相會匆匆。漫傾倒市頭甕。

【駐馬聽】酒釃杯濃。雲母屏前香種種。夜深簾控。梅花枝上月溶溶。誰呼巽二駕驪龍。頓令騰六黐珠蚌。苦留連。更漏永。主人情意偏教重。

【雁兒落】想着他尋詩的興不同。訪友的情難共。恰妝成蕉葉圖。誰打破梨花夢。

【得勝令】見放着六出泄春工。三白兆年豐。説甚麼羝尾狐裘破。儘着他羊羔錦帳重。玲瓏。一密裏歌喉送。朦朧。百忙的醉眼慵。

【川撥棹】我和你乍相逢。分明的擅南州高士風。到而今誰識人龍。自笑宴鴻。枉費雕蟲。不入非熊。儘着他文德武功。下場頭都是哄。

【七弟兄】看着你眼空。志雄。氣如虹。管甚麼三略淮夷頌。上不的千載景陽鐘。再休提一枕邯鄲夢。

【梅花酒】我和你志已同。短棹孤篷。浪跡浮踪。翠篠青松。這搭兒權和哄。誰不道老王通。更何人似孔融。白着眼傲五公。掀着脚跨豪雄。納着頭訪詩翁。攜着手覓仙風。

【收江南】恰纔箇光摇銀海眩西東。天邊時出兩三峰。燒殘銀燭夜堂空。把黄紬自擁。一任教黑甜鄉外日生紅。（蕭爽齋樂府）

酬梁保定

【北南吕一枝花】雲臺舊策勳。麟閣新圖畫。簪纓百世澤。茆土五侯家。安享榮華。身隨着錦爛爛五鳳雲中駕。手披着碧粼粼雙龍背上甲。見放着高聳聳報德金貂。怎忘卻赤碌碌收功汗馬。

【梁州第七】常好是近臣知天顔有喜。遠人懷帝德無涯。見而今太平景象昭夷夏。衣冠世美。禮樂京華。朱輪絳節。大纛高牙。説家藏半卷丹書。指皇宣幾道白麻。止不過伊周事業。更和這孔孟言詞。且休提湯武征伐。世家。大雅。不争你三千劍客居門下。甚的是漢爲王楚爲霸。别有箇酒伴詩朋興趣佳。少甚麽秋月春花。

【隔尾】從來禮數知寛大。更比儒生多俊雅。早難道布袍軒冕同聲價。愛你箇孟參軍曠達。庾元規瀟灑。將俺那嵇叔夜風情調弄發。（蕭爽齋樂府）

南北南吕合套

過吴七泉山居〔四〇〕

【梧桐樹南】生來灑落懷。還盡風流債。酒友詩朋。一任誇豪邁。鶯期與燕約。總是春拖帶。蝶夢與蜂魂。枉被花禁害。麗春園贏得名兒在。

【罵玉郎北】閒來一枕青山外。甚的是南柳市北花街。見而今白雲久隔紅塵陌。糊塗了三百杯。打熬出三萬場。超脱盡三千界。

【東甌令南】閒亭榭。小樓臺。半畝方塘一鑑開。好山似畫溪如帶。粧點出煙霞寨。桃花流水偏天台。切莫引世人來。

【感皇恩北】儘着他春去秋來。霧鎖雲埋。吟不就杜陵詩。寫不出王維畫。賦不盡子雲才。自然鋪敘。誰與安排。清風振麗澤堂。淡煙生水竹塢。明月滿掛蘭齋堂塢齋皆其所築也。

【浣溪沙南】鶴唳中。猿啼外。别一箇幽雅襟懷。不爭你玲瓏剔透疏狂態。雪月風花錦繡排。無處買。這的是洛陽隄壽春莊。有人緑野重開。

【採茶歌北】青松嶺手親栽。緑荷裳手親裁。陶潛元是舊彭澤。落得箇日出三竿殘睡醒。少甚麽月明千里故人來。

【尾聲南】酒三行歌一派。紫藤鳩杖白芒鞋。隨處春風不用買。（蕭爽齋樂府）

送汪小村歸廣陵〔四二〕

【北仙吕點絳唇】四海高情。五湖佳興。詩中景。都收入半卷丹青。落魄煞拍手歌隨心令。

【混江龍】他可也樂天知命。不通姓字不言名。漁樵故侶。鷗鷺閒盟。歡樂較多愁較少。道情爲重利爲輕。身不離棋枰藥裹。口常談酒頌茶經。滿面兒春風和氣。一腔兒秋水澄清。

【天下樂】落得箇半世青袍白髮生。想着他前程。水上萍。暢好是哭窮途阮步兵。纔看破眼角兒怕待睜。慣轉動腳跟兒怕待行。剛温熱心腸兒怕待冷。

【那吒令】想着他與風雲狀形。筆精于右丞。托江山寄情。詩工于少陵。今日箇困林泉此生。氣平于禰衡。甘守着原憲貧。枉躭了相如病。常自惺惺。

【鵲踏枝】愛你箇老先生。最多情。不忘了十載交遊。又無甚千里途程。駕着箇苕溪小艇。緊彎住曲水閒亭。

【寄生草】只把你爲平仲。休猜咱是管寧。我和你五侯七貴曾相並。幾番家九衢六市閒相競。看了些千紅萬紫争相勝。還只待新篘一醉洞庭春。誰承望故人三疊陽關令。

【幺篇】漸漸的秋容改。看看的暮景生。我只見半天殘照風帆。正數聲短笛漁舟横。霎時間一江涼月蘆花暎。明朝騎鶴上揚州。何時載酒來陶徑。

【六幺序】聽落葉千林響。正潮回兩岸平。最相關此際離情。你可甚門掩孤檠。漏下三更。尚猶自擁寒衾夢繞金陵。我這裏愁心況復逢衰病。怎禁他一片秋聲。芙蓉未老霜華冷。驀忽地涼飈漸起。殘月猶明。

【賺煞尾】還將來歲盟。重與今宵訂。須記得江南風景。切莫教霜寒雁影。等閒間花老鶯聲。錦層層。只恁般水秀山明。依舊王孫芳草青。遮莫你樓書着摘星。橋題着廣陵。争如俺莫愁湖畔石頭城。（蕭爽齋樂府）

南北雙調合套

吴門春泛〔四二〕

【新水令北】春光二月滿姑蘇。正瀰漫柳煙花霧。煖風薰醉眼。寶馬趁香車。縹緲雲裾。邀仙子坐天路。

【二犯江兒水南】恰初晴江上雨。有緑水青山無數。分明是幻瑶宫嘘洞府，見山明疊翠。水繞平蕪。花軟趁蜂鬚。泥香飛燕雛。漫説西湖。争似東吴。果然的並燕歌兼趙舞。看幾處丹青畫圖。更一代風流人物。端的是俯千秋高萬古。

【雁兒落帶過得勝令北】我則見天連震澤湖。水繞楓橋渡。清風陸羽泉。落日梁鴻墓。此地是仙都。何處訪蓬壺。雨過山偏好。人歸鳥自呼。笙竽。正天籟鳴琪樹。雲衢。漸靈風響玉除。

【夜行船序南】懷古。笑殺强吴。歎當年誰覆。一抔黄土。傷情處剩水殘山空餘。丘墟。多少春光。來往遊人。幾番烏兔。風雨。但尋常宫闕又成禾黍。

【川撥棹北】我恰纔怨陶朱。載西施浮子胥。到而今野店荒壚。細柳新蒲。芳草長途。廢沼平湖。尚猶自蘭橈畫櫓。怎教他春做主。

【孝南歌南】春猶戀。酒再酤。明日看花花有無。金犢駐游車。玉碗洗行厨。喜相逢吹簫伴侣。行盡旗亭。和不就陽春句。山氣佳。人影疏。樓外樓。渡傍渡。

【清江引北】桃源望來何處所。笑咫尺迷歸路。樓船天上回。簫鼓雲中度。江頭小蟾猶半吐。

【尾聲南】切莫教鶯花漸老春光去。攛斷的芳心無主。把歡娱恁般孤負。（蕭爽齋樂府）

元夕武静軒友于堂宴集[四三]

【北雙調新水令】聚星堂粧點做蕊珠宫。正歡娱一年初動。月明天萬里。燈燦錦千重。十二簾櫳。珠絡簌玉鈎控。

【駐馬聽】寶髻盤龍。一派霓裳紅袖擁。碧簫銜鳳。兩行雲珮絳紗籠。香風不斷綺羅叢。紫霞偏鎖瑠璃洞。看天街人亂冗。少甚麽六朝佳麗風流種。

【雁兒落】我則見春香掌上生。春意懷中動。春聲雲外來。春色簷前弄。

【得勝令】這的是春滿畫堂中。人在錦屏東。玉漏三更下。銀河一水通。雝雝。每夜笙歌共。匆匆。誰家笑語同。

【甜水令】喜的是四海昇平。萬民鼓舞。千年歌頌。準備下三祝獻華封。只爲他荊樹聯芳。燕山並美。謝池同夢。因此上一堂和氣藹春風。

【清江引】良時況值清宵永。一刻千金重。重開花底筵。再解牀頭甕。把金尊笑吟吟燈下捧。

【梅花酒】看他每興轉濃。騰駕飛虹。浩發天風。縹緲仙踪。隔蓬萊山色重。望瑤池海天空。更扶桑向東。煙靄靄霧濛濛。春蕩蕩煖融融。星燦爛斗縱橫。歌白雪奏黃鐘。魂夢裏畫圖中。

【收江南】霎時間彩雲飛下九華峰。畫樓撞斷五更鐘。尚猶自錦堂銀燭影揺紅。歎閻浮易哄。人生此樂最難逢。（蕭爽齋樂府）

冬夜譚平橋江霞館宴集〔四四〕

【南商調金索掛梧桐】茅堂夜正寒。竹院風初透。短炬高檠。坐徹沉沉漏。長空漸覺移珠斗。香老梅花。影落孤山瘦。雲暗江天。聲斷驚鴻驟。天涯幸與同杯酒。

【東甌令】重開宴。復藏鬮。秉燭何妨夜夜遊。風流那在他人後。詩酒聖。江山秀。六朝煙月五湖秋。都一樣錦囊收。

【皂羅袍】一任你紅塵拖逗。笑黄粱易醒。白雪難酬。籬邊誰放剡溪舟。門前自種先生柳。月明天際。爲君少留。雪晴江上。爲君少留。相逢更道何時又。

【尾聲】瞬息間新春候。有花還可插盈頭。人世難逢開笑口。（蕭爽齋樂府）

曉發北河道中〔四五〕

【北雙調新水令】曉鐘殘月亂雞聲。我這裏望長河水天相暎。餘薰香未冷。殘睡酒初醒。薄利浮名。鎖不住故園興。

【雁兒落】我則見煙空草際平。雨洗山光浄。幾聲霜杵高。一點風帆正。

【得勝令】千里盼歸程。萬種切離情。松菊三秋老。風塵兩鬢星。伶仃。酒病兼愁病。飄零。長亭更短亭。

【落梅風】干了些朱門貴。謁了些黃閣卿。將他那五陵車馬跟隨定。把兩片破皮鞋磨的來無踪影。落一箇腳跟乾浄。

【慶東原】那裏也鳴孤鳳。何曾是釣巨鯨。臥龍的終久逢三聘。空惹的心離了管寧。情疏了晏平。義絶了張衡。還自待擔書策走齊滕。奮羽翼遊梁鄧。

【川撥棹】我而今盼不的到秣陵。水雲深霜露冷。鷺約鷗盟。鶴唳猿聲。月榭風亭。酒伴詩評。到處裏幽溪峻嶺。有誰來閒論爭。

【梅花酒】只恁般假志誠。攜手兒同行。笑臉兒相迎。滿口兒應承。他恰纔眼角兒不睁。我可甚耳朵兒偏靈。這塔兒須記省。誰拙也誰能。誰濁也誰清。枉了我營營。誤了我惺惺。辭別了賢兒。歸去也先生。

【收江南】我只待閒來江上坐吹笙。幾回花底聽調箏。等閒風浪不須驚。休得要再逞。青袍今已誤儒生。（蕭爽齋樂府）

南北黄鍾合套

壽徐太傅[四六]

【醉花陰北】威德當朝震寰宇。扶日月光臨九土。歌麟趾美騶。虞玉牒金書。歷萬載昭千古。看天上奉鸞輿。穆穆清風仲山甫。

【畫眉序南】夔契佐唐虞。整頓商周在伊吕。見八朝經濟。一代規模。立嚴嚴太華孤峰。當屹屹中流砥柱。世無昔日推房杜。於今不數夷吾。

【喜遷鶯北】似長城般遮護。保東南瘴癘全無。誰如。歎開疆展土。端的是首建麒麟閣上圖。天付與。弘景運林鐘乍叶。際明時真宰方儲。

【畫眉序南】崧嶽降神初。纔見生申又生甫。正百靈垂祐。萬象昭福。日曈曈鸞誥齊頒。星粲粲龍珠雙吐。紫姑謾説神仙府。人間自有蓬壺。

【出隊子北】剛道是九華仙部。聽清歌聞妙舞。分明小玉慣通書。彷彿飛瓊暗步虚。道上品天厨臨帝居。

【神仗兒南】南薰卻暑。縹緲丹梯。逍遥玄圃。望中淡煙輕霧。露瀼瀼靈芝瑞草。異花奇樹。風飄落綵霞裾。香散滿碧紗厨。

【刮地風北】見見見長虹飛一縷。早黄鶴走下天衢。玳筵前好景應無數。緑柳紅蕖。雕闌護百尺珊瑚。金屏貯九節菖蒲。水晶圍。珠翠繞。人在清虚。藕絲陳冰簟鋪。注瓊漿紫玉盤盂。

【神仗兒南】擁出先天混元祖。共嬰兒和姹女。羽蓋霓幢。來往相逐。鶴髪虬髯齊拜呼。説蟠桃今又熟。

【四門子北】儘佳山麗水天然趣。一箇箇獻神龜呈寶鹿。錦堂中交錯皆奇物。道誇今還耀古。龍引着駒。鳳引着雛。王侯家本爲天眷屬。河出着圖。洛出着書。少甚麽蟬聯珪組。

【鬧樊樓南】將相雙權。兵農共撫。願康寧享百禄。願壽考增五福。籌添海屋。共神人永安樂土。

【古水仙子北】我我我願有餘。他他他世守河山帶礪書。喜喜喜豐樂時年。剛剛剛太平節序。他他他把妖氛盡掃除。我我我唱雲謡再進醽醁。柏葉椒花頌怎如。有一日染丹砂和入金莖露。爲公作三祝華封圖。

【尾聲南】楚元王開下招賢路。越顯的經文濟武。卻笑申公是腐儒。（蕭爽齋樂府）

寄情〔四七〕

【南南呂青衲襖】彈香肩鬆臂金。試春羅寬帶錦。這些時恁把生綃理針紝。羞將寶鴨添水沉。自別來只到今。幾曾時放下心。不能勾一霎徘徊兩意綢繆。只落箇孤眠獨寢。

【五更轉】閒鳳綃。虛鴛錦。誰與同珊枕。淒涼此際難消任。何事相如。薄情恁。到而今。猶記得。花前飲。瑣窗寂靜空顛窨。彷彿逢君。梅花月蔭。

【東甌令】盼不的腮邊枕。口中噙。只會向陽臺夢兒裏尋。桃花露冷胭脂沁。滴淚滿衫兒袵。畫闌東畔粉牆陰。無奈漏沉沉。

【大迓鼓】逢人。曾細審。奈紫鸞聲杳。錦鯉音沉。自把閒愁禁。怎當他夕陽芳草。暮靄平林。拚卻風流鬼病侵。

【浣溪沙】他負心。特恁甚。苦一似肺腑簽針。金錢不準年來讖。錦瑟空閒月下吟。身凜凜。不由人失迷魂。没合煞爲他吊膽提心。

【節節高】愁容著意臨。漫思尋。幾番欲寫還廝噤。難自禁。因些甚。霜毫血蘸尖兒浸。綵牋墨灑行兒淋。一緘離思逐雲飛。滿身香汗和衣滲。

【金蓮子】寄信音。多情若見機中錦。知他是長吟也短吟。不甫能剛離遠水。又阻修岑。

【尾聲】有一日終須恁大拚。一片志誠心。將他那山海樣恩情付與您。（蕭爽齋樂府）

湯沂東海上凱歌〔四八〕

【北雙調新水令】元戎十月凱歌旋。定天山止憑了三箭。劍橫征袖冷。血染戰袍鮮。掃蕩了瘴海蠻煙。齊列着太平宴。

【駐馬聽】想當初蔽日遮天。百里旗旛衝即斷。奔雷逐電。兩行衣甲射皆穿。秦兵自合笑苻堅。楚人未可輕王翦。這其間功最顯。赤緊的東風又與周郎便。

【雁兒落】他他曾身當着虎豹關。今日箇手捧定蛟龍券。他他曾陣開着魚鳥圖。今日箇名列在麒麟殿。

【得勝令】單倚着三尺舊龍泉。一柱可擎天。白玉腰間帶。黄金肘後懸。淩煙。破胡虜張仁願。燕然。卻秦軍魯仲連。

【甜水令】也是他銳意三邊。威聲萬里。丹心一片。眼見的滄海變桑田。見而今畫戟朱輪。玉關金鎖。綸巾羽扇。落得箇清露飲貂蟬。

【川撥棹】常只是掌威權。剖三刑明六典。還自待拔俊登賢。濟困扶顛。把圯上兵書一卷。保皇圖成宴然。

【梅花酒】耳聽着帝主宣。戎馬翩翩。征鼓闐闐。笑語喧喧。況值着豐稔年。邊塞上枕戈眠。把妖氛都盡捲。瞻舜日樂堯天。歌君德頌臣賢。歸農業復民廛。清疆宇浄川原。時雨降惠風扇。

【收江南】我則見壺漿十里湧流泉。笙歌百隊滿樓船。丈夫意氣小祁連。看收兵罷戰。春風環珮好朝天。（蕭爽齋樂府）

王西莊宴集〔四九〕

【北越調鬬鵪鶉】煙水千折。雲山萬疊。雨洗孤村。天垂四野。遠霽飛虹。驚湍噴雪。景自別。意自愜。喜的是歲稔年豐。愛的是人靈地傑。

【紫花兒序】見遠近野橋横帶。出西東小徑回通。儘參差怪石欹斜。槿籬低護。松障平截。奇絶。行盡春風路轉賒。看了這錦亭芳榭。更花颭蜂鬚。柳軟鶯舌。

【金蕉葉】我則道隱仙源桃花暗接。卻原是隔塵寰扶桑半遮。聽淅淅靈風亂趄。正冉冉幽香漸泄。

【調笑令】暢好是這些。再添設。見而今美景良辰厮輳者。想風流自有東山謝。笑石家金谷豪奢。又不比序蘭亭的枉自嗟。卻與那賦歸來的意趣相協。

【禿厮兒】這的是開東閣張羅了俊傑。不爭你臥南陽埋伏着龍蛇。比着那西園北海分外的別。到頭來樂事有差迭。癡呆。

【小桃紅】果然的醉鄉花趁玉山斜。能幾箇千金夜。況逢着有花兼有月。省可裏共歡悦。月團圝花又無凋謝。這其間遊人氣俠。主人情切。風景不須賒。

【聖藥王】酒未竭。席未徹。一任教翠擁與紅遮。歌暫輟。舞暫歇。管甚麼釵𩎐與簪折。明日再相挈。

【尾聲】繁華併入農桑社。占斷了五湖煙月。從今後儘杜甫做詩題。任王維當畫寫。

（蕭爽齋樂府）

送吴懷梅還歙[五〇]

【北雙調新水令】煖風芳草徧天涯。帶滄江遠山一抹。六朝隄畔柳。三月寺邊花。離緒交雜。說不盡去時話。

【駐馬聽】少日豪華。狼藉千金頻試馬。當年聲價。飄零數載遠攜家。巖頭空自老桑麻。眼前那得辭婚嫁。總留連無半霎。赤緊的歸心漸遠都門下。

【雁兒落】我則見西風雙槳鳴。落日孤帆掛。鶯聲巧似簧。山色明如畫。

【得勝令】空對着野水漾晴沙。老樹噪昏鴉。樞浦招漁艇。前村問酒家。行咱。客舍逢初夏。觀咱。長天暎晚霞。

【川撥棹】我和你舊情洽。鬧塲兒閒戲耍。你可甚判柳評花。唤酒呼茶。嫩蕋奇葩。翠袖紅牙。别一個襟懷瀟灑。笑春風兩鬢華。

【七弟兄】遮莫你敬咱。愛咱。總非他。只爲我慣風情不在他人下。弄風騷羞向外人誇。逞風流一任傍人駡。

【梅花酒】你那裏風景佳。有萬頃煙霞。誦一卷南華。就九轉丹砂。栽兩行陶令柳。種幾畝邵侯瓜。這塔兒快活殺。有一日臨帝闕載仙槎。乘彩鳳握黄麻。鳴四海震三巴。

【收江南】霎時間溶溶月色上檐枒。趁着箇離離花影過窗紗。幾能勾笑沽春酒到君家。下陳蕃舊榻。再將幽恨訴琵琶。（蕭爽齋樂府）

朱企齋園亭賞大紅牡丹[五二]

【北仙吕點絳唇】麗日偏長。煖風初蕩。亭臺上。多少春光。堪與遊人賞。

【混江龍】這的是主人清況。等閒開宴出紅粧。絳羅高捲。繡幕低張。萬種妖嬈誇國色。十分佳麗逞天香。喜孜孜輕颭石榴裙。顫巍巍嬌閃芙蓉帳。想當日羞稱魏紫。到而今誰數姚黃。

【油葫蘆】自古名園說洛陽。試看那月波隄棠棣坊。一任教五陵豪貴盡争强。那裏也蜂蝶閒來往。儘着他桃李争開放。歎芳時有幾多。賞花時能幾塲。早蕭蕭白髮三千丈。怎禁他春色笑人忙。

【天下樂】看了這笑臉生春酒暈香。新粧。點胭脂上。海棠恰勝似列金釵十二行。自你那買花錢不害疼。惜花心偏較癢。還只待醉佳人錦瑟傍。

【那吒令】纔出的洞房。溼浸浸露凉。剛行過粉牆。煖融融日光。恰來到畫堂。漸微雨香。金粧成西子圖。玉碾就楊妃像。怎教他美名兒不占花王。

【鵲踏枝】我這裏細度量。不尋常。着句兒推敲。好話兒包藏。不争你能培慣養。落得箇豔抹濃粧。

【寄生草】也不用元興賦三千字。也不用太白詩一兩章。常只要名花歲歲尊前放。芳尊日日花前釀。清歌夜夜燈前唱。便有那美言詞序不盡。你好襟懷巧丹青畫不出他嬌模樣。

【賺煞尾】說風流衆怎如。論富貴花皆讓。況值着清和豔陽。燕子飛來簾半敞。醉淋漓舞袖郎當。轉迴廊。月色蒼蒼。猶自傳杯夜未央。剛離了芍藥圃傍。卻又早沉香亭上。愛你箇白頭翁常伴着紫雲娘。（蕭爽齋樂府）

送葉泮西内臺[五二]

【北正宫端正好】雪纔晴寒猶重。正扶桑曉日曈曈。宿酲未解離歌動。驚起幽人夢。

【滚繡毬】我恰纔望霓旌霄漢間。走天街塵霧中。也不知繞畫橋幾多車從。鳳臺西白鷺洲東。詩吟勾三五篇。酒斟來十數鍾。他那裏錦韉低控。紫貂裘斜壓青驄。迢遥江樹人千里。縹緲雲山路幾重。别恨匆匆。

【倘秀才】我只見風灑灑寒潮亂湧。煙漠漠孤峰半聳。回首天涯西復東。嗟浪跡。歎浮踪。離懷萬種。

【塞鴻秋】我這裏年來萬樹桃花洞。春來幾句椒花頌。閒來一枕梨花夢。醒來數曲梅花弄。雖爲堯舜農。不識商周貢。争如您孤鳴久作丹山鳳。

【脱布衫】本先朝禮樂名公。況傳家忠孝門風。論道德常遵周孔。説勳庸久推姚宋。

【小梁州】恰道當年許敬宗。慣追尋清白遺蹤。百年宦轍喜初通。還珍重。更詞氣靄雍雍。

【么篇】美才只合爲時用。豸袍寬滿面霜風。思雅致。懷高詠。止不過蹔時間陪奉。何一日再相逢。

【貨郎兒】又買了幾盞兒江頭新甕。急切裏醉不了我衰年老翁。見放着竹爐湯沸火初紅。那些箇暮雲春樹。渭北江東。只落的野渡無人舟自横。

【醉太平】從今後輕裝細雨。匹馬西風。行行遥聽景陽鐘。望天門九重。黄塵古道衝寒凍。青燈旅館添歸夢。白雲親舍覔征鴻。正值着暮冬。

【煞尾】南臺萬里重相送。北闕三年始奏功。那時節聖明端拱。九五飛龍。環珮春風。獨向新年荷新寵。（蕭爽齋樂府）

姚秋澗市隱園[五三]

【北南吕一枝花】靈源隱帝畿。勝蹟通仙苑。華林開廣畝。芳草接平原。雖然是城市相連。指碧海天邊。見望滄江雲外捲。四時中景色偏宜。六朝餘風流不淺。

【梁州第七】我則見鍾陵山千重翠靄。石頭城萬點蒼煙。更和那清溪一帶明如練。儘着他繁花曜日。老樹參天。一羣啼鳥。幾處鳴蟬。緑楊如陶令門前。紅蓮似周子溪邊。早難道吹臺高李白尋詩。習池佳山公醉酒。草堂幽揚子談玄。比着那息園。東橋顧氏築也。快園。髯仙徐氏築也。幾十年文物人争羡。發揚深品題偏。得箇王維畫輞川。意趣天然。

【罵玉郎】遮莫我春風醉眼翻歌扇。一處處列芳筵。玉林滿耳秋聲戰。帶瀟湘萬頃煙。愛中林堂更偏。自不見紅塵面。

【感皇恩】少甚麽容與臺前。春雨畦邊。觀生處静如山。思玄室大似斗。洗硯磯小如拳。一任教鷗波蕩漾。鶴徑盤旋。傍羲之鵝羣閣。近元規海月樓。當陸羽煮茶泉。

【採茶歌】浮玉橋繫漁船。秋影亭漱流泉。幽居萃止也陶然。更有那柳浪隄頭芙蓉館。興來還欲借菴眠。

【隔尾】醉深不覺遊人倦。樂極方知地主賢。越顯的白頭貴也黄金賤。有一日趁煙花滿川。載絲竹滿船。重把江湖酒量展。（蕭爽齋樂府）

春　晚〔五四〕

【南商調梧桐樹】鶯停柳外聲。燕繞梁間語。萬紫千紅。水面飄香絮。憑闌細把花期數。九十春光一點知何處。一寸柔腸。萬縷還千緒。那堪幾陣無情雨。

【東甌令】天涯路。老蘼蕪。舊日王孫歸去無。吴歌越吹青樓暮。多少銷魂處。東風無力倩誰扶。羞傅粉怨調朱。

【皂羅袍】冷落緑窗朱户。漸凋零寶馬香車。荼蘼香霧怯羅襦。桃花歌扇閒金縷。一簾清夢。偏驚杜宇。滿懷幽思。愁聞杜宇。芳心似共春無主。

【尾聲】把歡娱休孤負。還只待滿身花影倩人扶。醉倒黄公舊酒壚。（蕭爽齋樂府）

寄　情〔五五〕

【北雙調新水令】碧雲迢遞雁南征。鎖重門小窗人静。可憐清瘦影。羞對短長檠。愁緒牽縈。積漸的弄成病。

【駐馬聽】後約難憑。屈指佳期成畫餅。前言不應。惱人閒事阻歸程。幾番人去苦叮嚀。一紙書來勞記省。盼多情不見影。怎忘卻風流樣子温柔性。

【喬牌兒】只爲他椿椿兒且是能。件件兒都相稱。因此上出格的將他敬。恨不的口中噙頭上頂。

【雁兒落】憑着他今世情。也是咱前生命。據着咱今世盟。也是他前生定。

【得勝令】這些時冷落了翠幃屏。寂寞了錦香亭。漸漸的秋將盡。看看的春又生。歌聲。怕向樽前聽。砧聲。愁來枕上聽。

【甜水令】赤緊的白髮先疎。青衫易濕。紅顏薄命。空教我無語自招承。到而今錦鯉誰通。金烏易擲。緑鴛難並。怎教人不怨別離輕。

【折桂令】這些時悶厭厭數盡寒更。又無甚遠水遥山。空躭着薄利微名。常自孤零。有誰作伴。共我閒行。只恁般虚飄飄遊魂易醒。困騰騰殘醉難醒。風自多情。月自多情。雲也無憑。雨也無憑。

【尾聲】有一日煖雲重護鮫綃帡。別一箇畫屋春生。猶記的花前惆悵綺羅香。月底歸來珮環冷。（蕭爽齋樂府）

八十自壽〔五六〕

【北仙呂點絳唇】八十年來。三千里外。關西派。浪跡江淮。留得殘軀在。

【混江龍】今日箇幸逢昭代。宜家禮教未曾衰。喜的是唐虞善化。周召憐才。皇風正洽。紫氣重來。又無甚三徑松筠彭澤里。那裏也五陵車馬洛陽街。但逢人常結箇喜歡緣。算謀身止欠下風流債。畢罷了眼前婚嫁。消磨盡世外行骸。

【油葫蘆】想當時曾向齊門鼓瑟來。歎流光如過客。幾番花落又花開。出門苦恨江湖窄。到頭始覺乾坤大。歷冰霜枉了半生。困虀鹽勞了數載。伴着些采花人争向天街賣。落的箇燕妬與鶯猜。

【天下樂】見放着十里青山玄度宅。寄語同儕。不是我占場兒慣打乖。試看取傍青溪蕭爽齋。指桃源有路通。認天台無藥采。切莫引世人相逐來。

【那吒令】有時節騁懷。登李太白吹臺。有時節愴懷。慕阮嗣宗嘯臺。有時節放懷。過嚴子陵釣臺。但得箇到百年。這便是超三界。說甚麽閬苑蓬萊。

【鵲踏枝】也是我好安排。暗裁劃。受用足翠篠青松。白石蒼苔。若不是身離苦海。怎免的夢墮顛崖。

【寄生草】也不用平胡表。又何須安漢策。想楊雄老去玄心在。東坡酒醒禪心在。相如病起琴心在。憑着箇枯枰數子透仙關。常好是浩歌一曲鳴天籟。

【賺煞】樽酒舊藏醅。野圃新挑菜。座擁着春風醉客。早難道歲月都將麴蘗埋。儘逍遥布韈青鞋。見庭階。蘭桂爭開。少甚麽白髮烏紗照彩萊。喜故人不衰。願明時常泰。遥望着極天雨露徧枯荄。（蕭爽齋樂府）

嘲吴山人雪中招客游天界寺

【北南吕一枝花】常教酒欠錢。只把詩還債。江湖容易老。歲月好難捱。無計安排。

又恐怕親朋怪。强將葷素擺。那裏也樂陶陶雅集西園。怎如他喜孜孜尊開北海。

【梁州第七】他待學豪放朝朝走馬。逞風流日日登臺。揀了箇好時好節遊天界。請了些狂朋怪友。驚動了後巷前街。又無甚肥羊美酒。那裏也翠袖金釵。赤緊的着一場漫天雪。趕的來北走南奔被幾陣扇山風刮的來東倒西歪。一箇跑的來喘吁吁往僧舍忙鑽。一箇凍的來戰兢兢將村醪旋買。一箇餓的來荒張張把攢盒齊開。恰待要放懷。大賽。止不過殘魚剩肉和醃菜。喫的凶收的快。一箇箇都將空肚子捱。拿着箇佛主兒當災。

【罵玉郎】那裏也參禪解下東坡帶。只管裏白打渾死粧呆。見放着天寒日短時光快。惹下些寡酸丁。並無箇賢施主。又撞着老撞才。

【感皇恩】喫了他一頓清齋。費了他幾貫私財。弄的箇金自誇難以開言。閃的箇楊喫寺何曾到口。要的箇張醫官怎去平脈。一箇家努唇棒嘴。一箇家爬耳揉腮。一箇吟幾首送窮詩。一箇念幾聲消災佛。一箇説幾句大言牌。

【採茶歌】把一箇老鄉官跌倒在長街。把一箇窮居士斷送到荒崖。他每都不圖葷酒喫長齋。那裏也一曲昇平人盡樂。只落得滿頭風雪卻歸來。

【賺煞尾】有幾箇欺生的外崇都不在。有幾箇怕遠的親人又不來。果若你山人好客情

無懈。從今後把賢門大開。將華筵再擺。少甚麽一食三千孟嘗客。（蕭爽齋樂府）

征　怨[五七]

【南商調二郎神】新睡起。厭輕煖輕寒減玉肌。撚指裡匆匆春又去。鞦韆架底。墜幾點盈盈紅雨。燕子來時人未歸。弄枝頭聲聲杜宇。知何處。望斷玉勒雕鞍古道長堤。

【前腔換頭】當時。花前共你。新婚燕爾。憶鸞鳳噹噹飛綠綺。誰料名利驅人。鳳別鸞離。連理。春風翻做牆外枝。冷重門笙歌院宇。知何處。望斷芳草垂楊綉陌香堤。

【集賢賓】蕭關欲待尋君去。綉鞋怎解驅馳。好似遊絲縈蝶翅。飛不過層樓十二。一江綠水。難抵我一春紅淚。人萬里。嘆錦字啼痕空寄。

【前腔】金鉤綉簾剛半起。倚闌凝望天涯。羞見春雲催暮雨。飛過了巫山十二。一庭舞絮。都是一腔愁緒。人萬里。嘆尺素音沉無寄。

【黄鶯兒】香篋斂紅絲。拂花箋製小詞。筆尖兒寫倒鴛鴦字。心兒頓灰。淚兒亂垂。條眉兩葉愁封翠。綉羅幃。悠悠春夢。飛過大江西。

【前腔】朝露浥羅衣。傍荼蘼折小枝。香叢忽見花同蒂。情兒頓迷。意兒似癡。綉鞋立遍蒼苔翠。惱鶯啼。驚回春夢。不得到遼西。

【琥珀貓兒墜】戍樓天外。黯黯亂雲低。腸斷征人晝角吹。黄河何日洗兵車。傷悲。怎禁他塵鎖粧臺。月滿空閨。

【前腔】龍沙漠漠。斷磧雨霏霏。朔氣遥憐冷鐵衣。黑山何日捲征旗。傷悲。怎禁他香燼金爐。燈暗深閨。

【尾聲】腰肢瘦束金蟬細。樂遊原上草萋萋。只恐歸時過緑時。（群音類選）

閨　怨[五八]

【南仙吕入雙調步步嬌】花壓雕簷春風曉。入幙餘寒峭。水沉煙漸消。殘夢初驚。隔窻啼鳥。扶病倚亭皐。綿綿幽恨連芳艸。

【醉扶歸】亂紛紛蘚徑殘紅落。暗沉沉柳絲寒翠銷。意懸懸人去楚天遥。恨悠悠夢斷秦樓杳。那堪瀟索度花朝。重門掩却春光老。

【皂羅袍】對景暗傷懷抱。見疎林斜日。掩映溪橋。可憐淚逐落花飄。不禁腸斷棲鴉噪。愁催潘鬢。病添沈腰。香枯青瑣[五九]。塵埋紫簫。天涯無計歸青鳥。

【好姐姐】離魂。幾番暗消。又聽得嚴城晝角。迴廊月冷。閑將緑綺調。相思調。高山流水知音少。寡鵠孤鸞祇自嘲。

【香柳娘】更難禁此宵。更難禁此宵。庭幃人悄。熒熒短炬殘煇照。想朱扉畫橋。想朱扉畫橋。曾整翠雲翹。爲把蛾眉掃。到如今恨着。到如今恨着。鴛衾寂寥。魚書消耗。

【尾聲】孤眠不穩頻驚覺。何處笙歌響碧桃。立盡殘更天未曉。（群音類選）

〔一〕北宫詞紀題作「漁樵耕牧」。
〔二〕南宫詞紀題目同。
〔三〕南紀題同。
〔四〕南紀、南詞韻選題目同。
〔五〕南紀題同，韻選無題。
〔六〕南紀、韻選題同。
〔七〕南紀題作「春燕」，韻選無題。
〔八〕南紀題同。
〔九〕南紀題同。吴騷二集收首曲，題作「題情」。
〔一〇〕南紀題同。
〔一一〕南紀題同，下注：「用行移語」。

〔一二〕南紀題作「風情」。

〔一三〕北宫詞紀、彩筆情辭題同。

〔一四〕北紀題同。

〔一五〕北紀題同。

〔一六〕北紀題同。

〔一七〕北紀題同。

〔一八〕北紀題作「嘲金回回平原父子」。

〔一九〕北紀題作「戲謝友人饋裹餡湯餅」。

〔二〇〕北紀題同。

〔二一〕北紀題同。

〔二二〕北紀題同。

〔二三〕北紀題作「嘲友人送年節」。

〔二四〕北紀題作「戲謝友人貽絹衣」。

〔二五〕北紀題作「風情」，收第一、二、三、五、九、十首。

〔二六〕北紀題作「題情」。韻選收第一、五首。

〔二七〕北紀收第一、二、四、五首，題作「題情」。韻選録第一、二、五首。

〔二八〕彩筆情辭題作「酬美饋酥餅」。

〔二九〕彩筆題作「酬美饋香茶」。

〔三〇〕彩筆題作「謝美贈香囊」。

〔三一〕南紀題作「風情戲嘲」。

〔三二〕南紀題作「風情戲嘲」。

〔三三〕南紀、合編題同。韻選收首三曲，惟第三首有題作「秋思」。吴騷二集、南音三籟、詞林逸響僅收第二首，題作「閨思」。

〔三四〕南紀題同。韻選、彩筆收第二首，韻選無題，彩筆題作「夜懷」。

〔三五〕北紀題作「除夕」。

〔三六〕北紀題作「重過蔣南泠休園」。

〔三七〕北紀題作「早春宴徐王孫西園」。詞林白雪無題。

〔三八〕北紀題同。

〔三九〕北紀題同。

〔四〇〕北紀題同。

〔四一〕北紀題同。

〔四二〕北紀題同。

〔四三〕北紀題作「元夕宴武静軒友于堂」。

〔四四〕南紀題同。南詞新譜無題，曲牌爲「金梧桐」。

〔四五〕北紀題同。

〔四六〕北紀題同。

〔四七〕江東白苧題作「改定金陵金白嶼蕭爽齋集寄情之作」，吴歈萃雅、南音三籟題作「寄情」，俱署梁伯龍著。群音類選、吴騷二集、吴騷合編題同萃雅，南宫詞紀題作「别怨」，南詞韻選無題，俱注金白嶼撰。昔昔鹽題同南紀，不注作者。古今奏雅題同類選，目次缺頁，不詳撰人。

〔四八〕北紀題同。

〔四九〕北紀題同。

〔五〇〕北紀題作「送吴懷梅歸歙」。

〔五一〕北紀題同，詞林白雪無題。

〔五二〕北紀題同。

〔五三〕北紀題作「題姚秋澗市隱園」。

〔五四〕南紀題同蕭爽齋樂府，注金白嶼撰。樂府先春、吴騷集無題，吴騷合編題作「春日題情」，俱注梅禹金作。

〔五五〕北紀題同。

〔五六〕北紀題同。

〔五七〕群音類選題作「征怨」，吴騷集、樂府先春無題，俱屬金白嶼。昔昔鹽題作「睡起憂思」，樂府争奇無題，皆不注撰人。

〔五八〕群音類選題作「閨怨」，注金白嶼撰。昔昔鹽題作「孤枕離思」，不署著者。吴騷二集題作「春怨」，注梁少白作。未知孰是，兹姑以之歸金氏。

〔五九〕「青瑣」，原作「青鎖」，兹改。

常倫

常倫，字明卿，號樓居子，山西沁水人。正德六年（一五一一）進士。官大理寺評事。以酗狂謫壽州判。復忤臺使棄官而歸。服除起寧羌知州，不赴。好談兵擊劍。居家縱情聲伎，自度新聲。後因酒醉馳馬墮水死。善書畫，尤工樂府。著有常評事集、寫情集及校正書法等。生於弘治六年（一四九三），卒於嘉靖五年（一五二六），年三十四。

小令

【北雙調水仙子】

扶摇萬里上雲霄。重仰中天日月遥。雕鞍駿馬長安道。候朝鷄還報曉。打疊起山野風騷。報不盡皇王聖。報不盡慈母勞。盡忠孝正當吾曹。

畫堂歌舞慶生辰。麗日和風近早春。天邊青鳥傳佳信。感羣仙下彩雲。玳筵前瑞氣氤氳。花簇東山妓。香開北海罇。宴蟠桃四座醺醺。

畫堂蠟吐日光輝。繡幕屏開山翠圍。金爐火煖春明媚。紫檀槽小忽雷。捲江湖傾瀉金杯。字草龍蛇陣。詩裁錦繡堆。與清風明月徘徊。

瓊樓斜掛月如鉤。玉砌閒留酒滿甌。松濤萬頃東風透。絳紗籠燭淚流。強支吾良夜悠悠。無奈春虛度。其如笛起愁。兜的呵又上心頭。

太平閑殺老神仙。且養山中草木年。招尋賴有諸親眷。出紅粧列玳筵。畫欄前脆管繁絃。艷曲低低唱。香醪細細傳。欵留到斗轉參旋。

虛名枉被世人猜。山水閒開自己懷。清狂生怕君王恠。託蓴鱸早去來。住烟霞到大台孩。夢不到紅塵路。再休題白玉階。俺自有閬苑蓬萊。

憶當年今日下瀛洲。一住人間二十秋。向紅塵參透閒生受。且歸來得自由。小茅庵養拙藏頭。一粒還丹就。三神訪舊遊。再追歡故友浮丘。

習閒成懶懶成癡。癡懶風光只自知。懶折腰先把功名棄。癡憪憪静坐的。静中運默默玄機。採至寶憑咱手段。留閒氣煖咱肚皮。懶和癡到大來便宜。

一年難得兩中秋。況復身閒在故丘。前番要過今番又。九霞觴不離手。對清光痛飲長謳。再接嫦娥面。深銷狂客愁。依然間醉倒西樓。（閏月中秋）

悤悤策馬向長安。霜冷貂裘十月寒。陽關且放歌聲慢。酒推辭人去懶。暫流連小小杯盤。秋色無窮意。夕陽有限閒。好難拋萬種交歡。

【北雙調折桂令】

望雲亭一派笙歌。天地忘懷。日月消磨。未解朝酲。酒傾涓滴。詩漫吟哦。輸快樂風流到我。讓功名富貴於他。叢竹陰多。小院涼多。試問先生。不醉如何。

半生魔酒病詩癯。自揣狂哉。早賦歸與。玉笋班高。黄芽瘴歹。金榜名虚。笑青紫當年謬取。退雲山今日何拘。棄却銅符。焚却金魚。樂殺扁舟。淡殺三閭。

恰歸來又見青春。萬種閒情。一葉孤身。空閒煞赤手擎天。孤忠貫日。猛氣吞雲。

儘草舍茅廬自穩。笑紅纓白馬他親。世事紛紛。何必紜紜。醉也昏昏。醒也昏昏。

碧梧桐高護茅廬。窗外丹山。窗下丹書。身遠心閒。何妨城市。便是蓬壺。賞籬外黄花亂簇。喚尊前竹葉頻沽。花照歡娱。酒送糢糊。説甚神仙。輪到狂夫。

脚蹤兒海角天涯。土土塵塵。纔博得腰帶生花。此去千山。穩乘五馬。閒坐三衙。

升與沉看來似耍。去和留到底由咱。掉背行踏。開口嘻呵。仙樂仙家。官屬官家。

醒來時日轉窗紗。錦帳扶頭。又進流霞。酒興寬濃。詩情放浪。醉眼麻花。嘆白日簷前過馬。笑紅塵井底鳴蛙。名利輸他。快樂便咱。辭却皇家。住老山家。

雨聲寒秋氣瀟森。百尺朱樓。獨自登臨。一片青山。兩行白鴈。萬户疎砧。黄葉舞風前太緊。彩雲飛天際難尋。抱膝長吟。此意何深。閒寄秋娘。唱與知音。嘆趨蹌下疎簾小院幽哉。笑對知音。儘好開懷。緑酒深傳。冰弦慢撥。烏帽斜歪。春光過客。笑奔忙帝輦塵埃。醉倚茅齋。今夜和諧。醒抱瑶琴。明日重來。

怎生來不理瑶琴。一段幽情。千里知音。煙水粼粼。雲山浩浩。消息沉沉。這兩字功名待怎。那一場離別難禁。醒也消魂。醉也消魂。目斷遥岑。腸斷遥岑。

夜筵開玉指銀箏。鴈字聯翩。鶯語輕清。高棟塵飛。遥空雲遏。小院風生。助良宵千金夏景。惹詩人萬種春情。好也天明。歹也天明。紅袖扶詩。錦帳酩酊。

平生好肥馬輕裘。老也疎狂。死也風流。不離金尊。當攜紅袖。慣傍青樓。袖兒褪揉花玉手。話兒藏釣趣金鈎。軟欵温柔。故意包羞。花柳神仙。風月班頭。

玉爐中火煖如春。汞裏煎砂。鉛内抽銀。紅黑相投。陰陽相戀。子母相親。玄牝成綿綿息泯。寶珠圓久久陽純。换鼎移神。身外生身。名列仙曹。位證真人。

【北雙調水仙子】

朝酲殢殺老神仙。日午紗厨自在眠。隔窗兒心友厮呼唤。起來呵惹早天。强披衣情思昏然。命西子重排宴。向東山列管絃。這其間真趣忘言。

紅樓閒阻二年餘。綠酒歡娛五夜初。香風淡蕩三春暮。錦窠巢重做主。是和非一筆勾除。請退波馮魁鈔。拽回來卓氏車。問芳卿意下何如。

【南商調山坡羊】

没來由卞和閒恨。最知音逢萌安分。傷今吊古嘆人海魚龍混。懶鑽頭桃李門。且抽身桑柘村。才非王佐敢指望黃金印。野處山居也。樂田家牢瓦盆。醺醺。多多酒入唇。紛紛。紜紜耳不聞。

已矣乎人間閒事。去來兮仙家舊志。衣冠塵土且收斂風雲氣。三台貴俺也知。五湖遊未必癡。英雄自古回首多神異。試看那莊老喬松也。彼一時此一時。丹墀。曾將聖主辭。瑶池。還同王母期。

漫崢嶸十來載人間仕宦。喜團圓十來口山中仙眷。匆匆行色趁秋水把蘭舟轉。泛風波離那邊。託平安到這邊。清閒舊境千萬足平生願。快活殺水遶山圍也。一畝園百畝田。遥天。瘴起黃茅人未還。平川。神護丹砂命自全。

悶葫蘆一捽箇粉碎。臭皮囊一挫箇蟬脱。鴉兒守定兔兒窩中睡。曲江邊混一迴。鵲橋邊撞一迴。來來往往無酒兒三分醉。空攢下箇銅斗兒家緣也。單買那明珠大似椎。

恢恢。試問青天我是誰。飛飛。上的青霄咱讓誰。

講甚麽官卑官大。説甚麽位高位下。嘆浮生夢景把往事休牽掛。罷辰衙與晚衙。尋詩家問酒家。榮枯得失總付與漁樵話。似這等散誕無拘也。便宜殺快活殺。生涯。或栽花或種瓜。行踏。任披襟任散髮。

二十箇春秋冬夏。數十場酸鹹苦辣。些娘世事海來樣胸襟大。青白眼一任他。雌黄口儘説咱。藏諸韞匵珍重連城價。攘攘青蠅也。漫沾法半點瑕。喧譁。笑兒曹花木瓜。撑達。看先生海上槎。〔二〕

山和水水和山廝環廝輳。醉而醒醒而醉閒迤閒逗。無邊光景天付與咱情受。峥嶸萬户侯。包藏萬古愁。無榮無辱免使得雙眉皺。試看那感嘆華亭也。便宜殺范蠡舟。悠悠。人心無盡頭。休休。人生有盡頭。〔三〕

嘆人世陰晴不定。想兔魄今宵瑩净。山啣樹捧擁出軒轅鏡。滴溜溜秋露冷。景蕭蕭秋夜冷。重樓獨賞不盡登臨興。把酒問嫦娥也。肯相陪到五更。銀屏。望嬋娟自在明。金瓶。儘狂夫自在傾。〔三〕

樂淘淘連朝酒興。困騰騰今朝酒病。芙蓉帳冷誰把香肩並。空閒雲雨情。虚擔風月名。青燈長夜捱了些閒孤另。閒寫曲離歌也。叫山童唱與我聽。金瓶。涓涓莫漫傾。

瑶觥。深深且解醒。

【北中吕山坡裏羊】

先生何故。鵬程雲路。扶摇八翼排清霧。舜禹謨。孔孟徒。不思日月催薄暮。死爲功名膽氣粗。功。也到土。名。也到土。

簾櫳四面。屏風八扇。蘭膏一點燒黄串。不這邊。不那邊。瀟瀟灑灑閒庭院。露滴紅蓮月在天。天。也是仙。仙。問甚天。

春朝春夜。花開花謝。天時不許人間借。且要些。且笑些。無窮世事無窮業。古往今來眼角揸。乾。酒盡者。咱。先醉也。

【南商調黄鶯兒】

芳草卧斜陽。醒來呵酒滿觴。樂淘淘再儘江湖量。春風細草堂。春色媚草堂。等閒傲殺凌煙上。任吾當。天高地敞。到處撒清狂。

不要待如何。小亭兒景致多。陰陰翠竹風來大。老先生醉呵。閒寫會醉歌。墨淋漓常把羅衫污。撒風魔。横批順抹。得消磨處且消磨。

和氣滿三田。抱元精守自然。降魔全仗三清劒。將日月手摶。把乾坤踢翻。顛來倒去千千徧。大功圓。嬰兒出現。飛上大羅天。

金勒玉驄驕。輝絲鞭過小橋。青莎芳草平沙道。緑摇著柳條。紅映著小桃。山光嵐氣紗籠罩。賞東郊。少年行樂。最稱意是春朝。

又一度笑顔開。畫樓頭玳宴排。和風麗日堪人愛。歌舞内放懷。詩詞上縱才。對知音不厭玻璃大。與吾儕。醉而復醒。明日抱琴來。

秋雨正銷魂。亂鴉啼不忍聞。離愁萬種縈方寸。倚雕欄盼君。劃金釵恨君。佳期常把金錢問。信難真。遥山隱隱。腸斷楚臺雲。

紅潤污鮫綃。賽春風點絳桃。千金一刻于飛效。笑西廂事喬。盼東山意勞。離愁萬種誰行告。好難熬。相思害殺。十二分爲多嬌。

【北雙調沉醉東風】

驚曉夢數竿翠竹。報秋聲一葉蒼梧。迷茫遠近山。淺淡高低樹。看空懸潑墨新圖。百首詩成酒一壺。人在東樓聽雨。

但得箇歡娱縱酒。又何須談笑封侯。拙生涯樂眼前。虚名譽抛身後。兩眉尖不掛閒愁。一日深浮三百甌。亦可度天長地久。
鏡裏容顔漸老。人間勳業徒勞。乾坤容我閒。富貴非吾好。落些兒散誕消遥。醉覺三竿日色高。將玉斝香醪更倒。
四時中除冬夜永。百年間惟酒情濃。遲遲玉漏傳。欵欵金杯奉。碧窗前醉眼朦朧。回首興亡萬代空。試看那邙山亂塚。
洗耳向窗前碧灣。舒心呵門外青山。因留連偃月爐。偷走下連雲棧。笑一場夢破邯鄲。地久天長一粒丹。因此上功名意懶。
花衚衕鶯兒燕子。錦排場板句箏詞。幽歡煖玉杯。密約泥金字。爲多情捱多少相思。重訪天台自有期。再休放桃花逐水。

【北商調梧葉兒】

不盡君王報。難忘慈母恩。待去也又逡巡。慚愧朝隨駕。繾綣暮倚門。酩子裏自傷神。回首望雲山隱隱。
壺内三杯酒。床頭一卷書。高卧小茅廬。酒樂百年内。書窮萬古餘。名利待何如。且收斂冲天鳳翥。

明月何曾動。浮雲本自移。借一陣好風吹。影内山河大。光侵星宿稀。看輝輝。普照爾乾坤萬里。

玉斝葡萄釀。金釵花月人。歌舞畫堂春。舞態堪消夜。歌聲聽遏雲。漸覺的醉昏昏。扶俺向紗厨略盹。

待月崔徽意。悲秋宋玉情。前世業到今生。甜受用常迤逗。紙條兒厮調哄。笑惺惺。抵死呵風涼露冷。

錦褥堪人愛。蘭房可意涼。逍遥枕紫檀床。紗窗細薰風透。繡簾垂午夢長。扶持的到高唐。這快活要人會享。

暫别三千地。常思十二時。回首舊佳期。夜館孤燈暗。高樓片月低。兩地夢相思。懊惱殺功名半紙。

【北中吕謁金門】

自知。本癡。不慣使風雲氣。眼前誰較是和非。一任相猜忌。市虎三成。棘蠅一起。越相識越牙戲。掩扉。下帷。笑殺劉伶醉。

恰山翁興來。正山童酒釃。酩酊方何礙。平生志氣捲江淮。放浪形骸外。玉石同山。

魚龍混海。使不著咱豪邁。且放開這懷。再休題那才。醉了也君休怪。

一詩。一詞。風月攄才思。尊前談笑總心知。無半點閒拘忌。落日留歡。涼飈做美。任散髮開襟袂。此卮。此時。卿與俺休辭醉。

愛閒的没權。攬權的不閒。兩件兒曾經慣。煙波名利大家難。更險似連雲棧。灑淚江洲。行吟澤畔。笑黃犬東門嘆。總不如掛冠。住山。到大來無災患。

身不離畫樓。手不離玉甌。酒痕滿羅衫袖。雙眉不慣鎖閒愁。生性嫌銅臭。草聖三杯。解酲五斗。任鋤瓜老邵侯。身外事不求。門外事不瞅。前程事隨天受。

趁春朝景鮮。正春醪味便。賞花柳閒庭院。知音談笑緑尊前。麗日移門幔。處世支離。隨時過遣。嘆名利非吾願。酒傾呵似泉。筆揮呵似椽。只要到月出也君休散。

【北中呂普天樂】

列紅粧。開華宴。春風細細。夜月娟娟。乾坤放浪人。詩酒風魔漢。富貴浮雲非吾願。任人呼平地神仙。壺中自遣。門前不管。身外忘言。

慕長生。學仙道。煙霞快樂。雲水逍遥。把功名一旦拋。早喚起黃粱覺。薄利虛名空掩調。枉擔閣一段清高。今朝悟了。閒烹龍虎。穩跨鸞鶴。

酒忘懷。風吹帽。浮雲縹緲。山葉蕭條。嘆人生有限杯。能幾度舒眉笑。戲馬臺成荒山道。盡消磨萬古人豪。清尊共倒。黄花未老。隨我酕醄。

怨伯勞。傷飛燕。青宵佇立。白日愁眠。憶舞裙思歌扇。得見多情芙蓉面。敢承望雲雨俄延。天高地遠。緣薄分淺。動歲經年。

縱金杯。張青幕。樓頭畫鼓。恰轉更初。夜月明春風度。月朗風清把情懷助。問先生不醉何如。規規矩矩。文文禮禮。笑殺酸儒。

【北南吕金字經】

殘月樓頭照。疎燈窗下明。夢覺山城鷄亂聲。鷄亂聲。樵樓報五更。催起今朝興。催起今朝興。披衣倒玉瓶。倍覺醇醪香更清。香更清。消除萬古情。動殺不如静。披衣倒玉瓶。

支離過此生。動殺不如静。支離過此生。何用悠悠身外名。身外名。無邊愁患縈。獨鶴閒雲性。倐然去住輕。

倐然去住輕。獨鶴閒雲性。倐然去住輕。回首仙家憶舊盟。憶舊盟。逍遥白玉京。漫笑淹塵境。

終須返太清。
富貴人争羡。山林俺目便。落魄人間老謫仙。老謫仙。還他濁世緣。遨遊遍。騎鯨
飛上天。
蓬鳥思歸去。功名笑倘來。漫説當年賈誼才。賈誼才。徒教俗子猜。紅塵外。青山
好避乖。
冷覷籬邊鷃。閒忙隙内駒。不識仙翁暫謫居。暫謫居。乾坤一草廬。功行足。凌雲
上碧虚。

【北雙調清江引】

紗窗半竿斜日影。起照菱花鏡。纔將鬢髮梳。旋把衣冠正。令人報前庭上筵席等。
金罏□□黄串餅。起坐心清浄。佛燈自在光。仙漏□□聽。曲江漸升紅日影。
燈下銀箏壺内酒。快活閒情受。東門黄犬悲。西嶺白駒驟。因此上傳杯不放手。
三月正當三十日。睎眼春歸去。有恨嘆春疾。無計留春住。教誰與牡丹花做主。
教誰與牡丹花做主。春去花憔悴。且延有限杯。莫問無窮事。拚今宵花前沉醉死。
燈前一聲長嘆息。不覺流紅淚。未到别離時。先慘相思味。抹姻緣天呵權放筆。

【北雙調慶宣和】

分香賣履老曹瞞。橫槊裝酸。征西兩字漢家官。他每不管。不管。

丈八長鎗鐵鑄成。虜陣橫行。金牌十二恨蒼生。錢塘塚露冷。露冷。

小入毫釐大過天。有訣真傳。焨焨火裏要栽蓮。得意處行滿。行滿。

一爐惡咤虎龍争。玉蕊纔生。甜如蜂蜜冷如冰。内景。内景。

這家妙事有誰知。龍虎争馳。以恬養知鎮如癡。請參透他就裏。就裏。

一拳打碎鳳凰樓。風雨何愁。得休休處且休休。把前程罷手。罷手。

【北南吕乾荷葉】

平生無限風流事。恨謝安不與俺同時。山中也有蒼生志。細尋思。身後勳庸一片紙。

山中一刻春無價。玉杯長夜進流霞。雲霄給□箇清閑假。住田家。落魄人間快活殺。

神仙妙訣誰知道。配嬰兒和姹女只咱瞧。最玄一點玄關竅。不難學。一粒玄珠天共老。

謝安高卧東山上。逐朝家歌舞醉顛狂。起來不負蒼生望。拒秦强。留得芳名世世講。

巫山夢覺銀釭滅。緑窗前驀見月兒斜。半床翠被餘蘭麝。恨重疊。枕上風流何處也。

兩間茅舍青山下。蒼松和翠柏兩交加。就中一段春無價。我和他。對月臨風無限耍。

【北中呂滿庭芳】

名花可人。風流天艷。占斷芳春。雕鞍特地來尋問。一見留神。伏幾度春風透引。更三杯春釀温存。恐怕飄成陣。把香容瘦損。先折一枝春。

春風畫樓。徘徊寶殿。放浪金甌。千金難買良時候。春漏悠悠。髣髴似白衣送酒。旋教他桃扇閒謳。歡耍今宵又。與鄉鄰聚首。醉殺種瓜侯。

石花吐酒。沈郎添病。宋玉增愁。風流作下風流受。睡起東樓。錦箏前笑看他袖手。翠杯中厭殺恁扶頭。歌舞捱長晝。夭桃嫩柳。催逼進觥籌。

新來夢覺。琴心色膽。柳恠花妖。東山不廢登臨眺。歌舞笙簫。經俏眼多多少少。笑春情攘攘勞勞。回首青年好。偷閒輳巧。浪瘦沈郎腰。

【北雙調河西六娘子】

窗前日影又西斜。細將這美酒斟者。遮莫耍到慨慨夜。暢好是歡悦。杯盡去重賒。今日神仙拚醉也。

欲將春酒洗春愁。强支吾春夜悠悠。春來掩過春衫扣。春病好難瘳。春水向東流。
好似春情没斷頭。
連朝不敢傍金甌。漸酒病搊搜。今宵飲興重迤逗。依舊也風流。象板送鶯喉。一洗
人間萬古愁。
堦前唧唧草蟲鳴。更良夜深更。怕離別且盡歡娱興。叫一聲芳卿。玉斝捧瑶觥。遮
莫醺醺耍到明。

【北中吕紅繡鞋】

且賞宴東山權聚。暫收拾西閣琴書。愛風流自笑病相如。紅亭花月滿。繡幕鳳鸞逐。
緑窗鶯燕語。
趁剛風衝開雲路。借涼蟾幻出冰壺。玉瓶送酒賽江湖。賞風月何辭醉。望霄漢儘狂
呼。唤嫦娥天外舞。
恨鞍馬催人歸去。託麟鴻問爾何如。夢魂常遶畫屏紆。箏柱挑藍玉。板串撒驪珠。
憶尊前花解語。
笑錦袍淋漓紅污。任瑶觴泛濫金波。小亭涼風雨忽來過。勞攘白圖甚。酩酊待何如。

況清閒輪到我。纔把征袍脱下。暫將寶劍歸匣。入門分引絳籠紗。夜永酣浮蟻。月落散棲鴉。天明催去馬。

【北雙調風入松】

想當初鷄卵未分離。玄和黄那箇人知。業風吹動分天地。盤古王那答兒坐起。有天地然後有夫妻。有夫妻漸長兒孫。招攝的地魄天魂。澆漓變化淳亨運。堯與舜方纔揖遜。可又早湯武攘三軍。攘三軍只到于今。細尋思離亂傷心。麟蹄鳳網嗟讒譖。去來麽世間誰禁。拂袍袖把赤松尋。赤松子留訣在人間。説嫩龍嬌虎是金丹。一爐神火中宵見。握鷄卵重登彼岸。著人道拔宅向三山。

【北正宫醉太平】

門懸著艾虎。酒泛著菖蒲。畫堂歌舞又歡娱。便千杯不阻。恢恢儘著江湖度。淘淘耍盡山林趣。悠悠不管廟堂謨。老先生受福。歌傳著玉箏。酒泛著瑶觥。不堪旅邸送君行。况朝酲未醒。惟君最識疎狂性。對君唱徹相思令。懷君無限别離情。把欄杆自憑。華燈夜宴開。玉斝日舒懷。朱顏去了不重來。有千金難買。攢積枉惹錢神債。歸來未免君王恠。清狂又被俗人猜。嘆世情忒歹。畫堂燒絳燭。緑酒泛金壺。狂歌醉舞二更初。勸采呵不阻。凌煙轟烈非吾慕。長沙寂寞非吾慮。高陽豪放儘吾徒。覷浮名似土。

【南仙吕醉羅歌】

細雨細雨飛瑶砌。香醪香醪進玉杯。凉風漸透薜羅衣。無限清和趣。翠屏一帶。也堪品題。丹楓萬簇。也堪品題。無心冉冉孤雲細。醒還醉。山共水。此中真意幾人知。

淺斟淺斟葡萄釀。低唱低唱縷金腔。春風相伴杜韋娘。好把情懷放。周郎知趣。何如粉郎。雙生知趣。何如粉郎。多才喜遇嬌模樣。心相印。興自長。遮莫爛醉錦箏傍。

月兒月兒團團上。華池神水映輝光。胞胎灌溉紫芝長。有一箇人相傍。降龍伏虎。也在這場。超凡入聖。也在這場。與後人立一箇學仙樣。天書詔。彩鳳翔。虛空粉碎壽無疆。

【北越調小桃紅】

羣山萬壑一茅亭。斷刻遺名姓。今古風流有誰並。笑惺惺。汨羅送了靈均命。前人勝景。先生不醒。倍見萬年情。

疎星淡月畫樓懸。人坐生綃面。十二闌杆笑凭遍。好涼天。流螢看撲白團扇。更長漏轉。唱低斟淺。樂殺飲中仙。

酒酣如意碎珊瑚。豪氣淩雲霧。歌舞東山舊風度。暢歡娛。不知身世催遲暮。顛仙自阻。兒曹快覩。任蛟龍寂寞卧江湖。

【北仙吕一半兒】

垂楊重繫紫驊騮。竹葉深浮白玉甌。清瘦潘郎春病陡。爲誰憂。一半兒因花一半兒酒。

少年豪氣訪孫吴。滿腹經綸天地補。羞與兒曹争快覩。且收入藥葫蘆。一半兒文來一半兒武。

虎龍又媾産真精。烏兔盤旋觀内景。月滿華池甘露冷。内丹成。一半兒昏昏一半兒醒。

【北商調醋葫蘆】

喜今宵一刻長。趁秋燈終夜朗。酒淹羅袂任淋浪。忒字兒高陽心性狂。越漏永越添情況。玉杯牽紅日上扶桑。

掛青山月一鈎。燦銀河星萬點。玉杯松下且留連。細細香風傳脆管。嬌滴滴玉人兒作伴。風流花月散神仙。

褪鮫綃錦袖中。舉霜毫端石側。春情兜的上心來。記得中秋看月色。全不慚柳精花恠。礴風情暗裏墜金釵。

【南中吕駐雲飛】

洞府清高。萬古乾坤日月遥。獨占青山樂。不許紅塵到。嗏。丹鼎自和調。虎龍盤遶。白雪黄芽。煉就長生藥。只候天書下碧霄。

窗外青山。一段風光畫裏看。野景情無限。野處身無患。嗏。倦馬已知還。幽谷清閒。雲本無心。風度西溪畔。已矣人間行路難。〔四〕

春色三分。明月風光減二分。花也飛將盡。情呵傳無盡。嗏。粉面懶重勻。門掩黄昏。羞對菱花。不似年時俊。淚漬鸞箋寄遠人。

【南中吕駐馬聽】

夜飲朝眠。自分人間緑鬢仙。又被一張故紙。兩字功名。半載俄延。青袍白馬逐塵緣。洞花谿鳥應埋怨。何日飄然。碧雲拂袖丹砂歸煉。〔五〕

鼓轉三更。不盡詩山曲海情。揑殘斑管。書遍銀箋。撥損瑶箏。梅梢窗映月兒明。松枝簷掛參兒正。笑問先生。何時是箇酒闌人静。〔六〕

【南仙吕一封書】

葡萄釀味濃。出紅粧捧玉鍾。珠簾透晚風。列笙歌畫閣中。三月韶光歸去疾。百歲歡娱幾度同。鬢鬅鬆。眼朦朧。遮莫燈前酒暈紅。酩酊卧。更漏永。三竿睡覺日華東。

梨花院日遲。撲簾櫳柳絮迷。銀箏送玉巵。且風流此一時。三疊陽關三嘆惜。半世姻緣半別離。問佳期。說佳期。秋風匹馬阮郎歸。

【北中呂喜春來】

怕狂不敢留沉醉。賞趣虛爲出郭遊。鋤瓜今日笑君侯。門外柳。五樹冷禁秋。

青萍削玉原無價。緑耳追風浪有名。一丘一壑老英雄。殘照影。長嘯把曲欄憑。

【北正宫塞鴻秋】

舊住在太清天瓊瑶闕梵氣清虛殿。閒來時補乾坤摶日月静把神丹煉。八百萬泛蒼溟覷幾度桑田變。九千年跨青鸞赴一遍蟠桃宴。醉翻王母觴。謫離羣仙眷。因此上下青霄來人世化落在深宅院。

【北雙調雁兒落帶得勝令】

林泉拂袖歸。雲雨抽身退。晴風范蠡舟。雪夜袁安被。鵷鷺罷追隨。鹿豕與徘徊。

自得閒中趣。渾忘醉後思。崔嵬。四面山常對。摧頹。千杯酒莫辭。千金身自頤。三寸舌常閉。徒懸捧日心。休説冲霄志。情事有天知。斷送任人欺。去就皆由命。埋藏且趁時。粧癡。瀟灑閒中意。頻題。淋漓醉後詩。

喜青山雨乍晴。近寶殿風初定。暫追遊雲水鄉。猛撞入芳菲境。魏紫舊馳名。金谷最多情。閒草清平調。還思花萼亭。銀箏。宛轉花間聽。金瓶。流連月下傾。

飛雲般鬢髮飄。滿月樣容顔俏。煉丹砂一粒靈。任日月雙珠跳。海上路非遥。天上路非高。歌吹迴雙鳳。樓臺駕六鰲。雲霄。有路終須到。林皋。無勞睡得牢。

再休題碧油幢去歲勞。且要些黄金盞今宵樂。尋這閒風流安樂窩。趁那答塵土長安道。不耐煩捽碎許由瓢。怕俄延撑折李膺篙。判斷了喬公案七八座。死捱過大會垓一兩遭。守丹鼎逍遥。十二時猿聲報。跨紫霧飄飖。三十天鶴背高。

滿斟著白玉杯。兒女每燈前跪。趁他快活年。儘俺酩酊醉。世事與心違。日月老將催。法界三千大。浮生七十稀。占些兒便宜。早跳出塵凡累。笑從前貪癡。再休將名利題。

【北雙調雁兒落帶清江引】

石崇富結讐。韓信功催壽。榮華有是非。年命無先後。五柳莊兒常自守。醉也還重又。風塵且避乖。花月閒情受。老先生快活殺詩共酒。青衣列畫樓。緑酒傳紅袖。一梳頭一月餘。大開口三更後。斷送一生除是酒。不讓劉伶後。何嫌日太疾。自有天成就。任瀟瀟五株門外柳。

【北雙調對玉環帶清江引】

何用麟袍。羊脂玉繫腰。可笑癡人。馬蹄金恨少。白髮不相饒。青春容易老。昨日東風。花開花謝早。今日西風。林稀林葉凋。做下領傲風霜粗布襖。去住從吾好。一爐龍虎丹。萬古雲霄樂。這前程比他每誰大小。

好個人兒。秋波嬌又涎。好段風光。春花媚更鮮。燕舞掌中翻。鶯歌簾外囀。一刻千金。風流緑酒邊。一日三秋。相思皓月前。桃源夢回仙路遠。想像芙蓉面。香留金縷衣。詩寄白團扇。懊惱殺當年劉和阮。

【北雙調對玉環】

留住青春。人間日月長。遠離紅塵。壺中天地敞。清班鵷鷺行。皇家麟鳳網。撒手由咱。英雄會忖量。信口隨他。漁樵閒論講。

【北正宮脱布衫帶小梁州】

兩相牽雨約雲期。兩相趁燕子鶯兒。我爲你渾忘垢恥。你爲我剩擔閒氣。秉燭千金一刻時。受用殺風月便宜。偶然一步不相隨。朝思憶。夜夢不相離。〔幺〕閒題半紙虚名利。漸明朝一旦催逼。别外情。從前意。些娘私事。敢付與老天知。

【北正宮小梁州】

趁青春培養的紫芝生。早辦前程。雲中烏兔不曾停。休争競。薄利與浮名。〔幺〕向山林正好學些静。打熬成一顆珠明。赤子靈。天門迸。三千功行。穩步上瑶京。

【南仙吕入雙調二犯江兒水】

捱徹相思時候。玉人兒纔厮守。正調和琴瑟。温暖衾裯。又分開鶯燕儔。離合好無休。悲歡不自由。想昨夜綢繆。今日離愁。把金杯淚珠兒多似酒。割不斷相思兩頭。我這裏驊騮懶驟。他那裏悶懨懨獨倚樓。〔七〕

【北正宫連珠塞鴻秋】

閑來時飲香醪。一任醺醺醉。醉了呵靠牙床。且自昏昏睡。睡足也夜懨懨。依舊排筵會。會中間樂淘淘。瀟洒忘塵累。身外待何如。鬧裏多風味。嘆人生屈指誰百歲。

【南正宫錦庭樂】

倚朱樓。眺青山遥瞻碧天。彩雲邊忽見嬋娟。比尋常十分皎然。遇中秋爽氣新鮮。宜賞瑶卮玳宴。笑對銀箏粉面。暢風流夜未闌。惟願取年年今夕人月團圓。

【南仙吕甘州歌】

心慵意懶。嘆雲霄回首。夢破邯鄲。功成名遂。更遲留誰免憂患。青山揮洒孤臣血。寶劍催殘壯士顔。封侯印。拜將壇。虚名枉與後人看。長安道。行路難。不如歸去舊青山。

【南黄鍾畫眉序】

微雨送新凉。夏木陰陰護草堂。聽銀箏一曲。换羽移商。日月呵笑爾奔忙。天壤間由咱豪放。晝長。高卧東山上。衠一味痛飲清狂。

【南南吕一江風】

雨初晴。一洗山容浄。宜寫入冰綃幀。敞雲亭。樹影當窗。苔色侵簾。花落瑶堦静。銀箏入耳清〔八〕。金壺信手傾。消盡閑中興。〔九〕

【南仙吕傍粧臺】

興飄然。東山高卧散神仙。歌兒舞女厮陪伴。無一日離尊前。眼前光景如流電。又是端陽列玳筵。主人情重。佳釀味便。願同佳節萬斯年。

【北仙吕寄生草】

盼來呵來何暮。説去呵去好疾。託春心愁把花箋寄。鎖春情獨把重門閉。掐春纖常把歸程計。若他行再接上玉簪折。論咱心實不愛黄金貴。

【北中吕堯民歌】

第一爲三軍受苦。第二來百姓遭荼。非是俺文官好武。講孔孟曾看孫吴。擺列著營前鐵鼓。磨擦了鞘裏昆吾。他便是赤眉銅馬待何如。江山社稷要人扶。英雄英雄下狠毒。殺他箇片甲無歸路。

【北越調寨兒令】

他要官。俺樂閒。鳳凰池争如俺雲水間。身離長安。夢破邯鄲。名利不相關。要鄉情小小杯盤。縱高眠大大蒲團。詩懷天樣闊。酒量海來寬。看。明日又三竿。

【北仙吕金盞兒】

恁衷腸。俺衷腸。半點兒誰敢廝虛誑。姻緣簿寫百年長。比風流張殿試。賽窈窕杜韋娘。既同巢棲燕子。願雙塜化鴛鴦。

【彌陀僧】

翠竹交加。掩映窗紗。這風光一刻千金價。閒行早來到涼亭下。將著這玉杯也樂淘淘痛飲流霞。清涼這答兒正好消長夏。

【南中吕永團圓】[一〇]

我愛他容嬌。他愛我才學。但相逢一耍一箇天大曉。詩酒酕醄。歌舞逍遥。既趁了少年心。永團圓直[一一]到老。

【北中吕醉高歌】

今生柳市歡娱。夙世桃源伴侣。同心結子連環玉。一點真誠暗許。

【北越調天净沙】

知音就是知心。何拘朝市山林。去住一身誰禁。杖藜一任。相思便去相尋。

【南雙調落韻鎖南枝】

疎狂性。放浪懷。拂袖閒思歸去來。想陶潛實是明白。快活殺三徑花開。五柳莊千金難買。草舍柴門。倒以那彭澤大。十八學士官。二十八將臺。你覷破那答兒擔憂。那答兒開懷。傍寸人兒隨恁揀。

春將盡。日漸遲。瞧空偷閑進玉巵。你覷他十二箇忙時。不知俺十二箇閒時。掐指頭兒光陰有幾。如今的時年。白紙上不希罕黑字。看甚麽經。讀甚麽史。既如今碌碌庸庸。又何須苦苦孜孜。小厮每向前來斟上酒。

【南仙吕入雙調新製嬌鶯兒】

憑闌閒顧。涼風飄井梧。寒日下平蕪。隱隱丹梯青嶂。遥指東歸路。藍橋懷舊侣。秦樓誰做主。正是俺對景牽情。愁見那寥寥雲際。飛送過鴈兒孤。〔一二〕

疎燈寒照。紗籠窗月皎。風露響簷鐸。那更秋蛩四壁。都向離人鬧。紛紛愁亂攪。懨懨天不曉。空教我輾轉紗厨。盼殺那陽臺雲雨。怎能勾夢兒交。〔一三〕

愁懷無奈。終朝雲雨排。獨坐小書齋。兩目秋光蕭索。觸忤人無賴。霜侵林木改。露滋籬菊色。俺這裏屈指閒思。只恁般星移景换。没一箇信兒來。

幾行白鴈。飛鳴過遠山。音信杳難攀。唯有寒蟬聲咽。似助人愁嘆。佳人懸望眼。歸期應恨晚。料那壁寂寞青樓。正值著寒宵長漏。怎捱得被兒單。〔一四〕

套　數〔一五〕

【北黄鍾醉花陰】翡翠屏深玉荷小。紗窗映涼蟾皎皎。茱萸冷篆煙消。可惜良宵。尊酒誰歡笑。排愁悶强斟著。恨無賴西風穿畫閣。

【喜遷鶯】秋聲成調。掩蒼苔庭院寂寥。蕭蕭落葉。下丹楓樹杪。一弄兒淒涼厮輳著。常被他搬弄倒。越越的愁腸易惹。睁睁的業眼難交。

【出隊子】肌膚如削。洛陽人春病惡。芳心一片種心苗。紅淚時時落眼梢。白髮看看侵鬢角。

【刮地風】都只爲載酒青樓閒落魂。武陵源留賞仙桃。玉人兒早瞧破于飛妙。箏語先挑。冷諢厮嘲。剔團圞月轉珠箔。意慇懃酒捧金瓢。囀鶯喉呈豔曲遏雲霄。醉淋漓宫錦袍。笑吟吟裙褪鮫綃。燭花前攜手歸。羅幕倚輕盈楊柳腰。

【四門子】鬢雲偏暗裏金釵落。異香聞羅襪小。枕兒上頑被兒裏嬌。雨雲濃百般喬做作。蜜和酥。漆共膠。山海誓同偕到老。

【古水仙子】呀呀呀好姻緣暫阻抛。敢敢敢把三秋當一朝。盼盼盼趙璧重完。想想想藍橋重到。怕怕怕病相如不自保。喜喜喜卓文君心性堅牢。是是是把鮮花一枝親付託。準準準向靈神幾句深盟約。謹謹謹遮護定鳳凰巢。

【北黄鍾醉花陰】回首蓬壺舊仙侶。縹緲處煙霞萬縷。憑高聳翫清虚。散誕蕭疎。笑日月搬朝暮。正蒼海拍天浮。轉眼桑田一萬古。

【喜遷鶯】靈枝弱木。覷蟠桃紅映珊瑚。瀟踈。閬風玄圃。煉石燒金守玉爐。都將天地補。一箇箇長遊八極。一箇箇永脱三途。

【刮地風】悔赴瑶池貪醉舞。磕碎了寶篆天符。二十年謫降下雲霞路。翹首清都。曳尾泥塗。被這夥肉眼愚夫。笑我做落魄狂徒。拙生涯閒打探一就糢糊。也隨緣入仕途。戲雙飛雲外青鳧。嘆徵卿拜相非吾。慕賦歸與返故廬。

【四門子】斂豪華深掩讀書户。玩乾坤悟太初。金丹篇火記圖。一星星説來三共五。實和虚。有和無。稽首向猶龍道祖。

【古水仙子】尋尋尋偃月爐。降降降袖裏青蛇膽氣粗。將將將十月嬰孩。□□□千重土釜。趁中霄月正午。證果來至道虚無。笑從前奔走紅塵路。被些娘名利胡擔誤。罷罷罷歸去也舊蓬壺。

【北中吕粉蝶兒】月映紗窗。助離人半天愁況。盼佳期夢繞高唐。玉簪折。銀瓶墜。朱絃絶響。挹江流九曲柔腸。搬不下倚雲屏一團嬌樣。

【醉春風】殘漏枕邊長。踈星簷外朗。關山迢遞隴雲深。空教我想。想。常記得板撒紅牙。杯擎翠袖。燭搖書幌。

【紅繡鞋】常記得倚春風羅裙蕩漾。整金釵玉笋纖長。空教我魂靈兒終日在他行。翡翠衾珊瑚枕。碧玉鈎紫檀床。冷落了幾般兒誰共賞。

【上小樓】盼殺那留春畫堂。空剩下暖雲錦帳。一段恩情。半載歡娛。都做了萬種凄涼。你那廂。俺這廂。天涯懸望。兩情濃相思一樣。

【幺篇換頭】〔一六〕我爲你揭鮫綃淚點多。倚闌干別恨長。月擬蛾眉。花比丰姿。雲想衣裳。對銀缸。憶豔粧。越添愁様。望巫山暮雲遮障。

【滿庭芳】覊留一方。山高水遠。利鎖名繮。玉人兒橫擔在身兒上。輾轉思量。彩雲深簫閒鳳凰。翠衾寒枕冷鴛鴦。好教我空悽愴。心勞意攘。恰便似蠶老爲絲忙。

【耍孩兒】想當初相逢正值榴花放。似風流神女襄王。陽春一曲韻悠揚。酒闌時攜手相將。晚風細細吹楊柳。春色融融透海棠。兩下裏情飄蕩。和諧魚水。顛倒鸞凰。

【四煞】擁翠衾怯曉寒。並香肩納晚涼。盟山誓海真難忘。撇不下鏡中顏色桃花態。記的咱枕底情思蘭麝香。細想你嬌模樣。臉含蝶粉。衣染鶯黄。

【三煞】你豔麗動彩樓。俺豪吟滿錦囊。郎才女貌真相尚。俺是箇才調集裏風流客。

你是箇子美詩中黄四娘。非是我自誇獎。我愛你雲雨嬌態。你敬我星斗文章。

【二煞】你爲我静悄悄把疾病躭。我爲你悶懨懨將經史訪。你爲我一腔事鎖眉尖上。我爲你素絲相結香囊在。你爲我玉腕殘膏羅袂藏。兩地裏添惆悵。我爲你疎狂了心事。你爲我清減了容光。

【一煞】闕

【餘音】〔一七〕山萬重水萬重。書幾行淚幾行。幾時得與那人兒重會在芙蓉帳。俺將這訴不盡離情慢慢講。

【北中吕粉蝶兒】霧擁雲狂。傾瀉下六花飄蕩。散瓊瑶水潤山光。冒餘寒。鞭瘦蹇。錦囊攜上。喜鴻鈞氣轉三陽。探前谿早梅開放。

【醉春風】滑擦路難行。徘徊心正想。風前一點暗香來。安排著賞。賞。賞。遇景留神。登危著力。踏高凝望。

【紅繡鞋】遠觀著糢糊雪嶂。近覷著點綴春光。婷婷嫋嫋壽陽粧。宓妃遊洛浦。神女下巫陽。比清標岩際長。

【普天樂】慢攀折。輕偎傍。看了他冰肌玉骨。抵多少國色天香。想當初東閣吟。西湖望。月落參横多惆悵。喜今宵邂逅相將。春遊不枉。佳期不爽。天巧合當。

【耍孩兒】一杯滿泛將寒盪。嫩枝柯輕籠玉掌。嬌紅片片映衣裳。愛則愛先占春芳。成谿桃李虚妖冶。臨路楊花太放狂。歲寒中誰相讓。不是他一番徹骨。誰慰俺九曲柔腸。

【二煞】一霎兒天漸昏。半星兒意忘忘。襟懷彷彿餘香蕩。歸心去怯千尋險。望眼愁迷十里長。浮嵐瘴。山村隱隱。嶺樹茫茫。

【餘音】半天歸興奇滿腔。春意廣。遮莫凍倒谿橋上。也落段風流話兒講。

【北中吕粉蝶兒】酒病花愁。斷送的粉郎憔瘦。笑尋常載酒青樓。不離了翠娥紅袖。散千金買笑纏頭。錦窠巢儘咱情受。

【醉春風】駿馬月中嘶。嬌鶯花下宿。少年蕩卻少年心。猛回頭醜。醜。醜。數載著迷。幾場牽惹。一朝參透。

【紅繡鞋】口兒嚬著疼著肉。心兒存干罷干休。恰便似五湖明月泛金鈎。急流中將餌下。滿載後把竿收。這些兒君悟否。

【上小樓】非是俺言而不投。非是俺情而不厚。甚的是繫馬平康。啼烏柳市。跨鶴揚州。晚粧樓。燕子樓。曳翻在左右。開一條太平街往來通透。

【滿庭芳】想當初不羞不憂。狂歌一曲。痛飲千甌。明明夜夜胡迤逗。魄染魂留。衠一味簪花殢酒。誰三思落葉歸秋。既夢覺陽臺後。從今罷手。再休題風雨替花愁。

【上小樓】休笑我仙道難舊。境熟恁看。劈破恩山。填平慾海。創立丹丘。閒處遊。靜裏脩。磨光刮垢。賞冰壺皎然依舊。

【耍孩兒】一天雲散巫山岫。尋件天長地久。金爐春煖火光浮。抱元陽一粒丹頭。你看那嬰兒姹女厮交媾。抵多少浪蝶狂蜂兩趁逐。漫使的心狂謬。成就得銀河邊潮通有信。索强如藍橋下浪滾無休。

【餘音】好堅著一寸心。相應著一片口。傳示他卓文君慢把車兒驟。請袖彼相如弄琴手。

【北雙調新水令】㕔雲樓憑煖玉闌干。憶青霄素娥凝盼。一年今夜好。百歲幾回看。縱睡覺紅日三竿。早分付夜筵辦。

【落梅風】霜鐘罷。戍角殘。喜霏霏一天雲散。忽冰輪恍然凝望眼。把一杯首先深泛。

【折桂令】舉盈盈玉液甘寒。味愜吟懷。光射歡顏。細細簾櫳。深深院宇。小小盤餐。這答兒風光自揀。這些兒風味誰攀。樂事常慳。逝水難還。覆掌傳呼。莫得留殘。

【鴈兒落】齊排翡翠鬟。斜搭琵琶絆。悠揚趙瑟調。宛轉秦箏按。

【得勝令】花露傍人殘。香霧遏雲還。皓齒歌樊素。纖腰逗小蠻。開顏。緩帶來芳饌。閒頑。藏鈎歆玉山。

【沽美酒】醉顛狂天宇寬。舞蹁躚月光寒。俺只待舉手閒將玄兔攙。扶摇十萬。顯神仙舊丰範。

【太平令】乞求他靈丹燦燦。養成咱健翮翻翻。與月姊翺翔雲漢。呀。既如今落凡。耐煩。與諸君樂閒。且捱俺謫降蓬萊期限滿。

途雨懷家〔一八〕

【南南吕梁州新郎】青山岑寂。芳林遮映。鎮日風林不定。碧空凝望。馬頭迎冉冉雲升。蕭蕭冒雨。怯怯衝泥。努力巉岩磴。蒼苔衣恠石。滑難登。彷彿昭關白髮生。

〔合〕谿水縈。山途梗。驚湍恠石雷霆掙。沙洲際盼殺小舟横。

【前腔】危樓天末。踈鐘聲迥。敲破糢糊煙景。霏霏颯颯。晚來急風雨催行。加鞭瘦馬。拂樹驚鴉。宛轉藤蘿徑。松杉開野寺。霧濛騰。擁塞今霄逆旅情。〔合前〕

【前腔換頭】九秋般信宿留停。嘆天外雲凝雨橫。聽涓涓行潦。水聲山應。恠殺沙鷗對浴。巢燕雙飛。故把人搬弄。鄉園才尺五指遥峰。卻羡高翔鳥翼輕。〔合前〕

【前腔】瀉丹梯瀑布飛鳴。恨巫娥行雲薄倖。送涼颷陣陣。陡驚秋令。正值玉琴絃斷。瑶席尊空。此際擔愁病。晚來横吹起斷腸聲。那得關山片月明。〔合前〕

【節節高】銀牀冰簟清。暗孤燈。雙鈎悶控珊瑚柄。馳歸夢。入户庭。穿三徑。葡萄滿泛玻璃浄。一杯未盡笙歌送。驀地鷄聲魂夢驚。依然旅館人孤另。

【前腔】〔一九〕口衣望翠屏。出閒亭。飛身顧入清虛境。瑶笙弄。白鶴乘。青鸞從。鞭笞天馬虹霓鞚。雨師風伯隨驅從。得趁雲龍恣遨遊。何憂旅館人孤另。

【餘音】雲思夢想都無應。喜高崗嵐消霧輕。親整雕鞍待晚晴。

庚午應試偶成時年十八歲〔二〇〕

【南仙吕甘州歌】郵亭煙柳。嘆故園回首。目斷汀洲。青山紅樹。景蕭踈蟬報新秋。江天鴈過人千里。茅店鷄鳴月一鈎。柴門曉。畫角悠。不堪風露透征裘。摇金轡。

驟紫騮。晉陽臺省碧雲頭。〔三〕

【前腔換頭】谿雲迷遠眸。著一鞭迢遞。景物清幽。孤船起處。緑陰中掩映紅樓。半竿晴旭穿紅葉。一帶寒山枕碧流。楓林冷。衰草柔。客中瀟灑不勝愁。尋詩侶。覓酒儔。人家遥在水西頭。

【前腔】衰蒲繫小舟。見漁翁罷鈎。簑笠初收。牧童歸去。吹横笛顛倒騎牛。晚風捲葉催征馬。秋水浮萍逐去鷗。寒鴉噪。枯木幽。白雲堆裏過荒坵。天將暮。人未休。愁看落日射山頭。

【前腔】呼童覓酒樓。暫解雕鞍。且遣離愁。藤牀紙帳。難成寐歸夢悠悠。荒村枕壓千重思。都只爲金殿臚傳第一流。蟾宫曉。桂殿秋。嫦娥年少最相投。文場戰。閬苑遊。龍門一躍占鰲頭。

【餘音】風雲路慢馳驟。玉鞭敲馬赴皇州。管取來春作狀頭。

【北雙調九換頭】〔鴈兒落〕春風燕子樓。歌舞閒迤逗。〔水仙子〕惺惺自古惜風流。剗地相逢兩意投。〔折桂令〕似嬌鸞乳燕相逐月。轉紗窗風細簾鈎〔落梅風〕美恩情等閒成就。

至誠心兩廂都應口。〔攪箏琶〕暗七點靈犀透。喜孜孜雲雨共綢繆。〔慶宣和〕願取今宵到白頭。廝守。廝守。〔清江引〕休猜做出牆花臨路柳。小可的難消受。〔甜水令〕錦衾一刻春情厚。笑黄金過北斗。〔沽美酒〕呀。想當日您愁俺愁。剛撥得自由。但有箇負心的天呵折壽。

【金鎖掛梧桐】懨懨十二時。一點愁而已。雪鬢朝來。青鏡還添幾。那人輾轉心窩裏。猶記昨宵。駿馬向垂楊繫。誰料今朝。丹鳳把梧桐背。空教我相思不斷似春江水。

【東甌令】離腸苦。日千迴。門掩青苔春光又歸。綠陰望眼相遮蔽。寂寞添縈繫。此情惟有落花知。堆堆積積告他誰。

【皂羅袍】夢想芙蓉並蒂。嘆鴛鴦雙塚。對長連枝。東鄰不負美人期。西廂更續風流記。笑開歌扇。歡縫舞衣。細穿花徑。高擎酒巵。暢風流一刻時金貴。

【餘音】海還枯石還碎。幽歡密約不成灰。萬刼千生誓不違。

按：此套疑有訛。首曲【九换頭】爲集曲，曲牌原缺，據律補；尤侯韻。【金索掛梧桐】起四曲爲南曲，轉齊微韻。南北合套不一定拘泥於一南一北的形式，但如本套之組合方式尚首見，姑録之。

複出

小令

【南商調金絡索】

四時閨情

東風轉歲華。

楊花亂滚綿。

閒堦細雨收。

銀臺絳蠟籠。

吴騷合編注常樓居撰，疑誤。案此四曲見陳大聲可雪齋稿，題作「四時閨怨」，此不重出。

〔一〕此首南宫詞紀題作「閑情」，南詞韻選無題，俱注常樓居撰。

〔二〕此曲南紀題作「閑情」，韻選無題，俱署名常樓居。
〔三〕此曲南紀題作「賞月」，韻選無題，俱注常樓居撰。
〔四〕此曲韻選無題，注常樓居撰。
〔五〕此曲南紀題作「思歸」，韻選無題，俱注常樓居撰。
〔六〕此曲南紀題作「夜興」，太霞新奏題作「夜飲」，韻選無題，俱注常樓居撰。
〔七〕此曲南紀題作「怨別」，韻選無題，俱注常樓居撰。
〔八〕「入耳清」下原衍一「清」字。
〔九〕此曲南紀題作「閑情」，韻選無題，俱注常樓居撰。
〔一〇〕南詞新譜曲牌作〔小團圓〕，注常明卿作。
〔一一〕「直」，原作「只」，兹從新譜。
〔一二〕此曲南紀、彩筆情辭題作「秋懷」，韻選無題，皆屬常倫。
〔一三〕此曲南紀題作「秋懷」，韻選無題，俱注常樓居撰。
〔一四〕此曲韻選亦録，無題，署常樓居作。
〔一五〕「套數」，原書「樂府」。
〔一六〕原無曲牌，兹據律補。
〔一七〕「音」字原奪，兹補之。
〔一八〕寫情集無題，兹從太霞新奏。

〔一九〕曲牌原缺，兹補之。

〔二〇〕翰苑詞珍題作「贈赴選者」，注常評事撰。

〔二一〕以下三曲牌原奪，兹據律補。

楊慥

楊慥，字用能，號未庵，四川新都人。升庵三叔父兵部左侍郎廷儀第二子。嘗任雲南姚安知府。

小令

【南南吕七犯玲瓏】

〔香羅帶〕情多莫上樓。樓前江正流。江流不盡愁依舊。〔梧葉兒〕天際是皇州。緑遍蘼蕪草。王孫耐薄遊。〔水紅花〕共綢繆。清明前後。到如今雕鞍玉勒。何處驟驊騮。〔皂羅袍〕覓佳音曾向錦鱗求。怯餘寒再把羅襦扣。今春消瘦。前春病由。他生願卜。此生肯休。〔桂枝香〕柳葉眉頻鎖。楊花性怎留。〔排歌〕君如水。妾似舟。朝朝臨水淚盈眸。〔黄鶯兒〕何日得回頭。（玲瓏倡和）

荷香滿畫樓。風簾響玉鉤。風來衣袂香先透。無意□筌篌。本爲陳三願。緣何擬四愁。最温柔。相逢時候。喜的是金蓮襯步。佯整玉搔頭。軟廝禁郎愛轉綢繆。緊團圞妾意非虚謬。如今何處。冰山宴遊。共誰此際。冰漿勸酬。兩兩鴛鴦戲。雙雙菡萏抽。今生偶。前世修。傷心對景淚交流。終日恨悠悠。（玲瓏倡和）

登高倦倚樓。砧聲韻晚秋。滿城風雨重陽又。涼思冷颼颼。極目傷千里。纖腰瘦一彄。碧溪幽。波涵遠岫。憶昔臨期送别。想像到溪頭。恠丹楓不向可人流。對蒼穹試把喬才呪。醇醪滿甕。誰來俺謀。茱萸插鬢。誰把俺揪。雁去書難寄。花殘蝶易愁。慵臨鏡。怕舉甌。昏昏情思壓雙眸。何日共衾裯。（玲瓏倡和）

梨花亂撲樓。瀟瀟玉滿溝。圍爐風景還如舊。半臂爲君留。莫被祧金誤。當思畫錦遊。掛心頭。窮冬數九。颸甜桃戀著苦李。你好没來由。論功名不過勅封侯。得歡娱何必金懸肘。照人顛頷。燈兒可羞。惱人清況。猧兒未休。枕冷鴛鴦瘦。衾寒翡翠愁。腸應斷。魂似收。幾時能够鳳鸞儔。積漸減風流。（玲瓏倡和）

王寵

王寵，字履仁，改字履吉，號雅宜，別署雅宜山人，南直隸長洲（今江蘇蘇州）人。以諸生貢太學，八舉不第。才力富贍，工書畫，善篆刻，文徵明後推爲第一。著有雅宜集十卷。弘治七年（一四九四）生，嘉靖十二年（一五三三）卒，年四十。

小令

【南仙吕二犯傍粧臺】

相思㈡

幽閣百花濃。銀床冰簟綉芙蓉。翠翘欹雀雲撩亂。水晶雙枕墜釵横。青樓朱箔天涯遠。隔斷巫山幾萬重。畫廊人静。難禁午風。飛紅冉冉度簾櫳。（群音類選）

含笑捧歌鐘。步摇金珮響玲瓏。別來蕙帳餘清夜。銀缸花落幾番紅。身無彩鳳雙飛翼。何處桃源有路通。緑陰庭院。何時再逢。玉笙吹徹月朦朧。（群音類選）

不睡數流螢。乳鴉啼散玉屏空。舞衫清露涼金縷。層樓十二與誰同。彩毫欲寫離情寄。羞緘鸞牋托雁鴻。更闌香燼。朱户懶扃。秋聲何處響梧桐。（群音類選）

那日畫橋東。朱門曾繫玉花驄。醉醒錦袖籠香晚。茗甌翻雪小房櫳。風流回首空陳迹。愁對寒山數點峰。闌干倚遍。相思轉濃。梅花枝上雪初融。（群音類選）

【南仙吕醉羅歌】

閨　思[二]

〔皂羅袍〕深院誰啾問。細雨梨花又黄昏。誤我誤我正青春。〔醉扶歸〕爲你爲你擔愁悶。如癡如醉。也只爲君。没情没緒。也只爲君。歸期暗數春纖困。〔排歌〕書空寄。病有因。何時得見意中人。（吴騷合編）

懶整懶整烏雲鬢。寬褪寬褪繡羅裙。默默無言暗消魂。人遠天涯近。粉容憔悴。也只爲君。桃腮消減。也只爲君。緣何一向無音信。江東樹。渭北雲。斷腸人盼斷腸人。（吴騷合編）

暗憶暗憶多聰俊。減盡減盡舊精神。懨懨骨立病纏身。空受淒涼運。黄花羞對。也

只爲君。金樽慵倒。也只爲君。淚珠暗把鮫綃揾。更初静。月半昏。誰憐獨坐可憐人。（吴騷合編）

畫閣畫閣挑燈盡。翠被翠被共誰温。千里無端一時分。閃得俺無投奔。塵蒙鸞鏡。也只爲君。寒生鴛枕。也只爲君。離愁萬種縈方寸。風敲户。雪舞筠。折梅空寄隴頭人。（吴騷合編）

套　數

【南商調二郎神】〔三〕静悄悄。乍睡起無言心暗焦。兀坐擁羅衾寒尚峭。東風猛地。吹破夭桃紅小。燕子還來尋舊巢。待那人黄昏來到。〔合〕惡年少。真個是負却千金一刻春宵。

【前腔換頭】輕拋。韶光轉眼。清明過了。鎮日何曾開口笑。别後佳期。暗數千遭。鍼指工夫都廢了。這真情惟天可表。〔合前〕

【集賢賓】西廂待月香倦燒。且謾飲香醪。百結愁腸不禁澆。酒醒後依然煩惱。孤燈自照。照得人形容枯槁。〔合〕空懊惱。這薄倖那曾知道。

【前腔】綉窗未晚。粧台未曉。最苦是此際難熬。月色梨花懸素縞。不由人不粉褪脂

消。心中自料。早不合情緣忒好。〔合前〕

【黄鶯兒】風雨篆煙飄。聽流鶯過柳梢。分明求友聲聲巧。帳捲鮫綃。環齅翠翹。强眠又被人驚覺。〔合〕更無聊。朱顔未老。先向鏡中凋。

【前腔】情緒萬千條。亂如絲似柳摇。相思欲寄無鴻到。歡娱已撓。恩情怎抛。枕邊長聽冤家叫。〔合前〕

【琥珀貓兒墜】悠悠漾漾。魂夢斷藍橋。淺淡眉峰懶去描。無心珠翠逞春嬌。〔合〕非遥。也只是一水天涯。萬事難招。

【前腔】斑斑點點。情淚濕鮫綃。瘦損何人惜楚腰。倚闌顒望眼成勞。〔合前〕

【尾聲】多情不日音書到。滿腹春愁須記着。因此假意真情都混了。（吴騷集）

郊　遊〔四〕

【南仙吕甘州歌】春眠方曉。聽啼鶯聲巧。飛上花梢。春遊懷抱。一旦豁然開了。特選風月人三個。旋買清香酒一挑。新羅薄。彩扇小。相逢一笑出西郊。穿蘿徑。過草橋。尋芳不憚路途遥。

【前腔換頭】梨花間杏桃。向東風鬬舞。百媚千嬌。村居茅店。緑依依樹遶週遭。悠悠遠望山頭寺。小小舟横渡口潮。鶯簧弄。蝶拍敲。柳枝輕擺小蠻腰。香車滑。寶馬驕。鞦韆牆裏笑聲高。

【前腔】風光入畫描。縱千金難買。一刻春宵。香叢艷處。唤山童擺列春殽。謾將酒斝傳纖手。笑把花枝插鬢毛。聯新句。揮彩毫。藏鬮勸飲漫呼么。韶光媚。景致饒。幕天席地樂陶陶。

【前腔】盤桓興轉騷。更呼兒洗盞。重酌香醪。撇衣丢帽。亂紛紛鬧喧芳草。狂歌不怕傍人笑。醉舞何妨過客嘲。還堪戲。正好樂。無端紅日墜林皋。權回首。且預邀。莫辭懽會在明朝。

【尾聲】醉扶歸人烟悄。惟聞四境犬聲高。花壓重門帶月敲。（南音三籟）

初夏題情〔五〕

【南仙吕入雙調步步嬌】昨夜春歸今朝夏。時序如翻掌。相思惱斷腸。只怕愁病無情。減却容光。血淚漬成行。點點滴在青衫上。

【山坡羊】綠陰陰竹梢初放。碧沉沉荷錢較長。紅潑潑榴花漸舒。白茫茫麥隴翻銀浪。雨乍晴。園林梅子黄。時移物换人何向。種種思量椿椿悵惘。凄涼。半開牕半掩憁。悲傷。半思郎半恨郎。

【五更轉】納稼時離鸞帳。到如今又插秧。南鱗北雁頻來往。自没一紙書來。慰奴懷想。向晚來空倚定危樓。朝雲暮雨和誰講。除是夢裏重逢。和你徘徊半晌。

【園林好】覺來時愁魂半床。那人兒依然在兩廂。只落得千聲悒怏。端的是怎推詳。端的是怎推詳。

【江兒水】睡起嬌無力。窮愁莫可當。咭叮咚風韻簾鈎響。清溜溜竹夾茶煙漾。碎紛紛日映晴絲蕩。混攪碎離人情況。縱有良工。畫不就相思模樣。

【玉交枝】緑憁虛明。晝寥寥共誰舉觴。芭蕉弄影摇書幌。一霎時過了端陽。夢魂驚破追楚襄。眉兒淡了思張敞。待見他山長水長。待放他情長意長。

【玉抱肚】南薰薦爽。這花陰看看過牆。聒噪些蛙鼓蟬琴。蕭索了蝶粉蜂黄。中心怏怏。無明無夜費思量。倩托何人遠寄將。

【玉山供】〔玉抱肚〕精神惚恍。這滋味可曾慣嘗。覷花鈿粉面流脂。透酥胸汗雨揮漿。〔五供養〕燈花鵲噪。到此都成虛謊。命薄多磨障。意徬徨。停鍼無緒綉鴛鴦。

【三學士】花愁酒債何時了償。經幾度飯廢茶荒。威蕤懶傅何郎粉。寂寞羞添賈女香。心爲遠懷縈百丈。魂消處逐去檣。

【解三酲】錦葵開有誰宴賞。記昔日歡娱在畫堂。今日裏浮瓜沉李没心想。盈盈淚浴蘭湯。趁微涼款步出洞房。悶數歸鴉立小廊。聲嘹亮。采蓮歌何處。晚渡横塘。

【川撥棹】舉目誰親傍。對三星禱夜央。俏冤家杳隔瀟湘。俏冤家杳隔瀟湘。幾時得榮歸故鄉。辦虔誠叩上蒼。奈愁城未肯降。

【嘉慶子】瘦損龐兒淺淡粧。怪暮鼓晨鐘特地忙。早知道今日悽惶。早知道今日悽惶。争似當初不識强。待相忘不忍忘。待相從路渺茫。

【僥僥令】蜻蜓飛兩兩。燕子語雙雙。偏我海誓山盟都成謊。翻做了五更頭夢一場。

【尾聲】擲金錢卜的當。只怕歸來鬢已霜。怎能勾身生兩翼飛到他行。（南宫詞紀）

秋　思[六]

【南商調鶯啼序】梧桐一葉初凋。看斗轉西杓。夜長更漏迢迢。枉教人辜負良宵。透珠簾金風蕩颾。映緑窻銀蟾光耀。怎捱到曉。不覺的月上花梢。

【集賢賓】朱顔可惜虚度了。况逢暮景良宵。日近天涯雲縹渺。空教人共誰歡笑。花陰月皎。對此景越傷懷抱。深院悄。西風起淚零多少。

【黄鶯兒】蛩語絮叨叨。聽寒砧入夜敲。雨摧壞壁苔花老。助秋聲晚潮。戰西風柳條。破雲送月朦朧到。正無聊。誰家短笛。哀怨度中宵。

【琥珀猫兒墜】鏡鸞羞覩。忽訝臉容消。淡淡蛾眉誰畫巧。帶圍寬褪小蠻腰。寂寥。怎禁那梧葉蕭蕭。亂下亭臯。

【尾聲】何時盼得多才到。對蒼天焚香禱告。但願鸞皇一處交（吴歈萃雅）

【南南吕宜春令】他傾城貌。絶代容。恰相逢便覺情深意濃。待把湘魂哀吊。誰知又遶高唐夢。喜今宵解珮相從。勝兩下傳情題咏。教人把佳期佇望。早已漏聲催動。

【前腔】穿芳徑。入錦叢。他望懸懸聽殘暮鐘。花間緩步。蒼苔露濕弓鞋重。似飛瓊暫離瑶宫。愧劉阮誤迷仙洞。他是個柔枝嫩蕋。須索緊偎輕動。

【繡帶兒】困孤幃寒衾自擁。明月一簾殘夢。喜今宵消受軟玉温香。怎肯忘却倚翠偎紅。芳容。似海棠含艷迎風弄。嬌無力枝頭春重。最相宜。雲鬟翠籠。今日喜逢伊想藍田玉種。

【前腔換頭】情濃。他把絮語將人調弄。我欲言又怕鶯黄傳送。羞答答背却銀燈。怕東風驟剪芙蓉。相逢。話在舌尖只自懂。我真恩愛倒把假情陪奉。他靦覥。〔七〕教我桃腮暈紅。似蕋怯遊蜂嬌柔下種。

【瑣窻寒】漏將殘月影朦朦。繡閣依微燭半紅。流蘇偎抱。露滴芙蓉。□休春暖。□香迷鳳。親受用錦衾幽夢。幸逢。似雙雙並□蕋珠宮。免教相思瘦損嬌容。

【前腔】兩相偎春睡朦朧。夢裏綢繆怯曉鐘。金釵半墜。雲鬢半鬆。春衫重整。麝蘭飛湧。似瑤臺月下相逢。意濃。須臾鳳去嘆臺空。何時再睹芳容。

【尾犯序】繡帳麝煙籠。一宿郵亭。恩愛深重。玉枕蓮衾。覺餘香尚濃。光瑩。他嬌柔似花房醮雨。我偎抱似梨雲迷夢。恨殺那。雞聲催起雲雨霎時空。（樂府先春）

複出

小令

【南仙吕二犯桂枝香】

韶光似酒。

鴛鴦霜重。

南宫詞紀無題，注王雅宜作。群音類選、新編南九宫詞注秦時雍作。兹已輯於秦氏卷中，此不重録。

套　數

【南黄鍾畫眉序】一見杜韋娘。

詞林白雪注王雅宜撰。樂府先春、吴騷集、吴歈萃雅、詞林逸響、吴騷合編、珊珊集、萬錦清音、南音三籟、古今奏雅俱屬祝枝山。兹已輯於祝氏卷中，不重出。

離　思

【南南吕梁州小序】�窗星散。

樂府先春、吴騷集無題，南音三籟題作「離思」，俱注王雅宜作。三徑閒題、南宫詞紀、詞林逸響、彩筆情辭（彩筆注張伯起改刻）皆署張伯起撰。兹已輯於張鳳翼卷中，不重録。

詠　草

【南正宫白練序】春煙暖。

吴歈萃雅、詞林逸響、南音三籟題作「詠草」，皆屬王雅宜。群音類選、新編南九宫詞、南宮詞紀俱注方洗馬撰。兹已輯於方氏卷中，此不重録。

懷舊

【南仙吕入雙調步步嬌】一夜梧桐金風剪。吴騷集無題，詞林逸響、珊珊集、古今奏雅題作「懷舊」，俱屬王雅宜。樂府先春注董玄宰撰。江東白苧、群音類選、南宮詞紀、南詞韻選、彩筆情辭、吴騷合編皆注梁少白撰。兹已輯於梁辰魚卷中，不重出。

【南仙吕入雙調步步嬌】小曲幽坊重門啟。吴騷集無題，目録注王雅宜，曲文中署名梁少白。翰苑詞珍屬吴崑麓。江東白苧、樂府先春、彩筆情辭俱注梁少白。兹已輯於梁氏卷中，此不重出。

〔一〕樂府先春、吴騷集無題，俱注王雅宜撰。南宮詞紀題作「四時怨」，署王九思作。群音類選題作「相思」，昔昔鹽題作「幽閣相思」，皆不注作者。

〔二〕吴騷二集收首曲，南宮詞紀收第二首，俱題作「閨情」。

〔三〕樂府先春、樂府争奇無題，不注撰人。吴騷集無題，署名王雅宜。

〔四〕吴歈萃雅、詞林逸響、古今奏雅、南音三籟題作「郊遊」，俱注王雅宜撰。

〔五〕樂府先春、詞林白雪、吴騷集無題，南紀題作「初夏題情」，俱注王雅宜撰。萃雅、逸響、奏雅、三籟題作「夏日閨思」，珊珊集題作「閨怨」，怡春錦題作「夏閨」，皆署名陳大聲。吴騷合編題同珊珊集，注舊詞。群音類選題作「閨思」，昔昔鹽題作「夏日相思」，南詞韻選、樂府争奇無題，均不注作者。

〔六〕吴歈萃雅題作「秋思」，注王雅宜著。吴騷合編題作「秋閨」，署孫百川作。新編南九宮詞題作「情」，注樂府。類選題作「閨情」，雍熙樂府題作「秋悲」，韻選題作「初秋」，盛世詞林無題，俱不注撰人。

〔七〕「靦覥」，原作「緬覥」，今正。

廖道南

廖道南，字鳴吾，號玄素，湖廣蒲圻（今屬湖北）人。正德十六年（一五二一）進士，二甲第一名，選翰林院庶吉士，授編修。歷中允、侍講學士，修大禮書，直經筵。嘉靖十二年（一五三三）因經筵推諉，謫徽州府通判。歸田後，爲世宗作楚紀六十卷。又有殿閣詞林記；玄素子集，散曲附。生於弘治七年（一四九四），卒於嘉靖二十六年（一五四七），年五十四。

【北雙調沽美酒】

進　酒

蠶禮成鳳輦停。薦霞觴列雲屏。宮妃世婦仰坤寧。祥雲映紫暝。同祝頌兆前星。

【御鑾歌】

回　宫

惟天啟聖王。君耕藉。后躬桑。身先田織率萬邦。天清地寧民阜康。百穀用登。四夷來王。治化登虞唐。世發貞祥。

二月千秋節奉宴兩宫皇太后樂章十章

【北雙調沽美酒】

一奏上萬壽

壽域開宴蓬萊。鸞笙鳴鳳輦來。春明花發綺霞回。王母降瑶臺。呼萬歲遍九垓。

【殿前歡】

二奏仰坤元

河清海晏坤維静。夷夏樂昇平。九天宫闕瞻慈聖。花迎旆。柳摇旌。祥雲和氣靄蓬瀛。春光盎帝城。

【北雙調沽美酒】

三奏慈極康

御筵新慶芳辰。奏韶鈞薦奇珍。彩鸞青鳥下滄溟。星斗映雲津。齊頌禱萬年春。

【北正宫醉太平】

四奏集福禄

春滿上陽宫。雲開賓座崇。仰慈闈瑞氣靄重重。利見六飛龍。扶桑又集雙鳴鳳。九州四海歡聲動。願皇天后土共悠長。永獻無疆頌。

【北雙調清江引】

五奏兆麟祥

珠簾錦屏開鳳苑。祥兆麒麟殿。三春寶樹花。萬歲蟠桃燕。醉時雲龍扶玉輦。

【北中吕十二月】

六奏關雎頌

鸞翔玄圃。燕喜丹宸。坤德貞純。聖壽遐臻。昔人道女中堯舜。螽斯羽麟趾振振。

七奏範六宫

寶筵春曉。絳節星摇。慈懿孔昭。遐壽彌超。正母儀六宫則效。錫純嘏永奠皇朝。

【北雙調沽美酒】

八奏凝協氣

仙杖迎瑞氣生。琪花燦彩雲明。風和景淑泰階平。罘罳裊玉衡。奏廣樂沸歌聲。

【萬年歡】

九奏樂平安

九霄光啟五雲祥。慈訓保家邦。月度瑶池。星轉銀潢。壽域安康。周家太任太姜。

八百年景運隆昌。風歌樛木。雅頌思齊。福履無疆。

【北雙調新水令】

十奏聖母陞座

香風吹動九龍衣。慶今朝聖慈歡劇。升寶座。晏彤闈。玉軫金徽。萬朵紅雲瑞。

八月萬壽節奉宴兩宮皇太后樂章

【御鑾歌】

彤庭瑞靄生。移仙杖。下宸京。金蕤玉葆後先迎。鈞天樂奏散雲屏。光天化日。仙會蓬瀛。大内動歡聲。樂奏慈寧。

一奏上萬壽

天家壽域開。翠霧濃。彩雲回。香風淑氣靄蓬萊。翟冠鞠服輝寶臺。鼎升玉鉉。觴舉瓊杯。嘉祥溢九垓。月璧星台。

二奏仰坤元

坤輿萬寶成。靈芝秀。嘉穀登。黄裳德應元吉增。紫婺祥開喜氣盈。四靈畢至。百福咸亨。陰教仰昭明。大化流行。

三奏慈極寧

慈極上陽宫。翔彩鳳。躍文龍。金波月轉紫垣東。玉繩星度銀河中。禮行肅肅。樂奏雝雝。歡聲動九重。

四奏集茀禄

皇闈福履崇。一人養。四海供。君庖珍膳九鼎豐。仙圃瑶池萬福同。春回舜殿。日轉堯宫。天上五雲紅。鳳翥鸞翀。

五奏慶豐年

貞儀表萬邦。配乾德。協坤祥。葛覃樛木元化彰。麟趾螽斯瑞應長。芝臺日麗。崑圃雲翔。懿德配任姜。福壽無疆。

六奏關雎頌

承乾履祚昌。肅威範。正紀綱。六宫則效母儀良。萬化澄清福履長。婺星垂耀。華月揚光。流慶衍滄桑。地久天長。

七奏兆麟祥

懿德感靈祥。坤化成。陰教彰。思齊大任保周邦。永嗣徽音壽域康。關雎雝肅。麟趾蕃昌。篤生我聖王。日月重光。

八奏正六宮

六宮範母儀。佑皇統。贊乾基。葛覃儉德慈訓垂。樛木仁風福履綏。載歌燕喜。共頌螽斯。壽域永無期。金母瑶池。

九奏樂永寧

萬壽仰慈仁。感天地。啟聖神。慶雲甘露頌群臣。嘉禾瑞麥歌萬民。咸歸懿德。幸際昌辰。宇宙永同春。世錫坤珍。

【北中吕十二月】

玉宇澄清。銀漢光明。星垣輝映。斗緯祥生。仰慈闈萬年長慶。宣元化四海咸寧。

【北雙調沽美酒】

吹鳳笙耀鸞旌。獻霞觴駐雲軿。星珠月璧泰階平。瑶光照玉衡。奠皇極永康寧。

【萬年歡】

五雲繚繞九重宫。萬寶玉玲瓏。玄鳥生商。武敏開周。華渚垂虹。泰和元氣流通。億萬年大明一統。保佑聖躬。誕有神孫。福祚昌隆。

十一月冬至肇祀圜丘慶成燕樂章

【萬歲樂】

五百昌期嘉慶會。啓聖皇龍飛天位。九州四海重華日。大明朝萬萬歲。

【北中吕朝天子】

滿前。瑞煙。香繞蓬萊殿。風回韶律鼓淵淵。列陛旌旗絢。日至朱躔。陽生赤甸。

氣融和徹上玄。歷年。萬千。長慶會天宫宴。

【水龍吟】

寶殿金爐瑞靄浮。陳玉案。列珍饈。天花炫彩。照燿翠雲裘。鸞歌鳳舞。虞廷樂奏。萬歲君王壽。

【御鑾歌】

一奏上萬壽

聖主垂衣裳。興禮樂。邁虞唐。蕭韶九成儀鳳凰。日月中天照八荒。民安物阜。時和歲康。上奉萬年觴。胤祚無疆。

【北中吕四邊静】

天啟嘉祥。聖主中興正紀綱。頌洋洋。功蕩蕩。國運。隆昌。萬載皇圖壯。

【鳳鸞吟】

維皇上天。佑聖明。景命宣。五雲輝絢。七緯光懸。協氣生。嘉祥見。正萬民。用群賢。垂衮御經筵。宵衣勤政殿。圜丘報本祀方虔。明水潔。蒼碧圓。秉周文。承殷薦。眷皇家億萬斯年。

【御鑾歌】

二奏仰天恩

皇穹啓聖神。欽乾運。祇郊禋。一陽初動靄先春。萬福來同仰至仁。祥開日月。瑞見星辰。禮樂協神人。宇宙咸新。

【水龍吟】

春滿雕盤獻玉桃。葭管動。日輪高。熹微霽色。遥映衮龍袍。千官舞蹈。鈞韶迭奏。曲度昇平調。

紫禁瓊筵煖應冬。驂八螭。乘六龍。玉卮瓊斝。黻座獻重瞳。堯天廣運。舜雲飛動。

喜聽賡歌頌。

【太清歌】

長至節開黄道。喜乾坤陽長陰消。奏鈞韶。音調鳳軫。律協鸞簫。仰龍顔。天日表。如舜如堯。金爐煙煖御香飄。玉墀晴霽祥光繞。宫梅苑柳迎春好。燕樂蓬萊島。

【上清歌】

雲捧宸居。五星光映三台麗。仰日月層霄霽。仰日月層霄霽。中興重見唐虞際。太和元氣自陽回。兆姓歡愉。

【開天門】

九重霄。日轉皇州曉。燕天家共歌魚藻。龍鱗雉尾彩雲高。祝聖壽。慶清朝。

【御鑾歌】

雅奏樂昇平。瞻絳闕。集瑶京。黄童白叟喜氣盈。謳歌鼓舞四海寧。金芝結秀。玉樹含英。聽康衢擊壤聲。帝力難名。

【賀聖朝】

華夷一統。萬國來同。獻方物。修庭貢。遠慕天宮。佳氣鬱重重。四靈畢至。麟鳳龜龍。

【殿前歡】

瑞雲晴靄浮宮殿。一脈陽和轉。禮成交泰開周宴。鳳笙調。龍幄展。天心感格人歡忭。四海謳歌遍。

【慶豐年】

賴皇天。錫豐年。勤禹稼。力舜田。喜慰三農願。嘉禾秀。瑞麥鮮。賦九州。貢八埏。神倉御廩咸充滿。養民以養賢。

【北雙調新水令】

聖德精禋格昊穹。一大統四夷來貢。玉帛捧。文軌同。世際昌隆。共聽輿人頌。

【北雙調太平令】

誕明禋天監元后。光四表惠澤周流。來四裔趨前擁後。獻萬寶充庭盈囿。稽首。頓首。天高。地厚。祝聖人多男福壽。

【御鑾歌】

三奏感昊德

昊德運光明。一陽動。萬物生。升中大報蒼璧陳。禮崇樂暢歆太清。星懸紫極。日麗璇庭。乾坤瑞氣盈。海宇安寧。

【北雙調新水令】

五雲深護九重城。感洪恩萬民胥慶。陽初長。禮方行。帝德文明。表率家邦正。

【北雙調水仙子】

萬方安堵樂康寧。九域同仁荷聖明。千年撫運承天命。露垂甘河獻清。見雙岐秀麥連莖。靈雪隨冬應。祥雲拂曙生。神與化并運同行。

【御鑾歌】

四奏民樂生

大報禮初成。象乾德。運皇誠。神州赤縣永清寧。靈雨和風樂太平。陰陽交暢。品物咸亨。元化自流行。允殖群生。

【水龍吟】

玉律陽回景運新。燕鎬京。靄皇仁。光昭雲漢。一氣沸韶韺。錦瑟和聲。瑶琴清韻。瞻仰天顔近。

五色祥雲捧玉皇。開閶闔。坐明光。鈞天樂奏。冬日御筵張。文恬武熙。太平氣象。人在唐虞上。

【太清歌】

萬方民樂時雍。鼓舞皇風動。喜今逢南蠻北貊。東夷西戎來朝貢。大明宫星羅斗拱。

九重天上六飛龍。五色雲間雙彩鳳。普天率土效華封。允協河清頌。

【慶太平】

惟天眷我聖明。禮圜丘至德精誠。乾元永清。洪膺景命。休徵應。泰階平。

【千秋歲】

聖主乘龍御萬邦。慶雲祥化日重光。群臣拜舞稱壽觴。載歌天保章。

【北正宮滚繡毬】

五雲車。度九重。利見飛龍。耀袞章火藻華蟲。擊虎敔。考梟鐘。鼉鼓逢逢。八珍列九鼎豐隆。堯眉揚彩舜重瞳。萬國咸寧四海雍。齊歌頌聖德神功。

【殿前歡】

萬年禮樂中興日。大化睹重熙。河清海晏臻祥瑞。五行順。七政齊。超三邁五貞元會。既醉頌梟鷖。

【北仙吕天下樂】

萬靈朝拱接清都。享南郊。欽天法祖。願聖人承乾納佑。中和位育。龜獻范。馬陳圖。

【北正宫醉太平】

禮樂萬年規。謳歌四海熙。衣冠蹈舞九龍墀。麗正仰南離。紫雲高捧唐虞帝。垂衣天下文明治。鎬烏岐鳳呈嘉瑞。人在成周世。

【御鑾歌】

五奏感皇恩

雙闕五星光。霓旌樹。紫蓋張。璇臺玉曆轉新陽。鈞天廣樂諧宫商。恩深露湛。喜溢霞觴。日月焕龍章。地久天長。

六奏慶豐年

聖主懋承乾。綏萬邦。屢豐年。神倉御廩登天田。明粢鬱鬯祀孔虔。輿情咸豫。協氣用宣。萬古帝圖傳。璧合珠聯。

七奏集禎應

天保泰階平。寶露降。渾河清。嘉禾秀麥集休禎。遐陬绝域喜氣盈。一人有慶。百度惟貞。萬國頌咸寧。麗正重明。

八奏永皇圖

鎬燕集天京。頌魚藻。歌鹿鳴。邊陲安堵萬邦寧。重譯來庭四海清。咸池日曙。昧谷雲征。帝座兆前星。豫大豐亨。

九奏樂太平

皇極永登祥。乾符啓。泰運昌。玉管回春動一陽。金鑾錫宴歌九章。虞廷獸舞。岐山鳳翔。日麗衮龍裳。主聖臣良。

【水龍吟】

香霧氤氳紫閣重。仰天德。瞻帝容。星輝海潤。甘雨間和風。樂比鳶魚。瑞呈麟鳳。永獻卷阿頌。

萬户千門啓建章。台階峻。帝座張。三垣九道。北斗玉衡光。元氣調和。雅韻鏗鏘。昭代慶明良。

【太清歌】

萬方國盡來庭。稽首歌帝仁。仰荷生成。振乾綱陰陽順序。民物樂生逢明聖。萬年春永膺休命。華夷蠻獠咸歸正。蒼生至老不知兵。鼓腹含哺享太平。九有樂清寧。

【萬歲樂】

太平天子興隆日。履初長陽回元吉。醴泉芝草休禎集。曾聞道五星聚室。

【賀聖朝】

一人元良。百度惟新。握赤符。凝玄應。享太清。大禮方行。祀事孔明。感天心億載恒承慶。明王慎德。四夷咸賓。

【北正宫醉太平】

星華紫殿高。雲氣彤樓繞。九夷重譯梯航到。皇圖光八表。玉宇無塵明月皎。銀河自轉扶桑曉。平平蕩蕩歸王道。百獸舞鳳鳴簫韶。

【看花會】

普天下。都賴吾皇至聖。看玉關頻款。天山已定。四夷效順歸王命。天保歌群黎百姓。

【天下樂】

九重樂奏萬化開。望龍樓雲蒸霧靄。仰天工雍熙帝載。臣民歡戴。溥仁恩。遍九垓。

【北雙調清江引】

黄鐘既奏陽和長。德感天心貺。人文日月明。國勢山河壯。衢室民謡頻擊壤。

鈞天畢奏日方中。既醉歡聲動。雲章傍衮龍。飈勢翔威鳳。萬方安樂興嘉頌。

【千秋歲】

上下交歡燕禮成。一陽奮萬彙咸亨。風雲會合開明運。紫極轉璇衡。

【北中吕朝天子】

文班。武班。歡動含元殿。禮成樂備頌聲喧。真咫尺仰天顔。日照龍麟。風回雉扇。

翠蕤旋奉仙鑾。雲間。斗間。見五色奎章燦。

【萬歲樂】

天回北極雲成瑞。望層霄重華日麗。九垓八極樂雍熙。祝聖壽萬萬歲。

按：十一月冬至肇祀圜丘慶成燕樂章四十九首亦見陸深儼山集，兹輯入廖道南卷，陸深卷不另出。

八月己亥西苑仁壽宮落成上錫燕大臣樂章十一章

【北中吕朝天子】

一奏本太初

帝誠。帝明。寶位基昌命。仙苑開筵歌鹿鳴。亭殿天章映。我有嘉賓。鼓瑟吹笙。示周行昭德音。日昇。月恒。萬載皇圖正。

【殿前歡】

二奏仰大明

天保定聖人。多壽多男慶。修和禮樂協中興。麗正重明。如山阜。如岡陵。如川方至莫不增。嘉氣生。休祥應。百神受命。萬國來庭。

【北雙調沽美酒】

三奏民初生

黄河清膏露凝。瑞麥呈靈鵲鳴。諸福來同仰聖明。喜萬寶告成。占景緯泰階平。

【北雙調太平令】

念農桑衣食之本。庇君德獨厚民生。事耕□□□百姓。魚遊藻鹿食蘋。明主燕嘉賓承。筐鼓笙繼。自今福申天定。

【北正宫醉太平】

四奏品物亨

瑶宫怡聖顔。閬苑隔塵寰。鼓簧鼓瑟鳳和鸞。秋霽菊花繁。水明巖秀天開燕。兩階萬舞黄金殿。賴吾皇錫福兆民。安醉承行葦歡。

【北雙調清江引】

五奏御六龍

六龍御宇世昇平。主聖臣多慶。務本軫民生。弘化凝乾命。忻落成萬葉開鴻運。

【北雙調碧玉簫】

帝重農桑。法駕啟明光。麟遊鳳翔。燕陳天保章。開玳筵薦瑶觴。既醉頌洋洋。聖德巍。皇恩蕩。世際唐虞上。

【水龍吟】

進膳樂

虎敔龍麾鼓吹喧。聖天子。御華筵。南山萬壽。瑞日正中天。百穀豐年。八方珍膳。人在天官燕。

【太清歌】

瑞麥嘉瓜臻瑞。仰荷堯舜主。愛育群黎。感天意。五風十雨。秋報春祈。偏爲爾德。無載爾僞。日際雍熙。萬方歌舞開筵地。紫雲高捧唐虞帝。山呼萬歲福無疆。日升川至。

【上清歌】

仰賴聖人。參天兩地凝和氣。四三王五六帝。四三王五六帝。國家昌賢才爲上。瑞養萬民四海歸。百禄咸宜。

【開天門】

寶殿輝。龍虎風雲會。瞻丹陛。覲紫微。周詩歌既醉。螽斯麟趾開。祥瑞仰。龍飛在天位。

八月癸卯西苑豳風亭無逸殿落成上錫講官樂章十一章

【北中呂朝天子】

一奏本太初

九天。詔宣。内苑開秋燕。西流鶉火肅霜前。物易天時變。稼入天田。農歌帝甸。豳風七月篇。春酒登堂獻。萬年。永傳。中興今載見。

【殿前歡】

二奏仰大明

西内御筵開。黄花映玉階。陳詩協律歌周代。古調新裁。載獻上。九霞杯。日馭回台階泰。億萬年。兆民賴。一人有慶。元首明哉。

【北雙調沽美酒】

三奏民初生

熙春陽化日長。執懿筐採柔桑。拾繭繅絲服七□。染紅黄孔陽。成五色補龍章。

【北雙調太平令】

勤樹藝歲年豐穰。九十月禾黍登場。爲朋酒甕浮嘉釀。村田樂齊歌齊唱。饗公堂殺羊舉觴。繼着。兕觥。祝萬壽萬靈扶相。

【北正宫醉太平】

四奏品物亨

斯螽初動股。莎雞旋振羽。七月鳴鵙辭炎暑。八月天河曙。蟋蟀在野忽在宇。九月乘時登稼圃。觀周家肇基豳土。創構真辛苦。

【北雙調清江引】

五奏御六龍

月令風光何處有。鳳苑在龍池右。農夫稼已登。公子衣方授。歲歲爾觴頻進酒。

【北雙調碧玉簫】

凡我生民。農桑最苦辛。終歲經營。氣候變冬春。田畯欣婦子寧。黍稷登明馨。百里成。五福膺。壽考臻休慶。

【水龍吟】

進膳樂

養老休農聖主筵。瀉春酒。介耆年。鳴蜩隕籜。陰陽自節宣。香羹美果。升堂拜獻。真慰吾民願。

【太清歌】

帝室弘開天苑。宸居無逸殿。講幄張筵。進儒流。雲征星炫。璧緯珠躔。睹聖製。焕奎章。昭回雲漢。堯天舜日群方宴。御廩神倉百穀登。金輝玉燦諸祥見。感皇穹。錫康年。

【上清歌】

鳳囿龍渠。帝籍今方舉。勸耕蠶勤士女。勸耕蠶勤士女。獻羔羊升堂奏舞。葵菽棗壺上珍廚。萬歲山呼。

【開天門】

豳風亭。永戴吾皇聖。萬物新萬國咸寧。需雲湛露開昌運。仰乾禧。俯坤靈。

九月甲寅上恭燕兩宫皇太后於西苑仁壽宫樂章二十一章

【御鑾歌】

陞座樂奏慈寧

彤闈瑞靄生。啟閶闔。出勾陳。金蕤玉節後先迎。一聲清蹕度丹宸。光風化日。仙會蓬瀛。萬壽動歡聲。樂奏慈寧。

一奏上萬壽

乾坤壽域開。四海寧。萬邦懷。歲豐民樂歌喜哉。嘉生協氣盈九垓。鞠衣寶臺。鼎食瓊杯。陽長福方來。鳳翥鸞回。

【北雙調沽美酒】

碧天飛五彩霞。香風動萬年花。象管鸞笙鼉鼓撾。開燕玉皇家。祝聖壽永無涯。

【御鑾歌】

二奏仰坤元

坤元善發生。受天施。載物成。含弘光大品彙亨。□□毓德萃精英。嚴爲壺範。柔在安貞。嘉薦際豐登。九域咸寧。

【殿前歡】

上陽曙色開新霽。金光浮碧紫。鼓簧吹籥送璚巵。豫慈顔。陳樂事。蟠桃鬱李獻珍奇。芬芳旨且時。

【御鑾歌】

三奏慈極寧

皇穹眷聖神。保慈極。樂清寧。商歌簡狄肇休徵。周詠姜嫄啟德馨。禮行闈闥。樂沸韶韺。萬載嗣徽音。壽永岡陵。

【北雙調沽美酒】

象緯森瑞景明。霓裳動仙鶴鳴。太液波含天氣清。宫闕仰峥嶸。歌福履倍光亨。

【御鑾歌】

四奏集福禄

帝室詠斯千。開北極。對南山。竹苞松茂藹芳蘭。□林鯨島翔和鸞。皇情載豫。慈闈永歡。寶月照高寒。壽嶽巑岏。

【北正宫醉太平】

瓊筵開玉宇。雉扇引鸞輿。紫綃屏緯繡羅襦。在五雲深處。仙人掌上金莖露。帝子宫前碧桃樹。崑崙玄圃獻珍圖。奉瑶池金母。

【御鑾歌】

五奏慶豐年

貞儀表萬邦。配乾懿。孚坤良。四時佳氣發禎祥。二南敦化首耕桑。嘉禾秀麥。千箱萬倉。大有國家昌。物阜民康。

【北雙調清江引】

宮壺水添蓮漏永。燕喜勤供奉。香浮寶座龍。樂轉鈞韶鳳。萬年太平歌一統。

【御鑾歌】

六奏關雎頌

承乾履祚昌。肅威儀。正紀綱。坤維奠位福無疆。陰教宣𪻺信有常。和旋玉律。慶衍銀潢。樂奏國風章。思媚周姜。

【北中呂十二月】

喜帝日長膺寶録。仰慈雲深鎖仙墀。散瑶空祥光掩映。靄蓬壺紫氣葳垂。延和門鑾輿初度。宜春苑麟節來儀。

【御鑾歌】

七奏範六宫

懿範表宫闈。端理本。開化基。金樓玉殿倍光輝。璧月珠星照太微。蠶宫繭館。禾圃蔬畦。袍鳳映冠翬。璀璨璇璣。

【北中呂十二月】

歌豳風民情勤苦。講無逸王業艱難。采桑臺九妃登止。飼蠶室六尚來觀。五百年聖人開治。三千歲王母承歡。

【御鑾歌】

八奏迎協氣

帝闕靄長春。二氣轉。九陽伸。璇雲寶露屆昌辰。金芝瑤草物華新。花明仙島。荇泛天津。水殿接山亭。茀祿無垠。

【北雙調沽美酒】

□瓊液紫金甌。捲珠簾白玉鉤。萬春宮殿獻珍饈。日水彩雲流。聽笙歌裊鳳樓。

【御鑾歌】

九奏樂平安

萬物荷坤元。夏塗山。周姜嫄。明章豳贊造乾坤。履和行儉正闈門。祥開帝座。慶衍仙源。象應紫微垣。百子千孫。

【萬年歡】

六宮景範。萬國師賢。懿德自孚乾前。星炳曜。五雲聯。世胤緜延。介景福。御芳筵。南極畔老人星見。永承清□。河清海晏。萬有斯年。

【回鑾歌】

上改題曰丕休圖

帝苑五雲翔。瑶林寶樹芳。蠶壇稼圃閱農桑。十洲三島醉瑶觴。仙宫載啟。皇極永康。宇宙納禎祥。萬壽無疆。

按：廖道南小令一一八首，均爲奉旨迎頌之作，未必廖氏一人所爲，作者已無考，兹姑輯於廖氏卷中。

李元陽

李元陽，字仁甫，一字仁夫，號中谿，雲南太和（今大理）人。嘉靖五年（一五二六）進士，授翰林院庶吉士。尋以議禮忤權臣，出補分宜、江陰。召爲監察御史，巡按關中，墨吏望風解綬。知荆州府，興利除害，政嚴而有惠愛。因不屑俯貼權貴，以丁憂去任，遂里居不出。與楊升庵交誼頗厚。精研理學，著有心性圖説、中谿漫稿存稿、艷雪臺詩，及李中谿全集十卷（亦名中谿家傳彙稿）等。生於弘治九年（一四九六），卒於萬曆八年（一五八〇），年八十五。

小令

【南商調黃鶯兒】

花　雪二首

羅袖拂香紅。繞名園曉露叢。枝頭蝴蝶驚殘夢。八姨翠封。二喬錦蒙。畫闌十二金

鈴動。倚東風。洞房清供。春在膽瓶中。（陶情樂府）

呵手弄絲篁。向紅爐騁素粧。瓊林遠近寒梅放。白鸞舞忙。銀蟾凍僵。玉山自倒銷金帳。到昏黃。江天清曠。懶上剡溪航。（陶情樂府）

按：前一首南宮詞紀題作「詠花」，誤歸楊升庵。後一首南宮詞紀題作「詠雪」，誤屬李中麓。原本四首，依風花雪月順序而列，於詞下分注作者之姓。陶情樂府題爲「與李翰林分詠風花雪月」，楊慎作風月二首，已收入升庵卷中。「李翰林」，夫人詞作「李裳」，誤。升庵集所稱李翰林多指大理李元陽。

陸治

陸治，字叔平，號包山，别稱包山子，南直隸（今江蘇）蘇州人。諸生。自守泊如，隱支硎山。工畫山水。爲人倜儻嗜義，以孝友稱。有包山遺詩一卷，纂注孔子家語十卷。弘治九年（一四九六）生，萬曆四年（一五七六）卒，年八十一。

套數

春　怨梁少白改〔一〕

【南商調高陽臺序】萬點殘紅。千林新緑。聲聲怨殺啼鳺。驀送春歸。芳心時爲愁絶。傷别。烏絲小字書空寫。有話兒和誰分説。頓教他。歸來再整。舊時風月。

【前腔換頭】悲咽。冷冷清清。凄凄楚楚。黄鸝又蚤啼徹。人在層樓。闌干十二憑絶。愁結。天涯遠隔何日返。怎遣這望中流血。奈臨風。無端懊惱。玉釵敲折。

【前腔】難撇。病染相思。愁躭悒怏。陡覺精神悲切。絳燭花生。蛾來又從搧滅。情絶。鱗鴻望斷音信杳。暗自將鳳鞋輕跌。任殘滅。麝蘭待爇。慵把香爇。

【前腔】愁結。門掩殘春。冷風疎雨。那更那人長別。地北天南。凄然兩下屏絶。難決。争知到今心頓改。好情懷已成迴摺。嘆巫峰。重重霾霧。一時迷疊。

【前腔】薄劣。鳳友鸞交。蜂喧蝶嚷。怎忍鏡分簪折。暗想花前。幾回立地曾説。情切。温存萬種誰似你。這姻緣實難抛撇。慢回首。端然如夢。悶縈愁結。

【前腔】虚設。繡榻銀屏。鴛衾珊枕。幾番猶自難熱。縱有鸞膠。斷弦何日重接。懽悦。人歸錦堂春復靄。羨春香紅透雙頰。共留連。花堆錦片。這回心愜。（吴騷合編）

閨　情照墨憨齋改〔三〕

【南小石調漁燈兒】没來繇惹相思蹙損愁眉。俏不覺帶兒鬆瘦削腰圍。你若是當我做牆花路柳垂。怎便肯輸情留意。這姻緣須不是露水夫妻。

【前腔】别來後却緣何魚沉雁稀。空自把方勝回文錦字題。誰與我披星帶月傳將去。煞强似向黄昏呆想閒提。又須防寄書人拆了封皮。

【錦漁燈】桃源路盼不得漁郎棹回。巫山路怕裏王好夢無期。章臺路楊柳青青列路岐。短長隄終日裏送人歸。

【錦上花】我若是得見伊。再休題歡會遲。把從前愁病盡都醫。我若是夢見伊。也强如久別離。又怕夢魂驚破四更雞。窗外月沉西。

【錦中拍】鴛鴦帶從今拆毀。盼甚麼佳期。全不想窗前共倚。全不想月中同誓。把恩山義海朝更暮移。弄得個花憔柳悴。弄得個鸞悲鳳泣。兩字姻緣。萬種滋味。好教人難迴避。

【錦後拍】本待要把熱心腸一時灰。不覺冷地又癡迷。向誰行告理。向誰行告理。他若是勸伊行和咱相會。那時節到神靈辨個是和非。這田地。總費些兒閒氣。也免得無人處獨自哭啼啼。

【尾聲】千愁萬恨空堆積。都付與落花流水。爲甚的煩惱心頭只自知。（吴騷合編）

世所傳李日華西廂記有漁燈兒一套，蓋即王實甫北詞而被之南聲者，九宫譜舊所不載。第其詞音調悽惋，人喜歌之。偶閲吴騷集，擬有閨怨一套，刻陸包山，而詞亦流利，恨兼用齊微支思二韻。後見墨憨齋改本，悉去借韻，復調平仄，毫不戾嗓，洵可快也。亟爲傳之。太霞新奏評。

閨　思〔三〕

【南正宫四塊玉】武陵花春難放。壽陽梅粧不上。冷落了傅粉何郎。再休題畫眉張敞。章臺楊柳一任風飄蕩。那折柳人兒空妄想。寄相思紙短情長。夢相思鶯喧蝶嚷。訴相思拜月燒香。

【雁過聲】凄涼。銀燈翠幌。雲雨隔巫山楚襄。朱明一紙音書謊。今端午過又重陽。總金錢教我難卜行藏。多情。心大爽。那堪時序臨霜降。只恐愁與秋潮連夜長。

【傾盃序】閒想。歡娱事誰主張。何處告相思狀。恨鸞鳳釵媒。鴛鴦帶纍。翡翠衾窩。鵾鷄調謊。又不覺惱中留意。怨中垂淚。恨裏思量。這冤家繫人心下刺人腸。

【芙蓉犯】愁邊信渺茫。夢裏人來往。怎能勾做一個不醒黄粱。和他睡足芙蓉帳。把隻鳳孤鸞。化蝴蝶雙。參商。春風洞房。何日得明珠在掌。

【山桃犯】撇不下真魔障。憔悴了嬌模樣。朱弦玉管無心響。花筵柳宴和誰賞。登樓倚户空凝望。寸心兒惟有萬種悲傷。

【尾聲】一天愁緒眉尖上。何處能消半晌。且燒燭階前照海棠。（吴騷集）

複出

套數

閨情

【南黄鍾畫眉序犯】煙煖杏花明。

群音類選題作「閨情」，吴騷集無題，俱署陸包山撰。樂府先春注徐存齋作。兹已輯於徐氏卷中，不重出。

〔一〕吴騷二集題同，詞林逸響題作「離恨」，俱注陸包山作。吴歈萃雅題同逸響，南音三籟題作「離懷」，皆屬沈青門。古今奏雅題亦同逸響，署名祝枝山。

〔二〕太霞新奏題作「閨怨」。

〔三〕吴騷集、樂府先春無題，目録皆注文衡山，文内注陸包山撰。樂府珊珊集無題，南音三籟題作「怨别」，萬錦清音題作「閨思」，俱署名陸包山作。南宫詞紀、古今奏雅題作「閨情」，俱注史叔考作。昔昔鹽題同詞紀，不注著者。未知孰是，兹互見史、陸兩家曲中。

王問

王問，字子裕，號仲山，南直隸（今江蘇）無錫人。嘉靖十七年（一五三八）進士。由户曹官至廣東按察使僉事，乞養歸，不復仕。善畫，山水、人物、花鳥皆精妙。工詩，有仲山詩選八卷、初筮齋集等。弘治十年（一四九七）生，萬曆四年（一五七六）卒，年八十。

小令

【南商調黄鶯兒】

風庭聽梧

秋意響梧桐。透疎簾半夜風。幾回驚破莊周夢。江雲已空。蘿月正中。一聲何處來青鳳。謾支筇。露堦清絶。人在碧霄宫。（南宫詞紀）

【南越調浪淘沙】

旅　行

無奈惡風何。擊檝悲歌。大江東去浪偏多。兩岸蘆花人並老。行不動的哥哥。（南宮詞紀）

蠻洞幾經過。對面操戈。梅花嶺上蝮蛇多。瘴海風來吹入骨。行不動的哥哥。（南宮詞紀）

白髮阻關河。着甚蹉跎。西川路上夜猿多。五更叫月人腸斷。行不動的哥哥。（南宮詞紀）

書劍蹇驢馱。難上高坡。羊腸路險雪霜多。回首白雲家萬里。行不動的哥哥。（南宮詞紀）

漫　興

力倦强登山。鶯老花殘。留春無計送春還。片靄餘暉偏解得遊人意。掛住在林間。（南宮詞紀）

小小木蘭舟。撑出溪頭。一雙瀲鸂對沉浮。新水魚兒不上鈎。且唱個梁州。（南宫詞紀）

風動水西頭。夜氣蕭颼。海天雲浄月光流。坦着襟兒摇着扇。蕩漾歸舟。（南宫詞紀）

手把數株桐。種在牆東。一聲葉落起秋風。夜來月向懷中照。醉聽寒蛩。（南宫詞紀）

宋玉最風流。何事悲秋。五更殘夜水明樓。倚遍闌干看月色。簾控雙鈎。（南宫詞紀）

雨霽好登臺。踏破芒鞋。九龍山下百花開。酒醉人扶歸去也。明日還來。（南宫詞紀）

蘅蘗結爲房。肌沁寒香。梅花紙帳竹方床。不盡悠悠千古意。夢到羲皇。（南宫詞紀）

寒夜夜偏長。焚斷爐香。松根煨滚竹爐湯。試得盧仝茶七碗。月轉西牕。（南宫詞紀）

【南中吕駐雲飛】

弔古

地割鴻溝。千古英雄項與劉。説士談天口。戰士屠龍手。嗏。争鬬幾時休。川原依舊。弔客悲傷。落日蒼山瘦。野草閑花滿地愁。（南宫詞紀）

【南仙吕入雙調朝元歌】

歸　隱

春風草廬。霢霂桃花雨。秋風草廬。淅瀝梧桐雨。一賦歸歟。樵夫爲侶。來與青山作主。暮嶺踟躕。松苓滿筐雲滿裾。明月印柴墟。北牕塵夢虚。萬峰西去。一聲猿嘯在白雲深處。（南宫詞紀）

【南越調浪淘沙】

慨　世

人壽百年餘。及早歡娱。中間睡夢半消除。又除了十歲孩童三十歲老。剩不得些須。（南宫詞紀）

易水去悠悠。風氣蕭颼。悲歌擊筑向秦州。不料得祖龍環柱走。着甚麽來由。（南宫詞紀）

劉項割鴻溝。用盡機謀。將臺高築拜韓侯。雲夢僞遊烹走狗。着甚麽來由。（南宫詞紀）

赤壁大磯頭。下瞰江流。周郎于此破曹侯。鼎足勳名今在否。着甚麼來由。（南宫詞紀）

郭外古時丘。盡是王侯。白楊蕭瑟使人愁。田竇相傾不停手。着甚麼來由。（南宫詞紀）

漁樵耕牧

收拾賣魚錢。酒醉醺然。扁舟牢繫石塘邊。蘆花被底長伸脚。有甚愁牽。（南宫詞紀）

草屋兩三間。住在深山。松雲滿擔唱歌還。又釀得一缸新酒熟。醉掩柴關。（南宫詞紀）

百畝傍湖田。遇着豐年。黄昏飯飽腹便便。教得童孫歌自舞。拍手燈前。（南宫詞紀）

牧放夕陽還。隴草芊芊。數聲横笛過前川。歸來不把簑衣脱。和月酣眠。（南宫詞紀）

李一元

李一元，號初岡。生平不詳。

小令

【南南吕七犯玲瓏】

〔香羅帶〕一從辭鳳樓。渾如魚脱鉤。分明識得機關透。〔梧葉兒〕心事寄笠篌。命酒邀山簡。徵歌唤莫愁。〔水紅花〕盼明眸。春山晚岫。又見那還林倦鳥。情趣共悠悠。〔皂羅袍〕慕高名到處競相留。賢郎舊業真能守。山間林下。詩朋酒友。高軒不羡。良田懶求。〔桂枝香〕字許傍人問。觴臨曲水流。〔排歌〕呼紅袖。著緑韝。酒酣何物當纏頭。〔黄鶯兒〕雲錦與霞緅。（玲瓏倡和）邀賓池上樓。催將太白浮。飲如河朔消炎晝。醉聽唱梁州。倦欲眠平石。歸思舁綵兜。軟難搊。沈腰消瘦。喜稚子門前相候。瀟洒樂無憂。論當朝博雅更無儔。看雄文組麗真如繡。客來相訪。新詩倡酬。歌姬勸酒。猜著務頭。一曲銷金帳。雙斟軟玉甌。清風起。暑氣收。紅蓮香委碧波流。遥喚賣魚舟。（玲瓏倡和）

愁登天際樓。憑軒涕泗流。衰顔不是因詩瘦。垂老卧滄洲。塞北胡猶擾。江南盜未收。歎神州。英雄入彀。豈是陸沉時候。覽鏡若爲羞。染清霜鬢髮總多愁。看浮雲富貴吾何有。埋輪請劍。明珠暗投。回風惜日。靈均好脩。海嶽齊遐筭。江湖愜壯游。才無敵。名豈浮。紛紛去馬與來牛。安穩度春秋。（玲瓏倡和）

同雲暗小樓。寒生鶴氅裘。雪兒勸酒歌喉溜。休歎滯南州。花下非秦贅。風前豈楚囚。論才猷。秦先漢後。想行踪半生奔走。否運也將週。醉山公時有玉人搊。卧袁安肯把朱門扣。斜陽誰歎。磻溪釣鉤。居夷何陋。滄溟駕桴。意氣追三傑。襟懷傲五侯。膺徵召。出隱幽。還將勳業佐商周。國計更紆籌。（玲瓏倡和）

文彭

文彭，字壽承，號三橋，南直隸長洲（今江蘇蘇州）人。徵明長子。以明經廷試第一，出爲嘉興訓導。隆慶二年（一五六八）遷南國子監助教。善詩文，工書畫，尤精篆刻，與何震并稱「文何」。著有文博士詩集。弘治二年（一四八九）生，萬曆元年（一五七三）卒，年八十五。

套數

途思

【南黄鍾畫眉序】白露破青烟。曙色將明動橈船。見蕭條風景。意惹愁牽。家鄉裡何日留連。山水興今朝消遣。滿懷無限淒涼景。芙蓉冷落誰憐。

【黄鶯兒】茅舍兩三間。傍危橋流水邊。西風桂子香飄遍。砧聲亂傳。離情慘然。傷心怕見雙飛燕。嘆陽關。驪駒唱徹。不覺又經年。

【簇御林】蘆花潛宿錦鴛。比情人無二三。蓬窻獨倚空長嘆。紫簫聲斷行雲散。並頭蓮。何時共枕。重會舊姻緣。

【集賢賓】層巒萬疊如翠攢。飛紅瀉石涓涓。蕭寺疎鐘人漸遠。頃刻間趲過前川。柴門半掩。幾度把青帘頻盼。身勞倦。凝眸處野色相連。

【皂羅袍】滿目黄花夾岸。似粧成一簇。晚景鮮妍。夕陽影裡噪寒蟬。蘋香水緑真堪玩。漁翁釣罷。和衣醉眠。牧童笛弄。無腔自喧。沙鷗驚起滄江畔。

【琥珀貓兒墜】寒灘風冷。又早着霜斑。欲寫新詩興未闌。巫山夢斷雨雲閑。情慳。甚日得團圓。再整歸鞭。

【鬬雙鷄】疎林外。疎林外。古樹藤纏。煙村裡。煙村裡。古渡艇灣。幾番漁鹽入市。商人交兢後。早日已殘。只見古樹昏鴉。争宿樹間。

【尾聲】異鄉情緒何曾慣。江村漁火對愁眠。幾時得歸夢依稀返故園。（群音類選）

按：此套吴騷合編題作「客懷」，亦注文三橋撰。又：此套鬬雙鷄即滴溜子。

複出

套數

秋閨

【南正宫普天樂】閉月容。羞花貌。

吴騷合編題作「秋閨」，注文三橋撰。吴歈萃雅、詞林逸響、古今奏雅俱署薛常吉著。未知孰是，兹姑輯於薛氏卷中，此不重出。

黄峨

黄峨，字秀眉，四川遂寧人。工部尚書簡肅珂第二女。正德辛未科修撰楊慎繼室。爲人賢淑，慎忤旨謫滇幾四十年，紀綱家務，皆賴夫人。黄氏博學工詩，時有寄外之篇，爲時傳誦。有楊狀元妻詩集等。弘治十一年（一四九八）生，隆慶三年（一五六九）卒，年七十二。

小令

【南中吕駐雲飛】

足古詩四首[一]

暗想嬌容。疑是瑶臺月下逢。鳳枕鸞衾共。蝶粉蜂黄重。儂[二]。何處最情鍾。分散西東。會少離多。天也將人弄。水遠山長處處同。（楊夫人詞曲）

暗想嬌情。一笑回頭百媚生。兩點秋波浄。八字春山映。卿。别後冷清清。獨守長

更。夜雨難晴[三]。一枕和愁聽。隔箇窗兒滴到明。（楊夫人詞曲）

暗想嬌羞。往事牽情不自由。帳薄燈光透。寒峭花枝瘦。休。一日比三秋。人在心頭。兩字相思。鎖定雙眉皺。殘夢關心懶下樓。（楊夫人詞曲）

暗想嬌嬈。家住成都萬里橋。啼鳳求凰調[四]。比玉如花貌。妖。無福也難消。淚染紅桃。欲寄多情。魚雁何時到。若比銀河路更遥。（楊夫人詞曲）

【北越調憑闌人】

足古四首

休教宫髻學蠻粧。原是巫山窈窕娘。行雲夢高唐。隨郎還故鄉。（楊夫人詞曲）

休教鶯語學蠻聲。萬里長途辛苦行。迢迢遠别情。盈盈太瘦生。（楊夫人詞曲）

休教眉黛掃蠻烟。同上高樓望遠天。天涯新月懸。故鄉何處邊。（楊夫人詞曲）

休教楊柳學蠻腰。魂斷關山骨也銷。何時步蘭苕。折花戲紅橋。（楊夫人詞曲）

【北仙吕一半兒】[五]

小紅樓上月兒斜。嫩緑叢中花影遮。一刻千金斷不賒。背燈些。一半兒明來一半兒

滅。（楊夫人詞曲）

腰身小小意中人。嬌態盈盈笑裏嗔。一點靈犀漏泄春。引人魂。一半兒香來一半兒粉。（楊夫人詞曲）

水邊楊柳路邊花。也照污泥也照沙。合著風流一夥家〔六〕。說情雜。一半兒粧聾一半兒啞〔七〕。（楊夫人詞曲）

金杯美酒苦留他。錦帳羅帷不戀咱。翠袖紅粧馬上斜〔八〕。俏冤家。一半兒囂人一半兒耍。（楊夫人詞曲）

【北雙調折桂令】

記相逢月地雲階。剩枕閑衾。擘鈿分釵。半點芳心。三生薄倖。一寸離懷。立秋千風吹繡帶。倚闌干露濕羅鞋。人去愁來。信阻音乖。淹了藍橋。旱了陽臺。（楊夫人詞曲）

記相隨並枕同衾。愁也同禁。病也同禁。翠袖雕鞍。寒冰凍雪。遠水遥岑。好時光歡娱未穩。惡姻緣憔悴如今。感歎沉吟。舊約休尋。抹殺了交頸鴛鴦。再休提一刻千金。（楊夫人詞曲）

記風流窈窕知心。花底垂頭。石上磨簪。花朵兒身描。月芽兒眉細。柳眼兒情深。竹枝兒扭斷了誰憐瘦損。桃瓢兒擘破了人在中心。鸞鳳離林。鴉雀相侵。不爭他蝶鬧蜂喧。都只因雁落魚沉。（楊夫人詞曲）

記相思俊俏嬌娃。間阻多端。咫尺天涯。雲鬢慵梳。蛾眉羞畫。都只因他。歎光陰如奔駿馬。笑玉顔不及寒鴉。閉月羞花。掃雪烹茶。美愛幽歡。變做了短歎長嗟。（楊夫人詞曲）

【北商調梧葉兒】

雪和雨。雨和雪。雪兒雨兒無休歇。隴驛傳梅隔。池塘夢花怯。窗案燈花謝。難打熬無如今夜。（楊夫人詞曲）

衾如鐵。信似金。玉漏静沉沉。萬水千山夢。三更半夜心。獨枕孤眠分。這愁懷那人争信。（楊夫人詞曲）

元宵近。燈火稀。冷落似寒食。歲月淹歸計。干戈有是非。烽火無消息。曉來時帶減征衣。（楊夫人詞曲）

金爐畔。玉案前。記得當年鵠立通明殿。翦綵宮梅片。青煙御柳篇。明月傳柑宴。

幾曾經瘴雨蠻煙。（楊夫人詞曲）

【南仙吕入雙調柳摇金】

嘲[九]

茅簷草下。誰種出海棠花。嬌滴滴俏冤家。柳腰枝剛一把。綰烏雲雙鬢鴉。娉婷未嫁。二八時娉婷未嫁。飲散流霞[一〇]。只落得夢魂牽掛。（楊夫人詞曲）

尊前花下。且寬心留戀咱。何日再遇嬌娃。雙並頭還嫌遠。怎生的拋撇了他。金錢買卦。桃花女金錢買卦。寶馬香車[一一]。再來時春宵無價。（楊夫人詞曲）

留他不下。爲誰人忙去家。回首時隔天涯[一二]。東郊頭扶上馬。紫絲韁手懶拿。淚沾羅帕。背人處淚沾羅帕。一曲琵琶[一三]。兜率天怎如愁大。（楊夫人詞曲）

與他説下。休戀著花木瓜。端的是意見差。老鴇兒惡狠狠。黄桑棍寸紮麻。磨殺纔罷。休只等磨殺纔罷。喬坐花衙[一四]。疼殺我哥哥大大。（楊夫人詞曲）

【北雙調落梅風】

樓頭小。風味佳。峭寒生雨初風乍。知不知對春思念他。背立在海棠花下。（楊夫人詞

曲）

書憑雁。夢借蝶。枉耽了千金良夜。倚闌干愁見月兒斜。洞房冷銀燈花謝。（楊夫人詞曲）

春寒峭。春夢多。夢兒中和他兩個。醒來時空牀冷被窩。不見你空留下我。[一五]（楊夫人詞曲）

因他俏。把咱迷。眼睜睜指甚爲題。害相思只怕日平西。合著眼光推昏睡。（楊夫人詞曲）

【南中吕駐馬聽】[一六]

夢峽啼湘。千古多情兩斷腸。眼穿心碎。影隻形單。意慘神傷。寒生翠被裊餘香。鏡中不見青鸞樣。好處休忘。長記得花前月下相偎傍。（楊夫人詞曲）

離別曾經。不似今番最慘情。想著他水邊娟娟。月底娟娟。花下盈盈。到如今守窗無語恨長更。燈前不見徘徊影。萬里飄零。那堪對此淒涼境。（楊夫人詞曲）

淚眼看花。記得臨行相送他。一場春夢。千種風流。咫尺天涯。慵歌白雪飲流霞。尊前不見凌波襪。懊惱嗟呀。山盟海誓成虛話。（楊夫人詞曲）

春夢悠悠。日壓重簷懶舉頭。鸞孤鳳隻。燕懶鶯慵。蝶恨蜂愁。粉香餘暖在衾裯。懷中不見纖纖手。有日綢繆。他心我意還依舊。（楊夫人詞曲）

【北雙調風入松】四首〔一七〕

噴香瑞獸小粧臺。咫尺天台。芭蕉不展丁香結。閉春心眉鎖難開。銀蠟燒燈過後。金釵鬬草歸來。（楊夫人詞曲）

徘徊花月可憐宵。天近人遥。有情芍藥含春淚。夢回時一枕無聊〔一八〕。王母池連翠水〔一九〕。雲英家住藍橋。（楊夫人詞曲）

月樓花院好風光〔二〇〕。謝女檀郎。朝朝暮暮遥相望。殢人嬌羅帶留香。青鳥解傳消息。銀河不隔紅牆。（楊夫人詞曲）

繡羅紅嫩抹酥胸。此夕重逢。妬雲恨雨腰肢重〔二一〕。暈眉心獺髓分紅。蠟燭寒籠翡翠。麝香暖度芙蓉。（楊夫人詞曲）

【北雙調折桂令】〔二二〕

爲風流勾引春情。你做紅娘。誰做鶯鶯。鬢亂釵横。眼重眉褪。膽顫心驚。粉香處

弱態伶仃[三三]。煙花寨即世魔精。悄悄冥冥。款款輕輕。偏手妹妹先嘗。急喉姐姐休聽。（楊夫人詞曲）

好花枝國色天香。你做鶯鶯。誰做紅娘。賽越西施。遊吴南浦。窺宋東牆。有千般風流業樣。愛尋常雅淡梳粧。鳳也求凰。鴛也思鴦。有分成雙。願早成雙。（楊夫人詞曲）

【北中吕紅繡鞋】[三四]

實指望花甜蜜就。誰承望雨散雲收。因他俊俏我風流。鼻凹兒裏砂糖水。心窩兒裏酥合油。餂不著空把人迤逗。（楊夫人詞曲）

你不慣誰曾慣。人可瞞天可瞞[三五]。夢見槐花要緑襖兒穿。嘴孤都看一看。滑即溜難上難。你無緣休把人來怨。（楊夫人詞曲）

【北雙調清江引】

容易來時容易捨。寂寞千金夜。花好防花殘。月圓愁月缺。怕離別如今真箇也。（楊夫人詞曲）

離恨天教人盼望苦。又趲上銷魂路。身居寂寞州。情遍相思鋪。斷腸時幾點臨明露。（楊夫人詞曲）

【北越調天浄沙】

哥哥大大娟娟。風風韻韻般般。刻刻時時盼盼。心心願願。雙雙對對鶼鶼。（楊夫人詞曲）

娟娟大大哥哥。婷婷嫋嫋多多。件件堪堪可可。藏藏躲躲。嚌嚌世世婆婆。（楊夫人詞曲）

【北雙調折桂令】〔三六〕

寄與他三負心那箇喬人。不念我病榻連宵。不念我瘴海愁春。不念我剩枕閑衾。不念我亂山空館。不念我寡宿孤辰。茶不茶飯不飯全無風韻。死不死活不活有甚精神。阻隔音塵。那箇緣因。好事多磨。天也生嗔。（楊夫人詞曲）

天生你端要磨咱。好朵仙花。落在誰家。被兒裏風流。懷兒裏恩愛。做了口兒裏嗟呀。飛虎賊終遭白馬。嫩凰雛怎配烏鴉。海角天涯。水渺雲賒。到頭來山也相逢。

急時間心癢難撾。（楊夫人詞曲）

【北雙調風入松】〔二七〕

一絲兩氣病襄王。枕上時光。風流自古多磨障。幾時得效對鸞凰。覓水重來崔護。看花前度劉郎。（楊夫人詞曲）

千嬌百媚杜韋娘。惱亂柔腸。昨宵夢裏同鴛帳。醒來時依舊凄涼。歡會百年嫌短。離愁一夜偏長。（楊夫人詞曲）

【南商調黄鶯兒】

翠被峭寒生〔二八〕。訴離情天未明。淚花落枕紅綿冷。鄰鷄一聲。譙樓五更。紗窗殘月愁分影。謾留情。佳人薄命。飛絮逐浮萍。（楊夫人詞曲）

絃管動離聲。是旁人也動情。東橋煙柳和愁暝。摇裝且停。行杯且傾。樽前重唱西河令。淚偷零。銀瓶墜井。腸斷短長亭。（楊夫人詞曲）

【南中吕駐雲飛】〔二九〕

疊雪香羅。窄窄弓弓玉一窩。鳳嘴穿花破。龍腦濃熏過。嗏。洛浦去淩波。笑殺齊

奴。枉把香塵涴。掌上擎來暖氣呵。（楊夫人詞曲）
戲蕊含蓮。一點靈犀夜不眠。鷄吐花冠豔。蜂抱花鬚顫。嗏。玉軟又香甜。神水華池。只許神仙占。夜夜栽培火裏蓮。（楊夫人詞曲）

【北越調寨兒令】〔三〇〕

花寫真。水爲神。月牙兒半灣眉黛顰。年紀青春。流落紅塵。分外可憐人。枕頭兒邊海誓山盟。等盤兒上暮雨朝雲。步蘭苕臨海浦。折楊柳向河津。含。雨淚濕羅巾。（楊夫人詞曲）

【北雙調沉醉東風】

也不是石家的緑珠風韻。也不是喬家的碧玉青春。合雙鬟夢裏來。行萬里雲南近。似蘇家過嶺朝雲。休索我花鈿與繡裙。窮秀才牀頭金盡。（楊夫人詞曲）

【南仙吕皂羅袍】

爲相思瘦損卿卿。守空房細數長更。梧桐金井葉兒零。愁人又遇凄涼景。錦衾獨旦。

銀燈半明。紗窗人静。羅幃夢驚。你成雙丢得咱孤另。（楊夫人詞曲）

【北雙調捲簾雁兒落】

難離别。情萬千。眠孤枕。愁人伴。閑庭小院深。關河傳信遠。魚和雁天南。看明月中腸斷。（楊夫人詞曲）

【北中吕紅繡鞋】

望天台花當洞口。夢陽臺人在峰頭。雲天花地兩悠悠。把眼前閑愁付酒。歎别後光陰似流。借問劉郎記否。（楊夫人詞曲）

【北雙調雁兒落帶得勝令】〔三〕

俺也曾嬌滴滴徘徊在蘭麝房。俺也曾香馥馥綢繆在鮫綃帳。俺也曾顫巍巍擎他在手掌兒中。俺也曾意懸懸閣他在心窩兒上。誰承望忽刺刺金彈打鴛鴦。支楞楞瑶琴别鳳凰。我這裏冷清清獨守鶯花寨。他那裏笑吟吟相和魚水鄉。難當。小賤才假鶯鶯的嬌模樣。休忙。老虔婆惡狠狠做一場。（楊夫人詞曲）

【北中吕朝天令】〔三二〕

夜遊。虎丘。銀燭秋光溜。喉歌掌舞醉温柔。風韻前年又。月暗金波。花明紅袖。向離筵重勸酒。清謳。散愁。細雨黄昏後。（楊夫人詞曲）

【北雙調清江引】〔三三〕

鍾馗卧牀扶不起。鬼病難醫治。硯瓦害相思。想必無他意。屈原投江沉到底。（楊夫人詞曲）

【南雙調巫山一段雲】〔三四〕

巫女朝朝豔。楊妃夜夜嬌。行雲無力困纖腰。媚眼暈紅潮。阿母梳雲髻。檀郎整翠翹。起來羅襪步蘭苕。一見又魂銷。（楊夫人詞曲）

【北南吕罵玉郎帶過感皇恩採茶歌】

仕女圖〔三五〕

一箇摘薔薇刺挽金釵落。一箇拾翠羽。一箇撚鮫綃。一箇畫屏側畔身斜靠。一箇竹影遮。一箇柳色潛。一箇槐陰罩。一箇緑寫芭蕉。一箇紅摘櫻桃。一箇背湖山。一箇臨盆沼。一箇步亭皐。一箇管吹鳳簫。一箇絃撫鸞膠。一箇倚闌憑。一箇登樓眺。一箇隔簾瞧。一箇愁眉霧鎖。一箇醉臉霞嬌。一箇映水勾紅粉。一箇偎花整翠翹。一箇弄青梅攀折短牆梢。一箇蹴起秋千出林杪。一箇折回羅袖把扇兒摇。（楊夫人詞曲）

【北雙調水仙子帶過折桂令】〔三六〕

不明不暗唱陽關。無語無言倚畫闌。多情多恨空腸斷。那人兒甚日遠。相思擔其實難擔。獨樹山頭路。皐橋渡口船。眼睁睁面北眉南。眼睁睁面北眉南。抛閃得隻鳳孤鸞。都只爲燕兩鶯三。好箇人人。從他去去。鬼病懨懨。常想著臨上馬淚抛珠點。蹙雙蛾鬢亂花尖。鹽也般鹹。醋也般酸。你也休憨。我也休憨。（楊夫人詞曲）

套數

【南商調二郎神】〔三七〕春到後〔三八〕。正三五銀蟾乍圓〔三九〕。深院裏誰家吹玉管〔四〇〕。紫姑香火。聽一叢士女聲喧。欲擲金錢暗卜歡〔四一〕。争奈歸期難算。〔合〕遠如天。真箇是斷腸千里風煙。

【前腔換頭】嬋娟。從別後〔四二〕。萍流蓬轉。多病多愁相思衣帶緩。記名園花底。笑挽秋千〔四三〕。回首雲程隔萬山〔四四〕。燕來時黄昏庭院。〔合前〕

【玉堂客】〔四五〕東風芳草競芊綿〔四六〕。何處是王孫故園。夢斷魂勞人又遠。對花枝空憶當年。愁眉不展〔四七〕。望斷青樓紅苑。〔合〕離恨滿。這情悰怎生消遣。

【前腔】海棠經雨梨花禁煙〔四八〕。買春愁滿地榆錢。雪絮成團簾不捲。日長時楊柳三眠。樓高望遠〔四九〕。空目斷平蕪如翦。〔合前〕

【黄鶯兒】晴日破朝寒〔五〇〕。看春光到牡丹。閑將往事尋思徧。玉砌雕闌〔五一〕。翠袖花鈿。一場春夢從頭換。〔合〕惡姻緣。雲收雨散。不見錦書傳〔五二〕。

【前腔】〔五三〕鶯語巧如絃。趁和風度枕函。聲聲似把愁人喚〔五四〕。衷腸幾般。夢魂那邊。一春憔悴誰相伴。〔合前〕

【琥珀猫兒墜】紅稀緑暗。最是惱人天〔五五〕。恰正是一片春心怯杜鵑〔五六〕。又那堪千重別恨調琴懶〔五七〕。〔合〕慘然〔五八〕。對天涯萬里。〔五九〕落日山川。

【前腔】水流花謝。春事竟茫然。都只因春帶愁來到客邊。怎奈春歸愁不與同還。〔合前〕

【尾】九十春光虛過眼〔六〇〕。人憔悴慵將鏡看。且倒金尊花前學少年。（楊夫人詞曲）

【北南呂一枝花】好恩情花上花。都翻成夢中夢。隔春水渡旁渡。勝蓬萊東復東。江鱗塞鴻。誰把殷勤送。雌蝶雄蜂。空堆愁悶叢。

【梁州】蓬鬆了雛鵶髻朶。蹙損了團鳳眉峰。塵埋了舞鸞腰帶。冷落了瑞鴨薰籠。想當初拈玉纖秋千夜月。片時間軟金杯桃李春風。到如今匀紅淚秋雨梧桐。冲冲。匆匆。合歡調改做了凄涼弄。點潘郎翠葆如蓬。真箇是千重別恨調琴倦。一寸相思攬鏡慵。

【尾】有一日閑衾剩枕和他共。解嬌羞錦蒙。啟温柔玉封。説不盡嬝娜風流千萬種。（楊夫人詞曲）

【北仙呂點絳唇】[六二]驕馬吟鞭。舞裙歌扇。長相伴。月下星前。多少陽關怨。

【混江龍】只爲歌喉宛轉。覰著陷人坑似誤入武陵源。但和他恩情一遍。不弱如流遞三千。不義門怎生連理樹。火坑中難長並頭蓮。眉尖傳恨。眼角留情。枕邊盟誓。袖裏香羅。尊前心事。席上情悰。傳書寄簡。翦髮拈香。都是鼻凹兒砂糖。待嘛也如何嘛。郎君們買了些虛脾風月。賣了些實落莊田。

【油葫蘆】有這等月夜春風美少年。憑他們惡胡纏。每日價長安市上酒家眠。有一日業風吹入悲田院。那時節行雲不赴凌波殿。麗春園十徧粧。曲江池三墜鞭。恰相逢初識桃花面。都是些刀劍上惡姻緣。

【天下樂】你早賣了城南金谷園。虔也麼虔。怎過遣。每日價宴西樓醉歸明月天。一壁廂列著絃管。有一日飢寒守自然。壁廂間著綺羅。

【那吒令】那一等村的肚皮裏無一聯半聯。那一等村的酒席上不言强言。那一等村的俺跟前無錢說有錢。是這村膽兒查。動不動村筋兒現。有甚的品竹調絃。

【鵲踏枝】覰著一箇俏生員。伴著一箇女嬋娟。吟幾首詠月情詩。寫幾幅錦字花牋。團弄的香嬌玉軟。温存出疼惜輕憐。

【寄生草】你問我兩椿事。聽取俺一句言。俏的教柳腰舞得東風軟。俏的教蛾眉畫出俏的教半鍬土築就楚陽臺。村的啊一把火燒了祆王殿。青山淺。俏的教鶯聲歌送行雲遠。

【村裏迓鼓】二人評論。百年姻眷。這虔婆又特地來也麽天。天。好不與人行方便。待教俺蝶避了蜂。鸞丟了鳳。鶯離了燕。鏡破了銅。簪折了玉。瓶墜了泉。娘啊。直恁的緣薄分淺〔六二〕。

【元和令】洞房春口中言。陽關路眼前見。賽潘安容貌可人憐。腹中愁欺謫仙。一春常費買花錢。赤緊的不分愚共賢。

【上馬嬌】教那廝空拽拳。乾遇仙。休想花壓帽簷邊。推得箇沉點點磨盤兒滴溜溜轉。暢好是眼暈又頭旋。

【遊四門】待教我片帆雲影掛秋天。兩岸聽啼猿。吴江楓落胭脂淺。看漁火對愁眠。你與緊張筵。

【勝葫蘆】便有天子呼來不上船。把我熬煎。待教我冷氣虚心將他顧戀。覷一覷要飯吃。摟一摟要衣穿。老虔婆要攢下口含錢。

【么篇】月缺又重圓。人老何曾再少年。舌尖上無甜唾。口兒裏有頑涎。甚底是前生世曾會靈山。

【後庭花】你愛的是販江淮茶數船。我愛的是詠風流詩百篇。你愛的是茶引三千道。我愛的是錦箋數百聯。便休言赤緊的不願。請點湯晏叔原。告迴避白樂天。

【尾聲】贏得腹中愁。不稱心頭願。大都來時乖命蹇。山海似恩情方纔展。被他愛錢娘撲地掀天。壞了好姻緣。我只願禱告青天。若到江心緊溜旋。向金山寺那邊。豫章城前面。好教一陣風翦碎了販茶船。（楊夫人詞曲）

【北越調鬪鵪鶉】〔六三〕分手東橋。送君南浦。目斷行雲。淚添細雨。載恨孤舟。戛愁去櫓。廝看覷。兩無語。當時也割不斷那樣恩情。今日箇打疊起這般淒楚。

【紫花兒序】病懨懨雲衣雨帶。冷清清月户風亭。孤另另晨鐘暮鼓。信斷音疎。枕剩衾餘。踟躕。想起他嬝嬝婷婷玉不如。動人情處。春風蘭蕙。秋水芙蕖。

【調笑令】短歎。又長吁〔六四〕。一寸柔腸千萬縷。眼睜睜怎忍分飛去。鳳鸞交鴛鴦伴侶。争奈惹鴉喧鵲妒。枉躭了落雁沉魚。

【麻郎兒】東君要與花爲主。可憐見憔悴了粉捏身軀。月纔圓便有雲和霧。端的是嫦娥命苦。

【聖藥王】高橋渡。團山路。萬轉千回無計留他住。錦瑟年華誰與度。鐵做心腸淚似珠。不見他一紙來書。

【尾聲】不明白前世姻緣簿。教今生千般間阻。實指望眼皮上供養出並頭蓮[六五]。有分教心窩兒裏再長連枝樹[六六]。（楊夫人詞曲）

維揚風月[六七]

【北仙呂點絳唇】錦纜龍舟。可憐空有隋隄柳。千古閑愁。春老瓊花瘦。

【混江龍】江山如舊。竹西歌吹古揚州。二分明月。十里紅樓。人倚雕闌品玉簫。手捲珠簾上玉鉤。維揚風月景。天下最爲頭。罷干戈無土馬太平時世。省刑罰薄税斂民庶優遊。列一百二十行經商買賣。透八萬四千門人物風流。平山堂竹西閣蟠花膩葉。九曲池小金山白鷺沙鷗。銀行街米市街如龍馬驟。禪智寺山光寺似蟻人稠。茶房内泛松風香酥鳳髓。酒樓裏歌白雪檀板鶯喉。接前庭通後院魚鱗砌瓦。遶竹閣近綺户黿背毬樓。金盤露瓊花露釀成佳醖。錦纏羊柳羔羊烹饌珍羞。看官場愛韡袖垂肩蹴踘。休教坊慣清歌妙舞俳優。著輕紗穿異錦齊臻臻按春秋。奏繁弦吹急管鬧炒炒無昏晝。將數萬兩黄金買笑。費幾千段紅錦纏頭。

【油葫蘆】爲甚的月底籠燈花下遊。將飲興酬。我向綺羅隊裏封作醉鄉侯。斟著錦橙漿。渲浄談天口。折取碧桃花〔六八〕。搭住拿雲手。打疊起國子監的酸。拽扎起翰林院的縐。趁著錦封未拆香先透。渴時節飲盡洞庭秋。

【天下樂】尚兀自一盞能消萬斛愁。三杯。扶起頭。我只待紅裙會中奪第一籌。飲酒啊灌得咳嗽。看花啊沁成症候。也强似假惺惺真出醜。

【那吒令】倒金瓶鳳頭。捧瓊漿玉甌。蹙金蓮鳳頭。顯凌波玉鈎。整金釵鳳頭。露春尖玉手。若還天有情天也老。春有恨春先瘦。山有眉山也顰皺。

【鵲踏枝】花比他少風流。玉比他欠温柔。端的是燕也銷魂。鶯也藏羞。赤緊的櫻桃閉口。呆答孩荳蔻藏頭。

【寄生草】我空央及到十箇千歲。他剛嚥了三箇半口。險污了内家裝束紅鸞袖。越顯出宫腰體態纖楊柳。到添出芙蓉顔色嬌皮肉〔六九〕。白處似梨花粧冷粉酥凝。紅處似海棠暈暖胭脂透。

【幺篇】磨鐵角烏犀冷。點霜毫玉兔秋。對明窗滄海龍蛇走。蘸端溪石硯雲煙透。拂羅牋湘水波文溜。投至得吴宫花草二十年。費了些翰林風月三千首。

【後庭花】應答得俏心兒投。笑談得局面兒熟。拼了我月夜攜紅袖。不覺的春風到玉樓。這酒啊怎生嚥下咽喉。動勞箇田文生受。氣昂昂才包今古吞宇宙。焰騰騰噴吐虹霓射斗牛。寬綽綽拂袖紅雲出鳳樓。興悠悠騰駕蒼龍遍九州。樂陶陶醉賞瓊花雙玉甌。香拂拂斟一杯花露酒。

【青歌兒】呀。央及殺偷香偷香韓壽。不驚回兩行兩行紅袖。感謝文章賢太守。我是江海俊儒流。傲宰相王侯。咱賓主相留。敍筆硯交游。會詩酒綢繆。他悶倚紅樓。櫪控驊騮。絲繫蘭舟。潯陽江水悠悠。蘆花楓葉颼颼。紅蓼汀洲。白芷林丘。話不相投。不争聽徹琵琶楚江頭。休淚濕了青衫袖。

【尾聲】比及客散畫堂中。不隄防人約黄昏後。這花啊不比泛常牆花路柳。這場事怎肯癡心兒干索休。引惹得人强風情酒病花愁。掃愁帚强如捧箕手。者磨的頭鬢上霜華漸稠。衫袖上酒痕依舊。會風流到老也風流。（楊夫人詞曲）

秋夜有懷〔七〇〕

【南越調綿搭絮】長空如洗。薄暮雨初收。誰駕冰輪。碾破玻璃萬頃秋。怕登樓。牽惹離憂。總使清光照我。未審可照他州。想是獨宿嫦娥。也與人間無二愁。

【前腔】花容消瘦。默默自含羞。猛憶當年。枉把明珠暗裏投。甚來由。去覔封侯。未審青驄何處。浪蕩他州。争奈分短緣慳。兩地相思一樣愁。

【前腔】人間天上。今夕是何秋。看織女牛郎。已渡銀河配鳳儔。恨無休。兩淚交流。不是姻緣反目。恩變爲仇。命薄紅顔。翻做了招魂宋玉愁。

【前腔】寒衣未授。大火又西流。只見北雁南來。衰草茫茫無盡頭。望歸舟。人倚西樓。一似黄花消瘦。鬼病難瘳。又聽吹笛誰家。落日山陽都是愁。（吴騷合編）

複　出

小　令

【南商調黄鶯兒】

苦　雨

絲雨濕流光。霽雨帶殘虹。夜雨滴空堦。積雨釀輕寒。

吴騷二集、詞林逸響、古今奏雅、名媛詩緯雅集、曲藻、曲律、堯山堂外紀、盛明百家詩、劍閣芳華集、列朝詩集、升庵合集、元明事類鈔俱屬楊夫人。楊升庵夫婦散曲、南宮詞紀、群音類選、堅瓠補集皆注楊升庵著。茲已輯入楊慎卷中，此不重出。

楊夫人樂府詞餘引

升庵公夫人舊有「雁飛曾不到衡陽」一律，及「積雨釀輕寒」一調，膾炙人口，余蓋童而竊聞之矣。今年夏，過年家兄蘇門伯子，爲言夫人才情甚富，不讓易安、淑真，其詩稿逸不存；存者惟詞餘五卷，皆□其太史遠戍，寫其幽懷怨致，蓋三百篇中旨也。惜元無刻本，僅得之手録，藏之帳中十五年矣，盍謀而梓之，以公諸賞音者。因出以相示，則已半爲蠹蝕，乃更爲緝葺，繕寫成帙，付之剞劂氏。然中有脱略，有疑誤，則都仍舊貫，以伺博雅君子，徐考訂焉，不敢以臆參補，貽續貂之誚也。余因感古今寳物，隱見有時，豐城之劍，不遇張華，孰起龍光於塵土！夫人篇什，雲蒸霞爛，至今幾百年，始得流播人世，則茲刻未必彤管家功臣也。□抱疴長千里，未及丐學士長者爲之□始，識其略于簡端。萬曆戊申中秋古丹陽郡人楊禹聲題。

楊升庵先生夫人樂府序

余自幼年知文，即慕古文詞，迨長而遇蹇，益疏縱不爲儒縛。或寓筆詞劇，以發塊磊不平，於是有四聲猿之作。方自負未獲鍾期之知，乃於友笥得楊升庵夫人詞讀之，旨趣閑雅，風致翩翩，填詞用韻，天然合律，余爲之左遜焉。夫以升庵之通博，著述甲士林，而又得賢媛，才藝冠女班，何修而臻此？乃升庵公刑于之化與！因深愧夫余婦之憨戇，梓而行之，并愧夫海内之婦之憨戇者。天水徐渭文長氏述。

按：楊夫人詞曲萬曆本五卷，凡套數、小令百六十八首。其數量曲作之真僞，長久以來爲衆人所質疑。普遍認爲「本爲坊賈僞撰，托名徐渭編訂，假造序文，俱出楊禹聲之手」。任中敏先生曾以楊慎陶情樂府與之比對删選，剔除復見於升庵集者，得套數五，小令六十三，但仍以爲：「另有套數二，重頭十七，小令三根據選本亦屬升庵，所餘者不過套數三，重頭三十五，小令八而已。即此所餘，仍未必皆屬夫人」。本編黄娥卷所録，即根據民國十七年任二北楊慎庵夫婦散曲校訂本（下稱任本）。對於明顯僞託之作如【點絳脣】「維揚風月」、「驕馬吟鞭」兩套，以及署名與升庵重者均加注説明；對於多種别集俱署楊夫人，本編從任本已歸入楊慎卷者則作複出處理，如【黄鶯兒】苦雨四首；但對於一些與夫人身份不符的，内容有涉情色之作品，因無確鑿史料依據，則不予删減，以資俟考。楊慎詞曲集輯校本有云：楊夫人詞曲萬曆本五卷，「因其傳世已久，且載入明史藝文志，明知其僞，終不可廢。」此論甚妥。

〔一〕群音類選題作「相思」，南宫詞紀題作「怨別」，俱注楊升庵作。
〔二〕「儂」，類選作「濃」。
〔三〕「夜雨」，類選、詞紀作「淚雨」。
〔四〕「啼鳳」，類選、詞紀作「歸鳳」。
〔五〕群音類選題作「題情」，彩筆情辭録前兩首，北宫詞紀録後兩首，均題作「風情」，俱屬楊升庵。
〔六〕此句詞紀作「相逢且敍知音話」。
〔七〕「粧聾」，類選作「惟聾」。
〔八〕此句詞紀作「翠袖雕鞍忙上馬」。
〔九〕彩筆情辭題作「贈美妓」，署名楊升庵。
〔一〇〕此句上情辭多「流霞飲散」一句。
〔一一〕此句上情辭多「香車寶馬」一句。
〔一二〕「回首時」，情辭作「回首處」。
〔一三〕此句上情辭多「琵琶一曲」一句。
〔一四〕此句上情辭多「花衙喬坐」一句。
〔一五〕此曲彩筆情辭題作「春思」，注楊用修著。

〔一六〕首曲吴騷二集題作「春思」，彩筆情辭題作「懷美」，俱屬楊慎。次曲南宫詞紀歸升庵，題作「怨别」。「淒涼境」作「淒涼景」。

〔一七〕風入松四首亦見升庵長短句。

〔一八〕「有情芍药含春淚」七字原缺，據升庵長短句補。

〔一九〕「池連」，長短句作「池臨」。

〔二〇〕「月樓」，長短句作「月窗」。

〔二一〕「腰肢重」，長短句作「腰肢裊」。

〔二二〕彩筆情辭題作「風情」，歸升庵。

〔二三〕「弱態」及下句「即世魔」原缺，據彩筆情辭補。

〔二四〕北宫詞紀題作「思情」，彩筆情辭題作「歎閃」，俱注楊升庵作。

〔二五〕「天可瞞」，情辭作「天怎瞞」。

〔二六〕彩筆情辭題作「離恨」，注楊用修撰。

〔二七〕彩筆情辭録首曲，題作「病思」，注楊用修撰。

〔二八〕南宫詞紀題作「惜别」，注楊升庵。萬錦清音題同，署馮猶龍。「峭」字原缺，據詞紀補。

〔二九〕彩筆情辭題作「贈纖足妓」，注楊用修作。

〔三〇〕彩筆情辭題作「贈妓」，注楊用修著。下一首〔沉醉東風〕曲律歸升庵，彩筆題作「戲答妓」，署楊用修著。

〔三一〕彩筆情辭題作「寫恨」，注楊用修撰。「手掌」、「心窩」下俱無「兒」字，「假鶯鶯」下無「的」字。

〔三二〕彩筆情辭題作「携美夜游」，注楊用修撰。

〔三三〕北宮詞紀題作「思情」，注楊升庵作。

〔三四〕此首又見明詞綜，柳塘詞話題作「寄外」。

〔三五〕此曲萬錦清音亦録，注楊夫人撰。

〔三六〕彩筆情辭題作「歎别」，注楊用修撰。

〔三七〕群音類選題作「有懷」，南宫詞紀題作「客中春思」，吴騷集、樂府先春、珊珊集無題，俱注楊升庵作。

〔三八〕此句詞紀作「人不見」。

〔三九〕「乍圓」，類選、詞紀、吴騷集作「影乍圓」。

〔四〇〕此句詞紀作「怪玉笛飛聲來别院」。

〔四一〕「欲擲」三句，詞紀作「欲卜歸期暗擲錢。争奈卦中爻變。〔合〕關山遠」。吴騷集「争」下無「奈」字。

〔四二〕「從别後」三句，詞紀作「從他别後。萍流蓬轉。枉多病多愁成偃蹇」。

〔四三〕此句詞紀作「雙雙笑挽鞦韆」。

〔四四〕「萬山」，詞紀作「楚天」。

〔四五〕「玉堂客」，類選、詞紀、吴騷集作「集賢賓」。

〔四六〕「東風」二句，詞紀作「王孫久別懷故園。東風芳草芊綿」。

〔四七〕「愁眉」四句，詞紀作「香嬌玉軟。都做了鳳悲凰怨。〔合〕難消遣。知甚日愁眉雙展」。

〔四八〕此句詞紀作「胭脂色淺」。

〔四九〕「望遠」，詞紀作「思懸」。

〔五〇〕「晴日」二句，詞紀作「晴日破朝烟。怪鶯啼畫檻前」。

〔五一〕「玉砌」三句，詞紀作「情題是錦牋。魂依是翠鈿。一場春夢從頭變」。

〔五二〕「錦書」，詞紀作「尺書」。

〔五三〕詞紀無此首。

〔五四〕吴騷集奪「愁」字。

〔五五〕「最是」，吴騷集作「正是」。

〔五六〕類選、詞紀、吴騷集無「恰正是」三字。

〔五七〕此句類選作「又那堪千重別恨懶調絃」，詞紀作「祇將別恨付鶗絃」，吴騷集作「千般別恨懶調絃」。

〔五八〕「慘然」，類選、詞紀、吴騷集作「潸然」。

〔五九〕此句詞紀作「封萬里天涯」。

〔六〇〕「九十」二句，詞紀作「臨風悵把花枝撚。怕憔悴傷春人面」。「眼」，吴騷集作「人眼」。

〔六一〕此套詞林摘艷注爲無名氏「鄭月蓮秋夜雲窗夢雜劇第一折」。亦見盛世詞林、詞謔。

〔六二〕村裏迓鼓至幺篇六支，摘艷皆缺。

〔六三〕北宫詞紀題作「惜别」，彩筆情辭題作「憶别」，萬錦清音題作「送别」，俱屬楊升庵。

〔六四〕此句詞紀、情辭作「倚閭但長吁」。

〔六五〕「眼皮」，詞紀、情辭作「眼皮兒」。

〔六六〕詞紀、情辭「再長」下有「成」字。

〔六七〕此套乃喬吉杜牧之詩酒揚州夢雜劇之第一折，繼志齋本元明雜劇注：「此一折楊升庵重訂。」孟稱舜新鐫古今名劇柳枝集本批云：「此折係楊升庵重訂，故後人混收入升庵黄夫人集内。其中間有異同，則出吴興臧晉叔本也。」詞謔亦載。雍熙樂府不注撰人，題作「杜牧之醉寫揚州夢」。姑録之。

〔六八〕「碧」字原缺，據喬劇補。

〔六九〕「添」字原缺，據喬劇補。

〔七〇〕吴騷合編注楊夫人撰，未必可信，兹姑輯之。

李鈞

李鈞，號芝山。生平不詳。

小令

【南南吕七犯玲瓏】

〔香羅帶〕條風入畫樓。簾櫳響玉鈎。庭除草色青先透。〔梧葉兒〕新曲引箜篌。桃鰧能銷恨。丁香漫結愁。〔水紅花〕柳如眸。燕僝鶯僽。只見那數行歸雁。天際去悠悠。〔皂羅袍〕園花不發爲君留。何須蜥蜴將宮守。有書難寄。多方問友。靈蓍無驗。神籤枉求。〔桂枝香〕緑髮如霜變。年光似水流。〔排歌〕鶴歸漢。鷹脱韝。美人相憶碧雲頭。〔黄鶯兒〕麗句擬湯休。（玲瓏倡和）薰風入畫樓。雲霞天際浮。槐龍夭矯籠晴晝。廿載别神州。步健何須杖。登高不用兜。興悠悠。無勞僝僽。且共詩朋酒侶。避暑解煩憂。憶當年黃閣玉堂儔。再不戀瑞錦團花繡。朝朝宴樂。時時勸酹。尊移花下。錢掛杖頭。興劇詩千首。歌停酒百甌。風徐至。雨乍收。銀□皓齒剩風流。乘月放輕舟。（玲瓏倡和）

金風入畫樓。澄江樓下流。波澄木落千山瘦。杜若□芳洲。網罟漁村集。羊牛牧嶺收。晚風颼。翩翩雙袖。舞向黃花籬畔。無力倩嬌羞。醉扶歸不管幾多愁。□年富貴誰長守。瑤琴閑操。銅壺笑投。花畦自溉。竹枝□□。□□□時樂。蘭舟處處遊。鷄初壯。醅正浮。人生何用苦營求。隨分度春秋。（玲瓏倡和）

朔風入畫樓。寒凌集翠裘。垂簷玉柱冰花溜。積雪遍山頭。高閣堪舒嘯。層軒數散愁。醉扶頭。角聲初奏。窗月梅橫疏影。驀地暗香浮。醉如泥一任侍兒摟。閉重門只許詩人扣。燈燒銀蠟。茶烹玉甌。香焚金鴨。絃調象軸。靜裏乾坤大。壺中日月悠。江南相。關内侯。可憐一筆盡都勾。千古共揶揄。（玲瓏倡和）

史立模

史立模，字季弘，號雁峰，浙江餘姚人。正德十六年（一五二一）進士，授兵科給事中，以言事謫蘇州府通判，陞同知，終惠州知府。喜咏吟，所至登眺賦詩，感慨蹈厲。

套數

【南商調山坡羊】意懸懸一心牽掛。眼巴巴雙鸞同跨。當日呵懇切切期逢在此宵。到如今恨悠悠空等向簾櫳下。月已斜。殘膏落盡花。人兒不見教我難禁架。看這疊疊高垣除是從天而下。嗟呀。枉教人淚似麻。愁加。悔前朝一念差。

【前腔】皎團團冰輪斜掛。光閃閃星河高架。乘顥氣遊遨太虛。御天風來往清霄下。鬢半髽。低頭悶轉加。呆呆坐守不負了臨岐話。剗損金釵燒殘銀蠟。我聽他。恨攢眉聲嘆嗟。我窺他。臉含愁手托牙。

【不是路】醉眼昏花。滿地籠燈簇絳紗。疎窻下。一庭月影浸梅花。不争差。止有梳翎鶴舞松陰罅。那更修竹風揺影遞斜。休多訝。良宵一刻千金價。且傾杯斝。且傾杯斝。

【前腔】不必嗟呀。咫尺桃源路不賒。我忙排闥。似雕欄深鎖牡丹芽。俏冤家。猛然竚立燈兒下。莫不是夢裡相逢得見他。爲你多嬌姹。我今勾罷文君寡。是誰說話。是誰說話。

【掉角兒序】〔一〕感娘行情堅意佳。願同歸是真非詐。忙檢點文笥寶珈。早脱離獸環魚鑰。收拾起珠和玉。綾和錦。衣和飾。付與伊家。那峻垣飛駕。崇墉頓跨。笑他家。雖嚴守衛。無警無譁。

【前腔】看無主花枝可嗟。一任他東風相嫁。效鴛鴦永傍溪沙。似鸚鵡脱逃牽掛。再休想繡筵前。銀箏畔。捧霞觴。浮緑蟻。滿眼繁華。舞裙輕卸。歌扇懶拿。笑他家。粧成金屋。空貯嬌娃。

【前腔】感郎君賢能爪牙。成就了一宵歡洽。那些個生而有家。□英豪頓成姻婭。從今後離朱門。辭畫閣。趁青春。依白首。永效蒹葭。凌風休詫。乘雲謾誇。霎時間章臺楊柳。賺出沙吒。

【尾聲】一場好事天來大。謝得崑崙劍術佳。寄語汶陽莫浪嗟。（樂府先春）

〔一〕「掉角兒序」，原作「牟角兒」，今正。

李丙

李丙，又稱徐丙，字子南，號半豁。浙江長興人。明正德二年（一五〇七）舉人。歷任六合縣教諭、國子監丞、永新知縣等職。

小令

【南南呂七犯玲瓏】

〔香羅帶〕山圍水上樓。簷鳴簾外鉤。嬌紅穉緑春光透。〔梧葉兒〕風暖□笠筷。客耳誰能聽。剛腸不解愁。〔水紅花〕縱雙眸。南天嘉秀。見幾處浮雲冉冉。倦鳥下悠悠。〔皂羅袍〕穉肥甘不厭海鄉留。和陶詩分老蠻方守。山間鹿豕。忘形與友。閒中風月。無錢可求。〔桂枝香〕砥柱應難得。江河不駐流。〔排歌〕舟横渡。鷹鎖韝。追風駿足困籠頭。〔黄鶯兒〕幽伴日綢繆。（玲瓏倡和）

南薰薦敞樓。涼雲拂檻浮。披襟坐愛如年晝。遣興藉青州。當暑單絺紿。輿酣小錦兜。壯心休。逃名宇宙。瞠眼堯天蕩蕩。不抱杞人憂。混漁樵久撇侶和儔。製荷衣不戀文兼繡。桃笻來往。瓦盆勸酬。芒鞋曳踵。葛巾裹頭。按譜翻琴操。邀鄰鬭茗甌。金樞曉。玉靄收。銀床冰簟剩風流。何處有仙舟。（玲瓏倡和）

團團月掛樓。銀河淡淡流。玉人樓上躭吟瘦。漁唱起前洲。池沼芙蕖老。園林芋栗收。韻飀飀。涼飀掀袖。狂動謫仙才思。娥影怯含羞。笑多情宋玉慣閒愁。羨無爲老子能堅守。官衙城市。足跡懶投。兒童走卒。皆知用修。今古三生夢。心神八極遊。還丹熟。太白浮。恢恢游刃解千牛。逸氣鎮横秋。（玲瓏倡和）

嚴凝白雪樓。寒侵紫綺裘。鴛鴦瓦凍垂繁溜。倒插玉搔頭。安道筵開勝。仲宣歌散愁。暗分鬮。隨人探候。改令呼盧喝彩。骰子幾巡遡。飲羊羔醉步侍兒搊。擁銷金紐結丁香扣。闌干倚月。簾不下鉤。軒窗耀雪。燈不掛籌。酒債尋常足。詩逋漸次勾。羈懷放。生事幽。中朝屬望輔成周。數定不須籌。（玲瓏倡和）

范甫

范甫，號唐山。生平不詳。

套數

寄升翁

【北南呂一枝花】蓉城明月軒。貴竹清風院。錦江春水船。滇海秋花宴。南北東西。在處堪留戀。蓬萊閬苑仙。判柳評花日醉壺天。倒峽傾河手弄玄元。

【梁州】眼根兒慣見的是玉腕嬋娟。夢魂兒怕聽的是金殿傳宣。者麼的前生結下風流願。今生受用緣非淺。樂便便清福無邊。雲煙落紙四方傳。居夷風采長年健。只是我翹首峨眉不見顛。極目岷江無限遠。這些時才得信音還。碧鷄金馬正盤桓。欲從杖屨共林泉。昆明池缺渡船。點蒼山乏喂蹇。托鱗鴻無的便。惆悵無言。迢遞情牽。一代人豪能幾見。

【尾】蚳蛙諫退無慚靦。夔龍事業何須羨。聲名炫赫如雷電。忠貞傳。留光焰。李杜文章天下顯。（陶情樂府）

馬一龍

馬一龍，字負圖，號孟河，別署玉華子，南直隸（今江蘇）溧陽人。嘉靖二十六年（一五四七）進士，選庶吉士。三十八年（一五五九）任南京國子監司業。善書畫。著有玉華子游藝集二十六卷、農説一卷、九邊圖記一卷。弘治十二年（一四九九）生，隆慶五年（一五七一）卒，年七十三。

套數

【南仙呂醉扶歸】望家山渺渺迷人遠。看晴暉亭亭向客前。砌花陰晴色上闌干。新篁影畫卧侵湘簟。閉空齋盡日冷含烟。鄉愁旅思增悲歎。

【不是路】柳咽新蟬。滿地飛花不捲簾。深深院。文窗静閉晝長閒。枕書眠。想夢回鄉國雲山遠。他陡起朦朧漫整冠。天仙伴。青蛾皓齒雙眸斂。半含羞臉。半含羞臉。

【紅衲襖】我指望上金門姓字傳。誰知道困新豐時運蹇。因此上阻泥塗名未顯。因此上望雲霄翮未摶。怕的是夜雨濕燈花暗。怕的是曉鴉啼露井寒。每日價春色撩人也。

紙帳梅花醉夢間。

【前腔】他道你筆生花綺藻鮮。他道你思飛霞雲錦燦。是子虛賦就無推薦。是鸚鵡題成誰解憐。他只想和陽春白雪篇。休猜做怨秋風題綺扇。分明是鵬摶暫息榆枋也。有日吹嘘送上天。

【解三酲】拂花箋青閨寫怨。寄芳詞黃雀傳言。臨風空憶桃花面。御溝紅枉到人間。他停機織女迷河漢。我失路劉郎憶洞天。腸堪斷。怎做得襄王雲雨。夢入巫山。

【前腔】雨中愁丁香結怨。雲中信青鳥難傳。風光只隔宜春院。蚤難道鳳逐飛鸞。你花迷蝶夢休相戀。月冷梅魂若個憐。腸空斷。休想那襄王雲雨。夢入巫山。

【朝天子】綠蔭重重暗畫欄。春色無端至。錦字傳新詞。句句盡堪憐。思緜緜。想姻緣巧合蘭箋又。怕相思枉然。怕相思枉然。（樂府先春）

複出

套數

緣阻

【南仙呂入雙調步步嬌】雲掩黃昏天街静。

彩筆情辭題作「緣阻」，注馬孟河撰。樂府先春署張芳洲作。兹已輯於張氏卷中，不重録。

寄　情

【南中吕榴花泣】折梅逢使。

群音類選題作「寄情」，注馬孟河作。樂府先春署名章楓山。彩筆情辭注明古辭。吴騷集、南音三籟屬梅禹金。伯虎雜曲、吴歈萃雅、詞林逸響、珊珊集、古今奏雅俱注唐伯虎。昔昔鹽、樂府争奇不署名。兹已輯於唐寅卷中，此不重出。

陸之裘

陸之裘，字象孫，又字箕仲，號南門，南直隸（今江蘇）太倉人。貢生，官景寧教諭。工詩，善曲。曲品評曰：「陸氏子聞奇謦美」。著有南門仲子集一卷、南門續集一卷。另輯有太倉文略四卷。嘉靖三十八年（一五五九）尚在世。

小令

【南仙呂入雙調江頭金桂】

題　情[一]

〔五馬江兒水〕誰着你當初相見。又不覺春風三换年。教咱朝夕苦掛。夢枉心偏。記鴛衾一夜眠。〔淘金令〕受盡人萬語千言。勸咱休戀。我欲待將他撇下。恐枉費從前。待不撇教人又作話傳。〔桂枝香〕漫尋思幾遍。漫尋思幾遍。終難割斷。這姻緣怎説得空惹

傍人笑。若負恩時是負天。（吴騷二集）

【南仙吕桂枝香】

自述〔二〕

青春難再。朱顔日改。待要逐浪隨波。怕負了凌雲節概。論功名富貴。功名富貴。兀誰不愛。天公尷尬。可嗟哉。本是個英雄漢。差排做窮秀才。（南宫詞紀）

〔一〕彩筆情辭題作「感舊」，南詞韻選無題，俱注陸氏作。

〔二〕太霞新奏題作「自嘆」，南詞韻選無題，俱作祝枝山著。未知孰是，兹姑依詞紀，以之歸陸南門。

簡紹芳

簡紹芳，名不詳，號西嵒，江西新喻（今新余）人。僑寓蜀中。弱冠游滇南，題詩山寺，楊升庵一見異之，使人物色，遂定忘年交，出入必引與俱。簡年幾六十，始西歸蒙山（新喻）。著有升庵先生年譜一卷及西嵒叢寱。

小令

【北雙調折桂令】

升翁枉寄前詞奉此以答

問何如范蠡扁舟。載得西施。心思如秋。兒戲江山。醉鄉天地。吾道滄洲。沽竹葉高嶢渡口。探梅花滇海沙頭。長嘯斜陽。濯足中流。且追隨六逸鴻冥。再休題四皓龍樓。（陶情樂府）

按：此係答楊升庵折桂令「泛金波有女同舟」一曲而作。

顧夢圭

顧夢圭，字武祥，號雍里，南直隸（今江蘇）崑山人。嘉靖二年（一五二三）進士，官至江西布政使。爲人敦重，自奉如寒素。詩文平正通達，直抒胸襟，著有疣贅録九卷、續録二卷，及就正編等。弘治十三年（一五〇〇）生，嘉靖三十七年（一五五八）卒，年五十九。

套數

詠雪

【南大石調念奴嬌序】同雲萬里。正風高紫塞。寒凝玉宇瓊樓。九陌冰花。迷曉騎相映銀燭光浮。誰搆。鳷鵲翺翔。蓬萊雲近。參差鴛瓦散琳球。宜宴賞。羅幃錦帳。長下銀鈎。

【前腔換頭】紅袖。羊羔美酒。共珠翠圍繞。金爐還擁貂裘。試問江湖。何處是窮巷柴門圭竇。難守。百結鶉衣。經旬塵甑。袁安高臥最清修。休宴賞。瘡痍滿路。觸目堪憂。

【前腔換頭】寒透。何遜官齋。林逋仙棹。剡中佳興羨王猷。溪壑遠。溪壑遠。點綴梅梢頭。還有。極浦漁簑。深山樵徑。蒼松碧篠助清幽。宜宴賞。高情訪戴。同快吟眸。

【前腔】知否。披甲屯邊。彎弓出塞。沙場千隊總貔貅。征戍苦。征戍苦。五夜猶着兜鍪。還有。持節胡庭。餐氈朔地。羝羊北海伴羈囚。休宴賞。干戈滿路。何日消愁。

【古輪臺】願田疇。嘉禾豐稔在來秋。占祥正及書雲候。昇平如舊。看入土遺蝗。處處兩歧麥秀。社鼓邨謠。歡聲迭奏。向梅花深處醉甆甌。黄童白叟。更共斟家釀新篘。春回暖閣。凍消江岸。重看烟柳。此曲有誰酬。梁園友。相如揮翰最風流。

【前腔換頭】難留。曾比玉不堅牢。又似飛絮飄揚。堆鹽牕牖。却惱兒曹。慣把無情箕箒。也有摶弄奇形。舞禽蹲獸。也有映取清光坐殘漏。遺經在手。想仙姬瑶珮瀛洲。巧將紈素。翦成六出。紛紛瓊玖。幻景果誰收。但願人長久。金尊檀板散閒愁。

【尾聲】茶烟濕。酒力柔。空暫掩丹巖翠岫。明日晴原策杖遊。（南宫詞紀）

按：此套南詞韻選題同詞紀，太霞新奏題作「塞上詠雪」，俱注顧雍里撰。

吴廷翰

吴廷翰，字崧伯，一作嵩伯、崇伯，號蘇原，别署蘇原山人，南直隸（今安徽）無爲人。正德十六年（一五二一）進士，歷官兵、户部主事，廣東僉事，浙江參議。以伉直與權要忤。年四十餘，遂致仕。家居三十年，徜徉湖山之勝。平生綜覽博洽，宗尚王（廷相）學。著有吉齋漫録、叢言、櫝記、甕記、志略考、湖山小稿、詩集、文集及散曲集洞雲清響等。

套　數

南北中吕合套

詠百萬湖

【粉蝶兒北】湖上逍遥。説不盡湖上逍遥。想這光景兒小可家安排不到。管領的只恁英豪。那雪月與風花。占盡了四時之妙。便畫也難描。箇中味少人知道。

【泣顔回南】休笑髮瀟瀟。照映湖光縹緲。扁舟一葉。却穩似畫槳蘭橈。眼前蓬島。

賽靈槎一點墩兒小。結果了千丈虹霓。消滅了萬頃波濤。

【上小樓北】恁只看望蘇樓外見山橋。更把箇蹇驢兒跨倒。恁只看甕園名兒賽過東皐。醉軒中人醉了。睡軒中人睡着。恁只看笑亭兒驀然的有箇人兒笑。意兒自曉。話兒自嘲。有幾個知音的知音的攜壺來到。則與咱終日樂淘淘。

【泣顏回南】更有嘯臺高。一似蘇門静悄。月中清響。却一似孤鶴嘹嘹。霞堤一道。領芒鞋步步隨芳草。芙蓉列紅錦團團。楊柳拖金綫條條。

【黄龍滚犯南】一簇簇鳳管鸞簫。一簇簇鳳管鸞簫。萬種種嬌姿艷貌。氣焰焰玉帶金魚。殺騰騰彫弓寶刀。這的是殢雨尤雲(二)一霎消。我這裡只恁囂囂。雙軒中皓月常隨。三徑裡清風獨造。

【撲燈蛾犯南】興來時醍醐這一瓢。倦來時邯鄲那一覺。花兒好。花兒好。園兒自澆。魚兒好。魚兒好。竿兒自釣。酒兒好。酒兒好。甕兒自造。曲兒好。曲兒好。板兒自敲。多情的緑竹與青松。受用的月夕與花朝。

【上小樓北】蘇歌兒那一回。蝶拍兒這一套。俺這裡趁着風光。逞着風流。弄着風騷。俺這裡跨箇雲溪。靠箇雲林。結箇雲巢。再休題那答兒標名畫閣。

【疊字錦犯南】斑斑翠竹黄花。點點白蘋紅蓼。雙雙的柳下魚。對對的沙間鳥。村的俗的漁歌兒窈窕。隱隱聽牧笛兒吹過樹梢。咿咿啞啞。一似奏雲璈。停停當當。景物生成。些兒受用。此福也難消。

【尾】湖中風日年年好。四海昇平何幸遭。微臣衰老。獨有歌聲頌帝堯。（洞雲清響）

南北雙調合套

詠五雲洞

【新水令北】五雲深鎖洞中天。有萬壑煙霞獨占。帝鄉不可期。富貴非吾願。滄海桑田。滄海桑田。看人世幾番更變。

【步步嬌南】相逢盡道休官晚。林下何曾見。天涯行路難。及早歸來。百歲人過半。看青天頂上寬。縱白髮何須嘆。

【折桂令北】得浮生紅日高眠。家住清溪。門掩青山。十里霏微。三徑優游。一畒盤旋。喜的是踏東湖青莎路軟。愛的是採南山黄菊花妍。啼鳥綿蠻〔三〕。流水潺湲。説甚麽那答兒蓬萊。那裡又有箇桃源。

【江兒水南】明月清風社。都來不用錢。眼前造物真無限。風流的好箇雲遊辦。團欒的好頓家常飯。無辱無榮無絆。安樂窩中。此地有三公不換。

【鴈兒落帶得勝令北】[三]從今後焚却了鵔鸃冠。一任他塵滿了龍泉劍。對東君莫放竹葉盃。受南薰不用蒲葵扇。長日中香消柏子爐。清夜裡月到梧桐院。曝背茅簷下。看雲竹杖邊。盤也麼桓。我這裡隔紅塵而無車馬喧。

【僥僥令南】雲間移白石。竹裡引清湍。松下尋真誰作伴。隨白鹿領玄猿。隨白鹿領玄猿。

【收江南北】呀。真箇是抱膝上皇前。人語清虛殿。恍疑是丹丘羽化近登仙。那些個拘管在人間。落得箇清閑。清閑。說甚麽五侯花柳醉長安。

【園林好南】床頭書起來自觀。膝間琴横來自彈。囊裡詩拈來成卷。端坐在紫雲庵。端坐在紫雲庵。

【沽美酒帶太平令北】[四]笑呵呵春似海。笑呵呵春似海。醉醺醺日如年。恰元來竹几蒲團獨有緣。栽藥圃種瓜田。射鴨弓打魚舡。沽酒向杏花前店。吹笛過垂楊隔岸。我呵聖明時守方考彝。自然。坦然。呀。儘受用些太平閑散。

【清江引南】從來幾個堪欣羡。屈指將咱算。滄浪漁父歌。五柳先生傳。這的是億萬古清風案。（洞雲清響）

自壽

【南黄鍾畫眉序】白髮紫雲翁。紫綬金章荷天寵。喜君門一疏。詔許歸農。駕扁舟萬里槎湖。跨雙鶴五雲仙洞。〔合〕百年福禄如泉湧。齊祝讚晝錦堂中。

【前腔】曠達是豪雄。盡把經綸付拈弄。喜一觴一咏。不羡三公。任溪山丘壑盤桓。儘雪月風花受用。〔合前〕

【前腔】忠孝振家風。白璧黄金未爲重。喜一門簪笏。禮度雍雍。秀亭階馥馥芝蘭。入羅綱紛紛麟鳳。〔合前〕

【前腔】華燭映簾籠。瀲灩流霞瀉春甕。喜黄花時節。歲歲相逢。綵衫戲舞影交加。寶筝按歌聲歡動。〔合前〕

【醉公子】〔五〕誰共。有白老坡翁擅名唐宋。論儒雅風流。實相伯仲。梁孟。喜伉儷齊眉。百世良緣孰與同。〔合〕再祈頌。願四海昇平。快樂無窮。

【前腔】供奉。看伏臘烝嘗不違丘壠。況奕葉箕裘。傅芳繼踵。賈董。羡經國文章。籍籍聲名赫鼎鐘。〔合前〕

【僥僥令】壽桃王母送。壽酒雪姑供。但見壽海壽山開壽城。壽星也煌煌照碧空。

【前腔】壽函青鳥捧。壽誥紫泥封。但見壽節壽幢〔六〕臨壽宴。壽日也曈曈映彩紅。

【尾】繁華富貴皆春夢。嘆只有陰功難種。惟願取子孝年豐〔七〕。（洞雲清響）

〔一〕「殢雨尤雲」，蘇原先生全集本作「膩雨油雲」。

〔二〕「戀」，全集本作「鑾」。

〔三〕原僅作「雁兒落」，今補。

〔四〕原僅作「沽美酒」，今補。

〔五〕原作「醉翁子」，兹改。

〔六〕「幢」，全集本作「憧」。

〔七〕「豐」，全集本模糊不清。

姜恩

姜恩，字君賜，四川廣安人。嘉靖二年（一五二三）進士，授武功令，擢户部，出知雲南臨安府。有篆江存稿，散曲附。

小令

【北雙調折桂令】

憶小莊

望西巖古木森森。欸乃聲柔。山色嵐晴。牧童放□。稺子吹竽。野老問津。堪賞的濛溪攀□。可愛的篆水邀賓。也有黄雞。也有嫩筍。正好追遊。爲官牽引。

棧　道

歎孤臣萬里迢迢。雞嶺連雲。鳥道沖霄。早傳三兲。午度金牛。晚過青橋。瞻拜了漢皇祠。進謁了武侯廟。感慨荒踪。思慕清朝。幾度關河。幾度奔勞。

關中

長安路平原膴膴。渭北涇南。東橋西滸。漢嶺蒼松。楚塚暮雲。周岐石鼓。看那個奉天殘碑。拾那個馬嵬白土。先日朝陽。今日暮雨。一行傷今。一行懷古。

入朝

坐棕篷朝鼓鼕鼕。禁樹濃妍。芳草青蔥。旌旗掩映。劍佩鏗鏘。殿閣玲瓏。拜舞着龍樓鳳輦。懷想着變豹飛熊。奏有清詞。歌有雅頌。正喜來朝。又怕行永。

【北正宮塞鴻秋】

過洛陽

斜陽衰草印山道。蒼苔古木嵩神廟。吞天沃日黄河套。長裙短袖兒童笑。歷遍帝王都。看盡人間樂。爲這功名處處到。

謁武穆祠

垂楊緑水湯陰路。篆煙寶幢忠魂籙。紅爐冷鐵奸臣肚。民謡國史英賢註。杖招百代人。鞭徹千年骨。他可自悔當初誤。

【北越調天净沙】

感懷六首入京途中作

口吸一味清風。手拳一握蒼松。真金錯認作假銅。明目天公。休辜負循良種。

探井泉好寒洌。奈轆轤車手折。饑的渴的張口接。仰有明哲。早些兒汲引者。

離脱了煙瘴方。跳出了是非場。歸來菽水堪供養。爲心迹忙。急走赴金鑾上。

丟抛我一頃田。拜别我雙親面。山河修阻都遊遍。宦途原險。只爲諸親勸。

想那讀書秀才。念那抱引女孩。此情此意難刮劃。算計歸來。擬是中秋月色。

來時節妻囑付。到時節主勞碌。爲賢良相躑躅。功名迅速。辭煤爐望新屋。

【北正宫菩薩蠻】

自述四首

萬里晴空月正圓。一片雲霾天溪邊。暫時素娥嫌。清輝應不減。

小澗從來徹底清。遊人錯打一拳踁。怒激有濤聲。泥沙終不混。

清風高節聳琅玕。培養功夫不等閒。斧斤敢犯殘。靈根保護全。

天運循環否泰來。人心匪古妄安排。桑從紙上栽。於我何有哉。

【北雙調新水令】

東河遇雨

驅車攬轡下東河。霎時間霹靂來天漠。千山雲作障。萬頃海揚波。水自天河。把橋樑都塌臥。

【北雙調駐馬聽】

前　題

老天留我。旅館淒涼休自說。宦情原薄。征夫驛使愁無那。閒時勒馬對人歌。喫緊墮〔一〕腳求天豁。天家事怎奈何。尚有心忙的住在草梁閣。

〔一〕「墮」，疑爲「跺」。

劉龍田

劉龍田，山東人。生卒年不詳。工散曲，曲品云：「劉龍田風成東魯」。約正德、嘉靖間在世。

小令

【南中呂山花子】

送段古松行

梁園草木多蕃勝。群黎自覺春融。喜教化三年有成。輿童白叟交稱。〔合〕願相祝官高九卿。殷懃舉盃爲送行。前程萬里一路平。大展經綸。早慰蒼生。（詞珍雅調）

循良第一推賢令。堪喜物阜民登。又何須絃歌武城。飄飄琴鶴雙清。〔合前〕（詞珍雅調）

甘棠蔽芾詩堪咏。我生何幸躬逢。見如今謳歌滿盈。去思碑上題名。〔合前〕（詞珍雅調）

明良幸際唐虞盛。萬方入賀昇平。喜君侯才高氣英。此行何異飛升。〔合前〕（詞珍雅調）

【南仙吕入雙調朝元歌】

坑煞閃煞。好教我難禁架。氣煞悔煞。聽信他當初話。事到如今。纔知是假。俺也曾在花陰柳下。慣把乖攙。教他反來將口誇。薄倖俏冤家。哄了人當甚麽。俺且粧聾做啞。不知你幾時作下。（南詞韻選）

【南仙吕入雙調孝南枝】

閨　怨墨憨齋改本

〔孝順歌〕行行淚。種種愁。雲情雨性今反仇。淚也爲君流。愁也爲君兜。君曾知否。便有閒語閒言。誰先誰後。誰短誰長。誰改誰依舊。〔鎖南枝〕心也羞。面也羞。見人羞。説也怕人羞。（太霞新奏）

【南仙吕入雙調朝元令】

思　情

實乖好乖。我見他偏偏愛。難捱怎捱。我爲他㦧㦧害。曉夜思量。難分難解。少甚麽蛾眉粉黛。十二金釵。偏他怎麽教我常掛懷。口兒裏説丢開。心兒裏兜上來。莫不是前生禍害。少欠他風流情債。（太霞新奏）

【北雙調清江引】

嘲大脚妓

脚兒脚兒雖是四。到有些風流樣。只可眼角睄。不可肩頭抗。央及你勾了罷再休要長。（北宫詞紀）

嘲小眼妓

冤家眼兒不見了。滿面上都尋到。問口口不知。問腮腮推笑。鼻子説要尋時只在眉

下頭找。（北宮詞紀）

詠美人腰

腰兒腰兒柔似柳。巧樣天生就。輕盈軟玉香。清俏黄花瘦。無福的怎消那一摟。（北宮詞紀）

複　出

小　令

【北雙調對玉環帶清江引】

行　樂

一主一賓。

北宮詞紀外集注劉龍田撰。惟此曲係唐寅嘆世詞八首之一，兹已輯於伯虎卷中，不重出。

套　數

園亭避暑勉好事者詞

【北仙吕點絳唇】暮景桑榆。

詞珍雅調題作「園亭避暑勉好事者詞」，注劉龍田撰。惟此曲亦見王九思碧山新稿，題作「園亭避暑有感因勸少年」。兹已輯於王氏卷中，此不重出。

吴承恩

吴承恩，字汝忠，號射陽山人，直隸山陽（今江蘇淮安）人。科場不順，久舉不第，嘉靖二十三年（一五四四）始補貢生，四十五年（一五六六）任長興縣丞，歷荆府紀善。不久辭歸，閉門著述。爲文下筆立成，清雅流麗。所著有禹鼎志、西游記、射陽先生存稿、續稿。另編有花草新編、狀元圖考等。約生於弘治十三年（一五〇〇），卒於萬曆十年（一五八二）以後。

小令

【南中吕駐雲飛】四闋

及　第

天下才名。緑鬢朱顔正後生。花外笙歌送。闕下旌旄從。榮。宫錦賜袍紅。笑領東風。白馬驕嘶。不受黄金控。十二天街畫裏行。

翰林

人世蓬瀛。兩袖天香近九重。寶帶銀魚控。宫燭金蓮送。榮。談笑揔夔龍。退食從容。日上花甎。閣下文章静。身在瑶臺第一層。

内閣

黄閣清風。新築沙堤宰相行。掌握乾坤重。燮理陰陽正。榮。雨露滿槐庭。桃李香濃。鎮國璠璵。照世軒轅鏡。圖畫麒麟第一名。

歸隱

霖雨收功。回首三台一笑中。白社怡真性。緑野躭幽興。榮。天賜衮衣東。四海人情。指望閒雲。復爲蒼生動。重見周公致太平。

【北中吕滿庭芳】

春　遊

山間水涯。鶯遷喬木。燕剪香沙。東郊過雨春如畫。碧草丹霞。一壁廂馱紅袖銀鞍細馬。一壁廂舞青旗茅店桃花。垂楊下。傳杯弄斝。不醉也不歸家。

套　數

壽丁忍庵七十

【北南吕一枝花】唐時萬柳池。晉代燒丹竈。劉朝招隱地。宋室等僊橋。城壓金鼇。最好是淮陰道。引黃河一水遥。愛你箇天生來地上神僊住居在。畫不就人間蓬島。

【梁州】有時價載春水斜陽蕩槳。有時價倚西風夜月吹簫。今年七十剛來到。朱顔未改。白髮相饒。花間翠羽。洞口清霞。下天風一派雲璈。有一箇丁野鶴笑迷喜親捧靈芝。有一箇丁令威舞翩蹮閒尋華表。和你箇丁忍庵醉糢糊戲弄蟠桃。綺寮。絳綃。梅花十月東風繞。綵袖翻玉樽到。等待寒香月滿梢。搿取酕醄。

【罵玉郎】青山不用丹書詔。也不要金帶重紫騮驕。芒鞋竹杖閒行樂。一任他鷗鷺狎。燕鶯嘲。漁樵笑。

【感皇恩】呀。雖則是萬貫纏腰。也有那烏帽羅袍。心只願跨青牛。揮玉麈。伴黄鶴。説甚麽心靈性巧。説甚麽位重官高。見了些蟻排兵。聽了些鷄報曉。歎了些燕争巢。

【採茶歌】見如今庭下有桂香飄。麒麟種鳳凰毛。待桃花鼓動禹門濤。密匝匝門迎駟馬。那時節五花官誥下丹霄。

【尾聲】任從他眼前人海風波惡。都在你心上經綸忍字包。不惹事的先生得玄妙。那怕你桑田幾遭。再饒箇華山千覺。我只是静養天和不肯教老。

咏雪

【南南吕梁州新郎】連天一色。隨風千變。六出是誰裁剪。世間何物。比他皎潔輕纖。漫道是銀龍墜甲。玉鳳梳翎。粉蝶兒飛撩亂。素娥粧閣上。倚嬋娟。錯認楊花撲繡簾。〔合〕清幽景。最堪戀。向銷金帳底同歡宴。羊羔酒。美人勸。

【前腔】溪山如塑。園林如染。樓閣盡行粧點。憑高一望。白雲鋪滿瓊田。見了些水

晶宮闕。雲母軒窗。瑩徹琉璃殿。更愛那疏籬茅店外。小橋邊。斜壓梅梢映畫帘。〔合前〕

【前腔換頭】伴清光唯有殘蟾。漸略約東風催轉。笑遠山微露。半痕眉淺。尚猶自鶴迷琪樹。鷺隱冰沙。蘆雁驚銀箭。漁翁江上晚。一簑懸。閒載瓊瑤壓釣船。〔合前〕

【前腔】對冰湖表裏山川。正老子興來非淺。漫試拈鐵笛。倚空吹斷。管甚麽舟回剡曲。兵破淮西。□打卑田院。灞橋驢背上。聳吟肩。風捲寒花撲帽簷。〔合前〕

【節節高】曾經祝向天。乞豐年。天公果肯從人願。行方便。瑞氣旋。占晝驗。一連三白黃金賤。遺蝗宿瘴消除遍。〔合〕不似春秋月和花。時節到了尋常見。

【前腔】閒烹小鳳團。掃來煎。一甌香帶余酣嚥。塵襟換。展蜀箋。磨端硯。吳毫寫入新詩卷。新詩教與山童念。〔合前〕

【餘音】今宵醉醒懷同伴。共鄒枚曾賞菟園。草就相如賦一篇。

朱曰藩

朱曰藩，字子价，號射陂，南直隸（今江蘇）寶應人。朱應登之子。嘉靖二十三年（一五四四）進士，官至江西九江知府。爲人狷介，雋才博學，以文章顯名。有射陂燕城詞一卷、山帶閣集三十三卷。生於弘治十四年（一五〇一），卒於嘉靖四十年（一五六一），年六十一。

套數

燕城詞[一]

【南黃鍾畫眉序】花月可憐宵。回首風江欲上潮。聽竹西歌吹。猶憶前朝。隋隄外一抹山光。夜市裏雙聲水調。纏腰争打迷樓過。滿樓紅袖相招。風字疑誤。

【黃鶯兒】城鎖月明橋。舞春風柳萬條。畫欄紅藥家家好。詩人綵毫。佳人玉簫。風流消得蕪城老。夜迢迢。隔籬呼酒。揭調務頭高。

【集賢賓】書寄平安街子報。掌中偏殢妖嬈。善和坊裏把詩嘲。張公子從來倩俏。茶煙鬢飄。春夢醒觥船一棹。空擾擾。總不如大槐安穩著金貂。（飄字、槐安二字補。）

【琥珀貓兒墜】蜀岡鐘梵。禪智舊僧寮。苦海回頭須及早。遠公爲我設香醪。陶陶。正下界林昏。上方月曉。（及舊作急，今改。）

【尾聲】江南江北無芳草。歎歲暮菉葹載道。且吟就東閣官梅何水曹。（射陂蕪城詞）

失題

【南商調高陽臺序】十載京塵。風流落魄。提起舊遊時節。舞破霓裳。彩雲倏忽飛滅。輕撇。瑶琴罷響弦斷也。何處有鸞膠再接。酩然。將前緣觸動。寸腸千結。

【前腔換頭】清切。瑶圃仙班。白華姝子。千般體態難説。瑩玉風神。芙蓉碧水摇曳。嬌怯。雙眸挫裏偷覷送。勾引了癡狂魂魄。最堪憐。紅酥一朵。黛蛾半額。

【前腔】春色。苑柳陰濃。林鶯語澁。朱樓終日困歇。輕黄薄粉。取次曉粧初抹。戲折。青梅擲去鴛夢醒。却轉過畫欄蕉石。把花枝。輕輕觸碎。滿身紅雪。

【前腔】只咫。綺閣臨春。碧窗含霧。瓊樹等閒攀折。韋孃瓜破。佳期三五明月。薄劣。沈沈翠帳春易曉。怪花底攙人百舌。到天明。紅香露濕。海棠開徹。

【前腔】歡悦。誓海盟山。吟花弄月。真情一點誰歇。歸鳳求皇。琴心早已和協。笑說。清光照我雙雙影。正玉宇素娥孤孑。向花房。羅幃笑解。銀燈吹滅。

【前腔】悲咽。萬種風情。一天愁悶。好事頓成間隔。全盛韋門。枉了玉臺作戈。難割。韓香秦鏡空在眼。粉碎了珊瑚寶玦。等閒間。陽臺舊路。雲飛雨絶。

【前腔】脈脈。意解連環。恩同畫餅。何時此恨方惙。紅淚雙痕。金蓮枕上聽徹。驚拽。朱顔仿佛環佩響。從頭把平生細說。覺來時。淒涼轉甚。青綾如鐵。

【前腔】差迭。柳老飛綿。花殘結子。捹取今生罷也。求結良緣。休把斷頭香爇。情切。花前試取楞嚴誦。我先已衲衣持盋。也須知。天長地久。有心終合。

【尾】新愁舊恨那堪說。回首春光歌數闋。記取十載秦樓舊狂客。（射陂燕城詞）

情㈢

【南仙呂入雙調步步嬌】萬里關山音書斷。阻隔南來雁。欲將心事傳。天樣花箋。寫不盡相思怨。滴淚問金錢。精神恍惚難推算。

【江兒水】玉腕鬆金釧。羅帶寬。朱顔不覺愁中換。去燕歸來人不見。想他迷留風月煙花館。此際離愁無限。要解愁腸。對景憑誰逍遣。

【園林好】夜無眠。嘆嫦娥獨宿在廣寒。照人間千愁萬歡。步蒼苔露濕金蓮。惜花殘嫌月圓。惜花殘嫌月圓。

【人月圓】敢。敢在秦樓戀着管絃。惡姻緣是偶然。何日裏重跨青鸞。何日裏重跨青鸞〔三〕。俏臉兒和誰共眠。不由人不淚漣。不由人不淚漣。〔四〕

【前腔】剪。剪斷連枝分開並蓮。把鴛鴦一雙雙拆散。杳然。將菱花剖破。何日裡再團圓。何日裡再團圓。

【五供養】香消玉減。怎當他多愁多病多纏。幾番勉强傍粧奩。眉峰不展。又聽得誰家庭院朱絃。金尊空琥珀。寶鼎冷龍涎。一春辜負了海棠花前。

【僥僥令】雕鞍何日轉。淚眼幾時乾。好似線斷風箏尋不見。好夢也難成。衾枕單。

【前腔】天台風月遠。楚館雨雲懸。一似祆廟烟飛藍橋斷。好事也難成。春夢短。

【尾聲】東風桃李飛庭院。落盡殘紅啼杜鵑。可惜淒涼三月天。（樂府先春）

〔一〕此曲玲瓏倡和無題，署名吴懋，疑誤。兹姑互見兩家曲中。異文不校。

〔二〕此曲新編南九宫詞題作「情」，注舊詞。群音類選題作「閨怨」，昔昔鹽題作「傳書無便」，樂府争奇無題，俱不注撰人。吴騷二集題作「春閨」，吴歈萃雅、詞林逸響題同類選，皆署名錢鶴灘作。樂府先春無題，注朱射陂著。未知孰是，兹姑互見朱、錢兩家曲中。題目依新編南九宫詞。

〔三〕此句類選不疊。

〔四〕原不疊，兹據類選補之。

朱讓栩

朱讓栩，蜀獻王五世孫，昭王之子。正德五年（一五一〇）襲封。喜儒雅，不邇聲伎；創義學，修水利，振災卹荒。有長春競辰餘稿三卷。嘉靖二十六年（一五四七）卒，謚曰成。

小令

【北雙調鴻歸浦】

春　遊

趁新晴紫陌行。乘寶馬踏金鐙。疏楊外拂面風。穠杏中侵衣映。端的是入醉眼正春明。覽韶華無限情。看乳燕翩翩競。聽嬌鶯嚦嚦聲。賞心事歡迎。小橋畔芳菲徑。過了些途程。遥望見層樓上酒旗横。

無兒孫有甚高。攢家私空徒勞。恰也是風飄樹葉零。雨打花枝落。單丢下孤孤恓恓老枯條。人生在世總浮囂。韶華四季虚看邁。九十日春光空自老。酩子裏評駁地厚天高。難言告。每日空愁焦。把我的九曲柔腸都碎了。

【北雙調捲簾雁兒落帶過得勝令】

春　煖

向郊東草陌香。漾塘池麗日舒。涼陰柳小田莊。揚扇輕前席幌。黄粱長境夢邯鄲上。

按：此曲曲牌疑有誤，或句子脱失。

【玉溪清】

春

花閒春來處處有。緑遍紅嫣透。鶯啼荏苒辰。燕語暄和候。沽來一樽花下酒。

夏

□當温風透疏牖。大雨時行後。青旗簷外摇。畫舫池中走。沽來一樽蓮蕊酒。

秋

玉露金風月過酉。大火西流候。風高鴻雁鳴。露重寒蛩宿。沽來一樽黃菊酒。

冬

寒冬夜來客連叩。出户頻攜手。竹爐火初紅。月牖梅枝瘦。沽來一樽桑落酒。

【北雙調慶宣和】

簡子漁鼓隱世人。松柏相親。穿林入徑採芝莖。誠能辨道修真。我也辨道修真。

入聖超凡難至難。月滿闌干。笑擎盃酒强須乾。則睡到紅日三竿。我也紅日三竿。

五柳莊前陶令宅。大似彭澤。無限黃花有誰栽。似他們去來去來。我也去來去來。

覽勝樓東月鏡明。湛露凄清。曩將玉屑效長生。不如我樂道隨平。我也樂道隨平。〔二〕

【北雙調凌波仙】

春

春山横翠鎖明霞。野色爛斑點數雅。層巒遠近堪圖畫。看其中景趣佳。歎韶光萬頃精華。樂忘憂天君泰。無榮辱誠瀟洒。笑傲向天地裏爲家。

夏

金盤初湧火雲紅。九陌浮埃撲面濛。炎威熾烈多方共。坐池亭午思慵。理絲絲囑咐琴童。這琴有先賢志。挽高人太古風。對焦桐意樂在其中。

秋

金風飄蕩曉松傍。玉露初零幽徑涼。白雲掩映虚亭上。共詩朋遊翫賞。展心懷笑樂徜徉。飲盡了瓊花釀。觀盡了景渺茫。覽盡了一段秋光。

冬

嚴威凛凛屬玄冥。斗帳驚寒宿夢醒。窗櫺紙隙風聲勁。驟簷鈴擊玉琤。舞瓊瑶六出輕盈。陳美食殷勤竝。列華觴次第行。慶人世歲樂豐登。

【北仙吕一半兒】

春

無邊春色滿宫城。藹藹和風暖自生。桃李争妍如繡錦。燕鶯驚。一半兒飛來一半兒鳴。

夏

時當清暑日初長。風遞芙蕖十里香。獨倚憑闌閒翫賞。避炎光。一半兒煩□一半兒涼。

秋

金神行令景蕭條。淅瀝秋霖灑芭蕉。窗外風敲驚夢覺。夜迢迢。一半兒心□一半兒□。

冬

濃雲靉靆暮天低。火滅香銷冷狻猊。遥憶情人魂夢裏。數歸期。一半兒愁懷一半兒□。

【南商調黄鶯兒】

風

拂面透羅裳。掀簾幃户半張。江湖時疊波光漾。落殘紅過牆。飛浮雲出岡。簷前鐵馬聲嘹喨。韻茫茫。嗚窗送艇。解凍柳隄傍。

花

爛熳曉□□。看韶華遍九垓。深叢細蕊堪人愛。□繁陰覆階。散幽香透懷。蜂飛蝶繞柔枝外。甚奇哉。千紅萬紫。春色滿樓臺。

雪

飛絮舞簾櫳。逐狂風下遠空。寒威凛冽江河凍。密漫漫覆濛。白皚皚路充。烹茶幾度閒相共。小橋東。藍關道阻。凝積荻蘆叢。

月

玉鑑湧蒼波。□澄空星畔過。亭亭皎潔清光播。□□浪閃錯。掛青山半剉。憑闌極目千方大。慢吟哦。擎盃自賞。瀉影浸山河。

【北黄鍾出隊子】

若説道幽軒精緻。看週遭竹數圍。微風時動五鈴繫。晝睡遥聞野鶴啼。午日當窗猶未起。
若說道幽軒清暇。謾徜徉獨静雅。呼童汲水煮茶芽。笑傲茫茫天地家。何勞鎖心猿在意馬。
若說道幽軒日月。同蓬壺景象別碧。鷄啼處海天闊。彩鳳鳴時暘谷徹。魚簡輕敲心更悦。
若說道幽軒平淡。玩松柏不易顔龐。飽虀飯不辭難。草履竹冠意自閒。會見三華聚頂間。
若說道幽軒誠正。玩高樓氣氤氳。翠微亭下肅塵氛。涵虚池邊漾水瀛。斸藥歸來日未曛。

【北越調武陵春】即小桃紅

曉行紫陌趁東風。驅駿馬輕鞭送。芳草和煙暖茸茸。柳陰濃。辭鞍暫憩遊人衆。仰前村望中。聽鵑聲遥啈。如噴火小桃紅。
玉欄干外日初融。戲把秋千送。仕女叢叢蹴雙鳳。笑喧鬨。閒情暗逐春光動。墜雲髻半鬆。插花枝微重。零落下小桃紅。

春容滿眼數千重。迤逦攜行從。覽勝遊人亂交横。意冲冲。趁時好把韶華共。上朝陽猶曚。啟曙光纔動。猛争看小桃紅。

和風淡蕩曉陽濃。萬斛春光重。上苑繁華滿目中。趣無窮。雕鞍寶馬頻遊縱。視燕鶯飛冗。覷蝶蜂喧閧。亂鬧採小桃紅。

春光初到北堂中。適已興心偏縱。畫棟珠簾影玲瓏。景和冲。葡萄酒熟開新甕。觀鸞笙未終。聽鳳簫復動。試吹出小桃紅。

仲春天氣暖昭融。披拂清颷動。長養惟憑造化工。喜色濃。小園閒步遊階空。舒緑雲葉豐。綻紅霞顔重。折一枝小桃紅。

明窗浄几坐樓東。每展經書誦。瀟洒襟懷志無蒙。誼溶溶。謾揮一箑涼颸動。捲疏簾鉤控。俯危欄遥送。照眼小桃紅。

杜鵑啼徹五更風。催醒莊周夢。行色悤悤遠途中。伴琴童。輕籠翠柳朝煙封。停青驄莫縱。開玄瞳方送。看繞架小桃紅。

夜闌庭院月朦朧。簾旌響微風動。輕霧霏霏淺檐中。小樓東。無邊春色誰人共。邀三朋喜同。會羣友相衆。秉燭照小桃紅。

吼聲料峭曉來風。透繡幕寒威重。燭影摇紅矮檠弄。韻丁東。飛檐鐵馬週遭動。過江湖波湧。入園林花送。零落了小桃紅。

套　數

中　秋

【北黄鍾醉花陰】良夜月明光皎潔。萬里無雲一色。樓榭盡瑩白。天朗風清。街市上人懽悦。望銀漢如同白晝也。卻正好擎盃賀這中秋節。

【喜遷鶯】露泠泠輕浸蘭麝。風淅淅敲響簷鐵。無息。遶迴廊香靄篆結。聽樓頭鐘鳴畫角。咽卻。初更天氣也。秉銀臺高燒畫燭。排金釵十二陳列。

【出隊子】向金莖臺榭。透紗窗月影斜。西風颼颼墜梧葉。竹梢翩翩空自折。把筆向芭蕉葉上寫。

【幺篇】正三秋時節。樂良辰好風月。籬邊黄菊爛金色。欄外芙蓉似霜雪。愛桂子清香手内折。

【刮地風】聞樹杪秋聲景蕭索。過階前螢火明滅。宿荒苔促織聲哽咽叫的悲切。見珠星光勝明月。看明月勝星光潔。碧沈沈霞薄鎖天邊輪。月轉星移。朝帝北現。銀河素練白。桂風生遠送來書舍。萬籟寂肅四陌。

【四門子】望天街斗定母移徹。憶長生和玉屑。沆瀣生露氣瀉。貯金盤仙人掌内接。絃管清。餚饌設。舞香塵紅袖翠拽。

【古水仙子】勝蓬萊景象別。奏簫韶音韻向仙闕。引引引數隊陞階。看看看錦衣相接。這正是美風流過此絶。著香醪金樽猶未趄。再歡娱頻將詩才劣。詠韶光風花雪月。一任教雲鎖楚臺遮。

【尾聲】一年宵景惟今夜。不覺的兔魄西斜。願歲歲莫教虚度也。

【北南吕一枝花】蜀都錦繡鄉。内苑風光地。蓬瀛新氣象。錦繡統華夷。覽勝收奇。偶到處多遊戲。甚崢嶸真豔麗。高樓中風動垂簾。遠亭外鶯鳴燕語。

【梁州】幾百曲階除迤邐。數十行竹徑參差。竝無些點塵侵砌。可只見松山柏嶺。芝圃花蹊。緑蕉仿佛。青柳依稀。觀形壯詩客留題。轉迴廊四闥通衢。繞波瀾俯檻清漪。越透迤蓮池翠碧。又一處磊叢山假崔嵬。更有引泉。添□水。錦鴛鴦游泳多情致。涵虚亭緊相對。相對著翡翠樓頭是那帝胄室。真可是難畫難題。

【尾】這軒堂包含景色誠然美。物外清新分外奇。四季韶華總歸此。奪周天這氣數。運流年歲度。願萬載皇基鎮無比。

〔一〕以下闕一葉。

李開先

李開先，字伯華，號中麓，別署中麓子、中麓放客、中麓山人、中麓老樵、中麓病夫，山東章丘人。嘉靖八年（一五二九）進士，歷任户部主事、吏部考功主事、員外郎、郎中，官至提督四夷館太常寺少卿。與王慎中、唐順之、熊過、陳束、任瀚、趙時春、吕高并稱「嘉靖八子」。嘉靖二十一年（一五四二）因抨擊當政窳敗，爲夏言、嚴嵩所恨，被罷歸。居里徵歌選勝，爲新聲小令，時謂馬東籬、張小山無以過也。爲人豪宕不羈，嘗訪康海、王九思於武功、鄠杜之間，賦詩度曲，相見恨晚。性好書，皮藏之富，冠於山東，時有「詞山曲海」之稱。其手改定元人傳奇（雜劇）十六種，蒐集并製作市井俗曲。著有臥病江皐、中麓小令、四時悼内、詞謔，及傳奇寶劍記、登壇記、斷髮記和雜劇皮匠參禪（今樂考證誤爲李日華作）、三枝花大鬧土地堂、打啞禪、昏廝迷、喬坐衙、攪道場、園林午夢（今樂考證誤爲李日華作）等，詩文散曲有閒居集十二卷。生於弘治十五年（一五〇二），卒於隆慶二年（一五六八），年六十七。

小令

【南南吕一江風】

病難捱。黃臉燈前態。赤手牀頭債。怎生來。月照中庭。鐘度南樓。夜夜能輪派。拿雲手懶擡。談天口懶開。虎瘦雄心在。（臥病江臯）

病難捱。不語更新態。不寐思陳債。雪兒來。吹竹彈絲。換羽移宮。惡業都分派。華筵月下擡。名花雨後開。況有良朋在。（臥病江臯）

病難捱。憔悴因誰態。積儹還誰債。枕邊來。鐵馬簷牙。畫角樓頭。教我難支派。愁眉怎地擡。愁懷怎地開。形瘦聲音在。（臥病江臯）

病難捱。縱酒疏狂態。賒酒尋常債。醉歸來。一石劉伶。五柳陶潛。夢裏求仙派。愁籠誓不擡。悶坑誓不開。萬古名猶在。（臥病江臯）

病難捱。瘦比黃花態。苦似青苗債。送愁來。雲外征鴻。風外寒砧。會把人科派。四肢不待擡。雙眸不待開。少個人兒在。（臥病江臯）

病難捱。舞劍英雄態。操筆詩文債。入秋來。風弄疎桐。雨打殘荷。耳畔聲成派。

盃盤次序擡。房櫳次第開。客散孤燈在。（臥病江皐）

病難捱。瘦菊擎霜態。促織催寒債。玉人來。順意知心。攜手挨肩。莫把差罰派。

銀箏向我擡。清罇爲你開。滿座春風在。（臥病江皐）

病難捱。市井塵俗態。人海風波債。念如來。莫逞嘍囉。莫作聰明。八字生前派。

頭須望上擡。眼須照上開。咫尺青天在。（臥病江皐）

病難捱。自負平生態。苦負前生債。數年來。打破天機。悟卻元神。活水源頭派。

玄珠掌上擡。玄關靜裏開。齒落舌還在。（臥病江皐）

病難捱。宋玉悲秋態。杜甫遊春債。避人來。飯飽黃精。藥滿青囊。自有天然派。

輕身不用擡。病懷得好開。一卷丹經在。（臥病江皐）

病難捱。折挫十年態。拖欠千年債。細思來。多智多憂。多事多愁。命也偏能派。

青白眼少擡。雌黃口少開。天網恢恢在。（臥病江皐）

病難捱。冤業腌臢態。哈賬糊塗債。算今來。歲運相臨。卯酉相衝。造物能安派。

險些準備擡。全憑擺脱開。留得形骸在。（臥病江皐）

病難捱。萬狀還千態。萬户今千債。夢休來。枕冷衾寒。火暗燈青。一弄廝均派。

披衣手自擡。臨門手自開。月落參兒在。（臥病江皐）

病難捱。忙處倉皇態。閒處幽思債。近新來。樂處留心。穩處安身。何處桃源派。行榼處處擡。黃花處處開。到處詩題在。（臥病江皐）

病難捱。萬里奔馳態。千古風流債。餉軍來。紫塞千尋。華嶽三峰。九曲黃河派。吟囊用杠擡。吟懷對景開。身在文星在。（臥病江皐）

病難捱。筆掃雲烟態。詩少江山債。興飛來。李杜争雄。屈宋争衡。風惟傳真派。頭因望氣擡。口因吐氣開。萬丈虹霓在。（臥病江皐）

病難捱。白雁長蛇態。緑蟻青蚨債。入門來。客有知音。座有知心。酒有江湖派。傳盃翠袖擡。吹簫鬱抱開。買笑千金在。（臥病江皐）

病難捱。減卻精神態。揭下相思債。雁南來。聲入寒雲。影落寒江。次序如人派。彎弓不忍擡。兜弦且莫開。問你書安在。（臥病江皐）

病難捱。買卜分憂態。買藥還醫債。寄書來。倒寫平安。翻使圖書。何事無倫派。挑燈手慢擡。臨封手慢開。知你憂心在。（臥病江皐）

病難捱。廝攘蜂蝶態。未了鸞凰債。見他來。小巧規模。大樣梳粧。初下瑶池派。葱枝細細擡。蓮花步步開。舞罷香風在。（臥病江皐）

病難捱。百歲浮雲態。一夜紅蓮債。進門來。髻挽春雲。眉淡春山。洛浦神仙派。

禪身把座擡。佛心把戒開。樂處西天在。（臥病江皋）

病難捱。猶豫狐疑態。凴短鶴長債。那些來。迤逗芳心。捎勒佳期。淚眼如泉派。
既將重擔擡。休輕撒手開。海上神祠在。（臥病江皋）

病難捱。黄葉知時態。紅葉題詩債。嘆別來。楓落吴江。月暗秦樓。側耳聽更派。
愁山不可擡。愁城不可開。徹骨相思在。（臥病江皋）

病難捱。壯志風雲態。絶意烟花債。跨鶴來。七里灘頭。獨木橋邊。古渡滄浪派。
藤牀向月擡。柴門背水開。排闥青山在。（臥病江皋）

病難捱。學得呆癡態。不取兒童債。故園來。弔古詞高。引興杯長。濯足江邊派。
青鞋揀地擡。寒門傍午開。贏得閑身在。（臥病江皋）

病難捱。滿目炎涼態。一地絲撓債。落鄉來。笑傲山林。放浪乾坤。玩弄滄洲派。
村醪打夥擡。野筵作耍開。牛背笛聲在。（臥病江皋）

病難捱。遠效漁翁態。近欲鄰翁債。打魚來。順水推船。倒舵隨風。萬里長江派。
釣竿取次擡。釣絲密撒開。赤鯉黄鱨在。（臥病江皋）

病難捱。日日懷人態。歲歲該人債。夜間來。細細金風。點點銅壺。刻刻時時派。
纖纖素手擡。吟吟笑面開。送酒卿卿在。（臥病江皋）

病難捱。甘受貧窮態。躲着權豪債。抱琴來。流水高山。白雪陽春。幾曲通仙派。

金徽膝上擡。冰絃指下開。坐客鍾期在。（臥病江臯）

病難捱。垂首淒惶態。纏手牽連債。爲誰來。啞謎藏機。麗曲傳情。信口胡編派。

步蟾脚懶擡。看花眼倦開。羅帕啼痕在。（臥病江臯）

病難捱。不似青春態。爲少青銅債。月中來。鶴唳霜清。猿嘯天空。詩韻分頭派。

瓊杯落又擡。燈花落又開。酒友詩朋在。（臥病江臯）

病難捱。休弄顛狂態。休攬些須債。論文來。鬼泣神驚。海沸山摇。班馬爲流派。

短檠仔細擡。長箋展放開。字字龍蛇在。（臥病江臯）

病難捱。霜露添愁態。日月搬愁債。幾朝來。撫景傷神。觸物思親。水木根源派。

遺裳敬意擡。遺書不忍開。物在人何在。（臥病江臯）

病難捱。瘦影伶仃態。鬼祟淹纏債。待時來。病去身輕。祟去心安。縉佩同班派。

八方寶貢擡。九重玉殿開。萬歲君王在。（臥病江臯）

病難捱。只爲風狂態。巠下煙荒債。命通來。平步雲梯。撥轉天關。文運循環派。

龍頭二月擡。天門兩壁開。唾手經綸在。（臥病江臯）

病難捱。世態無常態。路債無窮債。過關來。詞客王公。才子康公。風韻真同派。

價高衆口擡。文高萬卷開。後會知誰在。（臥病江皋）

病難捱。不作寒門態。不取權門債。上心來。段老河濱。胡子蒙溪。時濟同鄉派。

逢人把俺擡。虛名自此開。感德丹衷在。（臥病江皋）

病難捱。身世浮沉態。道路奔馳債。朔方來。馬上星霜。雁底關河。苦命今生派。

常將寶劍擡。羞將寶鏡開。兩鬢風塵在。（臥病江皋）

病難捱。放浪莊周態。奔走相如債。洛陽來。廢陌銅駝。荒徑石鯨。斷港斜陽派。

盜將古木擡。民將禁地開。高塚麒麟在。（臥病江皋）

病難捱。柳絮飛狂態。榆莢堆愁債。遠差來。時正殘春。今已中秋。暗把流光派。

側身向北擡。凝眸望北開。雲外長安在。（臥病江皋）

病難捱。窮困盧生態。雲雨襄王債。夢驚來。不似黃粱。不是巫山。浴髮咸池派。

蒼龍把日擡。石蓮映日開。另有乾坤在。（臥病江皋）

病難捱。剔透玲瓏態。窟露麻花債。自思來。半飽才學。一露聰明。涇渭清濁派。

脚根要穩擡。唇邊莫浪開。當道豺狼在。（臥病江皋）

病難捱。情盡因驕態。義斷因私債。結交來。燕侶鶯儔。蝶使蜂媒。圈套朝夕派。

虛將熱手擡。偷將冷眼開。管鮑今安在。（臥病江皋）

病難捱。傀儡牽絲態。蠶繭抽絲債。比將來。提掇由人。辛苦因誰。兩事如同派。病軀用力擡。悶懷用酒開。纔是良謀在。（卧病江皋）

病難捱。交債知交態。愁態緣愁債。論人來。畫閣朱門。淡飯黃虀。貧富由天派。攀高手免擡。覷時目免開。報事靈官在。（卧病江皋）

病難捱。半夜風雷態。六甲神祇債。自天來。轟碎石碑。惱煞窮酸。薦福真實派。八人穩轎擡。三簷大傘開。無福身難在。（卧病江皋）

病難捱。愁態非嬌態。舊債連新債。溜簷來。一派風聲。一派泉聲。帶雨成三派。蛛絲一縷擡。燈花一穗開。寫恨羅紈在。（卧病江皋）

病難捱。永夜獨眠態。凶歲難償債。睡魔來。城上啼烏。窗外鳴鷄。合做驚人派。舒身肐膊擡。揉眉眼暈開。夢破愁仍在。（卧病江皋）

病難捱。省事絶憂態。儉用勝求債。是非來。忍氣吞聲。粧啞推聾。口免懸河派。吟肩得句擡。笑顔得意開。豪興依然在。（卧病江皋）

病難捱。文字方家態。簡帖冤家債。召喒來。兩度章臺。三墜吟鞭。東晉風流派。花間小脚擡。樽前大量開。繫馬垂楊在。（卧病江皋）

病難捱。驕己矜人態。昧己瞞人債。走將來。作黑翻黃。用紫奪朱。謊話千餘派。

窺人鼠目擡。生風虎口開。談笑干戈在。（卧病江皐）

病難捱。軟款刁鑽態。扭躲騰那債。哄咱來。兩次三番。百計千方。花哨胡支派。

聳肩脊背擡。彈舌齒縫開。冷氣虛心在。（卧病江皐）

病難捱。市虎三人態。碩鼠三年債。害人來。手策奸雄。膽略粗疎。粧做名流派。

村拳大手擡。伶牙俐齒開。傍若無人在。（卧病江皐）

病難捱。風捲白雲態。雨促黄花債。蔽天來。風急雲飛。雨冷花殘。迷失山川派。

風將雨脚擡。花含雨淚開。雲去山川在。（卧病江皐）

病難捱。枉受辛勤態。只勾填還債。采風來。四境流離。百室空虛。苦役沿門派。

晝將大樹擡。夜將大塚開。民牧今誰在。（卧病江皐）

病難捱。虐政狼蛇態。重賦鷄豚債。上堂來。亂打胡敲。碎打零敲。巧計臨時派。

無錢必定擡。有錢釋放開。索命閻羅在。（卧病江皐）

病難捱。村落蕭條態。府縣徵求債。趁熟來。背井離鄉。失業抛家。免受官差派。

犬豚襁負擡。鴛鴦棒打開。子婦東西在。（卧病江皐）

病難捱。雪案螢窗態。雲路鵬程債。做官來。點水成冰。見事生風。善政均平派。

愛民手掌擡。客人度量開。作福神明在。（卧病江皐）

病難捱。不看今生態。不放來生債。又修來。寺裏磨磚。門下齋僧。生死輪迴派。方梁草約擡。頑石木鑽開。費力營生在。（卧病江皐）

病難捱。覽勝尋芳態。感舊悲吟債。寺中來。不爲參禪。不爲修齋。散悶分愁派。佛龕耐重擡。金身烈焰開。賺的愚民在。（卧病江皐）

病難捱。啜哄千方態。乞化十方債。老僧來。罷誦南華。似見東坡。佛印傳來派。長揖半晌擡。長齋那日開。禪室紅裙在。（卧病江皐）

病難捱。無是無非態。無了無休債。女娥來。萬縷千絲。萬苦千辛。經緯紛紜派。登機上下擡。攛梭左右開。忙併生活在。（卧病江皐）

病難捱。頓改乜斜態。碎補囫圇債。幾曾來。不識低昂。不論賢愚。不辨清渾派。青萍一劍擡。寒芒兩刃開。誰許奸雄在。（卧病江皐）

病難捱。落帽重陽態。把酒登高債。大風來。拔木揚沙。掩日遮天。水上生紋派。飛蓬落復擡。浮雲捲又開。陣陣淒凉在。（卧病江皐）

病難捱。五柳先生態。五斗郎官債。掛冠來。採菊東籬。種豆南山。名利休鋪派。白衣把酒擡。黄花對酒開。吾愛吾廬在。（卧病江皐）

病難捱。挣脱柳榆態。還徹渣黎債。也須來。抖擻精神。整頓風流。玩物清閒派。

幃屏八扇擡。紗窗一扇開。花壓欄杆在。（卧病江皋）

病難捱。學個安詳態。討個便宜債。念吾來。不是豪傑。不是癡呆。不是尋常派。
葛仙拄杖擡。馬融絳帳開。門客終朝在。（卧病江皋）

病難捱。可笑寒儒態。難滿窮坑債。相君來。銀海分明。地閣方圓。豈是窮寒派。
沉沉闊步擡。紛紛滯氣開。晚歲榮華在。（卧病江皋）

病難捱。妓女紅顔態。公子清宵債。五更來。躡足潛蹤。匿影藏形。如履薄冰派。
門拴悄悄擡。門關慢慢開。家有嚴君在。（卧病江皋）

病難捱。並蒂蓮花態。交頸鴛鴦債。配婚來。壓倒蘇卿。賽過韓娥。超出塵俗派。
額顱帶慚擡。面顔帶笑開。眼角留情在。（卧病江皋）

病難捱。恨夜懷春態。隔歲經年債。信傳來。織錦迴文。帶草連真。行款匀匀派。
搵啼錦帕擡。拆封錦字開。滿紙雲煙在。（卧病江皋）

病難捱。摇擺腰肢態。調弄唇舌債。接談來。子曰詩云。誏語閒言。攙入文人派。
身軀側力擡。眼輪混沌開。大樣白丁在。（卧病江皋）

病難捱。結社周貧態。重義輕錢債。老翁來。花轎擡人。藜杖隨身。善惡態分派。
重輕易舉擡。羣疑立劈開。古道而今在。（卧病江皋）

病難捱。搰破拳頭態。使碎心肝債。挣家來。冒雨衝風。帶月披星。湍水無閑派。

銀芽萬萬擡。金花色色開。財大憂愁在。（卧病江皋）

病難捱。金谷尋芳態。錦帳藏春債。大端來。負郭田園。敵國家私。福禄淵泉派。

裙釵簇擁擡。珊瑚粉碎開。聚怨石崇在。（卧病江皋）

病難捱。歌頌禎祥態。報答昇平債。表章來。甘露成霖。白鵲成雙。異瑞天心派。

雄文萬弩擡。長章武庫開。彩筆詞臣在。（卧病江皋）

病難捱。貓鼠同眠態。狼虎相交債。總然來。鼠盗猫偷。虎争狼分。風動波紋派。

争頭半點擡。癡心暗箭開。羅網漫天在。（卧病江皋）

病難捱。腆着胸脯態。麻了頭皮債。富兒來。解脱金韉。指點銀缸。索酒嘗高派。

胡行脚腕擡。胡謅齒頰開。乳臭涎沱在。（卧病江皋）

病難捱。放蕩身軀態。搪塞咽喉債。勢豪來。戇樣村腔。蠢氣粗聲。胡説胡成派。

傘杆使話擡。背弓得道開。平地孤堆在。（卧病江皋）

病難捱。署印權官態。納鈔鄉人債。狀詞來。李四張三。暮四朝三。不見分明派。

逐朝倒蹬擡。何時發落開。文卷堆山在。（卧病江皋）

病難捱。苦恨豪民態。乾賴良民債。放刁來。勺水之多。一線之流。引做滔天派。

水頭萬丈擡。浪花萬朵開。倒海風濤在。（臥病江皐）

病難捱。救火飢寒態。流水催科債。兩椿來。一樣着忙。百計難除。賦稅重疊派。

遷民老幼擡。居民父子開。大疃三家在。（臥病江皐）

病難捱。念爾妖嬈態。爲我擔當債。料應來。擘破金錢。劃斷金釵。常把良辰派。

恩情上秤擡。相思坐鋪開。耐久心腸在。（臥病江皐）

病難捱。怨雨尤雲態。帶水拖泥債。兩分來。旱了陽臺。澇了藍橋。難把佳期派。

擡樓爲甚擡。開膠爲甚開。藕斷絲還在。（臥病江皐）

病難捱。二意三心態。百緒千頭債。遠離來。滿載閒愁。萬種相思。會打周遭派。

大車儘着擡。快刀割不開。愁在相思在。（臥病江皐）

病難捱。寡宿孤眠態。整宿停眠債。大都來。一寸眉頭。九寸衷腸。不耐閒愁派。

雁書勾一擡。鳳釵尚兩開。一縷餘香在。（臥病江皐）

病難捱。興寐朝夕態。報賽秋冬債。中興來。雨霽風恬。海晏河清。萬水潮東派。

瑞章厭路擡。玉門大路開。不見狼烟在。（臥病江皐）

病難捱。徹底澄清態。灑手槎枒債。出身來。幸際明時。運注長生。樂事由人派。

霜毫遇興擡。星眸帶醉開。詩稿牛腰在。（臥病江皐）

病難捱。轉日迴天態。抹月批風債。筆端來。文勢騫騰。武庫森嚴。砥柱中流派。

千鈞一髮擡。三江一線開。壯武雄文在。（卧病江臯）

病難捱。逆旅乾坤態。過客光陰債。悟過來。萬物成塵。百歲歸空。水少西流派。

舉頭往後擡。停睛向後開。海變桑田在。（卧病江臯）

病難捱。虎鬭龍争態。蟻聚蜂屯債。且抛來。壓馬金鞍。策馬金鞭。撞出風烟派。

尾梢八字擡。鼻中火字開。渥渚龍駒在。（卧病江臯）

病難捱。勝有磨跎態。不慣搬調債。古今來。項廢劉興。李倒張登。話做漁樵派。

招商酒幕擡。薰人酒瓮開。爛醉生涯在。（卧病江臯）

病難捱。王粲飄零態。庾亮登臨債。上樓來。性格疎狂。志節孤高。命不隨心派。

丹梯百尺擡。銀蟾萬里開。一片鄉心在。（卧病江臯）

病難捱。暗想胡兒態。可是昭君債。和番來。落下天風。衝冒邊塵。混入腥膻派。

金戈耀日擡。雕弓滿月開。馬上琵琶在。（卧病江臯）

病難捱。趨熱窮寒態。受冷熬煎債。倒顛來。説是談非。競短争長。萬萬千千派。

眉尖眼角擡。舌尖口角開。都是機關在。（卧病江臯）

病難捱。鼎足三分態。末尾三梢債。大岡來。犬吠鷄鳴。蝶鬧蜂喧。瀾倒隨波派。

倒將手板擡。長將口劍開。六月嚴霜在。（臥病江皐）

病難捱。尖嘴輕薄態。屈膝央浼債。自今來。緘口藏舌。袖手藏頭。洗耳臨清派。

簷低首莫擡。才高齒莫開。樹大風聲在。（臥病江皐）

病難捱。骨格非凡態。眼界無俗債。繡江來。舞袖迴風。歌扇停雲。不減習池派。

酒旗蕩漾擡。酒樓突兀開。沽酒青錢在。（臥病江皐）

病難捱。跳出藩籬態。撞破樊籠債。鍊丹來。陰内含陽。雄裏懷雌。倒把乾坤派。

汞鉛墜後擡。水金閉後開。江上飛鳥在。（臥病江皐）

病難捱。百媚千嬌態。萬刼千生債。那坨來。嬝嬝婷婷。款款輕輕。浴罷蘭湯派。

金蓮半折擡。櫻桃半顆開。豔舞嬌歌在。（臥病江皐）

病難捱。氣岸雄豪態。惡貫兒孫債。到頭來。善有禎祥。惡有災殃。插板厮挨派。

心田惡草擡。眉峰一竅開。自謂英雄在。（臥病江皐）

病難捱。月露風雲態。詞賦詩文債。悔從來。口耳之長。皮膚之學。躧入淤泥派。

休將惡念擡。好將大道開。静坐天機在。（臥病江皐）

病難捱。鴻雁連珠態。烏兔攛梭債。四時來。北去南歸。西没東生。似水無窮派。

芒鞋竹杖擡。柴扉草閣開。百歲人長在。（臥病江皐）

病難捱。春晚扶犁態。日午鋤禾債。務農來。數口之家。百畝之田。苦業蒼天派。扶犁宛轉擡。鋤禾積漸開。滿地黃金在。（臥病江皐）

病難捱。恨壓眉頭態。愁滿心頭債。去還來。纔下眉頭。又上心頭。愁恨周旋派。秤鈎煞力擡。盤珠浄算開。萬恨千愁在。（臥病江皐）

病難捱。萬樣媒婆態。百穗頭兒債。撒浸來。打箇圈兒。丢箇輪頭。虚套隨機派。長行大步擡。胡言亂語開。早是没人在。（臥病江皐）

病難捱。苦口甜舌態。冷眼酸心債。賣乖來。緣木求魚。打草驚蛇。倒做莊家派。密將絆索擡。慣將悶鎖開。喜慶年年在。（臥病江皐）

同毛醫出城闉弔叢襚登眺山樓再用前韻口占數曲

病難捱。閉户凄涼態。欹枕思量債。出城來。行過荒原。難認殘碑。笑他迷宗派。登樓兩足擡。憑欄兩目開。故國山河在。（臥病江皐）

病難捱。把住飄蓬態。扯斷連環債。上山來。石底清泉。霜後丹楓。風送簫韶派。肩輿四下擡。眉攢兩下開。喜有名醫在。（臥病江皐）

病難捱。清減清秋態。黃瘦黃昏債。國醫來。診脈通玄。用藥如神。遠接岐黃派。

戒石切莫擡。病源永莫開。水去石常在。（臥病江皐）

【南仙呂傍粧臺】

鬧垓垓。龍蛇白晝走庭階。鐃君撥的天關轉。推的地軸開。村拳怎打迷魂陣。野脚難登拜將臺。千鈞力。八斗才。得歸來處且歸來。（中麓小令）

笑呵呵。掛冠歸去免張羅。閒披鶴氅朝玄帝。焚龍腦禮彌陀。酒逢知己千盃少。話不投機一句多。胡將就。没奈何。得磨跎處且磨跎。（中麓小令）

絮叨叨。閉門怕見小兒曹。暗中準備狼牙箭。防避雁翎刀。願游海上尋丹藥。不向天邊種碧桃。高擡手。懶折腰。得逍遥處且逍遥。（中麓小令）

傻哥哥。識人多處是非多。怎禁對面丢圈套。平地起干戈。片石要打千金磨。尺水翻成一丈波。南無菩薩。阿彌陀佛。得高歌處且高歌。（中麓小令）

淚悽悽。暖時怕冷飽防飢。常言道要飽家常飯。要暖脚頭妻。龍居淺水遭蝦戲。虎離深山被犬欺。權粧啞。佯不知。得便宜處且便宜。（中麓小令）

醉昏昏。世情宜假不宜真。須知酒乃天之禄。口是禍之門。江中後浪催前浪。世上新人換舊人。紅塵外。緑水濱。得安身處且安身。（中麓小令）

樂醄醄。雲臺争似釣臺高。那愁仕路多坑塹。入海有風濤。東歸閬苑三山近。北望君門萬里遥。飛龍劍。睡馬杓。得逃名處且先逃。（中麓小令）

叫查查。南無菩薩摩訶薩。愁聽吠夜門前犬。鬧曉樹頭鴉。曲律木車兒隨性打。阿擱紙鷂子怎生拏。波羅蜜。花木瓜。得磨滑處且磨滑。（中麓小令）

恨悠悠。眼前歲月去如流。怎熬鴻雁飛難定。烏兔走無休。東生西没朝還暮。北往南來春復秋。傳盃飲。秉燭遊。得淹留處且淹留。（中麓小令）

笑嬉嬉。葫蘆提罷大家提。世情都把真爲假。不辯是和非。五陵豪氣空千丈。百歲光陰已四十。三十而立。七十者稀。得棲遲處且棲遲。（中麓小令）

冷颼颼。鏡中緑鬢早驚秋。從今不放來生債。休帶隔年愁。請看日月搬烏兔。莫與兒孫做馬牛。終朝醉。萬里遊。得藏頭處且藏頭。（中麓小令）

景萋萋。眼前白髮故人稀。醉中不記天南北。那覺日東西。年來自喜一身健。老去誰憐萬事非。遊龍闕。謁鳳池。得逃歸處且逃歸。（中麓小令）

氣昂昂。奮身挣脱利名繮。休愁卧榻藏狐兔。當道有豺狼。各除自己門前雪。莫管他人屋上霜。玄都觀。緑野堂。得徜徉處且徜徉。（中麓小令）

醉醺醺。甕中乾了玉壺春。勸君莫做千年調。苦了百年身。唾津嚥卻心頭火。涙點

休湮枕上痕。拳頭硬。肐膊村。得饒人處且饒人。（中麓小令）

眼茫茫。醉魂飛繞水雲鄉。醒來已是三竿日。消盡一天霜。朝遊道院求靈藥。暮扣禪關惹御香。何須慮。不用忙。得潛藏處且潛藏。（中麓小令）

跳踆踆。太平人唱太平歌。常餐淡飯無驚怕。着破衲免奔波。叨居四品寧爲賤。便做三公待怎麽。黄金印。白玉珂。得騰那處且騰那。（中麓小令）

恨緜緜。脱離苦海結良緣。閒來演梵招提境。受戒法王前。金身一丈同十丈。寶刹三千即大千。龍華臺上。鷲嶺寺邊。得參禪處且參禪。（中麓小令）

鬢班班。愁聞邊塞對敵難。只須平把住黄花鎮。横當了紫荆關。金戈耀日狼煙息。鐵甲衝風鳥陣閒。雕弓勁。畫角殘。得加餐處且加餐。（中麓小令）

打馱馱。一鞭行色赴高科。文章得中青錢選。平把錦標奪。懶同朝貴趨黄閣。願與漁翁着緑簑。心猶壯。鬢已皤。得隨和處且隨和。（中麓小令）

戰兢兢。簷前鐵馬起秋聲。幾時盼得晨鐘動。叵奈夜寒生。一簾花影風初定。四壁蛩吟月正明。心間事。身外名。得潛形處且潛形。（中麓小令）

氣吁吁。衆皆騎馬我騎驢。方知久住令人賤。多病故人疏。仲宣樓上悲王粲。張禄門前拜范雎。琴三弄。酒一壺。得歸歟處且歸歟。（中麓小令）

曲彎彎。一輪殘月照邊關。恨來口吸盡黃河水。拳打碎賀蘭山。鐵衣披雪渾身溼。
寶劍飛霜撲面寒。驅兵去。破虜還。得偷閒處且偷閒。（中麓小令）
日悽悽。仕途越久越着迷。誰能擡手知輕重。當面識高低。人心不足蛇吞象。世態
難平鳳做鷄。歸休早。睡起遲。得追隨處且追隨。（中麓小令）
惜惺惺。衆人皆醉我獨醒。從來哈帳難盤算。啞迷欠分明。
江頭弔屈平。登山路。涉水程。得閒行處且閒行。（中麓小令）喜遊渡口逢和靖。莫向
興勃勃。羅襴脱了換漁簑。閒中纔把愁眉放。不惜醉顏酡。紅塵路上休騎馬。緑草
池邊好放鵝。隨心令。信口歌。得吟哦處且吟哦。（中麓小令）
笑吟吟。相攜故友傍雲林。果然過後思君子。日久見人心。十分機巧十分拙。一寸
光陰一寸金。郎山秀。江水深。得登臨處且登臨。（中麓小令）
要些些。急流勇退是豪傑。如今枳棘棲鸞鳳。塵土混龍蛇。兩輪日月籠中鳥。百歲
光陰夢裏蝶。情腸變。性氣別。得乜斜處且乜斜。（中麓小令）
骨厓厓。十年多病瘦如柴。自憐形瘦心猶壯。人老鬢先白。朝中不上三都賦。林下
空閒萬里才。金字牌。銅佗印。得丟開處且丟開。（中麓小令）
恨忽忽。眼前光景耳邊風。疾飛夜月如朝日。春雁即秋鴻。每逢令節花相似。但入

新年人不同。爲棲鳥。作卧龍。得從容處且從容。（中麓小令）

話喋喋。爲争名利費脣舌。豈知竇鈔牀頭盡。白髮鬢邊茇。潛蹤懶去踏龍窟。斂手休來探虎穴。精神倦。筋力竭。得粧呆處且粧呆。（中麓小令）

暫休休。不須談笑覓封侯。古來才大難爲用。交厚反成讎。病軀怎戀雙龍闕。拙手難修五鳳樓。黃鷄社。白鷺洲。得遨遊處且遨遊。（中麓小令）

影團團。東方月出爛銀盤。光輝大地無遮蔽。人世有悲歡。愁心已被閒心釋。醒眼休將醉眼觀。乘白鹿。駕彩鸞。得盤桓處且盤桓。（中麓小令）

後三三。後三原只是前三。山中泥下燒丹竈。蓋就煉形庵。結胎選器非難事。鑄劍開關豈妄談。爲彭祖。學老聃。得貪心處且休貪。（中麓小令）

喜孜孜。身閒是我遂心時。只因相貌多寒賤。命運太參差。困魚赴壑乘新水。倦鳥投林戀故枝。青銅鈔。白玉巵。得推辭處且推辭。（中麓小令）

叫啾啾。一聲寒雁滿天秋。忽然驚醒三更夢。喚起百年愁。世無杜預憐羊祜。誰似常何薦馬周。三千客。十二樓。得優游處且優游。（中麓小令）

悶懨懨。棄官只爲怕人嫌。誰知富貴迷心竅。愁恨鎖眉尖。林泉已是甘疏放。臺閣休來舉孝廉。慵開户。莫捲簾。得潛潛處且潛潛。（中麓小令）

睡齁齁。夢中忘卻醒時愁。醒來舊事還如夢。新事更堪憂。消愁閒去參三寶。忍事何須傲五侯。黃金屋。白玉樓。得歸休處且歸休。（中麓小令）

柏森森。庭臺夏日有秋陰。坐來識破炎涼態。斷卻利名心。不須去削針頭鐵。何必偷剜佛面金。千鍾酒。幾曲琴。得投簪處且投簪。（中麓小令）

步徐徐。閒中徐步勝高車。高車疾走防傾跌。徐步免追呼。科頭懶把朝簪戴。病體全憑拄杖扶。休縛虎。學釣魚。得歸湖處且歸湖。（中麓小令）

思沈沈。倦彈三尺七絃琴。雖然指下無別調。世上少知音。雅吟猜做昭君怨。怨曲翻爲梁父吟。朱顏改。白髮侵。得安心處且安心。（中麓小令）

鬢蓬蓬。恁般散誕與誰同。世間有象終歸滅。無水不朝東。休將錦帳驕王愷。學煉丹砂類葛洪。山林下。村落中。得爲農處且爲農。（中麓小令）

意遲遲。前程萬里不如歸。興闌怕走紅塵道。喜傍緑楊隄。眼前日近長安遠。世上人多君子稀。靈龜休問。海鷗不疑。得忘機處且忘機。（中麓小令）

老婆婆。一場春夢笑東坡。故人別後音書少。暗裏譖言多。黃金鑄印從君佩。白璧無瑕奈我何。平康巷。安樂窩。得經過處且經過。（中麓小令）

亂紛紛。人情反覆似風雲。堪憐鄰里嫌王老。妻嫂笑蘇秦。不看僧面看佛面。若愛

凡身墮法身。攜心友。對酒樽。得論文處且論文。（中麓小令）休圖雲裏栽紅杏。好向
雨絲絲。衝風躍馬欲何之。閒遊正喜風吹袂。況有雨催詩。休圖雲裏栽紅杏。好向
山中覓紫芝。磨而不磷。涅而不緇。得隨時處且隨時。（中麓小令）
急煎煎。晝無穩坐夜無眠。大家都要争名利。那解樂林泉。苦留不住天邊日。使去
難來手内錢。慈悲閣。獨樂園。得留連處且留連。（中麓小令）
眼朦朦。爲親燈火費春工。幸然學的文如錦。争奈世難容。年來緑鬢翻成雪。運去
黄金變做銅。當頭砲。過耳風。得推聾處且推聾。（中麓小令）
顫巍巍。花枝一陣曉風吹。見花想起田家樂。莫被宦途迷。佯爲知己陰爲害。你是
何人我是誰。休推醉。早見機。得迴頭處且須迴。（中麓小令）
緑茸茸。侵階芳草失行蹤。洞門累月無人扣。長日有雲封。陳餘刎頸交張耳。韓信
何須念蒯通。人難識。心不同。得含容處且含容。（中麓小令）
眼離離。宦途如醉復如癡。人生閒散方爲福。富貴欲何爲。曾離吏部無恩怨。若謁
權門有是非。守箝口。莫皺眉。得休提處且休提。（中麓小令）
苦哀哀。茅簷困着棟梁材。静觀雲向郎山去。月過女牆來。癡心莫把禪機扣。小意
難將啞謎猜。權藏拙。學避乖。得沈埋處且沈埋。（中麓小令）

月娟娟。雲收雨霽好涼天。呼奴接了青藜杖。鋪下紫茸氈。十年窮困十年運。一日清閒一日仙。石牀上。甕牖邊。得安眠處且安眠。（中麓小令）

哭啼啼。非關心事有相違。只愁少箇千人俊。帶箇萬人敵。子卿仗節生歸漢。王蠋堅心死在齊。扶中國。拒北狄。得支持處且支持。（中麓小令）

莫咨咨。興來終日撚吟髭。嘗聞鯉退而學禮。賜可與言詩。身歸遼海稱梅福。血濺咸陽笑李斯。懷鄉曲。歎世詞。得尋思處且尋思。（中麓小令）

怒冲冲。愁聞暮鼓與晨鐘。暗中斷送的年如箭。折挫的鬢成翁。有時得應非熊夢。今代誰當汗馬功。眉峰秀。眼界空。得英雄處且英雄。（中麓小令）

影翩翩。霜前白雁又南旋。令人觸物思前事。撫景惜殘年。三叉道北三間屋。五柳莊前五畝園。無人共。竊自憐。得歸田處且歸田。（中麓小令）

錦重重。春來處處杏花紅。花雖粧點出三春景。零亂後一場空。笛聲吹落三更月。帆影飛隨萬里風。勞山下。海島中。得潛蹤處且潛蹤。（中麓小令）

色鮮鮮。玄鶴對舞畫堂前。長鳴聲向雲邊落。舞罷月中眠。重歸華表三千歲。不跨揚州十萬錢。燒丹竈。種玉田。得談玄處且談玄。（中麓小令）

鬢蒼蒼。只因卧雪與眠霜。山中有箇三陽洞。不弱似五雲鄉。輕歌妙舞春偏好。爛

醉豪吟夜未央。煙花市。翰墨場。得風狂處且風狂。（中麓小令）

淚漣漣。恨無仙藥可延年。挑燈把玩參同契。點檢悟真篇。爐中久養君臣藥。囊裏新成子母錢。由心悟。難口傳。得無言處且無言。（中麓小令）

語諄諄。閒將往事細評論。誰知厠内秦丞相。胯下漢將軍。九皋鶴唳聲初遠。萬里鵬搏志已伸。料來今日。難比古人。得沈淪處且沈淪。（中麓小令）

雪漫漫。花飛六出五雲端。憶昔守歲居官舍。賀節拜金鑾。兩行客淚隨風落。一片鄉心對酒寬。椒花頌。苜蓿盤。得追歡處且追歡。（中麓小令）

亂交交。蜂衙蟻陣不終朝。休學鄉愿同原壤。吏部比山濤。羊腸路上難迴馬。鴨嘴灘頭好釣鰲。琴棋友。詩酒豪。得相招處且相招。（中麓小令）

景輝輝。光天化日古來稀。方今用了羣賢策。立就萬年基。不煩杞國憂天墜。何用周人歎日微。渭河垂釣。商山採薇。得充飢處且充飢。（中麓小令）

葉蓁蓁。花殘梅子已生仁。流光春夏如飛箭。朝暮似征輪。花王報信臨初夏。梅子生仁已暮春。朝遊山寺。暮宿水村。得安貧處且安貧。（中麓小令）

緑依依。兩行煙柳接沙隄。性偏懶謁新開府。只想舊漁磯。放舟獨自乘風去。罷釣同誰步月歸。烹鮮鯉。煖舊醅。得啣盃處且啣盃。（中麓小令）

自度度。百年屈指四十多。從前已是箇傷弓鳥。休更做撲燈蛾。酒酣拔劍婆娑舞。興發乘舟欸乃歌。粗知丁字。幸登甲科。得風魔處且風魔。（中麓小令）

碧粼粼。風行水上總生紋。登高聊作懷湘賦。不效送窮文。算來詠月嘲風客。豈是經邦濟世人。休誇口。學養身。得温存處且温存。（中麓小令）

響珊珊。朝天環珮五更寒。由來撒手丟官易。開口告人難。姓名不上麒麟閣。脚步休踏虎豹關。三更棗。九轉丹。得還山處且還山。（中麓小令）

日熙熙。太平且返釣魚磯。歲前天上旄頭落。塞外羽書稀。狂奴故態須消盡。隱士歸心不可移。半肩行李。一身布衣。得收拾處且收拾。（中麓小令）

竹猗猗。學須如琢復如磨。争來急性同飛電。利口似懸河。要除黨惡知心少。不聽人情惹怨多。忽然追悔。如之奈何。得由他處且由他。（中麓小令）

志揚揚。重歸舊日卧龍岡。無心久戀銅駝巷。暫脱碧鷄坊。人情有似鷹逐兔。世事渾如狼牧羊。猿鶴洞。鷗鷺鄉。得翱翔處且翱翔。（中麓小令）

腹便便。飢時飽飯倦時眠。全憑詩酒消長日。耕稼度流年。一頭黄犬三家疃。六角犂牛二頃田。柴桑里。松竹園。得隨緣處且隨緣。（中麓小令）

鹿呦呦。野猿爲友鹿同遊。懶仙坐擁蘆花被。行棹木蘭舟。孤鐙閃閃漁村晚。殘角

悠悠旅館秋。臨江閣。望海樓。得凝眸處且凝眸。（中麓小令）

自謙謙。休誇文武兩相兼。身藏寶劍如雷煥。彩筆類江淹。求官卻得歸藏卦。問卜多逢悔吝占。乘山轎。看水簾。得掀髯處且掀髯。（中麓小令）

水源源。源頭活水始成川。丹家須下及時種。休只守荒田。欲求住世千年壽。必賴先天五兩鉛。用而不用。玄之又玄。得學仙處且學仙。（中麓小令）

不拘拘。從人喚做老狂夫。笑將四海爲杯勺。五岳作茅廬。消磨日月詩千首。嘯傲煙霞酒一壺。無窮事。多病軀。得支吾處且支吾。（中麓小令）

鳥呀呀。行人應是早還家。自今休鑷新白髮。不戴舊烏紗。仰看曉雨沾飛絮。斜倚春風數落花。彈絲吹竹。頂針續麻。得歡洽處且歡洽。（中麓小令）

唾津津。笑談鼓掌比儀秦。須知雅量山藏骨。巧語水生鱗。誰人背後沒人說。那箇人前不說人。身無恙。舌尚存。得云云處且云云。（中麓小令）

雨瀟瀟。新涼頓覺滿西郊。秋成遍地皆行樂。惟我最無聊。薄田止可糊三口。破鏡忽驚見二毛。叨叨令。步步嬌。得歌謡處且歌謡。（中麓小令）

鼓闐闐。聲連急管與繁絃。筵前棋酒人如畫。詩賦筆如椽。棋名只爲高而得。酒趣難同醒者言。詩千卷。賦百篇。得人傳處且休傳。（中麓小令）

露穰穰。秋深病體好難當。迴看昨日花明媚。今夜景淒涼。悲秋難展眉間皺。抱病重添鬢上霜。通神散。續命湯。得安康處且安康。（中麓小令）

水潺潺。臨流洗硯硯池寒。興來直舉雙鉤筆。橫掃五花箋。抛甎引玉雖云易。點鐵成金亦不難。詩方就。酒未闌。得開顏處且開顏。（中麓小令）

雁雙雙。雙雙北雁又南翔。眼觀春草青當户。秋月冷穿窗。光摇畫閣天如水。寒入羅幃夜有霜。長生藥。不死方。得參詳處且參詳。（中麓小令）

幾椿椿。病懷心事總堪傷。當時只想鸇驅雀。豈料犬逐羊。怎消萬古無窮恨。難得千金有効方。鉤直絃曲。尺短寸長。得迴鄉處且迴鄉。（中麓小令）

静巉巉。茅屋獨坐對江潭。繞亭竹韻疑鳴珮。水色似揉藍。追思往事情偏苦。連累相知意不甘。抽身飛走。絶口莫談。得粧憨處且粧憨。（中麓小令）

且饒饒。鎗刀林裏挣功勞。安能直上衝牛斗。平步上雲霄。虎狼當住驊騮道。鳥雀争棲鸞鳳巢。鹿爲馬。狗續貂。得開交處且開交。（中麓小令）

燕飛飛。朱門華屋與雲齊。雖云時下無天日。夜半有風雷。雪花寶貝消成水。火焰人家化做灰。平津第。薦福碑。得那移處且那移。（中麓小令）

瘦亭亭。病餘漸覺一身輕。安居不作金聲賦。懶誦玉樞經。閒來寺裏談佛法。悶向

街頭問子平。傳三昧。推五行。得休聽處且休聽。（中麓小令）

馬騑騑。年年走馬拂征衣。曉行偶爾遭顛躓。久矣不奔馳。山高月小吟懷放。水闊天低望眼迷。野才偏速。野景更奇。得題詩處且胡題。（中麓小令）

碧熒熒。良宵孤枕伴殘燈。小槽酒滴銀牀露。瓜似玉壺冰。堂中每下高人榻。天上常瞻處士星。秋容淡。夜氣清。得憑闌處且閒憑。（中麓小令）

淚潸潸。辭家上馬據雕鞍。雄韜未遂平生志。莫作等閒看。飄飄雪下鵝毛細。陣陣風來馬耳寒。平西域。逐北番。得生還處且生還。（中麓小令）

眼睜睜。世間多是假胡伶。功名不必毛錐子。只要孔方兄。但同父老開尊飲。不願王公倒履迎。長楊館。細柳營。得逃生處且逃生。（中麓小令）

草芊芊。春來緑滿綺窗前。開窗仰見烘桃日。兼愛養花天。漁翁只趁魚龍夜。田父欣逢羊馬年。風光好。人月圓。得安全處且安全。（中麓小令）

熱蒸蒸。火輪燒破紙湯瓶。何時熬得秋霜重。暫喜午風輕。悶彈三弄梅花曲。翻寫千篇貝葉經。藏春閣。避暑亭。得經營處且經營。（中麓小令）

念區區。命宜把釣老江湖。三冬學就千金賦。讀徹五車書。未酬烈烈十年志。空負堂堂七尺軀。柙中虎。韝下駒。得安居處且安居。（中麓小令）

射虎。坐擁碧油幢。盤龍路上煙如雨。何人身貫黃金甲。邊關萬里賴金湯。陣堂堂。

揮扇林梢月似霜。獸心難測。夷情不常。得隄防處且隄防。（中麓小令）

糊窗扯了悲秋賦。朝聽賣花聲。遊人夜動思蓴興。江空雲静月華明。碧澄澄。

丢開苦熱行。江湖夢。丘壑情。得離京處且離京。（中麓小令）

項羽韓侯使盡扶劉計。都要逞嘍囉。英雄忽地閙争鬬。咸陽百二舊山河。翠峨峨。

愁聞散楚歌。時乎難再。虞兮奈何。得深藏處且藏着。（中麓小令）

醉後飢時一鉢雕胡飯。早種邵平瓜。乘春就請樊遲稼。恐防跌倒便歸家。路滑滑。

三盃陽羡茶。穴中鼠。井底蛙。得矜誇處且休誇。（中麓小令）

【北雙調楚江秋】

重五感舊

風狂怎孤眠夜未央。相思晝更長。不分晝夜添悲愴。去年今日慶端陽。羅扇香囊。

得花無恙。雖然有一王。只争少二張。較來難把愁眉放。（四時悼内）

今年今歌童滿畫堂。歌聲遶畫梁。聽來總是無情况。去年今日慶端陽。蒲艾清香。

日空凝望。人生最可傷。浮生枉自忙。多情自古多惆悵。（四時悼内）

困來得浴罷蘭湯。去年今日慶端陽。殘燈瘦影摇書幌。塵埋寶鏡光。煙消寶鴨香。

家緣今見真模樣。驚迴夢一場。難捱那兩廂。飄風驟雨掀羅帳。（四時悼内）

走斝飛觴。去年今日慶端陽。傷心對景魂飄蕩。雲遮曉日黄。山横暮雨蒼。

把誰憑仗。愁山不可當。愁城不可降。愁多不許愁人强。（四時悼内）

【北仙吕那吒令】

觸事詠懷兼憶内

功名水一言兩言。契先天後天。一篇兩篇。悟上弦下弦。一年兩年。並前賢後賢。

繁華火上漚。富貴風中燕。可人憐名震三邊。（四時悼内）

三椽兩椽。蓋南園北園。没錢取錢。買山田水田。能言不言。做矇禪啞禪。

上冰。歲月雲中電。再休題萬里兵權。（四時悼内）

仕途夢無緣有緣。住山前水前。得眠且眠。卧南軒北軒。胡纏亂纏。在花邊柳邊。

一場。世態雲千變。又何須掛甲朝天。（四時悼内）

長聯短聯。掃雲箋錦箋。求仙得仙。服紅鉛黑鉛。不顛撒顛。棄茶船米船。滄溟小似盃。日月疾如箭。愛清閒懶聽鳴鞭。（四時悼內）

當先不先。效散仙懶仙。十千五千。揭穀錢麥錢。胡冤亂冤。莫欺天怨天。誰知相國衙。不若悲田院。燈油没且受熬煎。（四時悼內）

得旋早旋。種上原下原。胡編亂編。續七絃五絃。求全得全。免榮遷驟遷。昨朝雨露恩。今日風霜面。想殺人一日三宣。（四時悼內）

晴天雨天。卜豐年儉年。燈煙火煙。鬧上元下元。千員百員。滿三邊九邊。兵戈衆將憂。豐稔吾農願。勝强如一歲三遷。（四時悼內）

良緣喜緣。廣心田福田。雖然不然。笑當權弄權。心堅志堅。守梁園故園。早辭四品銜。高出千人見。了今生嘯傲林泉。（四時悼內）

魚鮮酒鮮。列家筵野筵。歌喧笑喧。喜人圓月圓。長篇短篇。聳吟肩瘦肩。曾亡枕上人。難免心頭怨。睡昏昏曉夢顛連。（四時悼內）

太玄最玄。誦殘編幾編。風喧日喧。汲山泉井泉。求援失援。莫情牽意牽。忽驚白玉環。更見黃金釧。爲懷人兩淚漣漣。（四時悼內）

【北雙調沉醉東風】

王渼陂養一外户後乃謝絶外户寄情不一予因作詞戲之[二]

設盟誓千生萬死。但别離萬想千思。曾交戊子年。頓改平生志。海神廟見放着言辭。只爲王魁短道兒。這的是旁州樣子。（詞謔）

【北中吕朝天子】

已而喧傳於長安渼陂請予解之以詞遂口占云[三]

海無邊。回頭是岸。縱風流當自反。哄嗒。上竿。掇了梯兒看。（詞謔）淚流的眼乾。手搓的面殘。口嘶的團扇邊兒綻。傳情寄恨百千番。藕斷絲難斷。苦

套數

春

【南商調黄鶯學畫眉】花柳豔陽春。憶年時酒半醺。尋花問柳清明近。自賢妻殂喪。撫景傷神。落紅積滿地思量。飛絮撒。一天愁悶。〔合〕淚痕。司馬江州恨。把青衫揾了重揾。

【前腔】風雨鎖黄昏。悄無人早閉門。百年偕老無緣分。撥新愁舊恨。整舊如新。傷春病强自支吾。獨夜寢。有誰存問。〔合前〕

【前腔】雲霧失江村。動離懷哭又吞。光陰似箭催霜鬢。更風前鶯韻。比較愁人。鶯睍睆唤醒春醒。風料峭。難傳花信。〔合前〕

【前腔】春色已平分。最難捱久病身。嬌紅豔紫朝來褪。付三分流水。一半飛塵。晝偏長離恨同長。春已盡。相思無盡。〔合前〕

【尾聲】自從他去閒中閫。無復開筵對酒罇。教我一度懷人一斷魂。（四時悼内）

夏

【南黄鍾啄木兒】景偏長。愁更多。疙搭雙眉忽納鎖。兀坐在矮榻疎簾。慢摇着小扇輕羅。静看那兩輪日月飛疾磨。閒想這百歲光陰轉快梭。春又夏。攧斷的朱顔雙鬢皤。

【前腔】隨緣分。權過活。結髮的人兒抛棄我。同林鳥風外分飛。並蒂蓮雨中零落。有時節閉門賦詩閒工課。詩成吟詠添寂寞。這的是。苦命生來難動那。

【三段子】困來眼合。被鳴蟬驚迴睡魔。醒來口哦。付鳴絃無非怨歌。如今天意難猜破。兩番故把人傒落[三]。暗送愁來無計躲。

【歸朝歡】平白的。平白的。遭此折磨。這煩惱何日是可。好夫妻。好夫妻。登時間闊。氣將來向西方念幾聲阿彌陀佛。自從識得春夢婆。再不去是非海内招災禍。只争這内助無人可奈何。（四時悼内）

又

【南正宫錦庭樂】榴争妍。柳垂陰。荷浮暗香。趁此好傳觴。只争來賢妻早亡。遇佳雖非地久。可是天長。

辰。對名花。反助悲傷。熬不得紅輪西向。捱不到銀蟾東上。專心盼晚涼。

【前腔】合歡盃。同心結。嫁時舊裳。覩物越悽惶。睡昏昏如遊醉鄉。喚名姬。聚良朋。華宴初張。眼看着紅裙飄蕩。手拍着紅牙歌唱。歡娱做悶場。愁腸固結。淚眼迷茫。

【象牙牀】二十年甘守糟糠。伴燈火夜坐寒窗。居官頗有虚名望。同受封絲綸過奬。又幸得衣錦還鄉。肯分的棒打鴛鴦。畫眉不復學張敞。苦志終須比樂羊。愁多似萬里長江。

【尾聲】何時還徹相思帳。更銷繳没頭那張狀。則除是唤起同心再歡賞。（四時悼内）

秋[四]

苦　雨

【南大石調本序】漫天風雨送新愁。梧葉輕飄。忽報清秋。酷暑撩人。剛得個天上大火西流。叵奈。餘熱猶存。積陰不散。何時北斗掛城頭。〔合〕一會價登高遠望。雲占瓊樓。

【前腔換頭】僝僽。自喪嬌娥。歸家無倚。此身疑是泛虚舟。苔徑濕。可教我何處閒遊。憔瘦。離恨天高。團團月少。淚如雨點最難收。（合前）

【古輪臺】猛凝眸。階前流水聚沙鷗。女媧難補蒼天漏。汩没芳洲。黯黯不分昏晝。惟有愁人更難消受。嘆天邊不見月如鈎。忽然回首。記年前喜雨歌謳。吹竹彈絲。撞鐘擊鼓。大開笑口。一筆盡皆勾。同莊叟。鼓盆歌罷恨悠悠。

【前腔換頭】休休。排遣積忿與閒憂。展開眼角眉尖皺。誰怨誰尤。罷卻恩情迤逗。且把糊塗謎兒參透。怕的是霜華染鬢冷颼颼。將琴當酒。斷絃琴酒價難酬。心事多端。人情萬變。實難罷手。欲訴總無由。甘心守。身安之外更何求。

【餘文】人命似風中燭。水上漚。自古賢愚共一丘。願只願雨霽雲收萬里秋。（四時悼内）

按：首曲〔本序〕即〔念奴嬌序〕，例用四曲，後接〔古輪臺〕。〔念奴嬌序〕、〔夜行船序〕、〔惜奴嬌序〕、〔祝英臺序〕皆有引曲，過曲則可省曰〔本序〕。南詞新譜眉批：「引子是念奴嬌，而此曲即念奴嬌序，故曰本序，非别名本序也。」然李開先此套只用二曲，句式與譜不盡合，第二曲則與〔念奴嬌〕第三〔换頭〕同。

冬[五]

夜長不寐

【南仙吕臨鏡序】夢雖成。失羣哀雁斷腸聲。覺來搔耳推孤枕。散髮步空庭。眼前離恨天般遠。望後團圓月不明。〔合〕斷絃難續。悲歌怎聽。這般情況幾曾經。

【前腔】淚盈盈。指尖彈血灑殘燈。相思日日容顏改。夜夜夢魂驚。堪憐霜殺宜男草。豈料雲埋婺女星。〔合前〕

【賺】火暗燈青。趲鼓催鐘早二更。人孤另。獨酌全無興。峭寒生。半牀薄被如冰冷。孤眠易醒。孤眠易醒。

【掉角兒序】遇窮冬霜雪嚴凝。正中年形影伶仃。夜迢迢銀漢無聲。一滴滴玉露傷情。空有那待月樓。禮星亭。焉文閣。誰與同登。〔合〕寒鴉亂驚。晨鷄不鳴。把離人撩斷。鐵馬簷楹。

【前腔】捱不到斗轉參横。盼不得月落天明。不卿卿誰復卿卿。想惺惺還惜惺惺。空

教我運霜毫。掃雲箋。編麗曲。愁恨偏增。〔合前〕

【尾聲】人生修短由天命。嘆佳人死難再生。争奈相如困茂陵。（四時悼内）

悼殤詞一闋

嘉靖戊申冬，十一月八日，得一子，雪蓑與樂安郭尹適至，因以蘇郭名之。賦相清奇，吐聲洪亮，見者咸以爲可世吾家。至庚戌閏六月，熱從内發，百方莫救，殤矣！時念又八日也。雖壯夫遭此，猶不免過傷，而况五十臨年者乎？四體交病，五内欲摧，詞以自解，因附於悼内之後，以見連年數奇，有時或得遂心云，謹安命以竢之。

是歲十二月中麓老樵力疾書。

【南仙吕入雙調黑麻序】想起吾兒。骨稜層神爽豁。足稱賢嗣。雙眉秀肌體凝脂。言辭丰姿。徐卿杜甫詩。李公蘇軾詞。〔合〕喜孜孜。摩弄着恰纔三歲。忽變做一天愁思。

【前腔換頭】年時。酒泛金巵。樂聲齊。遠近遞相傳示。報道有美玉於斯。追思嗟咨。淚多滿眼眵。愁多兩鬢絲。〔合前〕

【漿水令】漫誇這山人有子。非干咱爲父不慈。求醫問卜禱神祠。難道善人有福。造物無私。兒歸世。吾獨自。讀書怕見之無字。〔合〕空傷痛。空傷痛。風流太史。要寬解。要寬解。再産靈芝。

【前腔】弄璋書更休錯使。合浦珠今猶在兹。死生禍福本參差。莫談命運。算甚干支。眉尖恨。心間事。這番磨難人誰似。〔合前〕

【尾】明春還遂平生志。作善的福從天賜。庭前樹長新枝。（四時悼内）

中秋對月憶子驚悟詞序

蘇郭兒亡後，次年二月十二日，復得一男，出於繼娶王氏，母子同一生辰。時張外翁年方九十，聞之喜曰：「是兒不啻吾女出，婿年知命，吾年更加四十，若取乳名，非五十，則九十爾。」從翁之賜，因而呼之曰九十云。張翁者，吾前娶妻父也。是兒生而身長面闊，耳大鼻隆，方口圓顱，修眉廣額，容顏姣好，聲氣宏亮。縣主金攝山每顧，即索觀之，以爲神采射人，兩目在相法更異常不可言。性好嬉遊，門前日有聚觀者，其稱許俱猶攝山也。在母身十二月始娩，又癍疹已生，吾意無復他虞。癸丑六月望日，方相向而笑，忽風動不能作聲，聚醫環視，皆云：「急驚可救。」且灸且藥，竟不復甦，月上而氣絶矣！至今母服未除，父書無托，殘息難保，萬念皆灰，兩兒俱三歲，是兒更奇，吾年更長，其情不爲更苦耶！至八月望夜，雲散月明，風清氣爽，正月前兒亡之時，舊愁頓作，老淚如迸，翻覆追惟，低迴嘆息，非福德俱薄，則享用過厚，不然，何以有此折罰也？適值吴海亭、孫夾谷各有慰書，一時併至。吴云：「向見公子英偉，喜必壽昌，豈意遽爾短折，雖不免動情，亦當善遣，勿過爲苦懷，久知頤養有術，麒麟抱送，即接踵至矣！」孫云：「天使吾兒，一至此極，終必加祐善人，時下不免慟徹肝腸，就使不祐，猶當順受，何至以身殉之，非竟爾癡耶！若只以原無自解，則心自坦然，倘緣此而致不測，則丘文莊、李文正不相笑於地下乎？兄之富貴，十倍於弟，命厚福大，猶有蚤歲之厄，然則爲之子者，乃當以小可之命哉！矧兄年尚未老，更且健於曩昔，只多納寵妾，按行古法，散遣僕隸，賣卻遠田，減省延待，謝絶簡書，子當駢集，踰於弟數之多矣！」二君之言，教愛不淺，感悟之餘，月下口占長詞一闋，以定目前痛傷，以圖日後生育云。是年月之望中麓子妙契疾書。

【南仙吕入雙調步步嬌】萬里浮雲浄如掃。一點青山小。疎桐葉半凋。不礙冰蟾。偏驚宿鳥。青霄真可數秋毫。分明兔搗長生藥。

【沈醉東風】對佳景咱偏寂寥。宴高樓人皆歡笑。前月今宵。可正是耍孩兒。不得個解三醒驚風大了。藥將水調。艾將火燒。百般救百般不效。

【忒忒令】這愁苦三年兩遭。新水令原來雙調。把一個團圓節。生哭的天荒地老。望清光越傷懷抱。更搭上金風細。玉露零。花梢樹杪。

【好姐姐】怎熬。福薄命薄。子息宮梠星偏照。仰長空浩浩。這衷情難告。須知道。桑榆暮景雖非遠。松柏寒冬必後凋。

【嘉慶子】頭上愁髩鬖二毛。心内愁迷漫七竅。相思路盡頭難到。趲行來越行越遥。

【雙蝴蝶】想着。他鶯喉語正嬌。想着。他熊胎氣最豪。想着。他天生的奇形古貌。想着。他見人親舉手相招。想着。他畫堂前與羣兒喧鬧。想着。他目重瞳人間最少。

【園林好】可也曾揚旛打醮。可也曾燒香掛袍。可也曾迎醫討藥。從俗禮不辭勞。只爭這數難逃。

【川撥棹】將誰靠。只恐怕無陰樹倒。惱。惱成疾何時是好。愁擔兒且莫挑。悶坑兒且蓋着。

【錦衣香】事蹺蹊。難忖料。夢糊塗。纔驚覺。多應是事奉君親。不忠不孝。又無才無學大名高。今番省悟。做箇英豪。不是我誇强賣老。來歲今朝。依然連應熊羆兆。家緣永保。人月常圓。風光更好。

【漿水令】做歹人終有惡報。做好人終有吉兆。天運循環無顛倒。從今後休把人欺。莫謂天高。且自開玳筵。排家樂。月明還照蓬萊島。賀新郎。賀新郎。瓊盃再酌。

歌金縷。歌金縷。檀板頻敲。

【尾聲】掌中數顆傳家寶。賀客填門駿馬驕。清風早到。更有天上嫦娥不待招。（四時悼內）

述隱贈康對山

【北正宫端正好】雪平鋪。風初定。遍寰區白玉粧成。美人何事來幽境。想是山陰興。

【滚綉毬】要相逢恨不能。得相逢喜又驚。證果的名實相稱。把傷心世態閑評。熱情懷變冷冰。正團圞散曉星。都只爲争名求勝。巧舌頭惡浪千層。你如今文高一世人偏忌。學貫三才志不行。怎能勾萬里前程。

【叨叨令】只爲你中龍頭遊龍闕非僥倖。想着你拜龍顔輔龍德人欽敬。只爲你逆龍鱗搴龍衮忒正直。赶逐的你效龍吟空龍卧閑遊詠。兀的不可惜了人也麽哥。兀的不擔閣了人也麽哥。誰肯去奏龍庭奮龍劍斬了神姦佞。

【脱布衫】到如今把風雲事業忘情。共經綸手策藏形。嘆周公難來夢境。拉樵夫遠遊芳徑。

【小梁州】太白終南萬仞青。仙洞雲生。去天三百更稜了韓侯命。烏江岸收了霸主争。誰識這膏肓症。問東君慳也未慳。看前賢曾也無曾。

【十六煞】你家傳有長公。少年早著名。片言隻字人偏敬。龍樓獨對三千字。雁塔高題第一名。登相位如石磴。只去把心田内草茅盡刬。豈知道眼界傍豺虎憑淩。

【十五煞】文章千古名。雄才萬里城。霜毫落處丰神勁。片時横掃雲煙散。萬態全非月露形。時不用。君之命。喜服些金光瑶草。更和那玉屑石精。

【十四煞】讀書破萬卷。詩成神鬼驚。才華炫耀珍珠迸。陽春白雪那能和。緑水青山誰與盟。遠不出長安境。一個是太微才子。一個是紫閣先生。

【十三煞】幸一身得自由。做三公待怎生。笑他每千方百計穿捷徑。閑愁鎮日空千遍。夜睡何曾到五更。傒落出膏肓病。做一個投林的倦鳥。勝强如出海的飛鵬。

【十二煞】人情好不平。人心好不明。豈知消長皆天命。金烏玉兔忙搬弄。滄海桑田幾變更。來日事今難定。想着那夥子争妍取寵。怎如這堝兒隱姓埋名。

【十一煞】行軍的都望贏。做官的都望陞。其間就裏難前定。千盤萬折連雲棧。萬劫千灰枉死城。糊突夢誰能醒。假若是一錢不受。管教你寸步難行。

【十煞】漁竿手内擎。漁舟柳外撑。壯年即有泉石興。一簑細雨同和靖。萬古清風羡子陵。懶去把功名挣。隨意兒釣魚武水。甚思量走馬神京。

【九煞】省言終禍少。無官身自輕。古人言語真龜鏡。丟開丹鳳樓前話。朗誦金人背後銘。免得些閑争競。將心似鐵。守口如瓶。

【八煞】做莊科百畝田。倒王孫百甕清。這般消受無災眚。看花不是玄都觀。結草重開緑野亭。恰纔農力懶。瓶之罄。怎禁那提壺勸酒。布穀催耕。

【七煞】駕長車事遠征。執金戈耀日明。興亡總害生民命。龍韜已破千山暗。虎鬬空餘萬壑腥。着後世爲談柄。没地裏竿頭弄巧。火上擎冰。

【六煞】十年來岐山彩鳳鳴。黄河澈底清。萬年景運逢嘉靖。九夷仰德來朝貢。四海高歌樂太平。風雨順。邊方静。正好尋花問柳。泛梗飄萍。

【五煞】有時節列華筵召友生。唤紅裙拂錦箏。良時永夜同歡慶。醉來不倚鮫綃枕。月上空閑翡翠屏。编揑些隨時令。教的他會唱與咱聽。

【四煞】任豪俠傲九卿。被聰明誤一生。老來還是疎狂性。舉杯笑對三更月。舞劍空憐兩鬢星。愛李左相名爲聖。醒來又醉。醉了重醒。

【三煞】結團茅在滸西。近園林遠市城。山光水色遥相映。花間時有金釵墮。門外常聞駿馬鳴。着個伶俐的通名姓。推辭了達人貴客。單請這酒友詩朋。

【二煞】繁華風裏燈。功名水上萍。晦明遷轉全難定。朝中忽起明珠譖。塞外虚存銅柱名。嘆馬援逢權佞。見機的是扁舟范蠡。五柳淵明。

【一煞】長沙竄賈生。汨羅葬屈平。只因他要把朝綱正。你如今潛身不上麒麟閣。放步惟存鷗鷺盟。非不願聞時政。則恐怕小瓦塊湯的脚倒。樹葉兒打的頭疼。

【尾聲】你先公箕業長。你科名囊脱穎。詞林中五載遭吞併。留下這不盡的餘福付兒孫慢慢領。（北宮詞紀）

複　出

小　令

【南商調黄鶯兒】

詠　雪

呵手弄絲篁。

南宮詞紀題作「詠雪」，注李中麓撰。陶情樂府誤注李裳著。兹已輯於李元陽卷中，不重出。

詠月

滄海暮雲收。

南宮詞紀題作「詠月」，注李中麓撰。陶情樂府作者署名楊升庵。玆已輯於楊慎卷中，此不重録。

卧病江皐序

嘉靖辛卯，中麓先生出餉西夏，歸而卧病經秋，因作一江風以抒鬱抱，非若不病而呻吟者也。予嘗展候，見其單張片紙，填委架閣，遂袖而類之，共得一百一十一詠。其爲人取去者，不可復追矣！惜其散逸，而幸其僅存，乃謀之梓人，刻而永其傳焉。音既合譜，意更可人，押韻滿百，不重一字，真藝林之宗工，而南曲之絶唱也。憤世疾邪，固云多實；喻言託興，善用其虛。歌詠太平，佐侑罇俎，將不是賴耶！中麓制作，佳而且富，予素嗜詞，因而刻詞。其嗜文者將必刻文，嗜詩者刻詩，刻經解，刻舉業，至於國典史評，刑書政準，猜燈隱語，善戲微言，敲棋博陸之手談，習静内修之口訣，刻者各隨其所嗜，予烏得而知之。嘉靖甲辰卯月同邑晚生高應玘頓首書

卧病江臯後序

龍溪喬翁嘗言：「中麓李先生神清而氣盛，形瘦而詞雄。觀其所作一江風，因南調而酌中聲，用俗韻而出妙語，儒釋道之具備，性情理之兼該。有雄傑如萬馬横奔者，有華麗如千巖競秀者，有停蓄如春江不流者，有綿邈如寒蟬難斷者，有奇怪如天吴出没，惆悵如羈客悲凉者，又有閃賺縈紆，悠揚陡頓，觸發急併，虚歇譏彈，千態萬狀，形容不可得而盡者。嗚呼，孔門三千，速肖者七十二人而已；小令三千，入選者指能幾屈耶？古來以單詞擅名者，若鄧千江之望海潮，朱彦高之春草碧，蔡伯堅之石州慢，陳克明之一半兒，張小山之寨兒令、滿庭芳。擬之中麓之作，真兵之對壘，而棋之敵手者也。」予聞是語久矣，龍溪下世，亦已久矣，間以扣之劉北濱，北濱嘆曰：「信哉！中麓之知音，龍溪之知人，而吾子之知言也。」予曰：「音、人、言有異乎？夫道一而已矣！」遂書之爲是刻後語云。同邑雲峰王階頓首述

中麓山人小令引

閒居日長，頗有餘力，省稼灌園之外，六經訓解，義有未安者，隨筆注之，竢研窮既久，各成一家之言。所嘗與談經者，將走書乞正。不事詞曲，自在仕路已然矣。偶有西郡歌童投謁，戲擅南北，科範指點，色色過人，因作傍粧臺小令一百，付之歌焉。起結句同而字異，

雜以常言，援筆即成，七法不差，十九韻皆盡。每於簫鼓中按拍，絃索上發聲，中多悲忿之音，激烈之辭，似乎游心浮氣，尚有存者。語云：「老驥伏櫪，志在千里；烈士暮年，壯心不已。」予豈若是哉？昔有食人之瓜者，瓜主漫猜而大詬之。其人曰：「凡竊人之物，見罵則必面赤而慚，心驚而熱，有類乎病渴者，請探手試吾心與面，果有一於是耶？」予此曲雖若酒後耳熱，實則瓜竊而心涼也。寓言寄意，聽者幸求諸言意之表，奚必俱實事哉！嗣後專志經術，詩文尚爾不爲，況詞曲又詩文之餘耶？嘉靖甲辰中麓山人書於焉文堂

中麓小令跋語

謝東村曰：「中麓李子，言出而人信之，詞出而人傳之，其爲傍粧臺也，稿尚未脱，歌喉已溢里巷中矣。索借者衆，應酬爲難，因取副墨，壽之木工，歌而和之者將遍東國，獨里巷也而已哉？」

王杏里曰：「佳詞捧誦之下，如登騷雅之壇，令人栩栩脱塵溷而在清風中矣！豈凡筆所能及耶？」

夏饗山曰：「召速數語，深感知己之懷。見示新詞，困詘歸來，忽爾覩之，奚啻遊昭曠而聆鈞天耶！連日未拜杖舄之光，遠眺長吟，或驚心於花鳥，衝泥傍險，恐靦面於古人多矣！」

張龍岡曰：「佳製聞出，一時興到，援筆立就，陳寫事情，而調更圓轉。求之古人，直與東

籬、小山，並驅爭先，今世作者，不足爲儔伍也。想大家之評，亦以予言爲匪佞矣！」

曾石塘曰：「小令甚佳，將來所傳必遠。」

谷少岱曰：「十九韻佳詞，不惟句在眼前，亦且音叶絃索，真可爲作者之法。一序高出人意表，非老作家孰能之？」

李愚谷曰：「適瘞小兒，忽覽新作，齊物傲俗，戚懷頓釋，情理辭韻，無一不與古人契者，先得鄙心矣！蓋鄙人近亦欲作詞，鄉人二友，一致仕縣丞，一布衣也，俱詞稍工，鄙人頗與之往來，時有小作，然視之兄示詞，碔砆與美玉也。」

梁玉庵曰：「佳什誠得真詮妙悟者，東籬、小山輩，恐不得專美於前矣！生無所知，因久侍教，似有所得。金、元餘令，訪得數十，因佳章以對證古作，即其法律，求其妙意，效顰學步，徒取譏誚，然願學之心，自謂亦知向上者耳！」

徐鳳岡曰：「承示佳作，妙甚妙甚！感謝感謝！近日如碧山、滸東樂府，雖不能盡觀其他作，俱知其非專事詞曲而已。又浚川樂府適有人寄來，與高作同日得覩，殊爲歡慰，似有非偶然者。倘有賡音，願轉聞之。」

孫夾谷曰：「示來南曲，各詣神解妙悟，脱去藝文蹊徑，譏恚悲感，虛閃頓歇，不抗不拗，悉用中聲，讀之令人灑然開顏，使詞家闢有室堂，殆已深入寢奥，不但坐於廊廡之間爾矣！」

顧秋山曰：「十九韻佳什，信手拈來，亭亭物表，三復之餘，胸襟灑脱。昔人謂經綸事業，股肱王室之心，游戲文章，膾炙士林之口者非歟？」

袁西野曰：「嘗於風雨之夕，獨坐一室，取中麓此詞快讀之，已而詳味之，既而長歌之，殊覺神思飛越，潸然起嘆曰：嗟乎！世復有能爲是者乎？句雄健而意連屬，既不失之俗，又不失之文，以爲一詞已盡，已足名世矣！乃愈出而愈無窮，起用疊字，結用得且字，無不穩帖當人意者。往時作者，第三、第四句多不對仗，盡兩句一七字一五字難下手耳，每句末三字，定要平平側，側平平，承上起下，最爲關要，稍有不同，則落第二義矣！至於大對小對，渾然天成，無一毫滲漏，有萬鈞力氣，初若不經思致，久則知其非搆思、非積學、非老筆，豈可窺其藩籬，造其界域哉？况所言俱林下快樂法也。止一事而敷衍千言，不艱不澀，無墜語，無背辭，寸鐵能幻化十丈金身，此之謂耶。」

楊雙溪曰：「見陳倉王子賦梅花百律，今中麓李子詠傍粧臺百曲，二子先後甲科，擅才名，各蚤違於時，寓意難盡，百不爲多。陳倉謂予知言，中麓然予言否？」

商少峰曰：「所惠新聲，展玩至再，有以見我公不得已之情，發諸善謔，古謂長歌當哭，殊爲至言。語曰：『儘把笑談親俗子，德言猶足畏鄉人。』由此言之，豈但畏鄉人而已！吾楚高士，近亦競爲歌詞以自適。更望多惠數册，寄之相厚，則公之珠玉，布滿湖湘，陽春白雪，不足爲調矣！」

陳泰峰曰：「中麓小令刻成，遠邇人争誦之，此可見詞之佳矣！但其間雅俗並奏，譏誚雜陳，而或者疑焉，謂其近乎自譽自嘲，憤世嫉俗者之爲，則非也！蓋中麓，賢者也，雖不待扣而問之，亦知其無此，況其自序已云然哉。」

張龍岡又曰：「佳詞腔範新麗，痕跡不存，天動神解，迥出言意之表。且慷慨激烈，有千古不平之嗟。前代作者，即當斂避，碧山、洴東等調，不足爲匹倫矣！」

李介堂曰：「大作名雖小令，静觀自得之餘，發而爲鏗鏘之音，固盛世之所希有者，所包實大也。莊誦不能去手，感服感服。」

謝與槐曰：「辱寄新詞，快歌朗詠，洒然如出埃壒，遊廣庭，又戚然悲嘆世網，吁嚱樊籠也。吾儒言進退存亡，老氏言雌雄黑白，佛家夢幻泡影，語中大率隳括，在覽者自得之耳。僕於曲調音譜，無所諳解，雖嘗從兄抵掌藝圃，終阻妙悟，聊爾附窺斑之見，敢云識運斤之技哉！」

袁樂盤曰：「出之口，協之律，樂之聲也。然所觸即感，感而動，動而變，變而化，是神萬物而鼓舞之者也。故先王以閭里之歌謡爲風焉。近讀中麓百韻，高不絶物，和不流俗，怒不至詈，刺不至訐，約而博，簡而文，近而遠，俚而理，觀風者有得焉。可以知中麓之心志矣，可以知世道之升沉矣！感動變化之功，或者亦不能已矣！」

馮少洲曰：「承惠名作，高才逸羣，絶調邁古，詞隱義貞，有風人之旨焉。訥固談虎之夫，朗吟數章，不覺激烈放情，齊物我，忘寵辱矣！」

王渼陂曰：「不肖今七十八歲矣！佳作至，目昏不能捧讀，付之歌工，憑几而聽之，能使老人復少，傲睨乾坤，急流勇退，此豈可與俗人道哉！聖賢之業，山林之樂，積中發外，可謂不負平生矣！後有續作，幸不惜源源寄賜。鄙作續集三卷，近爲撫臺翁公取去，許以入梓，倘成，當奉寄請教也。」

張甬川曰：「數年不見故人之面，北望豈勝馳戀之私。偶於士夫家得讀新曲，真如空谷足音也。素知古學優長，乃更時詞美麗，言似涉於譏刺，意固未嘗不和平。詩云：『知我者謂我心憂，不知我者謂我何求。』聽其詞者，原其心可也。」

李蒲汀曰：「恭誦妙詞，真可絶代。避世高蹈，相羊山水之情，發而爲放達之語，清絶之音。其視區區，雖得逃脱宦途，然尚迷留鬧市，出入不得自裕，有愧於心多矣！秋間欲圖還濮，但疾疢徽纏，又一子十四歲，二女六七歲，恐不能遠離也。」

李東岡曰：「佳製盛傳，足爲法式。栗晉川見惠一册，又爲愛者所奪，乞賜數册，庶得與同好共之。新稿日增，並希無吝。」

葉洞庵曰：「莊誦小令百篇，一自忠懇肝肺中流出，古稱小雅怨誹不怒，此庶幾有之。甬川公云云，其真知兄者。弟素惟愛誦佛書，歸田以來，以爲得盡此。先德云：天涯放逐渾閑事，消得金剛一部經。龍襄鳳起，志不及也。有意牢山久矣，振策擔簦，定何時耳？」

顧秋山又曰：「感激大君子之風，動而思奮，但皮消乘傳，未知税駕之所。搖拽江淮，始一抵家，買魚奉母，掃徑延賓，牒訟脱落，有依依松菊之思。陽春百首，不識肯傳遮山中，惠我作三嘆否？」

翟青石曰：「聽韶濩者無音，觀羲爻者無文，聾且瞶，紛紛然天下之情見矣！」

梁士龍云：「從父之任，得睹中翁所製山人吟，反復浩歌，始焉而金玉鳴，終焉而鸞鳳躍，渢渢洋洋，擊壤齊名，梁父接響，豈非高士之清風，逸民之遐軌也乎？」

張岱野曰：「一題百首，千古同情，咄咄無聊之餘，共此曲作咿喔語也。屈、宋遠矣，今乃睹厥緒焉，可慶吾邦斯文之不墜也！」

王南江曰：「小令吾不能知其音調節奏，然觀其意，亦時有省。兄自謂胸無滯礙，放言自適，然滿胸鱗甲，奇崛變怪，不可降馴，於詞調中，自不能掩，豈豪傑雄偉之氣，雖欲放而有所不能耶？」

陸儼山曰：「自安德判袂，不蒙寄聲，忽得詞翰駢及，有如逃虚者踉位其空，聞人足音，跫然驚喜，有憫世之隱憂，非少年之客氣，不必付之歌喉，但時時把玩，則當飢而忘味，當寢而忘疲，真文士之儁，而詞人之雄也。」

劉範東曰：「渢詠近調，如挹高風，接雄辯於几席間也。以不肖庸弱淺近之襟，猶軒然感慨，若於豪隽同懷者，風能動人，豈虚語也哉！」

雒三谷曰：「樂府真能超軼凡近，直追古作，攄情素，發幽潛，灑然物外，敻然絶俗，雖元之擅詞諸名家，皆當下風耳矣！暢達哉！暢達哉！」

歐陽石江曰：「李君爲文選郎，予在留京，飫聞其政。李君爲奉常卿，予在吏侍，親探其學。李君以火災免，予亦同罷。傳得其詞，雖云近代之新聲，實接古人之舊譜。其經學、朝典、兵略之三長，止見纔及邊方之一二，中間多是心事，各有所指，非徒作也。才美少見，其比山東龍卧久矣。興雲雨而動風雷，澤被生民，當在何時耶？王穉欽有詩云：『君才猶不用，如我復何悲？』其李君及予之謂歟！」

崔岱屏曰：「捧讀小令，風韻如辛稼軒，慷慨如蘇東坡，超出金、元及時作之右，固亦傳後之一端，實增重詞林多矣！嗣是必有長篇大什，不惜誨言，以開茅塞，尤望也。」

傅梧庵曰：「向讀小令，見其豪健逸俊，興格超玄，不覺神爽飛越，志在雲霄。嗟乎！山中宰相，更是絶塵，況丹砂實際有至味哉，處成功之後，若中麓者可也。」

白東川曰：「近聞高調百闋，傳播士林，膾炙人口，而僕猶未一見，豈以爲未喻此耶？何以不見寄也？」又曰：「見惠大雅之調，讀之使人一唱三嘆焉，尚擬數言，附諸賢名批後，未就也。」

羅念庵曰：「聞詩餘盛傳，何不寄之，以爲山中舞蹈之助。弟能按腔擊節也。呵呵！」

張東泉曰：「高詞止攜一册至是，見者争傳録之，已遍關中矣。渼陂翁和之，康南川亦和之，不日刻成續上。渼陂作者，先抄奉焉。」
周洞虛曰：「近睹佳調，驚喜如得珙璧。終日玩誦，不忍釋手。吾丈蘊蓄淵深，固難涯涘。姑即此窺，真振古之豪傑也，今人有能媲美者耶！」
胡蒙溪曰：「昨惠雄詞，如獲晤語，豪邁奇特之才，既不用世，非放言高唱，何以暢懷。恨不解絲竹，不能協之管絃耳！」
楊升庵曰：「得佳詞，喜慰無極！去天萬里，坐蠻烟瘴雨中，空谷足音不可得，況大君子之好音下墜耶！」
康渭濱曰：「詩言志，歌詠言。言者，心之聲，中之所發也。惟有以感於外，故有以動於中。中心達於面目，是豈聲音笑貌爲哉。鳳翔張別駕東泉，以李中麓小令傍粧臺百首寄予，蓋因予之好，而投其所好，與人爲善之意彰矣。中麓負才抱詘，鬱鬱無聊，故引諸方言，參以己意，以紓不平之氣，自成一家，爲時稱羨。予方適小莊，愛慕弗已，遂索稿遴題，栽詩擬曲，亦足百首，命曰：『詩鎔百詠』，固非中麓驊騮千里之思，駑駘繼鳴，亦各言其志也。且於言志詠言之意，貫通兼備而無遺也。觀者以意迎之，榮幸多矣。」
呂竹嶼曰：「莊誦佳詞，如化工之付物，神妙天然，不見斧鑿，所謂不食煙火者非歟。蓋已播傳於士夫，如州中趙南滸輩，無不驚嘆敬服者，匪直出類對山、渼陂，雖東籬、小山，不足專美矣！」

張三山曰：「中麓李子詞成，傳誦者多，可謂佳矣。予晝夜玩味之，諷詠之，得其真趣，鄉人不知，疑其爲放達，仕人不知，疑其爲譏訕，皆非也。予與中麓交遊日深，蓋見之真而知之切，不過寫其胸中怫鬱之氣，林下快樂之法耳。真有得於古之遺意，夫豈拘於今之淺識哉！」

王渼陂又曰：「中麓山人寄予傍粧臺百首，蓋其歸田後作也。暇日，付之歌者，歌而聽之，感憤激烈，有正有謔，洋洋乎盈耳哉。可喜也，亦可歎也！可好也，不可忘也！久而技癢，忘其身之老也。欲和之，目昏弗克自檢，間令小孫朗誦一二，識而和之。且和且歌，或作或輟，兩閱月完矣。校之元倡，工拙相去奚啻千里。雖然君以强仕之齡，絕人之資，博洽之學，加以感憤激烈之氣，推山倒海，傲睨一世，凌駕千古。予老而衰矣，如之何其可及也！興之所至，不能已已，蓋亦各言其志云爾。彙次成帙，題曰『南曲次韻』，而述其所由如此。金石在側，覺我形穢，覽者幸無誚焉可也。」

方兩江曰：「梁翰檢談詞曲，極推門下，今得所示，讀之導微抽臆，汎音應譜，所謂近代詞手，唯秦七、黄九耳，唐諸人不及者也。此雖尠節，亦見夫子之餘能矣。」

馮治泉曰：「小令寓京時曾於龍岡處借觀，相與歌詠鑒賞，旅次忘其瑣瑣，其曠世逸軌，藝林絕唱也。」

端虹川曰：「三復佳什，迥出凡近，曾見關中王渼陂先生得此妙，固我明樂府一名家也，不覺爲之躍然。」

左東津曰：「妙詞和而莊，寬而密，發乎情，止乎禮義。樂而不淫，哀而不傷。言之者無罪，聞之者足以戒。移風易俗，雖天下之情，亦藉之以平矣，洋洋乎得風人之體焉。聲音、動静、性術之變，盡於此矣。左太冲所謂『相與觀所尚，逍遥極良辰』者非耶？流傳海内，達之無窮，小令云乎哉。」

顧裕庵曰：「樂府捧閲數過，雖未必一一盡解，而逸思超見，不爲事物凝滯，誠所謂一唱三嘆，有遺音者矣。」

倫白山曰：「新詞得之梁生，讀竟不勝仰慰，有如參對光塵，聽接謦欬也。雖曰金、元之聲，擬之唐、宋花間集、絶妙詞選、南北歌詞，語意相上下哉。即此可以垂名永永矣，他長且勿論也。」

石木庵曰：「佳製詞精而雅，意厚而融，始而詳味，繼而高歌，令人不覺胸襟瀟灑，脱去塵想，乃知吾東藩海嶽之靈，人文之盛也。」

葉椒山曰：「仰瞻中麓，聳拔域中，如在天上。每欲趨拜函丈之前，一挹巖巖氣象，以慰平生渴望之私，羈於官，輒未能也。不意下頒短刺，侑以妙詞，啓緘展誦，得於私淑者固已多矣。」

吕乾齋曰：「承惠佳詞，誦之不忍釋手。不徒音律之美，語句之工而已。人情世態，發揚曲盡，敢求刷印，以廣其傳。」

辛太初曰：「中麓志在經術，故自敍曰『詩文不爲』。然觀其詩文，渾厚高古，駕初唐而埒班、馬，豈專於經術者？一時士夫君子，以詞名者，不遠千里，寄書走覓。中麓於談經論道之餘，摛文賦詩之暇，作爲歌曲以應之，謙云小令。夫詩言志，詞適情，文達意，一也。兹詞説盡人情，況音律嚴正，足爲宗法，不特小令云爾已矣。跋者稱服不一，載之原刻，今本因應廣求，庶免手抄之勞，亦附數言於後，使歌之者知，更鋟梓於河南之舞陽云。」

楊東江曰：「余南使，得佳製一册，攜至南陽，遇南宫白健齋節推，與觀之，後余回自滇中，復過南陽，聞健齋愛是曲，不忍釋手，即於輿中逐一浩歌，輿夫傾聽，不覺顛蹶，健齋謂其能審音也。雖受驚潰，亦弗之罪。夫文言不入野人，俚語不入君子，觀此則雅俗俱備之妙可知矣。古稱『遊魚出聽，六馬仰秣』，於今不有驗耶！」

張太微曰：「辱寄佳詞，高懷雅致，令人景仰不忘。欲盡和答，執筆搆思，茫無所有。但和十首，刻入『代嘯録』中。象板一副奉上。押高詞以佐尊俎，俗曲不必用也。」

吴六泉曰：「奉新詞，如豐蔀埃壒中，忽覩光風霽月景象矣。雖不能深窺詞家堂奥，但外望懸測，知非有萬斛泉源之才，天孫雲錦之手，恐不能盡態極妍如此。且格高調逸，掩蔽元音，一出名世。騷、選並驅矣！」

姜松澗曰：「雲坡李子，以名進士出知壺關，有事邊方，取道屯留。見其攜書一册，云將備途次閒覽。偶見中麓詞册，袖而去之。比歸來，束書如故，扣其所以，則曰：『只李詞反復把玩，猶爲未足，更暇他及耶！』古人云：『人生不必有他長，但痛飲酒，熟讀離騷，便可稱名士。意之投合處，豈在多書哉！』」

田莘野曰：「捧誦樂府，則知吟咏性靈，笑傲江山，可謂迥脱風塵之表者矣。夫齊魯形勝，乃何幸而得是。秋末冬初，特造訪道居，奉扣詞學真詮，然不知主人翁能爲我釀黍數石否耶？」

黄海野曰：「别來君黑髮，讀小令，知亦二毛。光陰獨速，我輩奈之何？君高蹤雅懷，久知愛惜精力，垂大述作，豈徒以詞曲爲工者哉！」

張南溟曰：「承寄瑶篇，句陳雅俗，音中金石，電流飆發，班斤蒙矢不足擬也。神情馳往，山川阻修，恨不能縮地問奇，瞻拜於草玄之亭也。渼陂稱君感憤激烈之氣，推山倒海，傲睨一世，凌駕千古，豈不真名言哉！」

莫雉山曰：「賜來佳製，天葩雲藻，擴之則黼黻皇猷，春盎海宇；斂之亦可激懦夫之自立，而答皆俗子。反復披唱，四壁若有煙霞，意氣軒舉，恐亦心會翁神。惟翁鵠舉物表，塵眎九寰，則有晞髮扶桑，濯心歸虚，以弄元化之機者焉。僕久負公廩，上下無補，而山猿松鶴，邇且數寄夢思。如得退逐高風，當與雲童共曳公辭，引身巖洞，能爲太平隱逸之末，不亦樂乎！」

傅夢岩曰：「恭領佳製，伏讀之，真天上人筆，而古今名家之作，未或爲之先也。汝舟懵懵者，何足知之。即日，令戲子賡歌於鷄邑矣！」

盛桃渚曰：「猥承賜詞，備知執事抱經濟之宏猷，兼博約之正學，真海岱之名家，士林之瞻仰。行將霖雨天下，恐不復爲東山高卧中人矣！」

孟友雲曰：「寥寂中偶獲新聲，虚心捧讀，雖一唱三嘆，未足以咀味英腴。吁！士之不偶於時，傷讒畏忌，尚不能默默已者，況大君子蜚英震耀，而使之鬱鬱家食，弗獲展布猷謨，以翊成永禧之休，詎得恝然以泯於懷。弟賢不免妬，道與時違，不無詠歌以舒於邑不平之氣。且俾聞者興激省悔，以銷其邪妄譎宄之心，誠扶教助道之砭劑良術也。」

江午坡曰：「歸來杜門卻掃，與世事都不相聞。僕既長往山林，而兄亦中墮雲漢，感今懷昔，使人耿耿。久不見客，偶爲波石一出，問知中麓詞刻行於世，而不以見寄，豈兄已忘我耶？」

李南墩曰：「伏讀佳製，諷詠至再。仰見詞源滚出，滔滔不絶，真曠世之稀音也。行道匆匆，聊贊一詞，亦效嚬之意耳。『果奇哉！一腔百詠傍粧臺，連篇盡是風雲態，壓倒那元白；胸中錦繡隨時吐，筆底珠璣信手裁。詞林佳士，梁棟美材，可憐抛棄在蒿萊！』」

韓中岩曰：「歲丙午，予下第家居，飲食啓處之外，略不介懷其於人間事，若將終身焉。既而村酒初成，狂歌繼發，西風灑淚，新月飛霜，因取中麓小令，反覆潛玩，將以遣興，少延歲月。久則知其雄渾飄逸，圓活轉折，有非他作之所能及。予以韋布孤窮，又未嘗不致意於斯也。乃援筆亦效餘音，首尾押吟，作傍粧臺百二十曲。雖鋪陳淺陋，雕琢粗俗，其中拘肆之語，未必全無，而因物寓言，因言達意，可以平萬人拂鬱之情，消千古淒清之抱。特學非司馬，文不足以驚人；才愧曹、劉，名不足以表世。且淹留末路，垂首荒年，而小小俚詞，區區柔翰，徒爲識者之一笑耳！敢曰吟風弄月，疊草交花，有『吾與點也』之意歟！」

胡餅山曰：「妙製之教，捧讀數四，而高山流水之趨，江湖廊廟之懷，並溢言表。雖以宗明不類，不覺感激飛越，豈在齊音樂之能感人，固無分於今昔耶！」

張石川曰：「別公六閱寒暑，寢食夢思，未嘗不在左右。小令之作，快讀數闋，足以消世慮而生道心。游觀吴下，定在何時？容面扣詞學真詮也。」

郭似庵曰：「新詞有離騷之忠愛，而風流過之，可謂『哀而不傷』矣。序謂專志六經，尤爲得其大者。予所望於高明，正如此。」

張石林曰：「忽承瑶篇擲下，旨趨疊出。眼前景物口頭語，信手拈來種種奇。真與馬東籬、張小山、王南畝凌駕寰區，時流未足以擬之也。奚啻百朋之錫耶！」

康渭濱又曰：「李中麓伯華爲當世名人，交與賤兄弟，亦已多年矣。因其高作，感發賡和，學步邯鄲，效顰西施，不自知其醜惡弗肖者，情之所至，勢有弗能自已耳。亦嘗自悔，胡爲乎作無益之勞如此也；既而自恕，爲之猶賢乎已。輾轉數四，遂乃成帙，時復吟詠，託諸管絃，其於縉紳之交際，伯仲之宴集，甥舅之游衍，妻孥之懽娛，林巖之放逸，花月之臨賞，合沓目前，無往弗備。即其時，則身履其景；即其人，則親覩其面。數十年之別，如在旦夕；數千里之遠，如在咫尺。歲時久暫，道途遐邇，皆相忘也。不自覺其手足舞蹈，形骸放浪，非杜工部所謂『樂助長歌逸，情忘發興奇』耶？百首之外，附早朝十首，游幸八首，蓋渭濱寥廓之域，藉之以遺幽曠之懷，又非所謂『晚景孤村僻，吟詩解嘆嗟』之意乎？是則李中麓之造端，張別駕之啓予，俱不偶也。從此傳播親友，其有感於二公者，豈但區區一人而已哉！」

康渭濱復又曰：「『詩鎔百韻』蓋因李中麓之作而興起者也。中麓含詘泄鬱，故多感慨激烈之言。予久棲林下，死灰絶焰，難於賡和，祇擬『詩鎔百韻』，不過述舊作達己意而已。尋睹渼陂翁次韻，狂奴故態，勃然復興，三日之內，始次百首，題曰『詞賡百韻』，非敢誇多鬬靡也。舍此無以敦交與、暢志意、遣歲月矣。歌二公之詞，即如二公在座，斂容酣飲，博醉何難？歌區區之詞，則恰情縱量，忘形無忌，神交氣合之真，有天然心得之妙。何必親聆笑語，然後爲會晤也！古人曠百世而相感，況同生盛明之世耶！」

張南溟又曰：「語有之：『貌言華也，正言實也，苦言藥也，甘言疾也。』中麓山人寄予傍粧臺小令，華言也而實正言也，疾言也而實藥言也，心竊慕之，時授歌人歌焉。音節慷慨，每一終篇，又未嘗不流涕欷歔，喟然嘆也。嗟乎！即楊雄、相如之賦，曲終奏雅，何以加焉？夫中麓本以絶代之才，爲國遠慮，推賢黜劣，顧爾蒙讒，身乃旅退。故王渼陂先生稱其『感憤激烈之氣，摧山倒海，傲睨一世，凌駕千古』，豈不知言哉？山中無事，擬和百首，首尾忌犯元倡，救以古今韻會，亦各言其志也已矣！博雅君子，幸無謂既見西子之容，輒憎其效顰者云！」

劉玉泉曰：「小令佳編，寄興風雅，迥出古今詞家之上，非吾丈不能作。天下見者，自不能不爲吾丈傳也。」

皇甫百泉曰：「忽奉越歲之書，恍如隔世之事。三復小令，盡出巵言。昔殷氏書空，字成咄咄；楊生擊缶，歌就嗚嗚。豈特虚谷興懷，抑爲塵世增慨也。願附賤名於末簡。」

陳紀南曰：「劉簿至，過承手教，重以佳製，恭誦之餘，釋回銷吝，百朋之錫不過也。知感之重。」

陳秋湖曰：「高詞古雅豐鬱，當取爲式，如獲夜光照路也。」

陳少渠曰：「向入京，持佳令出示鄉里，爲翰林黄少村先得去，諸君不及睹，率以爲恨。何日命匠模印，當請附煙楮矣！」

彭兩泉曰：「素慕道範，未遂登龍。意者，末學小子，不敢擅自仰窺大君子之庭耳！願承遠賜詞章，捧誦之餘，如獲隋珠，無任欣躍，始知自棄於明教久矣！悔恨何及哉？」

王小川曰：「近在故宫保浚川門人戴子俊卿書舍，得佳令凡百其首，氣韻豪雄，才情藻麗，橫騖詞林，駕凌藝圃。其尤難者，每一詞首用重疊字，中二聯及末句多用常言，最見人情世態。雖然，作者之意，遐哉邈矣！誰則識之？朱子曰：『詠荆軻、淵明，露出本相。』歐南野序薛子約言曰：『譬人之笑歌悲啼，鬱於中而泄於外，出之者不妄，斯聽之者不厭矣！』不肖讀佳製，意正如此。嘗聞五嶽山人黄勉之神交於空同李公，吴門、梁苑，相去奚啻千里，詩郵往來不絶。既而空同有京口之行，勉之即命駕來會，數十年神交，至是始得傾蓋，雅意何其高也！不肖雖無勉之才名，老先生則有空同風致。良晤未涯，登龍有日，當面求作詞真訣也。」

茅鹿門曰：「明公還齊以來，幾五七年，而所得著書，不可多見，不知於漢劉向、揚雄氏何如也？僕時時問士大夫從門下游者，或云多註疏古六經，或傳聞之訛者云近多通賓客，歌舞酒弈，以自頽放。而其所著者，間或雜引譃噱之詞，客或以此病之。然僕獨竊笑客之陋者，又非所揣摩於賢者之深微也。天之生才，及才之在人，各有所適，大既不得顯施，譬之千里之馬，而困槽櫪之下，其志常在奮振也，不得不齧足而悲鳴。是以古之豪賢俊偉之士，往往有所託焉，以發其悲涕慷慨抑鬱不平之衷。或隱於釣，或乞於市，或困於鼓刀，或歌或嘯，或擊缶，或喑啞，或醫卜，或恢諧駁雜之數者，非其故爲與時浮沉者歟。而其中之所持，固有溷於世之耳目，而非其所見與聞者矣。」

紀後墅曰：「中麓夫子，山東傑士也。峻德雅行，巍峨突兀，與泰嶽並高。海内英才，仰我夫子，若登東山而望泰之巔也。凡文章勳烈，宗而依之者，殊非一家一邑云耳！每聞巷閭中争歌夫子小令，膾炙人口。因寓省下，苦索諸書肆，偶獲全册，欣然捧讀，幽秀古麗，有饒歌、童謡之風；緣情綺靡，有顔、謝、徐、庾之韻。比興深倣古意，描寫曲盡世情。付之善歌者，播諸管絃，詞有論而音有倫，令人聽之，不覺心神瀟灑。乃作而嘆曰：是小令也，不知者必以憤世嫉俗議之，知者又以悼時陳情稱之。議者心私，稱者見小，是猶陟東山之麓，未量東山之高下，而議泰嶽之尺丈耳！嗚呼陋哉！夫言者，心之聲也，詞者，心之華也。心大者其言遠，根深者其華茂。夫子之心，以天下爲度；而夫子之言，欲賢愚咸裕厥善焉爾！何也？嘗觀世之文業，能振啓乎成德之士，而草莽愚夫，不通義理者，十常八九，苟律以此教之，寧不苦其難而自阻歟？噫！小令多忠義之情，感慨之氣，雜陳於諺語共知之表，雖婦人小子，皆有以曉其大義，或相詠歌者，或相聽聞者，有弗動其感發之興，中正之德耶！是猶脱溝澮之内，俄乘雲霧，而侵凌於泰嶽之上，耳目心志，不知何如其舒暢矣！時有貪佞苟媚者，重以增其辱；清介高逸者，益以堅其節。郊外有兔罝之行，巷中起清潔之風，况於士君子者乎？况於同志者乎？古之一天下之志，平天下之情，正此之謂爾。苟徒悦諸耳而不繹諸意者，是喜泰山之高而不知登也，徒繹諸意而不淑諸身者，登泰山之麓而不及巔也。同志者可不攀岩凌岡，遶徑以求其所正哉？僕嘗曰：夫子功業式爾髦士，小令振爾愚夫，擬泰嶽震望於天下。諒以鄙言，只謬區區，敢將百言續貂於篇章之末，猶跛者棄杖登山，而復迷徑耳！寧免同登者之笑耶！」

崔岱屏又曰：「音韻之學，久已不講。而執事探討精切，仰見中和之德，性情之功，相清朝而鳴太平，恐終不能舍也。不謬！不謬！」

蘇雪簑曰：「予攜一絃琴，謁孔廟，登岱宗，觀滄海，途中偶得中麓小令百韻，讀之如飛雲湧水，不覺氣爽神清，真詞家得三脈上禪者也。久聞中麓挺挺物表，磊磊人豪，脱紆紫，侶泉石，優游自得之妙，不可殫述。一日乘暇，過章丘訪侶，與中麓子邂逅遭逢，似有金蘭契合，坐儂紫石蒼沙竹塢中旬日矣。忽出紙筆，請書孝母壽萱堂扁，兼致賀辭。潔瓦尊，列山蔌素食，示以寶劍、登壇二記，吾觀文詞學解，貫絶古今，非世俗喃喃學力可能及也！世傳雪簑作九字詩，制八十一闋風入松，和馬東籬北夜行船數章，正所謂『楚鷄不若丹山鳳，芷草焉能比麝香』；又如蜣蜋瓦滲漏羣玉中矣！吾更因『早年誤食蔓荆子，直到而今作幻狂』，有時跨一蹇，有時鑄雙劍，有時棲於山，有時丐於市，有時吹一角，有時牧一鶴，有時披一簑，有時褂片毡，有時包巾而丫髻，有時跣足而蓬頭，有時走鹿門對月狂歌，有時卧鷄足仰天長嘯。神居法海形爲贅，心若三山草木知。嘗有小詞曰：『自小寰中蹴踘，年來天上神通。嘻嘻鼓腹，物外逍遥。世人盡説我風顛，我本不顛，撫掌誰識我？』中麓小令，常拉三四小兒，以代踏踏歌歌之，吾儕肆過堂瞠碧眼，因筆識其行。」

宋龍山曰：「中麓李先生，倡作傍粧臺百曲，鄠杜渼陂翁從而和之，已梓行矣。埍乘晉川，寄予一帙，捧讀再四，重有感焉。夫二公者，天挺人豪，雄視宇宙，磊落才華，名擅海内，假之性情之間，脱此形骸之外。志趨之高，聲律之協，不可尚矣！區區鄙夫，豈其倫哉？心雖技癢，徒爲閣筆，願學之心，終莫能止。謹用續貂，强步來韻，名曰『調笑餘音』。雖不知量，然予年八十六矣，見者一笑之餘，不防覆瓿之用云。」

方兩江又曰：「中麓李公，比有小令，海内傳繹，珍於隋和。太湖鄒子，偶從予得之，輒爲曼聲，有咸黑瓠梁之致，復能步韻百首，於麓翁固不足以跧鴻翅。要之泛腴音於險澀，摹絶節於宫商，抑亦東籬、小山、振泉中人歟？將質之麓翁，以索定價，因漫題其端云。」

鄒太湖曰：「奉常中麓李公，投簪林下，以其餘興，漫成傍粧臺百闋，寄兩江子。兩江子召予飲鳴玉亭，出詞命歌，四座停杯，側耳傾聽。懷歸燈下，三復其間，臺閣山林，江湖廊廟，市井泉石，老子釋氏，詞意靡所不至。如入萬花谷中，怡心炫目，誠詞林之巨擘，藝苑之景範也。小子感發乎中，不揣蕪陋，輒步嚴押，如數倚玉，續貂之誚，誠所不免，敢望並傳於世耶！」

顧紫霞曰：「夫歌曲何爲者也？所以委曲言志，宣暢幽鬱，以歸諸和平者也。故曰詩之餘也。然聲音之道，依永爲永，倡而不和，教尼不行，故又曰：一倡而三嘆，有遺音者矣！予觀中麓所倡，多至百闋，斯亦難矣。太湖和之，不爽一焉，不爲尤難矣乎？頃嘗從宴於玉如館，見其掀髯一歌，四座竦聽，名利之念，爲之頓釋。其依永而有遺音者耶？且敘事寫懷，曲盡態度，傾耳寓目，可喜可愕。雖裁花剪柳，嘲風詠月，而忠君愛親，明哲保身之道，於是在乎。覩斯集者，可以興矣！豈獨音節之美也歟哉？」孫西墅曰：「予心事如割，幾至搆疾，不得已而假鳴自遣，乃竊中麓小令之糟粕，作傍粧臺五十首，僭曰『小令續貂』。詩云：『知我者謂我心憂，不知我者謂我何求。』予之賡歌，其心憂乎？其有求乎？知者當必諒之。録上中麓，一則欲其點鐵成金之益，一則冀答抛磚引玉之懷云。」

四時悼内小序

遊賞爲方外之福，好遊乃覽勝之興，身輕則濟勝之具也，三者吾庶乎兼有之。時或興到，便欲策馬長往，止遣一僕歸報曰：遊某處，某日迴。得以盡遠游之興，而無内顧之憂者，以張宜人善持家也。今則封識大小門窗，分囑男女童僕，迴旋數次，猶不得出門。近遊且有所不可，況徑情遠遊耶！如前三者云云，無所用之矣。事有重輕，人有疎戚，或值疑難處，從中商榷，以之應事接人，多得其當。予性頗躁，醫者以爲肝木偏勝，每遇盛怒，賴其多方解説，不惟不遷然且頓釋，久之肝氣亦平矣！人事不減於疇昔，就中無可商榷之人，任情應接，過失有所不免，肝病更復萌作，藥之殊不奏功。康對山向嘗簡予云：「内亡而出入不便，尋芳訪友之樂，不得自遂，迺知林下清福，其不易享如此。」李崆峒誌左夫人有云：

「古今之慨，難友言而言之妻，今入而無可與言者。」二公之言，往時讀之，不覺沉痛，乃今知其言之不徒矣！宜人既已棄我，有一愛姬，又相次即世，周歲之間，懊惱萬狀，撫景激衷，四時各有數曲，彙成小集，名之曰「四時悼内」云。愁腸欲斷，淚眼將枯，以此付之童輩，長歌當哭，非以淫泆樂而喜篇什也。觀者必有知吾苦心者！嘉靖戊申年庚申月甲申日

中麓病夫李開先撰

附劉嵩陽復書即爲後序

侍弟劉繪頓首。德兄中麓老先生記室。壬寅秋，曾一通信，繼此孤蹤不定，静躁殊轍，遂失奉問。此心懸懸，想能諒之。追憶往歲京師，芬華繫心，成一戲局，交游歡結，盡是夢境，可笑可笑！夏蟬留蜕於别葉，秋鴻寄跡於晴沙，無復論矣！每思吾兄以文雅相納，情志符契，華燭論心之夕，芳時把臂之朝，雖林樂推羨於叔度，茂弘引志於安石，李邕降節於子美，宗元移愛於禹錫，方之情雅，不是過也。嘗一念至，使人摇神激思，不能奮飛。手教來自數千里，可謂勤懇，展翫三四，儼若披松風水月之懷，領白馬碧雞之論也。感念交集，莫能自釋。向聞吾兄園亭之勝，每馳遐慕，來書亦謂亭臺之美，兼得龍藏洞幽巖曲館，誠佳麗之區矣！此心已左據青岱，右覽海隅，若得鞭八馬之鬣，拊萬仞之翼，登凌風之臺，瞰卻月之洞，目送躡節應度之舞，耳傾墮雲飄雪之歌，與吾兄擎盃摇筆，振藻驅輝，當此之時，

雖斯文雅合，壺榼相將，而流音發旨，雄風英視，雖舉泰山以充俎，掘東海以灌卮，曾何足言！若乃河朔之飲，泗濱之樂，豈不陋哉？天邊北雁之疎，海上暮雲之隔，當在何時一快意也。歸來亦有小園池，池寬八丈，周圍七里，乃先人舊業，今頗疏鑿，加名「環渠」，置茅亭數箇，松樞竹窩，古人所謂一丘一壑者也。種魚植柳，聊免負擔，恨不能致兄一見之也。妙詞佳麗，冠絶一時，歎賞歎賞！弟今僻居鄉疃，脾胃作病，日檢方延醫，以圖苟全，歲時接親友二三次也。近得鄉里一男子，性質文雅，能吹簫，善末，唱北曲，音韵弘閑，格調清麗，真得教坊之傳。每對花乘月，與此子共泛環渠之上。昨得兄詞本，即付此人歌之，無不叶律，那吒一令，更足感人。弟近來北調頗進，較在都下奚啻霄壤，時作勢振響，自謂天機鼓吹，又恨兄不得一再聞之也。宦情鈍拙，時事警惕，地老天荒，閒卻我輩；然茂林之鹿，頓金鑣以長鳴。薄雲之鳥，脱絛鏇以遠舉。佳詞中意旨無不與鄙心相符。但知長嫂去室，鳳雛已殂，雖達人高朗，視天地若寄旅，未足動其真念，顧交愛之情，不能不一罣懷也！使者荷擔以取回答，言語無倫，字畫隨筆，罪甚罪甚！曾有懷中麓作二篇，因筆札草甚，尚俟他日專人奉寄之。秋深涼序，萬惟以道珍重不宣。

〔一〕北宫詞紀題作「王渼陂養一外户後乃謝絶外户寄情不已予因作此戲之」。

〔二〕北宫詞紀題作「已而喧傳于長安渼陂請予解之以詞遂口占此闋」。

〔三〕「傒落」，原作「傒樂」，兹改。
〔四〕「秋」字正文標題原缺，據目次補。
〔五〕「冬」字正文標題原缺，據目次補。

徐 階

徐階，字子升，號少湖，别號存齋，南直隸華亭（今上海松江）人。嘉靖二年（一五二三）進士，歷禮部尚書，東閣大學士。時嚴嵩爲首輔，深嫉之。階外事嵩甚謹，内深自結於帝，終逐嵩，盡反其行事，屏絶苞苴，收召人望，優假言官，裨政多所匡救。後爲高拱所扼，致仕歸。著有世經堂集、少湖文集。弘治十六年（一五〇三）生，萬曆十一年（一五八三）卒，年八十一。

套 數

【南黄鍾畫眉序犯】煙煖杏花明。芳草東風燕子輕。羅袖上傷春。數點啼痕。錦被空閑鴛帳冷。對粧臺雲鬟倦整。形孤另。撇不去半床幽夢。一枕離情。

【集賢賓犯】冰肌瘦損春病深。正海棠庭院黄昏。滿徑蕭蕭寒月影。畫闌干和悶閑憑。風清露冷。空立遍碧梧金井。有離人。紫簫何處。吹出斷腸聲。

【皂羅袍犯】漸覺腰肢寬褪。恨冤家頓忘了。海誓山盟。佳期約我在梅花未生。到如今牡丹開後無音信。鬆金釧。倚畫屏。幾回目斷暮山青。思千縷。嘆數聲。野雲江樹總銷魂。

【香柳娘犯】看銀燈半明。看銀燈半明。瑞爐煙盡。冷清清擁抱閑衾枕。謾傷心咽哽。謾傷心咽哽。蛾眉爲誰顰。玉容爲誰損。正孤眠未穩。正孤眠未穩。子規何處鳴。愁無盡。聲聲訴與離人聽。又被簷鈴。將我好夢驚。

【滴溜子犯】憑誰訴。憑誰訴。默默此情。幽窻下。幽窻下。針線慢停。綉到鴛鴦交頸。又滴下相思幾點。淚濕羅襟。空對景。暗傷神。空對景。暗傷神。

【僥僥令犯】娘行難離側。侍女緊隨身。空有音書無魚雁。誰肯做針兒將線引。薄情人。須記得香羅帕上。萬種恩情。

【鶯啼序犯】夜静抱銀箏。把冰絃謾整。又彈出燕孤鶯寡。鳳拆鸞分。自省。恨只恨當初花下相逢。眼底情。風又清。月又明。枉把青春虚度。美景良辰。

【尾聲】漏遲遲昏睡醒。綉簾外重門寂静。深鎖着一天愁悶。（樂府先春）

按：此曲群音類選題作「閨情」，吴騷集無題，俱注陸包山撰。昔昔鹽題作「孤眠秋悶」，樂府争奇無題，皆不署作者。樂府先春無題，注徐存齋撰。不知孰是，茲姑以之屬徐階。

馬　惠

馬惠，山東章丘人。裁縫。

小　令

【北雙調清江引】

李開先云：匠作以謊爲常，而縫衣、打鐵爲甚。馬惠善製衣，以吾家所久用，稍不敢脱空，在他處則不然矣。有一嚴鎖，久不用，生澀難開，底且有壞處，付之鐵工靳循，略加整磋。往來索取，坐積歲時不獲。偶遇諸途，靳遂引避酒肆廁中，馬如廁提其耳出之，對衆高唱清江引詞曰：

我來訪君君莫躲。一把鎖煩加磋。年前許送來。今尚無歸落。誰知你的謊兒大似我。

（詞謔）

胡松

胡松，字汝茂，号柏泉，南直隸滁州（今屬安徽）人。嘉靖八年（一五二九）進士，歷東平知州，遷山西提學副使。上邊務十二事，爲當道所陷，斥爲民。後以薦累官至吏部尚書。松潔己好修，富經術，晚主銓柄，以振拔淹滯爲己任。有滁州志、唐宋元名表、胡莊肅公集等。生於弘治十六年（一五〇三），卒於嘉靖四十五年（一五六六），年六十四。

小令

【北商調梧葉兒】

答朱遜泉

賦得去真還去。道休來全未休。贏得雪蒙頭。世事茫茫叵測。歲華滚滚堪憂。人情落落難謀。且隨緣高臥滄州。（胡莊肅公集）

奉身去輕吾累。將心來與汝安。澄海詎興瀾。颜子衆稱好學。范叔誰憐獨寒。宣尼

深贊行難。共晤言永矢弗嘆。（胡莊肅公集）

羅洪先

羅洪先，字達夫，號念庵，江西吉水人。嘉靖八年（一五二九）進士第一，授翰林院修撰，即請告歸。後召拜春坊左贊善，罷歸。好王守仁學，爲文初效李夢陽，繼從唐順之。有念庵集二十二卷，石蓮洞羅先生文集二十五卷及冬游記一卷。弘治十七年（一五〇四）生，嘉靖四十三年（一五六四）卒，年六十一。

複出

套數

【南仙吕甘州歌】歸來未晚。

樂府先春無題，注羅念庵撰。吴歈萃雅、詞林逸響、南音三籟、古今奏雅皆署王陽明。三徑閒題、群音類選、新編南九宫詞俱注王思軒作。兹已輯於王思軒卷中，不重出。

張南溟

張南溟，湖廣均州（今湖北均縣）人。與李開先交善。生平不詳。

小令

【北雙調沉醉東風】

詠張良

博浪沙輪槌太早。鴻門會舞劍纔高。明將漢主扶。暗把韓仇報。浪功名丢與蕭曹。只爲着嫚駡君王怎結交。因此上老先生趨了。（詞謔）

按：此曲北宫詞紀亦收。

弭來夫

弭來夫，字子方，號少庵，山東章丘人。李開先姻婭，嘗爲其跋閒居集。屢試鄉闈不第。

小令

【北雙調沉醉東風】

嘲黑妓

簾影内一團窈窕。被窩中百樣妖嬈。雖無青鳥隨。剩有烏雲罩。赴陽臺暮暮朝朝。張敞空將新月描。幾曾顯蛾眉淡掃。（北宮詞紀）

按：此曲詞謔亦收。

陳　儒

陳儒，字宗道，號方溪，南直隸常熟（今屬蘇州）人。嘉靖三十七年（一五五八）貢生，選東陽訓導，不及半月而卒。有留餘堂集，散曲附。生於弘治十八年（一五〇五），卒於嘉靖三十八年（一五五九），年五十五。

小　令

【南商調黄鶯兒】

子虛邀看海棠

微雨暈晨光。斂霞裾曳碧裳。朱唇半啟人争賞。西施未粧。楊妃再觴。好似麗華嬌舞臨春上。蘊奇芳。天然一種。輕薄麝蘭香。

徐敷詔

徐敷詔，字廷涣，號定庵，四川閬中人。湖廣岳州（今湖南岳陽）籍，户部侍郎徐紹吉祖父。嘉靖四年（一五二五）湖廣舉人，後絶意仕進，託名問醫，浮遊各地。有徐定庵先生集；散曲有花朝閣樂府一卷。

小令

【北中吕石榴花】

余一日讀史小閣，有所感觸，遂廢書而爲石榴花小詞。自是以後，感時即事，陸續爲之，得十首焉。録貽同好，酒邊花下，命侍兒歌之，共發大笑云爾。

俺倚著這碧紗窗讀一會案頭書。總英雄觀勝敗漫躊躇。想少年勤苦作文儒。五車十載。萬卷三餘。拔山心填海意竟何如。再休提龍虎風雲。也莫問乾坤今古。右觀史

俺搦著這紫霜毫漏一會涴溪箋。覓賓鴻將錦字寄南天。念故人别後幾經年。洞庭玉笛。黄鶴樓船。到如今牽夢寐隔風煙。怎能勾拉妓攜尊。重上那吴宫隋苑。右寄遠

俺披著這黑羊裘看一會早梅枝。滿天霜零亂殺鬢邊絲。猛驚心花信記年時。陽春格調。冰雪丰姿。竹窗虚茶竈冷坐題詩。縱饒他東閣風流。也不減西湖樣子。右觀梅

俺扶著這烏藤杖踏一會種瓜園。較陰晴探節候細評論。算腐儒何物可盤餐。露葵春滑。霜芥冬酸。荷鋤肩抱甕手肯抛閑。莫因緣翠鼎銀鐺。有分限濁醪粗飯。右步園

俺擁著這黄紬被數一會五更雞。唤新愁驚往事自凄迷。四十年名利苦奔馳。南州北縣。海角天涯。紙窗燈茅店月亂鳴時。恰回頭身世茫然。莫起舞英雄老矣。右聞雞

俺抱著這朱弦琴彈一會採芝歌。唤玄猿招素鶴共吟哦。小樓前春夜月明多。竹風調暢。花露清和。鑄黄金其奈那子期何。只憑咱古老腔兒。不信你時人耳朵。右彈琴

俺掃著這翠筠軒延一會看花人。趁芳晨傾倒了甕頭春。尋常間談笑主和賓。蒼颜皓首。羽扇綸巾。太平時全盛世作遺民。都有些谷口高風。卻不是終南捷徑。右延客

俺戴著這青箬笠栽一會早春花。錦玲瓏粧點就地仙家。繞闌干幽雅盡堪誇。枝枝紅雨。樹樹丹霞。沉香亭明月館任繁華。儘教他露種雲栽。誰免得風漂雨打。右栽花

俺倚著這白石枕聽一會囀枝鶯。破春愁醒午睡助清吟。憶當年隨計到瑶京。宫花片片。御柳陰陰。鳳城邊驢背上幾回聞。自離了南省東華。夢不著丹墀紫禁。右聽鶯

俺曳著這緑荷衣訪一會隱君家。欵柴扉穿柳巷問桃花。但相逢長笑飲流霞。花奴吹

笛。石鼎烹茶。暮煙生新月小夕陽斜。説的是農圃桑麻。扯不上皇王帝霸。右訪友

【北雙調對玉環帶過清江引】

花朝閣感事詞四首

小小園林。花兒歲歲新。矮矮臺亭。月兒夜夜明。何處可逃名。吾廬真個穩。但遇良辰。村醪淺淺斟。但遇良朋。偎詩細細吟。朱門紫陌都休問。受用些閑和静。百年容易過。萬事俱由命。好光陰不是咱誰管領。

寂寂丘園。不怨長安遠。種種華顛。不恨流年晚。世事苦無端。人間比夢間。粗糲餘年。先生苜蓿盤。歌舞餘歡。佳人翡翠衫。迷魂陣裏閑偷眼。細把人情看。風波處處翻。雲雨時時變。俺這裡挨上門兒都不管。

萬個琅玕。紗窗風雨寒。萬軸牙籤。芸樓星斗懸。白眼望青天。天生我亦仙。不煉金丹。囊餘作賦錢。不掛朝衫。家餘種秫田。風光到處隨流轉。趕趁着逍遥伴。青山個個深。白髮人人短。一夥家開笑口莫待晚。

江水盈盈。東流自古今。江草青青。春風自淺深。不似世間人。榮枯無定準。鏡裏

勳名。勸君休苦心。夢裏輸贏。勸君休認真。誰是英雄誰個蠢。没來歷胡廝混。六千三萬場。爛醉何須醒。把這傀儡盤權當做桃源境。

【南中吕駐雲飛】

花朝閣即事四首

石几烏皮。萬竹團團繞絳幃。不躧紅塵地。只會青山意。嗏。幽事幾人知。蘸濕端溪。白雪陽春。盡在揮毫裏。是我樓中得句時。

月落星稀。樹影微茫鳥亂飛。雲斂空江氣。鐘動前山寺。嗏。海日上東隅。紙窗紅矣。寶㿥餘香。猶在蘆花被。是我樓中睡穩時。

白晝遲遲。天氣薰人困不支。露彈薔薇墜。風颭鶯聲細。嗏。嫩茗摘青旗。自瀹花瓷。七碗通仙。萬境真如洗。是我樓中獨坐時。

委巷柴扉。草色青青駐小車。自有芝蘭味。常有賢人聚。嗏。問字酒能攜。泥飲忘歸。一舉千觴。浩蕩歌聲起。是我樓中爛醉時。

【北雙調清江引】

細推物理須行樂。七十人生少。乾坤水上萍。日月籠中鳥。再休嗟男兒生不成名身已老。

男兒生不成名身已老。日月籠中鳥。乾坤水上萍。七十人生少。細推物理須行樂。

【南正宮玉芙蓉】

中秋同眷屬賞月四首

江山雨後嘉。洗出瀟湘畫。恰良宵明月。漸吐光華。水晶雲母清虚舍。玉兔銀蟾丹桂花。青天下。停杯問他。這十分秋色今夜在誰家。

山空夜氣高。天遠冰輪小。轉回廊起舞。飲興方豪。驚寒烏鵲棲還繞。墜露芙蓉影亂飄。同歡笑。嬋娟可招。判今宵酣暢吹徹紫鸞簫。

雲屏畫燭明。綺席金波映。坐中筵鶴髮。湖海殘生。清涼消受園林景。時序偏憐兒女心。閒評論。團圓幾人。荷皇天嘉運貽我太平春。

銅龍夜半催。鐵馬風前碎。望天邊星斗。漸轉斜輝。蘇公赤壁舟中睡。杜老關山笛裏悲。清狂輩。如今有誰。但滔滔吾醉人月自相隨。

【南仙吕入雙調玉抱肚】

春　興十首

高堂明鏡。暗催人白髮星星。試問他走馬紅塵。何似我羲皇一枕。無榮無辱自由身。閒看人間得意人。

滿樓花影。對賓朋日日青尊。莫思量閣上麒麟。且盡俺杯中孤興。朱門雖富不如貧。何用浮名絆此身。

尋思百計。守清閒到了便宜。這匆匆駒隙流光。講甚麽煙波名利。人生七十古來稀。回首風塵甘息機。

園林暮景。只招尋狂客騷人。趁青春柳媚花明。打疊起酒兵棋陣。鶤微鵬大豈須論。且鬬尊前見在身。

酒闌人静。透疏簾明月紛紛。撲羅裳花氣氤氲。又别是一天風韻。春宵一刻值千金。

柳絲摇曳燕飛忙。困人天日晷初長。理殘書滴露研硃。坐數山城長短更。

朝來樓上。掃晴雲推開綺窗。

正圍紅袖寫烏絲。絶不類人間文字。太虚中雲篆煙書。花氣渾如百和香。

偶然睡起。灑春風翰墨淋漓。

點點楊花落硯池。

風飄萬點正愁人。早又是落紅成陣。恰雙雙燕子飛來。苔痕迷徑。斂輕雲微雨初晴。

莫厭傷多酒入唇。

高燒銀燭照紅粧。陪伴他國色天香。睡春朝翠袖朱唇。海棠纔賞。牡丹亭又報花王。

雲雨巫山枉斷腸。

煙花零亂過清明。掩重門寂寥誰問。釀春寒細雨絲絲。緑梅青杏。出牆頭樹影成陰。

窗外禽多杜宇魂。

【南中呂駐雲飛】

壽亦齋 四首

辛未上元，吾儕醵設爲亦齋壽。是日，市中有盤場作戲者，攜具就酒家觀之。至暮則月色燈光上下輝映，相與踏歌通衢，命諸梨園高唱，隨後雜以絲管，觀者塞路，幾不能行。已而亦齋邀至豐豫堂看燈，開筵更酌，主賓酣暢，聯句爲駐雲飛詞二首。余自爲二首，六亭再爲二首，余亦再爲二首。書呈亦齋傳之，俾後人見吾儕一時風致云。

元夜邀賓。珠履喧填列畫屏。曲演昇平韻。人擁風流陣。嗏。來看廣陵燈。萬口歡騰。煙火叢中。南極祥光近。信是蓬壺別有春。

玉漏休催。懷抱今宵得好開。花償青春債。酒駐朱顔在。嗏。綺陌踏歌回。吸盡金罍。羽蓋霓裳。説甚瑶池會。歲歲年年此夜杯。

列坐傳柑。春月初看此度圓。風引桃花扇。露浥芙蓉面。嗏。斗轉絳河偏。猶自沉酣。海屋仙籌。又早添遐算。偷得蟠桃歲幾千。

洛社風流。煙景崢嶸一笑收。玉管鶯歌奏。錦席金波透。嗏。彩筆動銀鉤。我唱君酬。醉裏清狂。肯落諸公後。興繞丹霄十二樓。

【南仙吕入雙調玉抱肚】

紀舊遊十首

江山如舊。是前朝三國荆州。繫青驄沙市堤邊。掛布帆西陵峽口。春風回首仲宣樓。

昨日少年今白頭。右荆州

襄陽佳麗。解征鞍夜聽銅鞮。槎頭鯿雪後偏肥。竹葉春花前買醉。方城漢水舊城池。曾共山公把酒卮。右襄陽

殘岡斷隴。問草廬諸葛隆中。歎英雄割據三分。垂宇宙大名何用。當年遺事久成空。只合終身作臥龍。右南陽

岳陽奇勝。洞庭湖波撼巴陵。逢故人萬里瀟湘。吊英皇百篇成韻。君山元是小蓬瀛。水盡天南不見雲。右岳陽

麻姑何在。楚雲東萬疊丹臺。記別時解珮投珠。望音書青鸞碧海。落花流水認天台。仙境那能卻再來。右石門

扁舟夏口。望青天黃鶴高樓。訪仙蹤今古茫茫。吹鐵笛月明時候。煙波江上使人愁。崔灝題詩在上頭。右江夏

金陵鐘阜。憶豪華六代風流。石頭城潮去潮來。問耆舊幾人存否。鳳凰臺上鳳凰遊。緑水橋邊多酒樓。右南都

西湖載酒。放蘭舟簫鼓中流。恰尋梅和靖祠邊。又踏遍蘇堤楊柳。荷花十里桂三秋。山外青山樓外樓。右錢塘

閶門艤棹。聽烏啼霜落天高。想當年麋鹿姑蘇。又幾度吴宫花草。暮煙秋雨過楓橋。卻算遊人歲月遥。右姑蘇

廣陵燈後。趁春風跨鶴迷樓。訪高僧水上留詩。看瓊花月中沽酒。竹西歌吹古揚州。三十年前此地遊。右維揚

【北雙調清江引】

莫怪此翁長好懶。世事曾磨算。花開蝶滿枝。樹倒猢猻散。憔悴榮華無早晚。

【南仙吕入雙調玉抱肚】

秋 興十首

西風吹送。度霜天南雁雝雝。望音書渭北江東。牽引俺半窗殘夢。年年相憶採芙蓉。水遠山長處處同。

王孫哀怨。對篝燈長夜漫漫。把南山白石歌殘。又提起湘累九辯。暮年詩賦動江關。老去悲秋強自寬。

月明霄漢。問天家今夕何年。半空中玉宇瓊樓。曾照否天涯海岸。美人千里共嬋娟。
夜夜清光北斗邊。
倚樓孤悶。盼霜空萬境沉沉。響叮咚門巷敲砧。乍玉笛臨風相並。誰家巧作斷腸聲。
吹盡梅花怨未平。
高秋時序。抱山中酒熟雞肥。想人生笑口難開。恰過了滿城風雨。碧空如水雁來時。
與客攜壺上翠微。
蕭蕭庭院。正重陽露下高天。訝黄花明日堪愁。喜病腳今年稍健。誰家數去酒杯寬。
醉把茱萸仔細看。
當年弱冠。便尋常唾手淩煙。没來由匏繫藤牽。漸覺得天高日遠。愁看直北是長安。
關塞蕭條行路難。
金台遊宴。少年場意氣翩翩。想從前結客三千。今日個誰擡雙眼。人情閲盡見交難。
覆雨翻雲轉手間。
花宫竹院。引孤笻路繞溪環。小橋邊紅樹斜陽。一笑後茶杯詩卷。遠公沽酒飲陶潛。
又得浮生半日閑。
文章休弄。算詩人個個都窮。儘饒他玉綴珠聯。只落得鶉袍虀甕。百年心事酒杯中。

得失須憑塞上翁。

【南仙侶桂枝香】

隱括古詩二首武昌縣作

浮名羈絆。韶華頻換。這蕭騷旅館寒風。吹盡了殘燈無焰。我把更籌暗數。更籌暗數。獨眠誰伴。客心何事轉淒然。〔合〕正是故鄉。今夜思千里。霜鬢明朝又一年。右除夕

日長孤悶。江南別恨。歎天涯作客悠悠。辜負了幾番芳信。俺且拋詩止酒。拋詩止酒。懨懨如病。誰家池上又逢春。〔合〕只怕明年。各自東西去。此地看花是別人。右春日

【北商調梧葉兒】

風雨中有懷六亭兼訂賞花之約四首

催詩雨。落花風。幷在一宵中。遠意憑誰送。思君有夢通。孤負牀頭甕。怎能禁飛

絮殘紅。
麻姑酒。湘竹杯。須趁碧桃開。鶴背龍頭客。千篇七步才。味雨嘲雲債。紫霜毫任意安排。時吴公送麻姑酒二瓶，而鄒客以湘竹杯至。
清明近。一登樓。江草緑油油。蕉紗裁舞袖。錦字作纏頭。花枝當酒籌。好風光這回入手。
鵁鶄觀。鳳凰池。判斷不須提。碧水丹山地。黄鸝紫燕時。剪韭烹葵味。快活了無官學士。

初夏沙溪東壁過花朝閣席上言懷四首

烹蠶豆。摘櫻桃。日日坐花朝。玉筍紅芍藥。棕鞋白苧袍。美酒青絲絡。好時光四月清和。
梅雨過。麥秋來。郭外小樓臺。誤惹紅塵債。俄然白髮催。那討朱顔在。守清貧便是蓬萊。
清江畔。緑樹中。客到有郫筒。不説邯鄲夢。休提長樂鐘。也莫想桃源洞。但相逢且共從容。

杯中物。身後名。誰假又誰真。鐘鼎元無分。溪山舊有盟。萬事前生定。枉費了多少心情。

【南南吕紅衲襖】

勉孫紹吉四首

莫不是胸臆中包藏的原無有萬卷書。莫不是筆尖頭描寫來花樣麤。怎能勾千軍陣上搴旗鼓。只這小戰單鋒便服輸。你須要把三場文組織成錦繡圖。一口氣吞吐出萬琲珠。那時節五色鸞鳳充貢上玉闕瓊林也。方信道不是皇家結網疏。

莫不是老天公杳冥中機事深。庸玉汝做真才意殷勤。要教你甘貧忍辱把性氣兒操持定。纔教你鳳閣龍樓享榮華作貴人。你須是守謙虛敦孝順。積陰功敬鬼神。有一日行滿功圓收録上桂籍天曹也。纔遂了一家兒祖妣爺娘望汝心。

看他們領鄉書一做了鵬程鶚薦青雲客。便從容去踐三台躋九列。住的是沙堤廣陌平章宅。乘的是白馬朱纓翠幰車。都爲他讀典墳處處能通徹。擅詞華個個走龍蛇。這便是平地蓬萊遊行的八洞神仙也。溥天下何人不愛者。

看他們榮父母顯祖宗。高甲第改門風。鈞衡地位漸漸與賢豪共。便做出社稷勳名勒鼎鐘。都爲他圭璋德器朝廷重。只在根本栽培白屋中。是誰家積善行仁生出這擎天梁棟也。不負了帝王恩作養功。

【南中吕駐雲飛】

賞牡丹四首

嘆息奇花。開向青山處士家。藝譜傳佳話。萬古留名價。嗏。絶豔照流霞。壓碎凡葩。謾誇他傾國傾城。倒惹得時人訝。莫怨東風當自嗟。

魏紫姚黄。聞説當年動帝王。今日江湖上。冷落誰堪傍。嗏。國色與天香。自信無雙。只依着學士樓臺。文酒常相向。雲雨巫山枉斷腸。

獨負嬋娟。三月韶光占小園。露洗臙脂面。風剪猩羅片。嗏。開謝自年年。困倚闌干。好約他芳芷幽蘭。共寫湘累怨。泣雨傷春翠黛殘。

三寸靈根。西洛移來富貴春。骨氣天然定。姿態多風韻。嗏。題品待才人。未遇知音。自從那宴罷沉香。誰繼清平詠。辜負穠華過一生。

【南中吕駐馬聽】

壽六亭四首

鶴骨虬髯。紫府神仙住世間。真個是鴻才天授。駿步風馳。藻思河懸。蛟龍雷雨更誰先。文章早獻麒麟殿。萬里旬宣。萬里旬宣。英聲妙譽多在海邦江縣。

緑野堂前。文酒賓朋二十年。偏落得兩株仙桂。萬首明珠。一味清閒。昌黎名望斗山連。謝公久繫蒼生念。氣吐龍泉。氣吐龍泉。丹心畎畝夜夜五雲霄漢。

天助中朝。帝座清明象緯高。聞説道君王念舊。宰輔推賢。岩穴旁招。鳳銜綸綍下林臯。蒲輪穩上長安道。玉帶圍腰。玉帶圍腰。淩煙丹碧先畫相公生貌。

四月清和。雨霽雲樓瑞彩多。愛的是鶯雛燕乳。玉筍黄梅。緑水新荷。天倉靈瞽唱山歌。春分酒熟金螺大。醉影婆娑。醉影婆娑。簪纓袍笏長伴紫鸞玄鶴。

【北雙調水仙子】

花朝閣下牡丹開。二老攜笻出郭來。主人翁迎立蓬門外。喚兒童命酒行杯。對花叢暢飲開懷。一個個腰勾頭擺。一個個步蹇行歪。一個個倩人扶下扶下花階。

王 寅

王寅，小名淮孺，字仲房，一字亮卿，號十嶽，别署十嶽山人，南直隸（今安徽）歙縣人。少年俶儻自負，具文武才。嘗問詩於李夢陽，不遇。周游吴、楚、閩、越名山，南歷海隅，北走沙漠。客胡尚書督府，終不爲重用。工詩，善曲，有十嶽山人詩集九卷、十嶽山人樂府一卷行於世。生於正德元年（一五〇六），卒於萬曆十六年（一五八八），年八十三。

小 令

【北雙調雁兒落帶過得勝令】

柘源八十後莊七十半野六十少岑五十

這先生剛剛半百年。這先生甲子方週限。這先生今來逢古稀。這先生定遂期頤願。都待要攀斗學張騫。到一樣卧島老方千。雖輸却時令無權勢。只贏得聲名可保全。看年年賀壽華筵。各負人康健。傲溪山日日清閒。相邀作地仙。

送小樵還汉上

留先生除夜住山家。留先生元旦燒燈罷。留先生消不盡詩酒懷。留先生説不了漁樵話。剛剛的開落了絳梅花。剛剛的抽長綠柳芽。別去呵風雨遲行色。老來呵交游惜歲華。雖不比天涯。快相見臨初夏。且謾立溪沙。强爲歡又半霎。

除夕

又光陰一歲辭。驚除夕明朝是。欠幾文濁酒錢。賣兩卷名家字。一卷是隱吴門處士詩。一卷是守江州刺史詞。誰解評賞千金價賤。道尋常三尺紙。對時景寥落尋思。自惦殺英雄士。看世情聾聵如斯。休嗤他市井兒[二]。

隱園

住一間村西破草堂。隱一曲竹下深蓬巷。傍一株鶴巢松樹臺。挂一幅禪榻梅花帳。護一道三尺矮蘿牆。開一扇四面宿雲窻。坐一片待叱青羊石。醉一歌無懷濁酒觴。猛想起一會淒涼。好交結多黃壤。猛想起一會猖狂。英雄心未盡忘。

除夕李邑侯送酒錢

送光陰又一年。空抱玉曾三獻。愧追隨鄉里兒。恨孤負平生願。霜禿鬢已皤然。豪俠氣尚翩翩。笑老子窮除夕。詫賢侯贈俸錢。壚邊。買濁酒何勞勸。樽前。賦相知感慨篇。

【北雙調水仙子帶過折桂令】

七潭漁社

怪蟠溪封土輔周王。笑嚴瀨辭官傲漢皇。兩家兒都是喬模樣。託綸竿煙水鄉。覷前人總是亡羊。釣利的終歸盡。釣名的枉恁狂。利和名一夢黄粱。業漁人名利須忘。身在滄浪。心在滄浪。何用明晃晃客星犯座。何用惡狠狠尚父鷹揚。争似俺穩拍拍情狎鷗行。隨飢寒不離了桃源洞口。任炎涼常只在西塞山傍。緑蓑衣慣奈風霜。青箬笠直見滄桑。老來呵結識上些無禮法的村交。醉來呵共唱一會無律吕的新腔。

送程小樵洋湖歸汉上

湖邊旅食正栖遲。汉上人來忽報歸。書中細説衰年事。望青山苦病催。佳兒迎手杖柴車。松和菊猶存田里。鷄和犬不慣鄰居。新和舊總笑迂儒。想先生高卧蓬廬。朝夕加餐。藥餌扶持。酒戒休嚴。詩篇間作。花興全除。未了債從今鈎起。不平處自後忘機。風月相期。麋鹿相隨。早康强酬答春光。共尋游好慰心知。

燕京答劉念庵副使送别

黄塵笑殺魯諸生。白髮誰知任俠名。青雲自愧于時命。出關遊過帝京。訪屠沽懶謁公卿。吟橐詩篇富。談鋒劍氣横。喜逢君一笑忘形。喜逢君一笑忘形。狂吸瑶觴。醉倚銀箏。却又早落葉驚秋。飛鴻作伴。匹馬南征。惜離别後期再整。寄相思遠道難憑。空老明經。歸守躬耕。從今後傲乾坤百歲真休。管甚麽歷今古萬種閒情。

壽金白嶼九十

寄生江左有流風。派出關西意氣雄。古今覺披繁華夢。煞精靈佯懵懂。利名場不入牢籠。讓畫麒麟閣。忘憂虎豹叢。高舉冥鴻。吊六朝遍訪遺蹤。邀結騷人。來往詩筒。多只在朱雀橋頭。莫愁湖上。桃葉河東。遇良辰挾管絃恨不得酒如泉涌。儘平生對風月一任這囊裏錢空。唫咏猶工。情興無窮。纔數到九十度黄髪春光。直筭到百歲外丹藥仙翁。

嘲老妓〔二〕

淡蛾眉休畫鏡臺前。濃黛色休描雪鬢邊。落花天休賺鶯和燕。〔三〕錦纏頭可再纏。逞風流轉覺淒然。桃葉渡家雖近。楚陽臺路漸遠。爲雲雨雲雨誰憐。誇當年女俠有名傳。〔四〕青樓出色。紅粉專權。不道嬌歌。謾言妙舞。獨攬豪賢。還想着車馬陣遮門塵碾。每逢人何用訴家簷事。囊少餘錢。既已逃禪。無費熬煎。〔五〕只合下湘簾禮佛焚香。須索披貝葉持呪通玄。

【北雙調水仙子】

賀時習晚年舉子

人生五十鬢邊秋。有子真輕萬户侯。榮華身外皆虚謬。看他年氣食牛。大門牆説甚箕裘。湯餅會請倍還人。舊風情越添抖擻。弄璋詩歲歲賡酬。

謝吴汝復贈玉簪

這無瑕原是美人貽。割恩愛翻持贈故知。碾羊脂一朵蓮花膩。瓣稜稜初出水。染雲鬢尚覺香吹。儘餘生簪白髮作伴霞冠。常時節醉清醪照影金巵。怕只怕苦唫魂敲斷新詩。

嘲黑妓〔六〕

這仙姬生長紫霞峰。太皎潔難容白玉宫。且窩藏住在玄芝洞。〔七〕帶祥煙分外濃。看沉香雕刻相同。悶殺也巧弓弓張敞畫眉難認。孤負了俊臉兒何郎傅粉難工。〔八〕最堪憐舞筵前擺秋風墨水芙蓉。

贈歌妓姜文娟

紫檀半面掩吴孃。紅袖雙彈寶釧忙。白頭慣聽琵琶唱。一聞聲煞斷腸。想梁園舊事難忘。無奈黄金盡。空勞緑酒狂。老却周郎。

夜雨懷人

小鐺茶熟緑波嬌。寶鼎香添絳篆銷。黄昏有約知音到。落燈花棊未敲。閉柴門風雨瀟條。雨兒大芍藥摧殘。風兒狂芭蕉折倒。雨和風孤負良宵。

贈戲子劉梧金斗人

相逢醉舞袖郎當。世上都同傀儡場。讓他們做作喬模樣。問君家咱故鄉。故鄉人英雄難忘。笑殺過彭城失權亞父。羡殺戰赤壁得意周郎。成和敗到今日總是茫茫。

程金谷六十招飲病辭

香醪未遂獻霞觴。折簡翻勞到草堂。病中空切垂涎望。報嘉賓滿畫堂。論風流只少王郎。再期君古稀年蟠桃讌大逞豪華。待看咱養生方靈椿樹人猶强壯。兩仙翁笑花前歌白髮醉倚紅粧。

送孫山甫游吴

柳絲長難繫下江船。桃瓣飛争共餞酒筵。高聲柔細唱離人怨。漲春波三月天。話前途請暫留連買笑錢。好省在仙靈塲吊古尋幽結交情。謾輸與市井兒雨復雲翻戀歸心。肯忘了漁樵社鱸鱠蓴餐。

壽友人六十

當年各負氣橫秋。此日俱慚雪滿頭。笑英雄翻落他人後。傲林泉甲子週。五男兒個個才優。素心交結社桑麻。未老身陶情詩酒。覷繁華總是蜉蝣。

賀黄黄山晚年添丁

庭前玉樹已成林。掌上明珠又報擎。高門積善多餘慶。喜蘭閨正早春。老詞人越顯風情。湯餅會年年赴。弄璋詩首首新。笑倒狂生。

贈黄氏姊妹

明珠一顆儘堪誇。瓊蕋還開竝蒂花。鳳皇雛鼎足真無價。一林嬌不當耍。姊妹們箇箇無差。一箇煞聰明占斷了麗春園門户風流。一箇漸玲瓏習演出鳴珂巷傍州調法。一箇尚嬌癡宜入金谷園歌舞人家。

為汪懶雲編

不爲霖雨答商湯。不赴陽臺答楚襄。無心一任梁公望。怕天風忽地狂。變白衣蒼狗飄揚。密匝匝迷失了青山洞口。漫騰騰鎖定了綠樹溪傍。怎肯亂紛紛放桃花賺入漁郎。

嘲赤脚老妓

逞風情只當做玉纖纖。解冤業如今快活三。俏弓弓褪却金蓮瓣。睡鞋兒在那邊。繡鴛鴦恩愛休纏。恰好似避秦時毛女相逢。休猜做渡南海觀音撞見。喜則喜抱琵琶一曲中原。

苦　雪

黄雲天亂剪鶴翎飛。翠竹徑常踏玉屑泥。老先生誰解窮愁計。豐年瑞在那裏。敝貂裘難典充飢。苦只索閉關卧自愧于人。不覺的灞陵橋尋詩興起。笑殺他剡溪舟訪戴空回。

次兒娶婦六友携酒來賀

謀生性拙只佯狂。吊古尋幽日日忙。老來婚嫁方勾帳。報携樽訪草堂。一個個都是文苑詞場。一個祝便抱孫早得承龐氏遺安。一個道好兒郎須要學梁家榜様。一個聽名言大笑倒滿飲持觴。

謝宗姪贈鬬鷄〔九〕

少年慣走鬬鷄場。舊事于今尚未忘。平生多少風流帳。〔一〇〕絳霞冠繡錦裳。許秋來〔一一〕作伴還鄉。窮則窮怎教恁飲啄勞神。老則老須認是英雄相傍。〔一二〕怕則怕聽啼聲起舞書窻。

壽弟三保七十

弟兄齊壽古稀年。剛占生辰五日先。白頭笑殺仍康健。碧山前緑水邊。儘逍遥說甚腰纏。花月休辭醉。兒孫但願賢。便是神仙。

金陵壽張治卿六十

浮生六十尚紅顔。身外榮枯總不關。獨詠懷閉户勞詞翰。有萊妻日勸餐。好兒孫常戲斑斕。傳家聲全賴着四壁立五車典籍。遺清風惟有這三逕滿半畝琅玕。儘受用足傲時流黄髮幽閒。

寄　弟

燕支嬌染海棠花。仙掌初分芍藥芽。牡丹蕋獻蒲萄大。這園居景愛殺。更出牆桃杏交加。怎能勾看棠棣竝倚雕闌。怎能勾奏塤篪同傾玉斝。尚几自對春風雁影天涯。

贈吴子荆茶童

煮茶方陸氏在遺編。燒香法倪家亦有傳。兩椿兒清事高人願。小山童煞可憐。悟茶香性出未然。一時間洗硯餘裊煙雲在楞嚴几上。一時間澆花罷候風雨在芍藥闌邊。索强如囀鶯歌迴燕舞多買雙鬟。

贈吴次曾家童筆壽

抱詩筒慣熟過衡門。飽白飯常留宿小亭。仗通家曾借鉏三逕。見山童意便親。問生涯何處相尋。想只是牧黄犢芳草平原。還多應伐青松層雲高嶺。總不離釣錦鱗曲水溪濱。

【北正宫醉太平】

簡弟文欽

望前溪翠巒。羡一老遺安。園丁父子自盤桓。覷黄金等閒。携樽先報來遊翫。煩招三五煙霞伴。偷閒一日拚清歡。身後事憑天算。

雨中留詹伯章

請謾言告回。仗風雨相羈。山厨麥飯足充飢。酸鹽虀味美。焚香對榻蘭亭記。臨池試釣銀鱗鱖。閨中愁之甕頭醅。老先生不理。

十二首自詠

這紅顔變者。那白髮添些。古稀不覺到來耶。自安貧守拙。壯年早棄明經業。遠遊遍結名山社。隱居不學終南捷。任時人笑呆。

蚤有志雄飛。妄自負才奇。幾番策馬走南畿。都空成咲矣。命屯不是青雲器。福薄宜享虀鹽味。知機肯待晚途迷。樂飢寒不悔。

好任俠顛狂。學劍術飛揚。散金結客少年場。都無非鹵莽。琵琶慣聽梁園唱。蘭橈常向西湖蕩。金陵名妓識王郎。落老來夢想。

班馬文枉學。李杜詩徒勞。詩文價借甲科高。被窮酸扯倒。漢風唐調誰評校。胡褒歪貶誰公道。知音本少子期曹。老先生自曉。

學明經射策。想八座三臺。出身多爲趲錢帛。秀才時布擺。文章倘遂當時賣。聲名難兑隨人壞。英雄不怨老塵埋。愛蕨薇自采。

本心胸窄小。更性氣孤高。世情滿眼冷偷瞧。不由人懊惱。井蛙隙底把青天笑。醯鷄甕裏把滄溟料。褌虱腰下弄麤豪。又翻成笑倒。

看學術紛紛。知誰假誰真。假多真少笑時人。總歪傳畫本。是真是假難評論。價高價減隨人信。大家跳入麵糊盆。請先生試忖。滿四海相識。數知己爲誰。老來[三]大半不堪提。嘆早歸蒿里。招泉臺空灑同心淚。看斗筲難合兒曹輩。假悲歡趂逐學愚痴。似登場傀儡。從來的上公。從來[四]的富翁。輸他命運十分通。到底如春夢。那一個俠威權只把心兵弄。這一個攢家私惟要腰纏重。全不肯假仁義撑達學英雄。笑他們懵懂。山萬疊擁着草樓。水百折繫着蘭舟。隱居不讓輞川幽。結沙鷗做友。掣綸竿奪却拏雲手。唱漁歌代却談天口。嚥雄心説甚濟時籌。已甘心老醜。燒鉛汞生平好仙。參宗典老去逃禪。終不如餘生終日撒風顛。任天公發遣。兔走與烏飛滄海從教變。奪利與争名穴蟻從教戰。漁樵與耕鉏傲骨從教健。敢受用呼僮策蹇。挺着胸鎮日矜誇。懶謀生到底虚花。沽名釣譽路頭差。清高的不如狡猾。折腰不把公卿下。任情反把時人駡。老來落得這波查。咲窮醋大。

姪孫明甫之宣城雨阻

贈新詩一章。勸緑酒千觴。紫騮何事苦奔忙。笑風雨相妨。香塵昨日遊絲颺。山溪今日桃花漲。陰晴春日却難量。任天公主張。

城東遇懷梅

怪相逢隔年。喜邂逅纏綿。酒家去解杖頭錢。儘今朝共酣。鱠雙魚細切錦鱗鮮。對高歌那用胡姬勸。正黄梅風雨暗連天。搽爐頭借眠。

【北中吕朝天子】

尋項氏愛竹軒舊迹

愛竹軒那存。愛竹名尚聞。羨前輩高風韻。琅玕一畝緑連雲。舊迹誰尋問。詩社常開。酒錢散盡。想起他快活穩。貪富貴勞神。争强弱認真。笑難入英雄陣。

贈思尚公桊二姪孫

早茶。脱茶。風雨松窻下。僻茶知咱勝丹砂。量較盧仝大。七盌難留。充腸方罷。煮茶煙接兩家。今日茶逢着這家。明日茶逢着那家。從此後多費陽羨山中價。

壽吴虹山九十

圍棊趣尚高。吟詩興猶豪。老轉把時人傲。黄山白嶽足逍遥。請早别淮南道。身後遺謀。眼前行樂。料先生能自曉。開壽筵且饒。期百年鬧炒。共願見滄桑笑。

端陽孫山甫席上

三日雨稠疊。一文錢斷絶。端陽節臨茅舍。高明相對愧豪奢。緑酒東鄰借。瓦缶翻乾。菖蒲細切。大開懷捹醉者。也不羡英傑。也不笑歪斜。到底都消歇。

寄江方伯荆石

大方伯官高。更四子賢豪。夫人引諸孫鬧。世間他事且相饒。要覷破天之道。休謝良朋。豈無餘鈔。快歡娱嗟已老。好園林鎖着。好花鳥閒着。好風月將人笑。

姪輩雨中飲我酒家喜姪孫應元後至

歌耶。笑耶。又報添狂客。隨風隨雨好時節。何必花和月。洗盞重留。呼樽再熱。

説從前意氣也。今朝醉且歌。明朝約記者。會行樂真豪傑。

甲申年除夕

一年。一年。日月争飛電。年年除夕債多纏。只贏得人强健。布褐名輕。文章價賤。怪青雲路兒蹇。敝裘典酒錢。窮愁醉自遣。笑對着梅花勸。

甲申除夕前五日吴次魯朱俊父來訪

貧交。富交。來一訪漁舟棹。富交亦異世人曹。愁宜向貧交道。賓主全忘。風流共調。歲寒情見更好。留園蔬濁醪。且笑談醉飽。任變幻何須料。

怪園丁伐梅

鹽梅道有期。和鼎再休提。正花綻誰爲祟。園丁竈冷斷薪炊。折風節連根替。香暗銀蟾。影疎鏡水。逋仙句化作灰。歲寒交那裏。世情人怎比。喜松竹還相對。

過姪用可别業看菊

東家。西家。霜菊都消乏。訪君信步喜閒踏。好朶黄金大。新釀忙留。賢東且罷。

約明朝一戲耍。候咱。聽咱。惟許清茶話。

余游金陵維揚姪衡仲輩餞送

手能控紫騮。腰尚帶吴鈎。老來豪非虚謬。爾曹餞送本同流。酒濕春衫袖。吴苑如前。隋堤依舊。好江山戀再遊。花香插滿頭。鶯歌勸滿甌。急回首重陽又。

王瓜瑞

碧玉瓜太奇。瓜𤓰報先知。誰識天公意。氣靈瓜上長條枚。瓜本王家瑞。連理何誇。並頭非貴。看諸孫繞膝隨。熊羆夢休遲。麒麟兒敢期。願書劍承家世。

【北雙調折桂令】

雨中姪輩七人邀我溪上酒家[一五]

笑浮生何苦煎熬。常掛青錢。結伴兒曹。活網溪鱗。旋鉏山笋。新漉村醪。世上人任他顛倒。身後事咱謾量度。風也逍遥。雨也逍遥。熱處羞攢。冷眼偷瞧。[一六]

壽汪伯玉司馬五十

羨先生半百年華。明時賢佐。大纛高牙。早霸文壇。新參禪理。世鍊丹砂。對燕山開綺讌十二營一隊隊嘶喧戰馬。望天都呼祝頌千言賦一句句寫寄飛霞。福禄方加。壽筭無涯。今日呵掌兵符且待要出黄雲掃盡他塞外胡奴。他日呵謝朝簪休直到垂白髮來尋咱潭上漁槎。

新春招吴村宗社諸君飲潭園

早春天風雨瀟條。纔過元朝。又是元宵。緑酒新醅。青錢强辦。白髮相招。宗族交猛可裏一時齊老。勢利場胡廝趁到底徒勞。萬事都拋。爛醉休饒。瞞時人好學佯狂。問天公誰是賢豪。

贈歌妓諶香兒

錦筵前邂逅吴姬。簇瑶階酒滿金巵。花也須簪。酒也須拈。詩也須題。我本是撇鶯期辭燕約從良浪子。休猜做村不村俏不俏鐵石人兒。芍藥丰姿。楊柳腰支。渡藍橋孤負多情。別陽臺乾害相思。

【北雙調沉醉東風】

四首新正留小樵

輕薄交中年漸謝。喜往來偏爾稠疊。通家忘主賓。守歲迎新節。弟兄情有甚差別。收拾西歸太早些。且從容開懷住也。

椒柏酒沉酣未醒。算到來又快經旬。寒風敗柳條。凍雨消梅興。風和雨總是留人。好勸明朝謾起程。自古道陰晴未準。

借村醪猶堪半醉。儲斗粟未必全饑。與君貧賤交。剩有溪山趣。疑家常淡薄隨時。倡和新春萬首詩。忙歸去梅花笑你。

問行踪全忘汊上。爲交游尚戀湖傍。休言人日歸。要打元宵[三]帳。故鄉遊何事匆忙。轉眼春光到海棠。還爛醉柴門共賞。

元夕雨

昨宵雨月還皎皎。今宵月雨反瀟瀟。天時轉眼間。人事真難料。笑豪華請自量度。

火樹星橋任寂寥。對兒童酣歌到曉。

謝吴德純贈菊

遇白髮授經老友。倚丹楓結屋西疇。拉青形留意勤。栽黄菊家風舊。乞一枝尚艷深秋。日日幽香對草樓。歲寒盟費賒村酒。

送姪可寄之甌海

餞阿咸白頭老叟。狎少年村市淹留。杯浮緑蟻香。囊可青錢彀。正强年萬里當遊。休唱陽關動客愁。脱敝裘還能典酒。

二首謝程好吾分贈禪菴古石

性不願繁華受享。病難醫泉石膏肓。贈分禪榻前。載去漁舟上。呼丈人下拜元章。翠蓋高松倚在傍。日日聽風濤落響。

斵輪齋辭别故里。捫虱軒結識新知。平泉不學醒。栗里常同醉。抱蒼苔夢寐相依。照影王家洗墨池。一片片争摇秋水。

【北中呂滿庭芳】

燕京九日

重陽到也。故鄉遥隔。音信常絶。凶風吹冷殘秋熱。雁陣横斜。想南郭青山笑者。負東籬黄菊開些。白首同心社。茱萸遍插。偏俺怨離别。

九日風雨寄閩人謝性卿虞汝孝客舍

重陽節美。好邀朋輩。共躡崔嵬。老天故阻茱萸會。寒雨凄凄。且休論他鄉故里。孤負殺舊釀新知。笑欠風流意。若當時參軍彭澤。怕甚麽一身泥。

過姪孫半林别業

隱居瀟灑。青松掩暎。緑竹交加。一林何用些孃大。半讓鄰家。謝俗客提壺繫馬。待高人汲水烹茶。掃石清陰下。漁樵閒話。世事總空花。

壽姪宜興六十

賀君花甲。身如鶴健。鬢半霜華。萊妻偕老子撑達。兩事堪誇。典青衫百年裏好和咱風風耍耍。覷黃金一弄兒笑他們變做泥沙。世態隨時罷。茅簷拚醉。說甚麽五侯家。

【北雙調落梅風】

四首復留小樵

元宵過。約定行。翻撞着風狂雨勁。請先生觴歌還閉門。再續上大家殘興。

呼蓑笠。底死辭。戀青山雨中歸去。非是俺今番留太癡。要覷破天公有意。

前溪上。斷小橋。漫芳洲春波浩浩。倩漁舟些孃大似瓢。載不過滿腔詩料。

柴門住。過二旬。苦衝泥忙忙則甚。肯少待明朝天放晴。踏芳草好尋春興。

【南商調黄鶯兒】

四首仲春訪汪中丞宿南素菴[一八]

村巷樹陰肥。遍衡門緑草齊。隱居不似中丞第。柴車後期。金樽謾揮。候潮重話樟亭事。且忘機。東山高卧。再起未云遲。

海上掌兵符。返田園尚未蕪。危機且避時人妬。詩瓢酒壺。丹經藥爐。百年休被功名誤。託模糊。漁樵交道[一九]。偏愛老潛夫。

俗世寡知音。錦囊塵閉玉琴。高山流水君能聽。花枝殢人。鶯歌勸斟。酒觴且縱年來禁。往來頻。俸錢莫惜。報答好春晴。

擬宿草玄家。有山僧候水涯。雙林近在斜陽下。燈開綵霞。壇飄寶花。鐘聲夜半談經罷。對袈裟。思君不寐。獨飲趙州茶。

春閨怨

枕上怯鶯啼。暗傷春晝起遲。繡裙漸覺腰圍細。緘書淚垂。夢魂路迷。夢中關塞書中事。望天涯。王孫歸未。芳草又萋萋。

秋閨怨

霜月滿闌干。一逢秋病陡添。雁聲似助相思怨。釵羞王鸞。鞋羞綵鴛。鞋尖瘦損釵敲斷。卜金錢。寒衣欲寄。何處問征鞍。

贈歌妓文涓

乍見便消魂。粉香腮枕上痕。一春病後腰圍褪。蛾眉翠顰。冰絃調新。桃花驚落紅成陣。勸金樽。幾迴長嘆。心緒向何人。

四首春興

春色報江南。遍郊原碧草纖。河堤弱柳垂金線。園林尚寒。蜂蝶未喧。東風吹逼紅香綻。辨青錢。杖頭早挂。莫負賞花天。

春色漸芳菲。遶湘簾燕子飛。暖風傳送鶯聲脆。東園酒巵。西郊馬蹄。百花初破燕支碎。醉如泥。惜花心性。須在半開時。

春色太顛狂。滿乾坤錦繡塲。香車到處花迷障。佳朋艷粧。詩瓢酒觴。興來莫惜瑤琴當。怕春光。些時暫霎。收拾太慌張。

春色又蕭條。見枝頭萬點飄。繁華九十歸啼鳥。銀燈夜燒。青衫酒澆。青苔休把殘紅掃。嘆霜毫。一年一度。縱少醉千遭。

【北雙調沉醉東風】

十五年客生金斗。便顛狂慕古名流。懶將斷簡鑽。愛把吳鈎袖。小胡孫浪說封侯。常向周瑜塚上遊。灑一樽醉呼老友。

二十年初戰科塲。萬人敵自負難當。雖懸霄漢心。難畫胡盧樣。說甚麼左馬班楊。桃葉河邊醉玉觴。翻落得妖姬夢想。

三十年三上南都。七尺軀老大頭顱。徒勞紫陌塵。迷却青雲路。撒佯狂混迹屠沽。還覽名山萬里圖。消孤憤尋幽吊古。

四十年坐破青氊。謝榮華秘訣求仙。不容白髮生。易道黃金變。采陰陽九鼎先天。功行人間積未圓。休怨殺蓬萊路遠。

五十年參究禪宗。守蒲團居士家風。跳出麵糊盆。打破醯鷄甕。覷人間萬事虛空。

夙債猶纏世法中。説精靈依然懵懂。愧非投筆時。徒抱吞胡氣。望黄雲白草風吹。
六十年薊北驅馳。赴將軍舊日相期。
萬里長城壓塞齊。常有夢吴頭楚尾。
七十年雄心未已。笑空囊低首攢眉。平生任俠人。老學陶朱計。傲飢寒肯爲身肥。
半爲貧交信手揮。看錢奴真如禪蟣。
八十年量猶未老。平生氣未滅麤豪。婚姻債已償。吟咏孫常抱。避時人北壠西皋。
日日漁樵許見招。買村醪便教醉倒。
九十年相逢盡許。問天公答俺何如。能留谷内神。一任人間住。造物者有甚相拘。
泉石煙霞護草廬。少不的王郎做主。
滿百年光陰有幾。縱千年無了貪癡。都忘身後名。盡閲人間世。大刧來天地飛灰。
修短皆如一局棋。惟日醉山山水水。

前七首每首若記年譜，後三首乃放言自適，戲問造物者若相與謀焉。觀者使笑王生不達，而有此期必者則誤矣。

【北中呂普天樂】

壽日自嘲

猿鶴似古稀年。桃李春佳時節。宜張宴會。好逞驕奢。照酒盞何勞白髮多。探錦囊無奈黃金竭。管絃盡罷歇。賓客都辭謝。自開懷受用些些。醜妻卒擁者勸者。小兒女歌者舞者。老先生笑者醉者。

【北正宮塞鴻秋】

檀板

紫雲鮮濃抹黃檀面。玉纖手謾響黃金釧。鶯歌嬌近倚雕闌轉。雁行斜趂逐銀箏顫。紅顏汗濕溫。翠袖香生遍。汗和香香和汗打合恩情片。

【北雙調對玉環帶過清江引】

飲同甫園

沙徑穿林。丹楓葉葉飄。茅舍迎門。青山疊疊高。前溪不用招。乘興常來到。說劍呼盧。當年氣太豪。白髮衰顔。今朝人共老。重陽節可憐孤負了。留醉開懷抱。茱萸尚佩囊。黄菊堪供笑。會行樂隨時都是好。

【北雙調清江引】

世事看來都是假。一笑由他罷。難逢同調人。謾說知音話。總不如撒風顛胡戲要。

世事看來都是癡。那有精靈的敢求。豪傑真況少。奸雄輩自誇。道會藏頭忙露尾。

套　數

過孫家溪上亭

【北正宫端正好】遠浮塵野外蹤。寄曲水亭中意。正强年長劍來歸。村西數畝閒田地。價争比都城貴。

【滚繡毬】緑陰深楊柳陂。白沙細杏桃溪。護環□□□□□。夾苺苔三徑委蛇。這壁廂架薔薇。那□□□□□。勢嵯峨一亭中起。儼綵鸞奮翼横飛。□□□□丹青嵌。十二迴闌綺幔圍。蓬海新移。

【倘秀才】疊恠石虎豹雄威。培花王姚魏稀奇。芍藥還多金帶圍。蕙蘭層砌滿茉莉。小屏低。肯暫放春歸。

【滚繡毬】燕穿簾繡舞衣。鶯啼樹玉簫吹。看不徹聽不疊妖嬈柔脆。更那蝶知音按拍追隨。遊魚知共樂。鷗鳥解忘機。物外情羲皇之世。静日裏無用愁眉。每躭孤咏惟調鶴。不倚歌童只杖藜。緊閉雙扉。

【倘秀才】芭蕉傍宜排茶具。辛夷底好置圍棋。幾篋牙籤萬卷貽。朱條鸚鵡語浄几。畫圖披。香添上金猊。

【叨叨令】愛白雲偏占亭中位。愛斜陽偏向亭中對。愛清風偏醒亭中醉。愛明月偏伴亭中睡。兀的不好殺人也麽哥。兀的不好殺人也麽哥。甚交游是恁亭中契。

【脱布衫】休索願過尊官錦纜高維。引王孫寶馬驕嘶。鬧攘人暫借徘徊。隱居鄉豈容兒戲。

【小梁州】惟許求羊數與期。雅淡相知。行厨隨意設罇罍。無拘繫。禮法笑何爲。

【幺】堆盤細砍銀絲膾。拚大家傾倒休推。醉似泥。狂猶未。蜉蝣富貴。世事莫教提。

【醉太平】笑蟠溪欠見識。怕桃源路太迷。憑咱褒彈兩不虧。這人間地美。選風流待結上羲之輩。羡溪山再寫出蘭亭記。續前修不讓與永和欺。問南州有幾。

【尾聲】桐江亭終難免羊裘議。沉香亭翻送了玉環妃。琵琶亭真笑殺逐臣癡。玩鷗亭消不盡謫居悲。金谷園霎時狼藉。平泉莊訓戒空垂。各自家存蹤滅跡。少不得是是非非。總不如這亭呵須覷破了盈虛。消息輸與孫登一嘯裏。

為孫從儒溪亭編

【南仙吕入雙調夜行船序】緑樹鶯啼。韻悠悠報道。春歸容易。昨朝裏膩白夭紅芳菲。良時。雨驟風狂。又見零落。亂香堆砌。堪嗤。蕉鹿夢猛醒沉迷。早尋遊戲。

【前腔换頭】君知。家近前溪。步青山萬頃。玻璃鏡裏。中洲上荇鈿藻帶縈迴。交飛。錦翼參差。鳧鷺雙雙。鴛鴦隊隊。還疑。似吴孃纖纖織就剪不斷天生羅綺。

【黑蟖序】休遲。漾波倒影。早晚賀重簷。架棟紅亭起。料風流不惜。黄金非貴。幽棲。新篁綠小溪。喬林護舊堤。這答兒。怎肯讓西塞漁灣。東陵。瓜地。

【前腔】聽啓。塵世桃源。笑傍人百忙。錯過會心。能幾仰頭。試問天公誰是。便宜。還須鵾絃譜艷詞。弓彎教舞衣。最堪憐。象板聽魚。腰支。映水。

【錦衣香】雪月奇。詩人句。煙雨暝。丹青意。一任他景色隨時。賞心樂事。甕頭萬斛酒盈池。鯨吞海吸。放手千巵。願浮生滿百。筭日日須當如是。身後都休計。金烏難繫。麴壓虛榮。糟醃閒氣。

【漿水令】笑官高攢求未已。恠金多山積恨低。貪心肯向甚時灰。妄覓丹砂。自逼霜眉。儘英雄。東流水。神仙何處無如醉。拚青衫。拚青衫。酒痕似雨。醉如泥。醉如泥。玉山自頽。

【尾聲】蘭舟欲盪來懽會。王家輞川知未。野老可容爭席。

按：本套［黑蠊序］原誤作［鬪寶蟾］，今據譜正。詳見康海卷〔夜行船序〕「遊春」套。

庚子被盜

【北雙調新水令】山村日暮景瀟條。對青編一燈高照。窻前霜葉落。簾外砌蛩號。獨吟無聊。奈四壁寒威峭。

【駐馬聽】濁酒頻澆。敗絮如冰酣卧早。東鄰年少。邀朋彈劍夜行樂。衡門不是月中敲。圍牆愛向籬邊跳。他是熟人路盡曉。藥欄黄犬翻迎着。

【雁兒落】僻園居任做作。小茅屋無深奥。怕迴身礙脚行。喜轉眼從頭到。

【得勝令】呀。他明知俺不是石崇豪。怎生來覓范丹曹。他只道時貴延詞客。實指望千金贈故交。差錯。論知己非前代。清高。守虀鹽似往朝。

【沉醉東風】貪這答屠門一飽。笑今番磐室徒勞。那討瓜子金。也没鵶翎鈔。瓦鼎内剩有香燒。似過禪僧入定巢。又撞着蒲團茶竈。

【折桂令】人去呵夢始驚覺。稚子争啼。山婦心焦。囊化瑶琴。瓶空斗粟。架失綈袍。也不管捱殘冬窮酸凍倒。也不管待朝餐家口難熬。焦尾難招。雅操誰調。喜則喜藏匣内有神靈難竊的丹方。挂杖頭有因緣難離的詩瓢。

【隨煞】相逢自愧賢東道。滿地詩書零落。恠你這個不料事的頑童誤下鈎。把俺個偏好睡的先生鬧到曉。

賀孫玉泉五十

【北雙調夜行船】早年長劍事遐征。乾坤内浪迹浮萍。南入八閩。東過五嶺。縱尋幽吊古狂生。

【新水令】瘴煙蠻霧咲勞形。懷故里謀開三徑。西鄰交有託。北郭境還清。難謝逢迎。只待要藏名姓。

【落梅風】望黃山。每獨登。愛玉泉一泓香瑩。洗世上繁華心焰冷。照雙鬢糾髯如鏡。

【風入松】年來新結赭川盟。百畝買躬耕。竹松茅屋濃遮映。枕一榻畫譜茶經。掃石琴鳴古操。臨池字榻蘭亭。

【撥不斷】眼看的。任變更。白雲樓惟草思親詠。白蓮寺常期説法僧。白頭人剩託逃禪興。近傳鐘磬。

【離亭燕帶歇指煞】〔三〇〕看年華不覺臨知命。信君家積善多餘慶。受用些浮生晚景。賢妻偕老鹿門栖。稚子價高燕市駿。名醫難療煙霞病。小春壽宴張。滿座嘉賓盛。遇霜天好晴。黃鷄黍正秋。紫蠏霜初下。皓月圓偏稱。鶴氅裘酒任澆。烏角巾斜休正。想甚麽仙方丹鼎。三萬六千場。百年醉方醒。

昭君出塞

【北雙調新水令】呼韓納欵入中原。請約結和親之願。掖庭頒勑命。五女嫁胡天。須索嬋娟。方下的金鑾殿。

【駐馬聽】幾載含冤。猛可裏驚聞一召選。三千獨擅。咲諸姬多買畫工錢。丹青怪把僞圖傳。遂教隔斷昭陽面。晚相逢也枉然。悔當初不順奸邪騙。

【喬牌兒】妍和媸任褒貶。真和僞難分辨。今日呵豐姿靚節猶堪羨。幸得一霎時瞻鳳輦。

【雁兒落】那知道賽西施分外妍。只信道同嫫母誰超薦。萬乘尊難改言。九迴腸何勞戀。

【得勝令】説甚麽大漢德威宣。那一個宰相是豪賢。耗糧餉的百萬空屯戍。拜封侯的韜鈐少將權。反倚着良家子和邊。文人行陪筵讌。癡圖着夭驕子保全。犬羊心那得堅。

【甜水令】只量這軟兀剌腰支。那知他忍奈嬌羞。憤伸幽怨。何用厭腥羶。快攬絲韁。高攀戰馬。輕如掌燕。沙漠望翩翩。

【折桂令】見那迎送的擁後遮前。旌旗閃閃。金鼓喧喧。原不想希寵青蒲。已辭永巷。無夢甘泉。去上谷光禄塞黄雲低捲。出燉煌夫人城白草遥連。穩坐雕鞾。謾策金鞭。紫檀槽滿抱琵琶。玉纖手細理鵾絃。

【離亭宴歇指煞】六幺又把霓裳變。聲聲銕撥搖金釧。銀鎖鎧都争捧着瓊仙。雙眉淡翠蛾。三生原紫塞。萬里牽紅綫。苦樂總由人。得意何如賤。本華夷夙緣。冰雪埸氈帳暖。生出竝頭枝。弓刀林貂襖窄。長成連理帶。酥酪酒打圍歌。日日胡笳勸。名成漢室勳。節壓文姬傳。閼氏號娘娘。榮顯留青塚。到如今縱經寒春不淺。

己巳除夕

【北黄鍾醉花陰】百歲光陰苦無幾。老去也光陰更疾。駒過隙水東馳。纔是重陽。又早輪除夕。繞千嶺雪晴輝。寂寞茅堂翠微裏。

【喜遷鶯】小柴門幽致。家壁立近枕潭西。堪嗤。送繁華殘年無具。空飽牙籤萬卷奇。説甚麽生花筆。且一任糟糠人冷言絮聒。怎撑達索債主火急燒眉。

【出隊子】俺只緣爲儒失意。一無成百事灰。覽明鏡羞垂蓬鬢飛。逢良辰常蹙劍眉低。到如今折損生平氣。

【刮地風】西舍東鄰齊鬬美。聽絃管細撥高吹。没打筭欲典貂裘敝。猛驚看小吏青衣。沈賢侯尺書來寄。俸餘錢遥慰心期。六丁神三天界下解愁圍。有幾個酸丁舊識。大半兒支派相資。難道是同胞眼見忘休戚。也須學割肉濟鷹飢。

【四門子】剩幾文難買臨時貴。只家常酒共食。新釀也香。鮮鯉也肥。這團圞那羨排筵席。燈燭又輝。榾柮又煨。守今夕大家兒戲。

【古水仙子】俺俺俺儘蠶豪還未已。搊搊搊直喫到往日高陽醉。唱唱唱一曲梁州。老老老歌喉猶脆。笑笑笑倒匏樽衫袖濕。起起起舞婆娑把如意提。醉醉醉大兒扶側玉山頹。恠恠恠小兒檀板胡敲碎。呀呀呀荒村不覺曉鳴鷄。

【尾聲】海日東昇散霞綺。料春風吹綻紅梅。走探王潭香信裏。

壽汪南明司馬六十〔二二〕

【北黄鍾醉花陰】浮世光陰又花甲。舊鴛行心頭不挂。甘田里課桑麻。杖伴青藜。常共漁樵話〔二三〕。卧幽谷坐官衙。誰認真來誰認假。

【喜遷鶯】早年間明經撑達。攀雲霄要路連踏〔二三〕。堪誇。一時名知華夏〔二四〕。補天手人人望女媧。更神筭閒兵法〔二五〕。細數着戰鬪海平倭冒險。説甚麽窮河源犯斗乘槎。

【出隊子】爵尊司馬。出關門遠漢家。按黄雲白草捲風沙。聽月明青塚咽胡笳。驅犬羊避獵陰山下。〔二六〕

【刮地風】皇恩正奮深酬答。調元氣斗柄來拏。還安排民俗澆漓化。運復亨嘉。誰承望青蠅一抹。雖然是美玉無暇。乞寧親。供禄食。且任蛙鳴。從歸來文章班馬東吴壓。誰敢竝定霸詞家。一字字難品黄金價。藏名山護紫霞。

【四門子】讓他們戀寵忘擔怕。倚精靈多調法。嘆奸雄終倒。埸空一場。費多少波查。受安閒。隨戲耍。怎如恁識時務粧聾做啞。

【古水仙子】看看看初度好年華。喜喜喜晴和春風好迎臘〔二七〕。鬧鬧鬧奏管絃四集冠裳。想想想綈袍人難追高駕。好好好逃禪社邀黄髪。燈燈燈無盡祝袈裟。是是是重來補位一菩薩。斟斟斟何用他緑醑傾瑶斝。飲飲飲争捧着這石鉢趙州茶。

【尾聲】聲朗朗齊誦華嚴罷。滿座賓朋訝雨花。要甚麽天魔女還降〔二八〕弄琵琶。

賀宗姪同甫六十

【北黄鍾醉花陰】七夕將臨秋景美。好張讌生辰賀喜。翻做了策騮馬控金羈。不憚驅馳。望建業繁華地。風流債未忘機。往事于今又尋覓。

【喜遷鶯】六朝遺跡。桃葉渡畫閣朱幃。妖姬。賣嬌羞成行作隊。老子豪興未衰。天生下五陵俠氣。全不管鏡中髮變。終肯吝囊裏金揮。

【出隊子】同盟宗義。臨行將賞菊期。料風塵誰授客途衣。買寶劍懸腰故里歸。補壽筵大展賓朋會。

【刮地風】釣前溪細砍銀鱗鱠。那更逢紫蠏初肥。最堪憐玉液蘭漿味。賢婦家醅。說甚麽借聲名軒車繡綺。怎如俺含意氣布素真知。醉春亭。嘉樹舘。東籬斜對菊剛開。霜信遲。齊祝頌。采泛樽罍直喫到晚霞鋪。暎入幽栖内。不覺的前山日墜西。

【四門子】恠蟾光此夜遮雙桂。怎能彀天似洗。鳳蠟燒。星斗稀。賽鯨鯢放量把長江吸。謔浪諠。絃管催。賓和主大家沉醉。

【古水仙子】誇誇誇平生有見識。任任任貪癡百般巧所爲。他他他守錢奴甘自波查。恁恁恁躭行樂便宜遊戲。暫暫暫一隈紅一倚翠。偏偏偏獨與俺說劍圍茶。苦苦苦浮生忙過隙。呀呀呀眼見的薰天勢焰冰消碎。問問問到頭來有甚盈虧。

【尾聲】非是恁傲世心腸何太僻。讓他們拍手相譏。這些兒關竅精靈。俺與恁百年誓休悔。

贈汪伯玉中丞

【北南呂一枝花】權收八陣圖。暫罷三軍令。柳營辭上將。草檄謝諸生。閩海澄清。伏臘瞻遺像。兒童送去旌。且埋没匣劍星光。須隄防酒杯蛇影。

【梁州】學塞翁謾嗟失馬。繫越王再請長纓。猛可裏得西歸田里偷閒静。抱忠義一心自赤。覷英雄兩鬢猶青。鵁鶄交險過市井。麒麟閣清讓山林。肯忘形結識上布素狂人。仰前修又續出蓮社新盟。只這幾篋書賽過萬户分封。只這幾篇文賽過鐫銘鍾鼎。只這幾首詩賽過肘懸金印。風波。可驚。嘆年來平地掀翻甚。早抽綸忙繫艇。休等待淺水蘆花没處尋。路失江村。

【尾聲】正遇着黄花籬下開三徑。尚未老綵袖堂前奉二親。况更有連行兄弟誇才俊。者麼那煮香蓴翠莖。鱠肥鱸玉鱗。拚醉倒一日千場休放醒。

孫從周沙上園[二九]

【北南吕一枝花】幽尋村市南。隱卜沙波上。萬竿栽緑竹。百畝帶滄浪。指點江鄉。不道山陰渚。還疑輞水莊。[三〇]照綸巾影動鮫宫。狎鷗伴身披鶴氅。

【梁州】斷俗塵蘼蕪繡徑。鎖仙霞薜荔環牆。翠微叠叠供屏障。洗墨池青衣抱硯。草玄亭小玉焚香。囀鶯歌花間滴溜。煮茶煙林外飄颺。貯圖書海嶽盈箱。擺商周鍾鼎成行。怎比那病潛夫冷落風流。怎比那窮詩人苦酸情况。怎比那老漁家村野行藏。更高臺。[三一]八窻。五城十二樓居壯。面東方冰輪漾。兩岸玻璃碾玉光。下瀉銀潢。

【尾聲】陰晴好把蘭舟蕩。朝夕頻將酒債償。世事從前總須放。趲金玉的無常。貪權勢的多殃。孤負了過隙的年華空鬧攘。

燕京除夕

【北南吕一枝花】笑當白髮年。誤入紅塵路。因酹關塞興。得上帝王都。一歲將除。浪迹如飄絮。光陰迅過駒。本是個卷經綸避世間人。翻做了躭寂寞長游羈旅。

【梁州】且隨時送舊迎新。且放懷烹鯉提壺。須知道今宵一刻千金度。懶携妖艷。喜有屠姑。休勞吟咏。好賭梟盧。中原隔久斷音書。王潭隱遥憶吾廬。喬松呵鱗甲昂藏。老梅呵瓊瑶亂吐。修竹呵鸞鳳扶疏。狂奴。釣徒。歲寒三友多孤負。鷗鷺林煙波曲。俗氣真誇一點無。舟繫菰蒲。

【尾聲】趁元朝早寫歸興賦。學戴上黄冠老鏡湖。破羊裘不掛無尋處。者麽恁麒麟畫圖。封侯萬户。争似俺瀟灑乾坤傲今古。

同程小樵園居守歲

【北南吕一枝花】山圍一姓村。沙軟雙溪道。衡門書綵帖。仙板换新桃。獨坐蕭條。

稚子忙來報。牽衣接故交。慰慈親休愧家貧。論地主惟憑情好。

【梁州】何須羡瑤觴寶鼎。受用足野簌纔殽。人生最有相知樂。紅爐對擁。絳蠟齊燒。香開深甕。緑泛團瓢。吸江湖酒聖顛狂。謾賡酬詩覇風騷。真喫的轉銀河迴斗柄霜凍寒生。管甚麽角巾斜衫袖濕玉山自倒。倩誰呵縛金烏沉碧海此夜迢迢。枯腸再澆。果然一刻千金。怎奈他臘將辭春將到。不覺的霞散東方日已高。拜賀元朝。

【隔尾】怕聞爆竹聲聲鬧。催逼的俺和你鬢上剛剛又一毛。百歲流光半消耗。看柳絲漸嬌。花枝漸饒。早多辦下些掛杖青錢。休把這着緊的繁華孤負了。

壽金白嶼八十

【北南吕一枝花】鬢垂銀繭絲。顔渥桃花片。方瞳青烱烱。鶴步舉翩翩。咲語喧喧。戚里藏丘壑。游蹤混市廛。本是個出乾坤隱遁巢由。權認做弄詞章風流嵇阮。

【梁州】一時家訪東山高登蠟屐。一時家傍青溪輕泛蘭船。喜良辰遐齡八十開華讌。兩行妖艶。四座英賢。齊歌錦瑟。争壽瑶篇。到如今婚嫁債已了塵緣。又何須陰陽鼎别覓靈詮。尚傲視王公呵高世寵。説甚麽大將呵懸肘印。真笑殺富家呵滿囊錢。詩仙。酒仙。玉山頽花下扶金釧。興難降觴猶勸。不覺的叢桂亭前月正圓。酒送如泉。

【尾聲】從今後縱徵書懶上明光殿。續手稿還添幾卷傳。待誥封滿却兒孫願。任風雲變遷。兔烏旋轉。直看到滄海翻成水清淺。

壽汪仲嘉尊翁七十

【北南吕一枝花】草色繡如茵。花艷排成陣。社來纔晝永。日暖正春分。初度佳辰。甲子三添閏。乾坤未老身。本是個抱謀猷聖世英雄。翻做了折志氣違時高隱。

【梁州】爲浮生早酬婚嫁。託佯狂傲殺風塵。謝天公贏〔三〕得清閒分。有時節隨農親稼穡。有時節倚杖看雞豚。有時節素琴吟坐石。有時節直釣戲垂綸。祝瑶篇滿座上諸賓。挺瓊枝繞膝下兒孫。窺綺筵鶯有意不住争歌。狎蒼顔鶴相知常教雙引。照蘭漿月多情須醉千巡。休辭。再醺。軒轅峰北望祥虹近。竈猶存丹曾問。石匣遺文鎖亂雲。通籍仙真。

【尾聲】羨門庭漸改繁華運。詞賦名家有俊人。爲君先報褒封信。五花誥金紫榮親。萬鍾禄甘旨承恩。直算到百歲歡娱受用足穩。

丙子大雪偕士龍訪弟文欽山居

【北南吕一枝花】千峰雪片飄。萬里梨花落。荒村人斷絶。老子興纚豪。鄰舍相邀。潄履尋孤店。當壚買濁醪。且大賀人日豐年。管甚麽錦囊錢少。

【梁州】正半酣隔前溪遠迷烟樹。猛懷人穿小徑踏熟瓊瑶。山坳曲岸茅岸罩。傍竹籬高鷩犬吠。扣柴門斜掠梅稍。何用學灞橋策蹇。怎空教剡水迴橈。咲迎着蓑笠漁樵。誇不減鶴氅風標。痴則痴小兒曹閉蘭閨擁鸞衾春夢方濃。俗則俗富家郎列紅爐煮羊羔歌筵胡炒。苦則苦窮詩人撚吟鬚呵凍墨多費推敲。敢與俺。量度。傲清寒獨占乾坤俏。自參玄誰知妙。一任留酣勸幾瓢。醒别難饒。

【尾聲】喜尚喜臂鷹走馬臨邊堡。白草黄雲野火燒。帳房雪壓連天砲。割雉兔烹炮。吹胡笳圍繞。細點檢行樂平生赢得這場好。

沈君典太史過訪潭園

【北南吕一枝花】王潭園閒坐釣漁磯。夕陽天驚報高軒貴。宛陵書春初封尺鯉。少微星雨後照紫扉。殘月蛾眉。續雞黍前賢約。正盤餐野蕨肥。且休愁馬青蒭奴白飯信宿難留。常慣賒清如聖濁如賢東鄰酒美。

【梁州】略禮法將賓作主。索樽罍捹醉如泥。若非是相知肝膽相敵對。一個家怎肯屈聲名盡情折節。一個家怎肯辱丘壑所事忘機。一個家翻妬殺緑蓑傲世。一個家尚自憤白髮早栖。遇真交心事重提。負明時烈焰成灰。有時節没思量幔松樓啟瑶匣九轉方抄。有時節猛抖擻封硯壇開寶匣雙龍劍倚。有時節煞瀟條捫虱軒解豹囊五嶽圖披。忙辭。怎遲。謝東山早把蒼生慰。周召相唐虞帝。諫草無勞補衮衣。運賀雍熙。

【尾聲】小兒曹只争羨會雕蟲太史。班馬文章異百萬兵。誰知道瞞神鬼儒將孫吴韜略奇。按圖形出三邊曾犯風沙地。請長纓繫單于勒燕山早歸。爵公侯錫茅土讓成功不起。好再來尋俺這個不得志空老死的先生漁社裏。

中秋舟宿睦州

【北南吕一枝花】蘭舟纜白沙。皓魄懸銀鏡。寒波漂落葉。遥漢澹流雲。秋景平分。三百灘頭近。西風尚阻程。喜漁郎燈火相依。怕驚鳥啼聲相應。

【梁州】載得有幾斗兒盤瀼瀼金盤芳露。買得有一雙兒活潑潑玉尺鮮鱗。江城漏下初更静。蓬窗獨坐。瓦缶慵傾。香閨別恨。游子離情。妬團圞越顯團圞。恠分明轉覺分明。去年呵蹶驊騮彈寶劍悲歌都市。今年呵訪仙真浴龍湫又還雁嶺。明年呵知何處走風塵。未卜陰晴。多少青春。浮生瞬息年華迅儘。大半客底身。天涯悶。逼趲的兩鬢霜華積漸盈。孤負良辰。

【隔尾】家音預報鉏三徑。橘緑橙黄脱圃新。到日殘光可乘興。邀鄰舍詩人。搳酩酊夜飲。直賞到一線蛾眉纔放醒。

為孫瑞卿赭坑隱居編

【北南吕一枝花】護煙霞丹谷深。聳霄漢梅山峻。白雲樓朝夕望。紫金院往來頻。棲託幽真。桃李辭凡艷。松筠絶點塵。臨三池纓可濯瀑布通泉。垂五柳鍛堪依濃陰坐穩。

【梁州】厭諠譁漁樵混迹。守田園麋鹿相親。幸今逢太平治化唐虞運。荷鋤抱犢。結耦耕耘。蕨薇飽腹。蓑笠〔三〕容身。只看做供租賦編户之民。誰知是尚肥遯傲俗高人。尚難忘守詩書承祖遺編。須索要課誦讀傳家根本。又何心希富貴一任兒孫。雞豚。酒樽。良辰美景還風韻。東鄰遠西鄰近。遠近招邀盡日醺。無禮數無主無賓。

【尾聲】者麽恁貪貴的翻變做勢焰成災疢。貪富的豈能彀腰纏保久存。怎如恁會亨安閒分。聲名呵異動。繁華呵一瞬。只怕這覷破的先生羨君隱。

七十自壽

【北雙調夜行船】七十光陰報道來。駒過隙浮世堪哀。桃李顏衰。雪霜鬢白。無奈他鏡中盡改。

【喬木查】笑當初狂態難打算。功名不自揣。覷萬里青雲易草萊。向齊門彈寶瑟。命運原乖。

【慶宣和】望斷彤廷與玉階。漸老塵埋。不遇黃金買駿才。休道。駑駘。

【落梅風】窮酸丁。自裁劃。有甚福錦袍皂蓋。讓豪傑休爭放下懷。總一霎榮華成敗。

【風入松】平生心性本胡歪。與俗少和諧。當官恐惹當權怪。惡風波多少疑猜。反不如清閑自在。到頭來無禍無災。

【撥不斷】辨芒鞋。愛蒼苔。承家惟有村西宅。適興還依野水涯。無心不夢長安陌。輞川一派。

【離亭宴帶歇指煞】問奇字誰把香醪載。低聲價難把文章賣。常孤吟釣臺。戲狎白沙鷗。舞欹青箬笠。淡飽黄虀菜。移文誚北[三四]山。真隱憐西塞。今日呵把壽筵小開。花對碧桃春。勸歌雙調拍。賀許同心客。深參造化機。謾理兒孫債。老天公何心布擺。縱瀟散出形骸。任桑田變滄海。

樂府小序

予客生大江之北，年弱冠而好説劍，迺遍遊中原。聞縉紳先生有以樂府名家者，無不訪而問焉。若韻書，若譜格，八百三十二名家，一千七百五十餘雜劇，皆得領其大略矣。後還鄣鄉，圖以明經干禄，而置之若未前聞。及壯而成，遂愧爲儒。棄去之時，于隱園獨居之暇，隨境感事，漫一編揑，惟存此册，散失者多。兒輩以予老，而請梓之。噫。樂府由于三百篇極其變，無容言矣。制作雖始于金元，比興實承于豐鎬。分有南北，合統中原。才本性，真氣從，疆土方言，亦爲跌宕，詞情自别風神。樂府之擬，孰謂易于擬耶？江左從來亦有二三作者，足稱庶幾矣。近浸多見，惜哉！務頭未暇，尚味三聲，他何足論。予此册之梓，用傳中原名家，以希教益耳。豈敢自信于按拍，而未審其能盡協律得被之鶡絃否也。萬曆乙酉年六月朔十嶽山人王寅

〔一〕以下疑脱五字。

〔二〕此曲北宮詞紀題同，注王十岳撰。

〔三〕「淡蛾眉」三句，北紀作「春來花似霧中看。秋到霜從鬢上添。對粧臺羞見朱顔變。」

〔四〕此句北紀作「縱當年女俠名傳」。

〔五〕「不道嬌歌」八句，北紀作「今日個喉怯嬌歌。腰難妙舞。笑乏嫣然。要訴你家常話柴稀米欠。有何人車馬過置酒張筵。祇自熬煎。枉惹憎嫌」；「每逢人何用訴家簷事」句，疑奪一字。

〔六〕此曲北宮詞紀題同，注王十岳撰。

〔七〕「太皎潔」二句，北紀作「國色難容白玉宮。天姿合住玄芝洞」。

〔八〕「悶殺也」二句，北紀作「縱張敞畫眉難認。便何郎傅粉難工」。

〔九〕北宮詞紀題作「謝友人贈鬬雞」，注王十岳撰。

〔一〇〕此句北紀作「籠來喜見猙獰狀」。

〔一一〕「許秋來」，北紀作「趁秋風」。

〔一二〕「窮則窮」二句，北紀作「老則老須信有英雄伎倆。窮則窮怎教您飲啄徬徨」。

〔一三〕「老來」，原作「老夾」，兹改。

〔一四〕「從來」，原作「從夾」，兹改。

〔一五〕北宮詞紀題作「放懷」，注王十岳撰。

〔一六〕末二句北紀作「熱處休攢。冷處偷瞧」。

〔一七〕「宵」，原誤作「霄」，兹改。

〔一八〕南宫詞紀收第二、四首，分別題作「訪汪伯玉歸隱」和「訪汪中丞先宿南素菴有贈」。

〔一九〕「交道」，南紀作「隊裏」。

〔二〇〕原僅書「離亭燕煞」。

〔二一〕北宫詞紀題作「壽汪南明司馬」。

〔二二〕「杖伴」二句，北紀作「嘯傲烟霞。常共看漁樵話」。

〔二三〕首二句北紀作「早年間名揚華夏。起賢科要路撑達」。

〔二四〕此句北紀作「更百萬胸中兵甲」。

〔二五〕此句北紀作「把黄鉞假」。

〔二六〕以下兩曲北紀完全不同，兹全録如下：

【刮地風】眷注在天心寵賚加。調元氣斗柄來拏。撫綏着中外歸王化。挽澆漓世運亨嘉。誰知道忌成功謗書堪詫。生把個無瑕璧青蠅一抹。他每都逞奸猾亂嘈雜。幸賴着聖明君九重昭察。因此上解朝簪買釣槎。費從前多少波查。

【四門子】論胸襟氣概把乾坤壓。霸詞場占大家。賦長門一字千金價。藏名山護紫霞。親年又康。子弟又佳。向東陵倣邵平閑種瓜。木石且居。鷗鷺且狎。識時務粧聾做啞。

〔二七〕「春風好」，北紀作「春氣忙」。

〔二八〕「還降」，北紀作「遥降」。

〔二九〕北宫詞紀題作「題孫從周沙上園」，注王十岳撰。

〔三〇〕「不道」二句，北紀作「似放山陰舫。疑來輞水莊。」

〔三一〕「更高臺」，北紀作「更虛堂」。

〔三二〕「羸」，原作「羸」，兹改。

〔三三〕「笠」，原作「苙」，兹改。

〔三四〕「北」，原作「比」，兹改。

唐順之

唐順之，字應德，一字義修，號荆川，南直隸（今江蘇）武進人。嘉靖八年（一五二九）進士及第。以郎中督師泛海，屢破倭寇，以功擢右僉都御史，巡撫鳳陽。學識淵博，爲文師法唐宋，與王慎中、茅坤、歸有光等被稱爲「唐宋派」。著有荆川集二十卷，文集三十卷，樂論八卷，左氏始末十二卷，及廣右戰功録等。編有六家文略、史纂左編、兩漢解疑、荆川稗編等。生於正德二年（一五〇七），卒於嘉靖三十九年（一五六〇），年五十四。

套數

題情

【南商調二郎神】寄來書。千言萬語都道我情未堅。一水如同隔楚天。想昔日枕畔盟言。也曾許種玉藍田。到如今被滚滚風波却把藍橋渰。那浪蝶把名花污染。我也無緣再圓。情默默空自對鏡臨淵。

【集賢賓】從來好事皆在天。誰知兩下無緣。我比宋玉憂愁增萬千。向書齋度日如年。你娘見偏。聽讒言將人逐趕。難相見。對孤燈悶懷淚漣。

【啄木兒】休埋怨。莫嘆嗟。只爲蠅頭利却將恩愛撇。冷落了軟玉温香。害得人腰肢瘦怯。我爲你被賓朋們咲道是忘家業。你爲我被多人見怪成磨折。只爲一曲陽春翻成兩怨嗟。

【三段子】你自説墻花可折。我將你做姮娥在月。你的病容瘦怯。我兩眉峰攢成萬結。並肩齊拜瑶臺月。山盟設盡言猶熱。忍下得辜恩成永訣。

【前腔】當初乍别。翦青絲將紅羅帕結。陽關唱徹。酒入愁腸化成淚血。道此行休惹閑風月。逢花莫把奴抛撇。此語記心頭。教我待撇怎撇。

【鬬雙鷄】歸來後。歸來後。蘆花明月。青樓静。青樓静。綉簾半揭。這離恨又從頭打疊。相思病已成。懨懨瘦怯。雖向黄泉。這一靈兒等伊相見。方成灰滅。

【尾聲】風流惹下風流孽。筭在包時難見節。直待相逢和他慢慢説。（群音類選）

按：此曲樂府先春無題，注張東海撰。群音類選題作「題情」，署唐荆川著。彩筆情辭題作「懷所歡」，注明舊辭。昔昔鹽題作「閨情懷别」，樂府争奇無題，俱不注撰人。未知孰是，兹姑以之屬唐氏。

張鍊

張鍊，字伯純，號太乙，别號雙溪，又署雙溪漁人，陝西武功人。康海之甥。嘉靖二十三年（一五四四）進士。由行人遷刑科給事中，以忤權要被廷杖幾死。出爲湖南按察司僉事。有太乙詩集五卷、經濟録、雙溪樂府等。生於正德三年（一五〇八），卒於萬曆二十六年（一五九八），終年九十一。

小令

【北正宫醉太平】

自况

荷當今聖人。與萬物同春。草茅無力答鴻恩。做林泉小隱。結茅廬直與青山近。採靈芝走向白雲。盡把漁竿坐到緑溪昏。這生涯倒穩。

省人情的管寧。不惹事的劉伶。嚴光豈是務虚名。有高才怕甚貧。窮不改扶犁性。

風塵感起卿杯興。功勞怎換釣魚情。比韓彭異等。

終南仙館

揀松陰繫馬。喚童子烹茶。山柴帶葉煮胡麻。設黄茅坐榻。青山緑水無冬夏。雲門月窟如圖畫。玉爐金鼎鍊丹砂。説蓬壺是假。雲遮了遠山。風掩上柴關。與仙翁對坐小蒲團。候松梢月轉。齋鐘響處清猿斷。洞簫吹徹紅霞散。瑶琴撫罷碧窗寒。把靈文細揀。聽幽揚鳳笙。望飄渺霓旌。天風吹下步虚聲。倚高寒眺騁。麻衣帶露穿松徑。芳齋隔水鳴金磬。石巖面壁誦黄庭。是仙家光景。箇中人問我。爐内事如何。三千六百謹調和。按陰符陽火。乾坤旋轉如搬舵。陰陽催趲如推磨。屯蒙反復似攛梭。看開花結果。

京邸寄友

和風擺柳絲。細雨潤花枝。客窗啼鳥夢回時。恨飄零浪子。高堂冷落斑衣事。幽閨想像回文字。蘭亭辜負賞花詩。爲功名半紙。

偶書

利名場路陡。是非海人稠。風雲會裏惹冤讎。趁早兒罷手。黃鷄濁酒窮將就。清風明月閒迤逗。狂朋怪友共追遊。省出乖弄醜。富和貧怎麽。好共歹由他。聰明癡蠢待如何。一百年散夥。論功勞誰似韓侯可。論家私誰似石崇大。論才學誰似子雲多。看他們結果。心腸休碎小。脚步要堅牢。蒼天有眼把人瞧。只爭遲共早。積陰功勝似羅天醮。惜精神便有長生道。使心機就是殺身刀。到頭來自覺。

對酒

喚蒼頭再買。倩紫玉頻釃。磁罍倒盡卧蒼苔。趁花香月色。朝醒暮醉何妨礙。科頭跣足無驚怪。嘲風詠月這襟懷。覺天寬地窄。

【北正宫塞鴻秋】

秋日過滸西有感二首

緑溪長尚識桃源路。碧山幽不改垂楊塢。畫堂深塵滿白蓮幕。繡簾低煙鎖青楓樹。金魚换酒時。玉斝留人處。翠屏空淚寫悲秋賦。

雁行斜影落芙蓉沜。鹿羣閒聲斷梧桐院。水風輕夜冷沉香篆。海天高露濕泥紈扇。難招謝傅魂。易老韋娘面。翠紅疎寂寞茱萸宴。

漫　成

曲江池常欠劉伶債。輞川莊苦把王維戒。大紅村剛赴麻穀賽。麗春園又打鶯花寨。詩魔到處狂。酒病連朝害。快活仙不躧風波界。

瘦身軀那討拔山力。熱心腸怎使牢籠計。淡文章空負凌雲氣。壯襟懷不灑窮途淚。清閒樂有餘。貧賤心無累。淡生涯熬殺兒曹輩。

【北雙調沉醉東風】

賞牡丹

芳徑側紅英散錦。畫闌中緑葉攢雲。風來翡翠翻。雨過胭脂潤。俏西施臉帶微醺。多少嬌香富貴春。比不下名園上品。

閱世

背地裏瞞神謊鬼。向人前苦眼鋪眉。戰競競捉虎心。惡狠狠牢龍計。討別人多少便宜。百歲逢場鬧幾回。做不到盧生夢尾。

歹心腸天生碎瑣。巧舌頭好起風波。平白地降與福。好没生翻成禍。兩頭間總是蕭何。使盡機關待怎麽。大限來一般散夥。

殢煙花疏親慢友。愛錢財覓縫鑽頭。佛面上刮下金。虎口裏奪出肉。一盤兒送與胡尤。好處争來歹處丢。才算做出乖弄醜。

遣 興

氣布袋裝着快滿。悶葫蘆打破何難。花間鸚鵡杯。扇底芙蓉面。共他們遣興消閒。自覺胸襟海樣寬。不是把眉頭强展。

自 解

貴與賤人休挣側。富和貧天已安排。葫蘆提無是非。伶俐種多成敗。這其間不索疑猜。偏是英雄命運乖。背地裏將心自解。

勞攘處青春易老。富豪人白髮難饒。花無十日紅。人想千年寫。不肌寒何苦煎熬。雖是山人命福薄。到省下閒愁浪惱。

對酒圍碁

一尊酒能除妄想。幾盤碁且度時光。壺中世界寬。肚裏襟懷暢。了浮生急急忙忙。一任傍人笑我狂。不落在兒曹細黨。

夏日

翠簟涼蝴蝶夢醒。綠窗虛菡萏風輕。盼不來北海尊。禁不住東山興。撚吟髭獨步閒庭。笑倩奚奴喚小卿。斜倚定闌干慢等。

戲贈

三千箇煙花隊伍。二十年雲雨江湖。黄金買賦來。彩筆題橋去。卓文君試看相如。他日門迎駟馬車。不枉了鶯儔燕侶。

江南別意

帶暮雨依依敗柳。駕西風泛泛扁舟。魂消白紵歌。淚濕青衫袖。盼行雲目斷汀洲。一葉孤帆萬種愁。載不過龍江渡口。

雲雨散巫山杳杳。雁鴻來湘水迢迢。孤燈夢不成。極浦愁先到。玉人兒何處吹簫。別鳳離鸞恨怎消。一夜把秋郎瘦了。

閒情

眼兒裏常常見你。影兒般步步相隨。一朝一箇雲雨期。一夜一箇鴛鴦會。美恩情似水如魚。我拚真誠你老實。那裏討眉南面北。

【北雙調水仙子】

漫興

雲篇裁翦一囊收。寶劍提攜四海游。金丹鍛鍊三年就。把平生志願酬。覷人間萬事浮漚。生長定煙霞領袖。結交下漁樵伴偶。打熬成風月班頭。

兩輪日月掌中梭。萬古風雲水上波。半生事業花間座。恰才知我是我。夢魂兒不上南柯。引丹丘高懷落落。覷紅塵浮名瑣瑣。對青尊大笑呵呵。

東門廣種邵平瓜。南浦常灣博望槎。西溪不減樊川畫。這風光都付咱。得清閒不説繁華。門外與王劉講話。花間和嫦娥戲耍。共圓成潦倒生涯。

功名已弄半截蛇。嗣續才存兩箇徠。家私休造千年業。且隨緣受用些。不瞧科枉做豪傑。玩多少清風明月。吟多少陽春白雪。抵多少富貴驕奢。朱唇疊唱謫仙詞。玉簡重函子美詩。綵毫細寫羲之字。論高才誰到此。也只争命運參差。游蜀道平生心事。哀江頭當時樣子。賞蘭亭身後名兒。

聞雀

百花影裏引紅粧。萬柳陰中覓草堂。雙溪渡口沽新釀。拚今朝入醉鄉。比東山興趣還長。白髮三千丈。金釵十二行。消遣時光。

清晨喜鵲噪雕簷。喜事來家有幾般。第一來儹下錢千貫。第二來做大官。都不如兩字平安。一百座銅山開卷。十二考中書奏滿。與身心半點無干。

閲古

鴻門會上一張席。九里山前十面圍。烏江岸側三番氣。看他們使見識。到如今那個便宜。誰不羡留侯智。誰不悲霸王威。又誰知漢業成灰。

屈原沉墜汨羅江。尚父遭逢渭水陽。武侯出離龍岡上。爲他們有伎倆。到如今那箇高强。佐楚的多惆悵。扶劉的空鞅掌。興周的也有無常。

夏日南園即事

半窗花氣浸人香。滿院槐陰入座涼。一簾草色侵階上。卧南薰清晝長。醒來時獨坐藤牀。遠聽鷄啼墅。閒看燕繞梁。不説羲皇。東山佳句紫泥封。北墅鮮桃綵袖籠。西鄰角黍春纖送。這陶家不算窮。潑生涯越覺從容。雕闌畔棊枰響。花陰下酒盞濃。索强如塵世匆匆。

【北雙調折桂令】

四時行樂

樂遊園嫩水嬌雲。多少風光。獨自温存。宰下黄鷄。沽來濁酒。唤到紅裙。點羅衣蜂黄蝶粉。遶雕闌燕陣鶯羣。春色平分。花影斜曛。舞困倒西施。醉倒東君。過青橋十里平沙。山畔雲林。水面人家。刺手蓮蓬。酸牙杏子。耀眼榴花。靠西巖園碁打馬。傍東溪沉李浮瓜。飯飽胡麻。酒壓流霞。困倚冰肌。静掩窗紗。紫雲居白露洲邊。門外千峰。階下雙泉。八角耕牛。三椽茅屋。百畝桑田。引白衣賞黄花爛漫。喚青娥玩明月團圓。一覺安眠。萬慮蕭然。不近風塵。就是神仙。

歲寒時誰結幽盟。二妙頻過。三友閒庭。松徑蒼蒼。梅香淡淡。竹葉青青。做一箇東道主烹鷄烙餅。題幾首北風詩翦雪裁冰。醉解紅鞓。笑倚銀屏。送了閒閒。留下瓊瓊。

洞中圍碁

客來時剛罷琴書。又喚兒童。展放棊局。花氣氤氳。香階寂静。簾影扶疎。倒班兒山陰伴侶。占場兒洞裏歡娛。費盡工夫。使盡機謀。萬古英雄。幾陣嬴輸。

東歸值端陽

喜歸來正遇端陽。雖道貧窮。也有風光。酒榨菖蒲。門懸艾虎。臂絡香囊。時興好葵榴院敞。睡魂消荷芰風涼。伯仲相將。兒女成行。齊奏塤篪。對舞萱堂。

偶　書

喚奚奴灑掃茅齋。小小杯盤。日日安排。且喜詩成。也因酒美。又見花開。兩三番惡憂愁纏着便解。九十日好風光去了難來。正好和諧。不索疑猜。緊追隨舞袖歌裙。慢消磨酒盞詩牌。

有感

笑吾曹苦志勞形。一世榮枯。兩字功名。水底沉石。石中迸火。火上消冰。最參差人間九等。不均勻命裏三星。天有陰晴。月有虧盈。看破機關。省可經營。

歎光陰易去難留。才見朱顏。又早白頭。鴻雁南來。斜陽西墜。逝水東流。失意的吟詩喫酒。得時的拜將封侯。那箇優游。那箇憂愁。看破機關。何苦貪求。

嘲病妓

杜韋娘瘦損嬌姿。爲甚憂愁。想是相思。臉似寒灰。身如飛絮。氣比游絲。喘吁吁嚥不下藥餌。虛飄飄稱不起腰肢。背後嗟咨。對面推辭。假若要這病回時。除是得那個人兒。

即事

遍經過流水桃花。謝卻劉郎。又到黃家。偶遇玲瓏。高歌金縷。低摘琵琶。掩重門垂楊繫馬。坐閒庭銀礶烹茶。説也從他。笑也從他。去也由咱。住也由咱。

【北雙調落梅風】

春　游

青春暮。白髮新。不提防落紅成陣。九十日韶光歸去緊。甚功夫肯躭愁悶。

黄鷄嫩。濁酒香。小杯盤萬花亭上。笑引花奴閒眺賞。把花枝掃除魔瘴。

江南旅況

金風至。梧葉凋。偏是俺遠人知道。雨過澄江秋意早。雁傳書幾時來到。

簾籠静。砧杵清。象牀寒繡衾餘剩。月上烏啼夢乍驚。立蒼苔影兒孤另。

漁　翁

澄江暮。碧草秋。卧沙汀緑楊陰厚。月滿長干露滿頭。是漁翁醒來時候。

蘆風峭。荷水香。蓼洲寒釣竿才放。嗷嗷孤鴻雲外響。□□□□□□□。

【北中呂朝天子】

□□□。□□□。□□□□□□。□□□。換漁幾甌。我酬他數斗。醉了呵對舞麻袍袖。

棗梨盡成。禾蔴半登。松菊開三徑。太平閒煞老淵明。詩酒陶心興。風月追隨。雲山眺騁。幾椿兒遠世情。商山避名。桐江匿影。我比他還乾净。

黄梅冒寒。蒼松耐晚。翠竹迷深院。夜來白雪變青山。早起登樓看。灞水橋平。藍關路遠。待追隨不耐煩。湯羊羔酒暖。煮胡麻飯軟。保養我身康健。

【北中呂滿庭芳】

四時行樂

雛鶯乍囀。青梅如豆。芳草如煙。垂楊影裏桃花面。春色無邊。不多時紅深緑淺。儘由咱急管繁弦。日暮也游人倦。看花路遠。且向酒家眠。

詩餘興懶。夢回酒醒。曲罷琴閒。銀塘雨歇荷香散。獨倚闌干。笑世事浮雲過眼。

歎生涯倦鳥還山。但願的無災患。清晨到晚。又一日保平安。

虛窗易醒。秋霖初霽。纖月纔明。憑誰喚起登樓興。景物關情。滴蒼苔梧桐露冷。透疎簾楊柳風輕。兀自把危闌憑。對煙霞萬頃。誰知有少微星。

筐牀睡覺。鶴鳴松徑。雪壓梅梢。起來待赴江村約。將領朋曹。驢背上詩懷漸好。畫橋邊酒暈全消。正遇見賢東道。把茅廬靜掃。開新醞宰羊羔。

閱　世

烟霞自領。風雲易散。龍虎休爭。古今成敗天之命。枉自勞形。未央宮三千騎省。漢陽川十二連城。當日箇誇全盛。都做了荒丘斷嶺。日暮野狐鳴。

題洞庭漁父圖

雙楓渡口。半篙秋水。一葉扁舟。午風蕭灑荷衣透。雁叫汀洲。悶來呵漁竿上手。困時節布被蒙頭。魂夢也無僝僽。煙波釣叟。占斷洞庭秋。

閒　情

粧聾做啞。調脂弄粉。摘葉拈花。俏身軀掩映荼蘼架。咫尺天涯。俺這裏低聲兒問他。他那裏偷眼兒瞧咱。待去呵丢不下。臨行上馬。惱殺人雲雨隔巫峽。

【北中吕普天樂】

漁樵耕牧

打漁舡。溪頭纜。睡殘紅日。釣破蒼煙。松陰燕子磯。酪餅魚兒飯。濁酒沽來連糟嚥。醉時節又索酣眠。驚濤滿眼。狂風落膽。不到漁舡。

問樵夫。來何處。龍潭浩渺。鷄嶺崎嶇。溪邊獨木橋。谷口雙陽路。慘慘孤燈前村暮。喜歸來稚子歡呼。仙人一局。青山萬古。不禁樵夫。

這農家。無驚怕。攔門桑柘。遶屋禾麻。春來播種餘。秋後收成罷。羊圈邊頭牛棚下。掇家兒漉酒烹茶。杯盤簡狎。情懷蕭灑。總是農家。

牧牛羊。晴川上。一聲寒雁。半嶺殘陽。鞭敲牛角歌。脚躧岡頭望。漢代離宮蘇家巷。一處處衰草茫茫。名勞利攘。今來古往。誰見牛羊。

寓居長安寄五兄

斗城邊。燕山下。愁中故國。夢裏京華。生涯共轉蓬。世味同嚼蠟。人事音書相牽掛。歎年年人在天涯。兒郎好麽。功名是假。萋菲由他。

太微居南山時予在長安奉寄

武陵人。剡溪興。風雲弔古。山水逃名。花開洞口春。雨洗江天浄。杜甫祠前王維
峥。怎能勾載酒同行。蓬窗鳥聲。疎林月影。何限關情。

田家

麥初收。禾將秀。纔過南畝。又到西疇。旋篘新酒醅。爛煮雛鷄肉。野叟村童厮攢
輳。醉扶歸笑殺王劉。紅葵滿頭。青藜在手。信脚閒遊。

有感

百年身。千年計。盈虧有數。長短難齊。曹操奸。周郎智。石氏粗豪王家細。那裏
有不散的筵席。嚴陵釣魚。莊周灌水。到是便宜。

秋閨怨

夢回時。人何處。燈昏玉几。篆冷金爐。鴻雁來。清秋暮。密約幽期空辜負。這些

時信也稀疏。千言萬語。憑誰寄與。那箇狂夫。一番愁。十分病。芳心氣苦。瘦骨零丁。結不着歡喜緣。生就是孤單命。雁去魚來空傒倖。想多才甚日回程。西風乍冷。孤幃易醒。好夢難成。

【北中吕紅繡鞋】

四時行樂

貴與賤一場春夢。短和長幾陣東風。今年花似去年紅。花間人易老。身外事無窮。到不如葫蘆提厮和哄。

苦奔忙光陰有限。得消遥風月無邊。英雄回首是神仙。沿溪栽緑柳。撅沼種青蓮。這行藏誰禁管。

白雲圃花香酒美。仲秋天蟹壯鷄肥。草堂無事不稀奇。歌兒排雁足。舞妓鬬蛾眉。一日一箇瓮頭乾衫袖濕。

清湛湛銀臺燒蠟。煖溶溶磁鼎烹茶。筐爐圍火笑喧譁。絳唇歌白雪。碧碗泛流霞。醉了呵唤雙娥拂繡榻。

感　興

北邙山難分王霸。咸陽原盡是桑麻。眼中富貴鏡中花。使牛的耕殘漢苑。賣酒的占了王家。則除卻水和山不是假。

業錢財算來值甚。要功名何苦勞心。春宵一刻抵千金。眼前無俗物。座上有知音。且高歌須痛飲。

業礶子滿時打破。偶人兒提處輪着。浮生有眼不瞧科。儘氣力拏雲握霧。捨性命逐浪隨波。到無常才散夥。

京都下第

歎行藏半生貧賤。寄音書兩字平安。燕臺西向望函關。將琴劍休流落。領風月卻回還。卷經綸仍偃蹇。

遠迢迢雲山無信。恨悠悠風雨思親。青袍何事惹紅塵。幸際遇昇平運。空辜負聖明君。本無才甘受窘。

京邸春思

眺斜曛層樓晚照。舞晴風花片香凋。還鄉夢醒旅魂消。聽鶯燕無情緒。看紅紫也蕭條。望雲山增懊惱。

芙蓉面桃花扇底。鳳凰箏翡翠樓西。紅深綠淺正芳菲。尊前人似玉。座上醉如泥。這歡娛誰料理。

美人戲鞦韆

裾蕩漾風飄羅帶。鬢蓬鬆霧嚲金釵。行雲冉冉下陽臺。錦風箏隨着綫起。玉蝴蝶飛過闌來。休猜做出牆花忙去採。

簇春衫輕籠寶釧。送東風穩趁金蓮。碧桃花攬動綠楊煙。梁間翻彩燕。天上落飛仙。困乜斜歸去懶。

【北中呂喜春來】

四時行樂

黃梅雨過青山岫。紅杏花開白鷺洲。緑楊陰繫紫驊騮。春事優。都付賞花甌。

榴花雨洗胭脂浄。荷葉煙消翡翠輕。竹梢風弄凰鳳鳴。晴簟冷。夢斷水雲亭。

黃花擢躦淵明醉。紅葉增添宋玉悲。鱸魚勾引季鷹歸。風月美。詩句旋收拾。

從教雪擁袁安巷。且喜梅飄黨尉觴。可憐詩滿浩然囊。閒眺賞。江上好風光。

【北中呂山坡羊】

江中月夜放舟

潮聲乍響。月明初上。順楓林好把漁舟放。水雲涼。芰荷香。奚奴送酒漁翁唱。醉後呼風身倒仰。觴。飲興長。江。詩思爽。

閨 情

危樓月湧。疏簾風動。對瑶琴倦把梅花弄。鬢蓬鬆。眼朦朧。那人兒來赴團圓夢。半霎幽歡千萬種。空。不見蹤。重。躭悶冗。三更鼓打。一篝燈罷。抱薰籠獨立簾櫳下。暗嗟呀。淚如麻。如今記起從前話。誓海盟山都是假。咱。留戀他。他。辜負咱。

【北商調梧葉兒】

秋日滸西宴集

蘭沼澄波緑。楓林落葉疏。山徑晚雲鋪。檻外牽漁艇。溪頭問酒壚。醉裏夢花奴。歌一曲尋幽弔古。

有 感

富貴十年夢。神仙兩鬢絲。省可費神思。肘後千年藥。腰間萬貫資。若得稱心時。更做箇揚州刺史。

五日湖邊阻雨

處處榴花綻。家家角黍香。客裏過端陽。夜雨帆檣濕。湖風枕簟涼。鄉夢水雲長。流落煞青蓮社長。

即事

遲日移歌扇。香風蕩舞衣。清露冷金杯。吴酒甜如蜜。劉郎醉似泥。楚女緊相隨。簇擁向流蘇帳裏。

有懷

風静閒鴛枕。月明敞玉幬。香盡冷金爐。秋老芙蓉卸。天寒鴻雁疎。人遠夢魂孤。何處也朝雲暮雨。

閒評

千鍾禄。萬户侯。錦帶掛吴鉤。黄金榜。白玉樓。好承頭。那一箇天長地久。

狂生襪。隱士袍。芒履呂公縧。騎驢背。過野橋。得逍遥。到不惹閒愁浪惱。

閒情

花香嫩。月色新。深院夜平分。乘詩興。倚醉魂。意中人。央及著些兒便肯。

聞笑語紅梅院。會嬌羞白玉堂。留表記紫香囊。甜話兒厮傒倖。俏心兒暗忖量。親口兒自承當。把一箇肯字兒掂提了半晌。

性兒好堪愛人。心兒迷不自由。路兒窄又相投。燈兒下言難盡。枕兒上淚暗流。懷兒裏訴離愁。想字兒何曾住口。

詠石榴

美甘甘多滋味。紅丟丟難畫描。出落在嫩枝條。看了他顏色豔。嘗着他風韻好。口兒裏待噙着。只恐怕將他化了。

題小脚呂姬

白紵裹金蓮瓣。翠裙遮玉笋苗。綵綫結鳳頭翹。踏不滿凌波襪。趁不起楊柳腰。行不動越妖嬈。大氣兒呵着便倒。

【北商調醋葫蘆】

久雨有懷

望陽臺一片雲。聽瀟湘連夜雨。碧梧亭漸覺景蕭疎。盼佳期幾回成間阻。喫緊的藍橋無路。五花驄怎駕七香車。

鳳頭簪尚在牀。龍鬚席猶未捲。猛可裏行雲行雨暗巫山。再相逢知他早共晚。倚樓長歎。方信道别時容易見時難。

閒情

寄音書好幾番。盼佳期多半載。今日箇甚風兒吹你下瑶臺。小園亭霎時春似海。又一番幽歡美愛。不枉了月明千里故人來。

殢歡娱不放閒。想團圓直到老。誰承望連枝比目不牢堅。鏡中花霎時不見了。抛閃的鳳臺冷落。空教我憶秦娥夜夜自吹簫。

美人贈枕

翦巫山一段雲。鬮西川十樣錦。刺金蓮使盡玉精神。帶嬌香口脂和面粉。徒留下半牀風韻。那一夜不想起並頭人。托雲鬟翠黛長。印桃腮紅淚滿。玉符錦字效游仙。那人兒去咱偌近遠。爲甚麽夢兒中常見。想嬌魂只在枕兒邊。

【北越調寨兒令】

元日

共萬方。賀三陽。一曲宜春繞畫梁。旨酒馨香。燔炙芬芳。簫鼓韻悠揚。夢回草長銀塘。詩成梅落紗窗。人間新歲月。天上好風光。狂。爛醉咏虞唐。

隱意

韓信差。子房達。成事的蕭何今在麽。富了石家。貴了王家。正眼兒不瞧他。供仙翁煉會丹砂。引奚奴賞會黃花。門栽元亮柳。圃種邵平瓜。咱。省事處省波查。

寄五兄

兩地游。半生愁。目斷雲山天際頭。花發南樓。月滿西州。渭水向東流。不因貧賤何求。生教骨鯁難投。十年懷玉苦。終日倚門憂。休。只管覓封侯。

【北越調天净沙】

南川四時行樂

名園處處鶯花。晴郊段段桑麻。芳草叢叢車馬。春光如畫。桃源三兩人家。

長林細雨濛濛。幽齋香霧重重。遠岫奇雲聳聳。疏簾高控。瑶琴一弄南風。

西鄰社酒纔香。東籬菊蕋初黄。南浦歸鴻乍響。曉來川上。彩毫粧點秋光。

瓦瓶剩酒香飄。丹爐餘火寒消。斗帳幽人睡覺。兒童來報。夜來雪壓梅梢。

【北仙呂寄生草】

有　感

遲共早天安頓。榮和枯運剖劃。不隄防磻溪釣叟周王載。猛可裏洛陽游子梁王愛。平白地淮陰餓莩劉王拜。用着時頂天立地世稀奇。用不着東奔西竄人嗔怪。

安樂窩權安樂。快活仙且快活。新詩新酒新酬和。閒花閒草閒功課。隨多隨少隨緣過。想着他有權有勢有風波。怎如我無名無姓無災禍。

春　興

處處聞鶯語。行行信馬蹄。呼朋喚友成羣隊。穿花過柳閒游戲。烹鷄釃酒偏滋味。

幕天席地這胸襟。吟風弄月爲活計。

扇底芙蓉面。花閒翡翠裾。清溪梅柳增嫣潤。畫堂歌舞消愁悶。羅幃雲雨相親近。

東山單等謝安游。桃源不許劉晨問。

四時行樂

約北郭知心友。過東園處士家。驊騮繫在垂楊下。金尊列在花陰下。玉山倒在茅簷下。夢魂只在武溪邊。風光不在樊川下。

洞裏乾坤大。壺中日月長。惡愁煩休攢在眉尖上。巧機關休使在舌頭上。好賓朋常聚在池亭上。潑生涯都付酒杯中。瘦身軀疑在羲皇上。

翠竹迷歌管。黄花遶砌臺。丹楓落葉西巖外。白衣載酒東籬外。青尊問月南樓外。情懷瀟灑碧山前。形骸脱落紅塵外。

白雪紛紛下。青山處處迷。北風詩寫入花箋内。歲寒交請入雲房内。洞壺春酌入磁缸内。看了只老林逋醉卧錦屏中。不勝似懶袁安凍倒茅簷内。

【北雙調河西六娘子】

飲中四首

大拚着人生一百年。好光陰幾日新鮮。不隄防鏡裏朱顔變。呀。今日買良田。明日攢青錢。富貴何曾到九泉。日日花間倒玉卮。倩雲奴唱一曲新詞。近新來懶散了風雲志。呀。得便喫些兒。得便要些兒。那一日是人生稱意時。十畝園林萬種花。翠雲亭不近繁華。到春來粧點出王維畫。呀。碧碗泛流霞。金縷按紅牙。説甚麽東山處士家。避隱歸來酒興豪。喚奚奴再請朋曹。雲兒雪女都來到。呀。對舞鳳凰翹。痛飲鷺鷥杓。萬古閒愁一醉消。

題對山草堂

二嶺中間五柳莊。盡收拾酒盞詩囊。那搭兒不是風流況。呀。福也不思量。禍也不隄防。開口逢人笑一場。一代豪華兩鬢皤。二十年不近風流。覷虚名薄利連珠唾。呀。繡墅遶松蘿。畫閣列笙歌。便做箇王侯待怎麽。兩道清溪萬種花。四週圍盡是桑麻。眼前事事無驚怕。呀。銀礶煮清茶。金鼎煉黄芽。便喚做神仙也不恁差。

露濕羅衣月影寒。柳垂門花壓闌干。海棠庭畔薔薇綻。呀。把酒對青山。嘯歌倚紅顔。醉倒風流老謝安。

洞中即事

花吐清香柳帶煙。小奚奴將領着雙鬟。喜孜孜來赴桃花宴。呀。洞裏夜如年。壺内酒如泉。醉了呵和衣兒一處眠。

【北雙調雁兒落帶過得勝令】

自　慰

結識下鷗鷺盟。冷落了風雲興。潑生涯有剷劃。浪過遣無餘剩。對花月坐閒庭。辨鷄黍請高朋。得偃蹇山中趣。笑浮花世上名。四體康寧。保日日常歡慶。五穀豐登。願年年見太平。

灌溪頭十畝園。住谷口三家店。脚下登朱雀門。夢不到丹陽縣。呀。無賓客也開筵。有意趣便留篇。向緑野尋詩句。把青袍當酒錢。雖棄卻官員。儘受用魚蝦飯。總不是神仙。會將息草木年。

【北正宫小梁州帶過風入松】

自吟

數聲啼鳥囀庭柯。喚起詩魔。茅簷徙倚賦松蘿。無人和。行坐裏自吟哦。銀章錦字閒功課。勝人前信口開合。眼界寬。胸襟大。浮名細瑣。因此上不瞧科。池塘春草夜來多。隨意經過。霜毫一掃愁顔破。付蕘溪老子評駁。且把雲山粧點。從教歲月消磨。

自酌

眼前世事亂紛紛。怕待評論。不如且覓洞壺春。消愁悶。終日醉醺醺。鶯歌燕舞偏風韻。又何須翠袖紅裙。竹葉清。梨花嫩。自斟自飲。不覺的日斜曛。淋漓衫袖倒綸巾。酒力着人。興高才覺磁缸盡。喚兒童閉上柴門。一枕藤牀睡穩。夢魂不到紅塵。

自游

白雲何處訪丹丘。信脚閒游。芒鞋不跨紫驊騮。清和候。蘭芷遍汀洲。桃源正對青山岫。静巉巉無伴相求。花氣濃。松陰厚。沿溪路陡。興盡且回頭。當時笑我出滄洲。也覓封侯。浮名薄利乾生受。喜歸來蕩蕩悠悠。夢裏十年破釜。人間萬事虚舟。

自坐

淡風縹渺月如篩。浄掃蒼苔。烹茶等候紫雲來。情無賴。何處鳥鳴哀。感時對景心驚怪。怪英雄空老塵埃。白髮多。青春快。酒錢詩債。銷繳了濟川才。年來何事掛幽懷。整頓茅齋。蒲團小坐神通泰。緊收拾土木形骸。世路盡生荆棘。回頭便是蓬萊。

【北中吕上小樓帶過滿庭芳】

偶題

想着那青蠅結黨。明珠遭謗。因此上避世黄山。隨緣白社。把釣滄浪。坐草堂。數雁行。感時悲愴。望長安暮雲遮障。當日箇徒勞周黨。難留范蠡。易老馮唐。懶折腰歸去陶元亮。到勝似衣錦還鄉。七步才些兒伎倆。五陵俠幾日豪强。好把眉頭放。儘百年宴賞。三萬六千塲。

【北正宫脱布衫帶過小梁州】

美人戲鞦韆

隔紗窗幾轉流鶯。唤香閨好夢初醒。立東風梨花院冷。倚雕闌小樓人静。牆外鞦韆繫綵繩。喜孜孜女伴相迎。低低柳葉唤梅英。乘春興。鬭打不消停。鴛鴦畫板踏不定。蹴金蓮欵欵輕輕。玉笋攙。香肩並。嫩枝柯强逞。半霎兒困騰騰。

【北雙調對玉環帶過清江引】

江南秋思

暮雨絲絲。螢隨一葉流。衰草萋萋。蛩吟三徑幽。宋玉不禁愁。沈約從來瘦。望斷白雲。東山興未酧。落盡丹楓。吴門不可留。花底轆轤牆外柳。都把鄉心逗。江干鴻雁哀。逆旅黄昏後。夢覺新亭懷故友。

【南越調浪淘沙】

春興次渼陂翁韻

花鳥憶追尋。風雨春深。王孫猶負看花心。門外萋萋芳草緑。别恨難禁。
何日共知音。擊玉敲金。十年寂寞水龍吟。落盡梅花人不見。懷抱孤琴。
好景漫搜尋。樹色幽深。桃花門巷繫春心。人面不知何處去。此恨難禁。
鴻雁送佳音。一字千金。回文錦被白頭吟。萬恨千愁他付我。我付鳴琴。
幽意遠招尋。谷口雲深。松蘿勾引愛山心。微雨落紅鞋襪冷。高興能禁。
窈窕奏清音。擊損釵金。去年今日斷腸吟。别鳳離鸞無處覓。塵滿囊琴。
野老許相尋。籬落深深。清溪不隔愛花心。紅紫紛紛春易盡。好興難禁。
燕市賞嬌音。費盡黄金。五陵歸興伴豪吟。可恨鍾期今不在。擊碎瑶琴。

四時閨怨和山翁舅韻

春色太匆匆。怨雨愁風。梅花零落杏花紅。燕子來時人不至。望斷魚鴻。

錦帳剩芙蓉。夢也難同。鳳簫嗚咽曲方終。多少離愁吹不徹。還付眉峰。
風送藕花香。卧對銀塘。綠窗牽恨柳絲長。無那黄鸝驚妾夢。纔到遼陽。
蝶陣趁風狂。鷗鷺成行。芰荷影裏卧鴛鴦。都把離人相對付。惱亂柔腸。
何處效于飛。信杳音稀。梧桐葉落雁來遲。一點秋心千里夢。浪子争知。
含淚整羅衣。强理金徽。哀音凄斷暮雲癡。薄倖不來秋去也。倩女魂迷。
孤枕夢回時。雀噪寒枝。羅幃香盡冷金獅。窗外梅花增妾恨。不寄相思。
梅折向南枝。髮翦青絲。鸞箋和淚寫新詞。斷望長安無驛使。懷袖藏之。

即 事

斜插滿頭花。醉倚嬌娃。合聲兒齊唱浪淘沙。明月留人人意好。且莫還家。
這一夥小嫦娥。舞態婆娑。合聲兒齊唱醉羅歌。明月照花枝弄影。流入金波。
花夜影沉沉。良夜招尋。五言詩句七弦琴。琴中露出相思識。笑煞知音。
花影坐間移。清漏遲遲。玉纖扶醉入金閨。分付雙娥各自去。笑掩朱扉。

【南仙吕醉羅歌】四首

玉簫玉簫傳心事。羅帕羅帕繫相思。佳期約定賞花時。花落也人不至。一春辜負。

千紅萬紫。經年閒阻。鶯兒燕子。淚痕染就回文字。深閨怨。離恨詞。憑誰寄與那人兒。

雨濕雨濕薔薇架。月上月上夜合花。千愁萬恨付琵琶。琵琶撥盡。展轉在花陰下。也不見他。也不見他。花陰挨徹。立蒼苔冷透凌波襪。愁無奈。病轉加。憑誰說與劣冤家。

夜涼夜涼天街静。雲霽雲霽月華明。霜砧寒雁送秋聲。砧聲淒切。猶自把闌干凭。愁懷怕聽。雁聲嘹唳。離魂乍驚。更長越覺人孤另。風飄葉。花弄影。今宵有夢也難成。

夜來夜來燈花墜。今日今日喜蛛垂。素梅影裏啟朱扉。見駿馬當階立。低低問道。門前是誰。孜孜覷了。原來是你。露春纖扯入羅幃内。重圓鏡。再畫眉。海枯石爛不相離。

【南中吕駐雲飛】

四時行樂

張　錬

萬點花飛。十里紅香襯馬蹄。風軟鶯聲媚。日暖游人醉。嗏。行過小橋西。解下金

甌。濁酒沽來。把盞看花立。一段春光細品題。手拍銀
雨過横塘。緑柳陰濃晴晝長。夢覺棋枰響。睡起吟魂爽。嗏。對景興飛揚。
床。製就新詞。付與惜兒唱。一曲清平繞畫樑。
可愛黄花。勾引淵明到我家。共坐蒲團下。旋把新醅榨。嗏。碧碗泛流霞。低摘琵
琶。歌一曲歸與。講一會漁樵話。世上浮名休問他。
寒夜無眠。早起披衣等玉川。洞口茶煙斷。簷外梅香淡。嗏。無意覽雲篇。漫鼓冰
弦。三弄餘音。萬古閒愁散。笑煞城南老浩然。

四時閨怨

展轉嗟呀。從前薄情不似他。手托荼蘪架。淚濕鮫綃帕。嗏。人似雨中花。心緒如
麻。立盡花陰。指定鸚哥駡。養煞終須不戀家。
寶馬金羈。落在誰家不放歸。悶向池塘立。自把闌干倚。嗏。細雨溼荷衣。鷗鳥相
依。戲水鴛鴦。各自成雙對。野性的賓鴻着處飛。
涼夜迢迢。數盡更籌恨未消。簾外梧桐落。階下寒蛩鬧。嗏。枕冷繡衾薄。業眼難
交。半霎矇矇。忽聽鄰鷄叫。恰待團圓驚散了。

懶傍粧臺。倚定紅梅手托腮。任教相思害。自把芳心耐。嗏。靈鵲噪庭階。笑整金釵。囑咐丫鬟。先向門前待。今夜才郎準定來。

【南中吕駐馬聽】

四時行樂

一派啼鶯。幾朵花枝照眼明。因此上暫抛黄卷。笑引青娥。遠赴紅亭。六街微雨賣花聲。五陵芳草游春興。酒盞棋枰。憑他消遣與誰爭競。

柳豔荷香。玩水看山到草堂。看了這柳邊朱户。花底雕鞍。座側紅粧。晚風臺榭送清涼。遠山烟雨厮遮障。對影徜徉。滿拚沉醉愛蓮亭上。

皂帽青藜。雲水迢迢訪翠微。喫緊的鴈歸南浦。霜冷西湖。菊綻東籬。香梨脆棗甚稀奇。黄鷄濁酒偏滋味。村裏筵席。來時醉了去時還醉。

瑞雪漫漫。錦帳狐裘不耐寒。看了這梅飄粉砌。竹暗芸窗。鵲噪雕闌。青袍何處訪詩壇。朱樓正好排華宴。醉倚雲鬟。閒情瀟灑幽懷繾綣。

【南仙吕二犯月兒高】

四時閨情

曉夢誰驚覺。匆匆怨啼鳥。强傍粧臺立。羞把菱花照。仔細端詳。龐兒越清俏。落紅滿地無人掃。目斷斜陽。愁添芳草。焦。此恨向誰學。薄倖不來。辜負我年少。一自成歡偶。眉兒幾曾皺。誰想别離易。要見他怎能够。雖寄音書。虚脾兒枉逌逗。妾身好似池邊柳。儘鶯燕相欺。把芳心獨守。柳。軟弱不禁愁。盼望的郎歸。肢腰怕憔瘦。梧葉飄金井。嫦娥弄清影。過盡雙飛雁。韻悠悠畫樓静。懷抱薰爐。薄設設繡衾剩。團圓月照銀床冷。業眼難交。孤眠易醒。聽。何處玉簫聲。别鳳離鸞。相思又成病。風掃簷前鐵。嬌魂猛驚怯。翻倒鴛鴦被。獨自箇怎温熱。剔盡銀燈。更深乍明滅。寒梅伴我挨長夜。好夢回時。愁人瘦也。嗟。這段惡離别。須有日團圓。知他是甚年月。

【南商調黄鶯兒】

賞　花

終日爲花忙。訪城南舊草堂。千紅萬紫都開放。蜂兒恁狂。蜨兒亂攘。燕兒舞罷鶯兒唱。好風光。一春燕樂。不離了翠紅鄉。

終日爲花愁。怕芳菲不耐久。萬花亭風景還依舊。倩佳人玉手。插紅香滿頭。歎年來人比花枝瘦。恣優游。虚名薄利。休誤了賞花甌。

覓酒賞花來。有青錢何處買。兒童笑引疏籬外。磁缸旋開。銀瓶旋釃。淺斟低唱情偏快。笑咳咳。太平無事。閒煞濟川才。

把酒問花神。恐殘紅斷送春。素梅已是無情分。桃花笑人。梨花怨人。海棠半落猶風韻。對芳辰。輕憐痛惜。權和哄老來身。

【北仙吕一半兒】

題所見

斜陽村落柳含煙。流水人家春可憐。芳草池塘歌笑喧。映疏簾。一半兒桃花一半兒臉。

月　夜

碧紗窗外晚風清。楊柳樓頭斜月明。香盡薰爐鴛被輕。夢難成。一半兒朦朧一半兒醒。

春閨怨

又看鴻雁過南樓。獨捲朱簾上玉鉤。小院深深春事幽。繫春愁。一半兒花枝一半兒柳。

晚來窗下畫蛾眉。忽聽花間叫子規。約定佳期春暮時。見春歸。一半兒憂愁一半兒喜。

【北雙調慶宣和】

送　別

流水桃源去路賒。無限傷嗟。唱罷陽關訴離別。住者。住者。

淚點愁聲不斷絶。離恨重疊。五柳莊前七香車。去也。去也。

避　飲

露濕青巾月滿懷。醉眼慵開。誰捧金尊向咱釃。量窄。量窄。

小院沉沉玉漏殘。月轉雕闌。避飲歸來倚雲鬟。興懶。興懶。

【北雙調魚遊春水】

偶　題

得休休。便休休。好光陰。易去難留。古和今富與貴誰曾勾。越富越貪求。越貴越憂愁。冤家不自由。

好閒閒。樂閒閒。淡悠悠。與世無干。想從前恠事休驚歎。日出把魚竿。日落上柴關。心閒夢也安。

脚忙忙。手忙忙。日初出。直亂到昏黄。破工夫挣下些歪魔瘴。好也要斟量。歹也費周章。看看兩鬢霜。

晝營營。夜營營。幹不了。兩字功名。想榮枯險易皆前定。成也不須矜。敗也不須爭。蒼天有眼睛。

套　數

【北般涉調耍孩兒】吃緊的盟山誓海無查照。好光景登時過了。他前生分淺我緣薄。恨今生恰好逢着。這些時青鸞不到白蓮社。又只怕紫燕偷棲彩鳳巢。背地裏提名兒叫。似他箇謝天香咱該無分。則俺這柳耆卿他也難消。

【一煞】把一場美甘甘雲雨情。都做了虚飄飄萍水交。有離愁不似今番惡。我和他半生恩愛皆前定。眼見的萬種風流無下梢。不知是那些兒修不到。兩下裏悲鸞泣鳳。一般樣玉減香消。

【尾聲】繫相思道路長。寄平安音信杳。投至得通慇懃做好事的紅娘到。早把箇肯着迷無回和的張生憔悴了。

賀劉右史晉階生子

【北越調鬭鵪鶉】魏闕宣麻。夷門降册。晝錦千章。春雲五色。寶帶横金。緋衣絢彩。少傳庭。老子階。萱草葱葱。棠陰靄靄。

【紫花兒序】漢天子三朝報德。楊太尉四葉傳芳。梁孝王兩世憐才。想當初風雲際會。到如今魚水和諧。共濟清白。北寺中書接上台。情受了無邊寵賚。國奏奇勳。天轉崇階。

【小桃紅】千年基業恐沉埋。想嗣緒無聊賴。夢裏熊羆偶驚怪。早麟趾出胞胎。南園湯餅東陵載。葵榴正開。松筠可愛。人景兩奇哉。

【天浄沙】領壺觴朱履齊來。啟簾籠玳宴初開。拂沉檀羅衣笑解。風流慷慨。喚兒童玉醴頻釃。

【調笑令】看了他傍庭槐。掃香堦。象板銀箏次第排。鳳將雛一曲薰風外。聚賓堂那討塵埃。美酒如泉量似海。一班兒宛洛朋儕。

【禿厮兒】錦上花無錢可買。掌中珠命裏合該。進爵添丁都半載。招胤祚稱心懷。有樂無災。

【聖藥王】金谷財。兔苑宅。多情多趣會經畫。莘野賢。漆縣客。如兄如弟不疑猜。得燕喜略形骸。

【尾聲】從今後北堂人比松筠耐。世禄與河山不改。再滋生丹桂兩三枝。共保護皇圖千萬載。

壽太夫人七十

【北越調鬬鵪鶉】桂子纔香。金風未老。明月團圓。華筵窈窕。寶篆頻添。金波細酌。節序佳。風月好。青鳥邀賓。天孫乞巧。

【紫花兒序】稱觴的龐眉皓首。斑衣的錦帶吴鉤。當歌的霧鬢雲翹。有湘妃奏瑟。嬴女吹簫。畫鼓雲璈。一派仙音徹九霄。滿堂歡笑。三飯胡麻。再進松醪。

【小桃紅】人間五福壽爲高。積善的天心照。背後陰功眼前報。看兒曹。少年不負三遷教。田園也不饒。資財也不高。只落下麟趾鳳凰毛。

【禿廝兒】改不了形容美好。喜的是脚手堅牢。女嫁男婚皆遂了。逐日家樂陶陶。自在逍遥。

【聖藥王】你看這夜氣高。桂影摇。畫堂銀燭照青霄。移玳筵。歸畫閣。孫兒孫女緊扶着。繡户下朱箔。

【尾聲】七十年就是千年兆。打熬箇天荒地老。壽不止古來稀。福應知世上少。

壽渼陂先生七十

【北越調鬬鵪鶉】鶴嶺雲開。蓮陂日曉。衍慶堂開。游仙夢覺。玉醴新篘。香階静掃。雨乍收。秋正好。北海賓朋。南山頌禱。

【紫花兒序】翠雲屏紫沉煙裊。絳紗厨碧簟風寒。紫金甌緑蟻香飄。有芙蓉素額。楊柳纖腰。妖嬈。鳳瑟鸞簫擺列着。似一段綵雲連絡。人在東山。景勝蟠桃。

【小桃紅】想着他當年文彩冠天朝。傒落的龍顔笑。壯志曾將五侯傲。忿氣殺小兒曹。青蠅白璧無顛倒。恨則恨蒼生命薄。想則想朝廷有道。枉了教老夔龍山水伴漁樵。

【踏陣馬】歸去早。約劉曹。林泉探討。詩酒遊遨。風月推敲。春雨亭中攜小玉。四時賞心行樂。熬殺英雄。笑殺浮薄。

【天净沙】再不圖麒麟閣内功勞。再不論編修院裏才學。早則把邯鄲道中夢覺。一生懷抱。只在這渼陂莊上逍遥。

【調笑令】逐日家樂陶陶。逞風騷。千首新詩字字高。盡都是陽春白雪高山調。占場兒玉簡霜毫。惠連緊緊的陪伴着。共謳歌虞舜唐堯。

【禿厮兒】葵榴院金風未老。翠微樓溽暑初消。桑落酒熟風味好。對月夜賞花朝。爛醉酕醄。

【聖藥王】你看這紫錦袍。金鳳翅。謝家羣從列週遭。竹林七賢。商山四老。七十年一度慶生朝。見世老王喬。

【尾聲】歲星本是東方朔。怪不的清閒壽考。先博了名與斗山齊。更願取身同天地老。

壽對山舅六十四（二）

【北越調鬬鵪鶉】風月閒身。桑榆暮景。詩酒相將。雲霄倦騁。宜壽宜男。無災無眚。一事成。萬事輕。鶴髮朱顏。天長地永。

【紫花兒序】做耍兒金門謝策。當閒兒玉陛辭官。占場兒漆水灌纓。紫雲樓作賦。白虎觀傳經。總是虛名。怎如這自在神仙在陸地行。方信是樂天知命。逐日家嘯傲園林。歌咏昇平。

【小桃紅】人間合有少微星。偏分裏才華盛。驟雨轟雷少年性。禍福羽毛輕。有波渣掃不退登臨興。江東季鷹。林家和靖。風韻煞也還爭。

【禿廝兒】喫一盞龍團香茗。唱一曲樂府新聲。動不動紫玉碧桃列滿庭。調鳳琴奏鸞笙。交横。

【聖藥王】你看這弟與兄。舅與甥。人如美玉酒如澠。露氣清。月色明。香堦砌草度流螢。槐影上銀屏。

【尾聲】聚賢堂疑在蟠桃峥。好對付良宵美景。忘記了夜和明。倒班兒醉遺醒。

壽母太夫人七十

【北正宮端正好】白玉鳳凰杯。緑蟻葡萄醸。水晶盤細切羔羊。華筵擺就雲璈響。西王母從天降。

【滚繡毬】過岑樓雨氣涼。透疏簾花霧香。披霞衣五銖飄蕩。坐芝房三秀琳瑯。當歌的黄四娘。迎賞的阮大郎。攜壺的五陵官長。他們都閙轟轟走斝飛觴。南山曉日瓊林碧。渭水西風桂樹芳。萬福千祥。

【塞鴻秋】祖宗們世世爲卿相。弟兄們箇箇登魁狀。子孫們衮衮生才望。親戚們靄靄多情況。林居遠是非。家教崇謙讓。縉紳們濟濟來臨降。

【脱布衫】羡年來體健身强。也全憑處順安常。越覺的神清氣爽。那裏討四災八恙。

【小梁州】無病看題揀藥囊。手寫仙方。大家文彩世無雙。每日在書樓上。贊虞舜紀陶唐。

【幺】朱闌不許紅塵傍。共佛奴掃地焚香。身穿白紵衣。手把青藜杖。食息穩當。保萬壽無疆。

【上小樓】生長在蘇黄里黨。住居在朱陳門巷。也課詩書。也種桑麻。也牧牛羊。近水鄉。架草堂。桃花成行。比着那武陵溪又還清曠。

【幺】説甚麽黄金滿堂。喜的是明珠出蚌。看他每略稟清淑。雅慕貞潔。總愧才良。厮比量。相歡獎。不揀是聰明愚强。都與這暮年人助些景象。

【滿庭芳】良宵宴饗。歌翻玉樹。酒泛銀缸。繁絃急管聲嘹喨。破舞霓裳。翠簟冷風清明朗。玉壺澄雲影天光。身恍在瑶臺上。逍遥玩賞。秋色應天長。

【耍孩兒】九十年便有千年望。把福壽康寧並享。向平生何物感穹蒼。也只因勤儉慈祥。歷盡了五朝雨露朱顔好。博得箇萬里風雲彩袖長。無一事堪惆悵。待春水蛟龍變化。趁秋風鴻雁翱翔。

【二煞】東門瓜正甜。南園柿漸黄。北溪水暖鱸魚胖。青山盡遶三槐里。晚景偏宜五柳莊。遮莫枉。陶氏母回軒巷。當家兒烹茶烙餅。後坐客弄瑟調簧。

【尾聲】中秋時人月圓。北堂中賓從廣。願萱花常比松筠壯。把俺這一家兒子子孫孫常教養。

賀對山舅得逸子

【北正宮端正好】二十載背爺兒。猛可裏從天降。領着這山妻稚子還鄉。今日箇掇家兒聚集在高堂上。又一番賀客填門巷。

【滚繡毬】想着他吐風雲性氣剛。樂林園興趣長。幾曾遭半星兒魔瘴。恨則恨謝家莊桂樹凋傷。笑兒曹枉比量。托天公做主張。把明珠暗投在掌。你看這玉麒麟毛骨非常。本是箇風塵流落公卿子。比不得草野腌臢田舍郎。相貌堂堂。

【倘秀才】再不許魂勞夢攘。再不須行思坐想。見如今骨肉團圓在世爵堂。稱玉斝。泛瓊漿。一喫一箇浪蹡。

【塞鴻秋】快活仙自把愁懷放。羲皇人越覺閒情蕩。老精神不似今年壯。瘦形容頓比前春胖。能教萬事足。不索三牲養。好風光都攢在白頭上。

【白鶴子】看了這康太史文章府。不弱似劉員外翠紅鄉。玳筵前見有箇緑衣人。畫堂中又鑄甚黃金像。

【紅繡鞋】也合該家門興旺。也合該嗣續榮昌。也合該富貴樂無疆。遂心波白頭老子。得志也緑鬢兒郎。這一片錦前程誰料想。

【耍孩兒】從今後鳳凰雛收養在回軒巷。再休説早半世葫蘆提勾當。高門貴子自賢良。小孫兒又覺安詳。看家聲後浪催前浪。論積德人長天也長。這便是傍州樣。偏與俺文風增。重顯的奕葉重光。

【尾聲】這一箇尋兒的果見真。那一箇認爺的不是謊。我與你從頭兒標寫在新詞上。把這段離合悲歡。傳與那普天下知音的做話兒講。

壽對山舅六十三㈢

【北正宫端正好】鬱金漿。鱸魚膾。又安排慶喜筵。席西堂歌舞東山妓。不弱似瓊花會。

【塞鴻秋】武陵仙那討凡塵氣。羲皇人傲殺王侯貴。老生兒本是瑚璉器。小園亭也有山林趣。幾般兒閒散人。一垜兒風流隊。翠微堂疑在蓬壺内。

【脱布衫】想着那利名場囊裏盛錐。是非灘井底投石。都落在盧生夢裏。老先生自來理會。

【小梁州】因此上避世南山渭水湄。共魚鳥忘機。興來隨處是浯溪。漁樵輩。詩酒日相隨。

【么】百年身不做千年計。任天公加減盈虧。恣性情。無拘繫。六十三歲。日日醉如泥。

壽鈍齋先生七十

【北正宮端正好】金鼎瀹紫團茶。碧碗進雕胡飯。玉壺春益壽延年。看吴鈎錦帶驚人眼。鋪擺就瓊花宴。

【滚繡毬】侑霞觴十萬錢。祝鶴齡八百年。出嬌香飲中十豔。撒清狂林下七賢。訪梅花杜少陵。問明月李謫仙。有多少風流繾綣。趁着這雪初晴景物暄妍。酷傾席上含珠蚌。人醉庭除種玉田。春色無邊。

【塞鴻秋】難兄難弟結耆英伴。老翁老母是梅松眷。佳兒佳婦把丹書獻。孫男孫女將銀缸勸。七十年快樂身。十二節平安宴。一生一世也無災患。

【倘秀才】有時節課老圃東溪灌園。有時節趁芳草西原跨蹇。常則是五斗濁醪詩百篇。對青山摇紫兔。吟白雲和朱絃。謔曹劉破膽。

【脱布衫】興頭兒到處新鮮。心窩裏無事縈牽。不停閒銀箏象板。緊追隨寶釵金釧。

【小梁州】不謁王侯遠市廛。詩酒流連。花奴常在眼根前。宜春院。夜夜鬬嬋娟。

【幺】門庭吉慶身康健。好風光都到尊前。看了這萊子衣。黄生扇。教傍人稱羡。陸地有神仙。

【耍孩兒】端的是行藏磊落情懷。善世不會争長競短。覷榮枯險易總欣然。莫遮攔白日青天。因此上金章紫綬重重貴。桂子蘭孫箇箇賢。所事的隨心願。上世裏三千禮樂。後來人百葉流傳。

【尾聲】詑的是小長沙同日生。喜的是老江都重受典。見如今挨肩兒註在長生卷。管情教同是蓬萊水清淺。

代友人悔悟

【北正宫端正好】脚不踏武陵源。夢不到巫山岫。望藍橋逝水悠悠。自從棄卻章臺柳。任攀折他人手。

【滚繡球】好姻緣不自由。美恩情變做讎。熱心腸生出歹鬬。怕提着往事根由。想當初相逢如蜜和油。離别似絲繫藕。兩情兒也不曾差謬。誰想到潑煙花玷辱了風流。

我可也跳出業網休回首。喚醒迷魂暗點頭。早尋箇葉落歸秋。

【叨叨令】以下佚

五十三自壽

【北雙調新水令】笑愚夫恰好住愚溪。趄趨的虛度了五十三歲。風雲剛過目。魚鳥便忘機。展眼舒眉。把詩酒做活計。

【駐馬聽】些小筵席。靜掃蘭亭安繡几。尋常品味。釃篘濁酒煮黃鷄。抱琴夜訪紫雲居。呼朋曉赴青蓮會。好光陰能愛惜。一出門就拚經旬醉。

【沉醉東風】潑才華童年夢筆。要功名壯歲懸魚。儘安排經濟心。況際會昇平世。奈區區稟性愚癡。雖宰官羊列鼎食。只想著蓴鱸味美。

【折桂令】不撑達早賦歸與。旋種黃花。單領白衣。穫了西疇。耕殘南畝。賞遍東籬。富與貴蜂衙蟻壘。古和今兔走烏飛。詩困玄暉。酒殢元規。坐懶林逋。睡老希夷。

【雁兒落】當家的母共妻。許國的兄和弟。讀書的子教孫。射策的甥聯壻。

【得勝令】呀。讓他們馬上謁金闈。我只待花下舞斑衣。盡都道老萊子無愁悶。又誰知龐德公躲是非。冷笑微微。青白眼隨人意。好興依依。水雲篇到處題。

【沽美酒】起岑樓傍翠微。憑雕闌俯漣漪。水色山光圖畫裏。看拖藍映碧。一週遭遶佳氣。

【太平令】近池塘朝明夕媚。遠峰巒鬬巧争奇。賞玩足江山清趣。收拾盡乾坤雅致。臨風飲數杯。抱膝吟幾回。這搭兒又何拘忌。

【離亭宴帶過歇指煞】歎英雄萬古争閒氣。爲勳庸一世乾勞力。我是箇失時的見幾。從閒子晉笙。漸覺莊周夢。不灑楊朱淚。盤泥蠖怕伸。吸露蟬學蜕。這件事難明就裏。招邀河上翁。偃蹇壺中樂。潦倒人間世。山林鹿豕羣。里巷兒童戲。試看我從頭兒到底。管情教赤松子共游仙。安期生來賀喜。

九日滸西宴集

【北雙調新水令】雨餘霜降水痕收。坐幽亭好天清晝。秋光浮緑野。曉日上丹丘。倚杖臨流。詩興兒共迤逗。

【落梅風】花間榭。柳外樓。啟朱扉正當山岫。滿院桐陰一葉秋。賦閒居去年時候。

【沉醉東風】堆綉几香橙脆藕。倚銀筝皓齒明眸。竹梢的雲髻偏。露染的湘裙皺。谷風輕宛轉鶯喉。一曲梁州唱未休。又走向蘆花岸口。

【雁兒落】蛩吟蕙草幽。魚躍蘭泉溜。楓林紅葉凋。菊圃黃花瘦。

【得勝令】呀。嵐影倒金甌。月色冷貂裘。小洞寒煙起。行厨晚飯熟。休休。無芥蔕甥和舅。悠悠。等浮雲公與侯。

【離亭宴帶歇指煞】看了他門前廣種先生柳。尊中不缺白衣酒。恣意兒勸酬。閒行白鷺洲。慢策青藜杖。笑引黃童手。霎時閒風雨來多。敢是山靈候。單助俺知音的宴游。卻不道事事兒可人心。抵多少尋常的九月九。

重修對山草堂落成

【北雙調新水令】晚風斜日錦堂開。隔疏籬遠峰如黛。黃鶴迎角里。綠柳坐彭澤。門巷幽哉。人瀟灑景奇怪。

【雁兒落】看了他生涯有剳劃。世事無成敗。流連山水情。脱落風塵態。

【得勝令】呀。教舞砌平臺。鍊藥架茅齋。昨夜王猷去。今朝張翰來。高才。肯向人前賣。幽懷。都從泮上開。

【鴛鴦煞】占場兒歌舞西山側。倒班兒游詠南郊外。招飲朋儕。放浪形骸。唱道池内魚蝦。門前稼穡。釀酒和羹。但醉飽何妨礙。盡今生有樂無災。博得箇風月襟期寬似海。

壽南川舅八十

【北雙調錦上花】雨過雙溪。晴雲如蓋。門對千峰。錦障當階。低壓雕闌。白蓮正開。遠映朱簾。紅葵又拆。

【幺】燕姬列兩行。秦聲奏一派。串餅重添。玉醴頻釃。青鳥傳書。元君到來。綉榻高張。羅衣旋解。

【清江引】洞裏乾坤深似海。四季春常在。昨宵仙子迎。今日樵夫待。這光陰有錢何處買。

【雁兒落】壘西岩風月臺。建北里鶯花寨。上東山步杖隨。過南畝巾車載。

【得勝令】呀。有鷄黍就安排。對琴瑟好和諧。桑落酒逢人醉。梅花詩信手裁。朋儕。都羨慕鏠鏗耐。蒿萊。竟沉淪尚父才。

【沽美酒】好共歹不揀擇。爾和我莫疑猜。好好先生能自責。遇煩便解。多歡樂少驚怪。

【太平令】動不動寶釧金釵。閒不閒酒盞詩牌。自在身青山不壞。浩然氣白雲常在。呀。看了他第宅。玉帛。有羣娥侍側。不弱似蓬壺境界。

【鴛鴦煞】從今後朱顔不向紅塵改。青尊只許白衣載。梅柳相挨。儀儼成排。唱道美景良辰。花香月色。舉案稱觴。眼抹處情腸快。只願的笑口常開。一任教陸地桑田變做海。

登會景樓作

【北仙吕點絳唇】鴻雁南飛。綵雲初霽。秋光媚。望眼凄迷。獨把闌干倚。

【混江龍】你看我暮年情趣。倦尋芳草愛樓棲。玩天邊景象。縱物外襟期。對月便呼康樂酒。臨風不鎖仲宣眉。有左圖右史恣游觀。儘朝吟暮咏無拘繫。與煙霞作伴。指花鳥爲題。

【油葫蘆】太乙巉梁四面圍。俯簾籠金映碧。畫圖中簇擁著謝玄暉。蘸霜毫硯灑梧桐雨。醒詩魔帳引芙蓉氣。凌空歌扇翻。翔雲舞袖回。紫簫吹徹當筵立。小秦娥風韻世間稀。

【天下樂】十里郊園禾黍齊。隱約雙溪。楓橋送馬蹄。寫長空暮鴉一字飛。錦江山指顧中。廢原陵談笑裏。有多少潑繁華隨逝水。

【那吒令】徐公灣那裏。是唐王舊基。游生莊向西。有隋皇斷碑。蘇卿臺這壁。近姜嫄故里。三朝王霸圖。萬古風雲會。都做了衰草萋萋。

【鵲踏枝】卧看釣魚磯。坐眺牧羊谿。對坡兒打馬騎牛。隔林子曳靶扶犁。掛青簾誰家院宇。疏響鐘何處闍黎。

【寄生草】天上風光好。人間眼界奇。殘虹載雨蛟龍戲。蒼松滴露鸞鶴唳。柴門落日鷄豚聚。看了這武亭川内野人閒。抵多少長安市上王孫貴。

【六幺序】本爲寬懷抱。因而躲是非。勝狂游海角天涯。每日和稚子山妻。漉酒烹鷄。遇登臨便索留題。把批風抹月爲活計。點秋山醉墨淋漓。覷的那塵牢中攘攘爭閒氣。似棚頭傀儡。釜内蠅蛆。

【幺換頭】不揀是高低。賢愚。他每都囊裏盛椎。塹底藏機。不隄防下井投石。使盡了耳餘短見孫龐智。損别人自討便宜。你就有撥天關的本事成何濟。只落得巢由暗哂。漁父明譏。

【後庭花】因此上守清閒懶動移。到大來保平安消悔戾。行幾箇海上方身無恙。種幾畝負郭田家有餘。托賴著盛唐虞昇平時序。約那夥年老的挨眉兒設酒席。請這夥年小的倒班兒賭奕棊。萬花亭坐不歸。八月軒睡起遲。秋香棚纔放杯。歲寒堂又賞梅。

【青哥兒】人笑我一生不遇。天賜我百年適意。眼看著耍馬兒似頑童頭盡低。遮莫有玉帶金魚。寶劍銅鞮。畫閣朱扉。錦帳羅幃。照夜明珠積成堆。到頭來那一箇拿得去。

【賺煞】參透葛藤禪。打破昏子謎。趁早把身心料持。休只待舡到江心補漏遲。從見了家園中杜樹成梨。感的我立丹基覓神水華池。大道無爲無不爲。依參同妙理。返元陽真氣。則俺這翠微樓就有箇上天梯。

壽對山舅六十

【北仙呂點絳唇】九老停車。五雲當户。稱觴處。花影扶疏。酒醒薔薇露。

【混江龍】可人風物。畫堂春堪寫入武陵圖。浸冰桃玉李。烹碧蟹黄鱸。翠袖紅裙蜀地錦。輕歌妙舞謝家姝。繡簾風静日長時。銀塘柳豔荷香處。雄吞玉斝。爛醉屠蘇。

【油葫蘆】看了他慷慨風流舉世無。視人間小丈夫。勞勞攘攘似蠅蛆。因此上晉陶潛僅做白蓮主。漢相如不賣長門賦。北闕懶上書。南山歸故廬。把行藏都付虧盈數。

覷乾坤萬古一舟虛。

【天下樂】四十載凌雲志已孤。暗想當初。聲名滿帝都。五百年幸逢明聖主。實指望孔孟徒。出落就伊周侶。誰想到業蒼生無分福。

【那吒令】自從他辭卻了大夫。子雲樓著書。結識上小蘇。武亭川釣魚。陪伴著二疏。滸西莊燕語。脚不登白玉堂。身不要黄金鑄。何悶何拘。

【鵲踏枝】揀下所碧山隅。蓋下座翠雲廬。一垛兒知己賓朋。幾椿兒改樣歡娛。行動處彈絲品竹。空便時博塞投壺。

【寄生草】天世就七賢譜。錦粧成六逸圖。有時節拈花摘葉芙蓉渡。有時節尋幽弔古桃源路。有時節吟詩課賦垂楊聚。看了這唱陽春歌白雪子瞻才。抵多少擊珊瑚列鼎羾石崇富。

【賺煞】他本是陸地散神仙。盛世閒人物。兩件事清風萬古。德業文章與世殊。比不得尋常的暮景桑榆。那更紫金爐。九轉丹熟。天上人間受命初。花甲子細數。六十年一度。五千週纔滿又從復。

壽郭省亭先生八十

【北仙吕點絳唇】南浦看花。北溪旋駕。西堂下。羅綺交加。粧點出東山畫。

【混江龍】玉醅新榨。紫雲含笑泛流霞。歌翻白雪。拍按紅牙。寶馬香車來漢苑。龐眉皓首聚陶家。儘攢花簇錦。有風光便椎鑼擂鼓。無驚怕也清閒快樂。更富貴豪華。

【油葫蘆】看了他出處行藏所事嘉。家也聞。邦也達。當日箇卧淮陽盡道嵇生雅。後來也典西曹不在馮唐下。風清滇海波。心懷銀漢槎。把狼兵虎旅都撇罷。老林宗高興寄煙霞。

【天下樂】幹蠱的郎君能做家。不種桑麻。種天邊丹桂花。廣寒宮對著雙壽榻。花間將鳳雛。筵前稱玉斝。醉了時倚東風歌大雅。

【寄生草】塵不到龐公舍。山園合綺季家。蘭枝蕙葉都婚嫁。黄鷄濁酒同伏臘。南村北隴觀禾稼。白雲明月共襟期。吟詩課賦無冬夏。

【賺煞】箇中人緊追隨。身外事無牽掛。推物理虚舟飄瓦。便孫子成龍也任他。聞説道老精神越覺歡洽。賞雲林。樂事無涯。我和他一自別來數歲華。望隴樹森森似麻。對秦山迢迢如畫。到來朝遠乘春水訪桃花。

洞居嘉羣姬入訪

【北仙吕憶王孫】杖藜扶我過前村。貪問梅花到水濱。歸來洞口夕陽曛。四無鄰。惟有奚奴伴此身。

【醉中天】木几燈光潤。石鼎篆煙温。讀罷陰符道德文。是每夜眠時分。因風乍聞佩環聲。近何處行雲。

【金盞兒】只聽的傍莎茵。歇朱輪。滿園蘭麝香成陣。一叢羅綺欵柴門。俺這裏正思梅柳信。他可早來訪洞壺春。都打入山中風月侶。比不得花下燕鶯羣。

【醉扶歸】玉指開仙醞。翠袖捧金尊。一曲嬌歌酒半醺。拚潦倒纔風韻。儘窗外倈兒笑人。且浪撒清狂哂。

【後庭花】恰纔待喚磁缸發興新。不覺的倒繩床酣睡穩。一任教餘瀝淹衫袖遮。休教殘粧攪夢魂。醒來時夜平分。自家評論。文學愧楊子雲。功名讓温太真。貧强似朱買臣。富争如石季倫。住桃源非避秦。隱漆園省問津。卧西岩豈畏人。樂東山方是隱。

【柳葉兒】本只爲消愁解悶。到大來遠害全身。逐日家登山玩水將羣娥趁。到處裏去尋真。不成仙也做箇閒人。

南北仙吕合套

中秋宴集

【賞花時北】掃盡浮雲玉宇清。坐對蒼山桂魄明。看搗藥兔長生。伴姮娥弄影。默默遠含情。

【么】昨日南園醉未醒。今夜東山獨自行。懷角里老先生。喚奚奴約請。扶藜杖笑相迎。

【羽調排歌南】天上良宵。人間美景。按下住好興。歡騰且將簫鼓送。飛觥不索沉吟。倚畫屏。開雲幕。喚玉卿。高歌皓彩撥銀箏。金波豔。羽扇明。蕭蕭人月影雙清。

【那吒令北】坐霜林月亭。似瑶臺玉京。響西風繡笙。比鸞號鳳鳴。度南樓雁聲。遶梧桐金井。花間問月人。月底穿花徑。笑語縱横。

【道和排歌南】夜迢迢。情耿耿。緩步天街静。潦倒玉山傾。寂寞壯心驚。月明萬古。人生百歲。是誰聚散與虧盈。雲霄有路歎僝僽。勳業無媒付杳冥。思南浦。望洞庭。美人何處枉勞情。腸堪斷。心自省。他生未卜負今生。

【鵲踏枝北】圖甚麽利和名。都不如醉還醒。趁早兒今夜歡娱。料不定明日陰晴。大拚箇賞清輝花前酩酊。不勝似冒紅塵路上經營。

【桂枝香南】仙娃傒倖。幽人眺騁。一壁廂覓句偷閒。一壁廂呼盧争勝。金爐煮茶。金爐煮茶。銀鐺烙餅。闌干斜憑。伴飛瓊。任教花陰側。樓頭報曉更。

【寄生草北】想著那對月吟烏鵲。吹簫憶武陵。關山此夜征人冷。長門此夜離人静。窮途此夜騷人詠。更有那感懷弔古横江游。都不如呼朋載酒登樓興。

【安樂神南】疏狂心性。清風爲侣月爲朋。今來古往不留停。山間林下權將領。浮生春夢短。萬事兔毛輕。參不透。枉勞形。

【六幺序北】社日新粳釀。田家老瓦瓶。醉來時共卧幽庭。又何須月殿同行。天柱高登。泛浮槎牛女將迎。武亭川便是清虚境。正楓林夜雨新晴。似瑶天落下霓裳帹。畫不出遊山謝傅。作賦張平。

【尾聲】月團圓人歡慶。天時人事總難憑。能幾見清光照此生。

閨　情

【北仙吕點絳唇】門外笙歌。女郎行樂。香風過。笑語諧和。偏怎生孤單了我。

【混江龍】常則是緑窗閒卧。困人天氣夢魂多。塵生錦帳。被冷香羅。急攘攘柔腸愁似結。撲簌簌業眼淚如波。恨將來氣的手梢兒麻。睡不著翻的腰節兒挫。單功兒思想。做意兒猜度。

【油葫蘆】不是姻緣强配合。歡娱少煩惱多。似牽牛織女隔銀河。當日箇游仙的遠趁桃花朶。到如今畫眉人不入芙蓉幕。冷參商數載别。耍鴛鴦一夢覺。我把那青鸞倩到十餘箇。又不知書去也肯來麽。

【天下樂】他在那十里紅樓樂事多。另續上嬌娥。新恩兩契合。見如今人情别了把他無奈何。新人如錦上花。舊人如冰内火。看不上我開交他做夥。

【那吒令】他當初愛我。大氣兒怕呵。我當初敬他。頭直上頂著。他如今棄我。不知爲甚麽。想他時想不來。要丢呵丢不過。這其間受盡煎磨。

【鵲踏枝】不争他負心呵。可教我怎存活。他如今趕上王魁。賣了蕭何。説離情登時間闊。要回頭半字難那。

【寄生草】等閒間尋不見。出門兒正撞著。揣著羞要請家中坐。扭著頭徑往門前過。昧著心不記花間約。喫緊的愁布袋越比去來深。悶葫蘆不似今番大。

【賺煞】傻性子忒執迷。瘦身軀無著落。白日裏思量較可。到晚愁來無處躲。這些時脚如撓眼跳晙晙。敢是他待來麽。先做箇小意兒勾羅。分付梅香牢記著。我把這鮫綃帕再裹。鳳凰吟重和。道卿卿寄與歹哥哥。

病起

【北中呂粉蝶兒】斗帳風柔。正南軒臘梅香透。控疏簾漫騁吟眸。雪初殘。雲乍斂。好天晴晝。倚胡牀整頓羊裘。聽鷄鳴午牌時候。

【醉春風】收藥裹展愁眉。引斷兒開笑口。懶袁安一月始出門。傍花陰走。走。杜客齊來。濁醪正美。錦箏初奏。

【普天樂】素唇嬌。蠻腰瘦。歌聲窈窕。舞態輕柔。雙雙玉笋攙。兩兩蛾眉鬭。寶靨飄香金釵溜。玉繩低月轉西樓。紅牙住手。清茶嗽口。翠袖扶頭。

【紅繡鞋】門外路任他馳驟。眼前人許我綢繆。有花有酒有朋儔。待去呵强拖阮籍。不來呵硬請王猷。醉了呵共劉伶一處宿。

【上小樓】再休提黄金似斗。青雲滿袖。看那架上征軺。函中諫草。湖外扁舟。尋遍鬮。數盡籌。千差百謬。到大來負唐虞聖明時候。

【么】是非海何曾耐久。名利場偏生歹鬭。盡都是流水浮雲。電光石火。飄瓦虛舟。

喚做牛。畫成狗。都休追究。誤了我占場兒酒淹衫袖。

【滿庭芳】三朋四友。他來我去。遣興消愁。閒花浪草厮延逗。到也風流。當日箇射天驕嫌無對手。喫緊的卧茅蘆不敢抬頭。從今後。栽花種柳。且度潑春秋。

【耍孩兒】看青山到比人情厚。他是我不變色不改節知心故友。白雲明月共悠悠。眼根前就是丹丘。因此上紅塵不到萱花舍。白首相隨棣蕚樓。端的是享清福添遐壽。一弄兒斑衣竹杖。抵多少錦帶吴鈎。

【一煞】到西疇課種田。過南莊催釀酒。與東園老子常相守。我和他鍊成爐内千年藥。卻不道傲煞人間萬户侯。世界參詳透。禍與福請看塞馬。巧和拙只做巢鳩。

【尾聲】服紅鉛養性靈。對青尊爲伴偶。任桃甜李苦都將就。做一箇好好先生學禁口。

賀五舅生子

【北中吕粉蝶兒】福德栽培。謝家莊又生丹桂。早圓成夢裏熊羆。百年因。三生願。一家祥瑞。看今番喜氣衝閭。更强如四十年狀元及第。

【醉春風】怪不的靈鵲向人鳴。燈花連夜喜。鳳凰巢合産鳳凰雛。暢好是美。美。説什麽萬頃田園。千鍾廪禄。滿堂金玉。

【普天樂】長公孫。尚書系。今生承籍。上世根基。蚌裏珠。石中玉。照夜光輝瑚璉器。看他年顯耀門楣。箕裘有歸。風雲繼美。天地無私。

【紅繡鞋】笑吟吟妻孥兄弟。鬧攘攘朋友親戚。齊歌麟趾奏塤篪。簫鼓填門巷。湯餅設筵席。這風光能有幾。

【尾聲】從今後陶情在詩酒中。忘形在風月裏。儘今朝醉了明朝醉。常見這生子生孫常賀喜。

壽谿田先生

【北中吕粉蝶兒】慶喜筵席。好風光又逢今日。看人間積善門楣。子生孫。孫又子。眼前承繼。他們都鬧轟轟戲綵斑衣。畫堂中一團和氣。

【醉春風】端的是福禄有根苗。才名無伴侣。行藏德業播乾坤。真箇是美。美。四十歲當途。兩三朝事主。五百年鳴世。

【普天樂】萬鍾粟。三公位。非吾所好。肯恁著迷。當時得志行。今日全身退。農畝生涯終焉計。這其閒天意收拾。棲遲渭水。追陪甪里。接引浯溪。

【紅繡鞋】對良辰和風暖日。會佳賓濁酒黄鷄。村翁野叟日相隨。觸目皆成興。得意便忘機。他本是箇中人知就裏。

【尾聲】林泉下養壽年。詩書中明性理。只願的老文星常住昇平世。出落箇稷契皋夔平章這大明國。

壽母太夫人九十三

【北中吕粉蝶兒】絳節飄飖。錦堂前玉童傳報。今日箇上元君來慶生朝。五雲軿。三清鳥。遠垂碧落。萬里青霄。喜嫦娥與人歡笑。

【醉春風】白露夜初長。黄花秋未老。綵衣人共月同圓。真箇是好。好。錦帶吴鈎。高車駟馬。繡衣花帽。

【迎仙客】花間碧玉璈。天上紫鸞簫。趁西風奏來聲韻高。著宫袍。舞細腰。九霞杯滿泛香醪。這搭兒纔是俺合家樂。

【紅繡鞋】延世德三千禮樂。際昌期五百英豪。兄和弟繼列聖明朝。仗節的先納履。鳴鐸的懶折腰。乘凫的初拜表。

【醉高歌】東鄰□姊招邀。西館高朋頌禱。前庭又喜郎君到。好好事椿椿輳巧。

【十二月】同玩賞中秋霽景。慣追隨盛世時髦。玳瑁筵堪承燕喜。梧竹院不近喧囂。管甚麼杯傾緑蟻。一任教月轉花梢。

【堯民歌】呀。看了這鳳毛麟趾遶週遭。雲兒雪女共遊遨。蒼松勁柏伴孤標。黄髮兒齒永堅牢。鞠勞。文章教我曹。抵多少九轉靈丹藥。

【尾聲】眼看著老萊子偏歡喜。手拉著小玄孫忘懊惱。身坐著翠微堂穩受了蟠龍誥。似這等福壽康寧世上少。

元宵宴集時熊雲夢過訪

【北中吕粉蝶兒】月色娟娟。綵雲收皓光如練。煖溶溶春意無邊。舞霓裳。歌皓彩。一處處錦堂開宴。車馬喧闐。看游人只疑在廣寒宫殿。

【醉春風】百道火山高。六街燈市遠。千章花樹錦城中。真箇是滿。滿。燈影連天。花枝噴雪。火光飛電。

【普天樂】臘梅軒。春風院。猜詩打諢。品竹調弦。戲綵衣。摇紈扇。楊柳纖腰芙蓉面。畫樓前共鬭嬋娟。斜憑玉肩。横枕月阮。高挑金蓮。

【紅繡鞋】一弄兒風流繾綣。兩般兒人月團圓。抵多少五更燈火伴窗眠。座上有東山客。門外有子猷船。又何須覓蓬壺遊閬苑。

【尾聲】銀箏莫教停。金杯休教淺。大家拚醉倒。閒亭畔一枕遊仙夢兒遠。

壽南川舅六十

【北中呂粉蝶兒】雨過南樓。綵雲開繡簷浮溜。小陂塘五月生秋。掃紅亭。拂翠榻。玳筵排就。一斑兒錦帶吴鈎。弟和兄共迎長壽。

【醉春風】橘子釀正醺人。雪花糕偏可口。冰桃玉李藕絲羹。諸般的有。有。風靜瑶階。涼生歌扇。篆薰舞袖。

【普天樂】世澤長。家聲舊。馬卿文綵。謝傅風流。騎省郎。尚書冑。龍虎風流乾迤逗。不能勾拜將封侯。陶潛種柳。劉伶殢酒。范蠡乘舟。

【紅繡鞋】恰纔箇歎萋菲常遮錦繡。今日早喜車書又下林丘。唐堯有道聘巢由。蛟龍身得雨。鵰鶚翼横秋。椿椿兒都應口。

【上小樓】百年身天長地久。七步才光前裕後。真箇是經歲金門。今朝閬苑。明日揚州。名不休。志已詶。諸般成就。小可的怎能消受。

【耍孩兒】想著他平生心事無差謬。世不慣將無做有。人情物態比虚舟。恣形骸放浪優游。賓朋四海俱青眼。農畝十年尚黑頭。無事把雙眉皺。能結果醉中阮籍。會參詳夢裏莊周。

【尾聲】遮莫教紫羅襴掛上身。黄金印懸在肘。都不如滿堂兒女甥和舅。歲歲常斟賀壽酒。

壽馬處士

【北中吕粉蝶兒】新醖初開。照金波遠山如黛。武亭川不説彭澤。柳垂門。菊遶砌。綠槐擎蓋。有斑衣拜舞瑶階。眼前人一團歡愛。

【醉春風】金縷曲不停聲。玉壺春何用買。青蓮居士紫霞仙。一字兒擺。擺。座上風流。尊前潦倒。醉中慷慨。

【普天樂】令公村。徐生懶。樵夫釣叟。我去他來。纔迎西嶽神。又饗南莊賽。明月相隨青山待。把王劉也當朋儕。白衣自解。泥缸共拆。瓦缶齊釃。

【紅繡鞋】老萊子不求冠蓋。陶朱翁廣有資財。渭陽籬落少塵埃。牟麥霜前種。桑柘雨餘栽。好生涯能佈擺。

【牆頭花】世無驚怪。任酸鹹苦辣皆寧耐。志不貪圖所事偕。爲甚麽福壽如山。只因他胸襟似海。

【尾聲】蒼松巧耐寒。丹楓不落色。陪伴著長生不老的陳員外。一任教陵谷桑田幾變改。

代作

【北中呂粉蝶兒】疎竹蕭蕭。透幽窗晚風寒峭。静沉沉月轉花梢。篆煙微。燈影暗。繡屏斜靠。怎支吾良夜迢迢。撫銀牀數聲長嘯。

【醉春風】展轉夜難明。凄凉眠易覺。幾番家做夢不囫圇。越教人惱。惱。夢斷雲山。信乖魚雁。恨縈懷抱。

【普天樂】自别離。無消耗。雲迷楚岫。水淹藍橋。似玉人。如花貌。小小風流瓊瓊俏。一樁樁怕待提著。涕痕暗抛。愁腸似攪。業眼難交。

【上小樓】想的人没分没曉。害的人無顛無倒。這兩日帳冷芙蓉。衾閒翡翠。枕剩鮫綃。桂影摇。梧桐凋。寒蛩聒噪。偏怎生意中人盼他不到。

【幺】想著我佳人窈窕。才郎清俏。當日箇樓上攀花。花間玩月。月底吹簫。天做好。人遇巧。成就了幽期密約。承望誰潑煙花誤人年少。

【滿庭芳】也只爲離多會少。忘飧廢寢。夢憚魂勞。暗中瘦損潘郎貌。鬢影蕭騷。一片心惟天可表。滿懷愁敢對誰學。業身子無著落。把閒花浪草。正眼兒不曾瞧。以下佚

【北正宮端正好】佚

【滾繡毬】佚

【叨叨令】爲頭兒鳳求鸞鸞求鳳斯迤逗。後來也水投魚魚投水成婚媾。不多時富家貧貧家富肥挨瘦。因此上俏人村村人俏新攙舊。兀的不惱殺人也麽哥。兀的不惱殺人也麽哥。喫緊的主爲賓賓爲主難禁受。

【脱布衫】我如今一心兒撒手回頭。散場兒萬了千休。再休提好夫妻天長地久。見放著惡冤家海深山厚。

【小梁州】萬種風情一筆勾。意去也難留。春來夏往又經秋。空僝僽。誤了我談笑覓封侯。

【幺】淚痕不染青衫袖。氣突突展放眉頭。收回惜玉心。抄定攀花手。想前思後。方信道迷風月的没來由。

【尾聲】恨蘇卿忒狠心。歎雙生乾罷手。老虔婆現把茶船受。再休和不似人的馮魁一路兒走。

壽馬稷原先生

【北南呂一枝花】攔門柳色新。雨過花枝潤。鶴鳴林外曉。鹿隱洞中春。不近紅塵。與北海傳芳信。向南山招隱倫。一班兒皓眉龐眉。兩椿兒高歌痛飲。

【梁州】蕩湘裙東風綽約。泛流霞淑氣氤氳。西岩不減東山俊。門前車馬。階下兒孫。棋朋酒友。玉季金昆。立層台遠樹連雲。坐蘭洲芳草鋪茵。有高陽醉客相呼。與漆園賢人共引。把剡溪好興平分。肥蓴。嫩笋。比烹龍炮鳳還風韻。看了這楊柳腰梨花醞。小小茅齋也可人。風月温存。

【罵玉郎】投閒幸際昇平運。歌帝德樂天真。兒曹禮樂超庭訓。生成鸞鷟羣。養就鴻鵠志。曾把風雷奮。

【採茶歌】籬落外種松筠。場圃内養鷄豚。四時花鳥四時春。婦子朝朝稱壽斝。椿萱歲歲慶生辰。

【尾聲】真箇是五行注就山林分。三友圓成散誕身。不近波查省愁悶。有時節賞東籬醉醺。有時節倚南窗睡穩。便道箇陸地神仙不似您。

勸友人收心

【北南呂一枝花】撇不下風月場。還不了煙花債。恰離了真地獄。又撞入假天台。夜去明來。把一箇馮員外。消乏成雙秀才。尚兀自揀空兒買笑追歡。全不肯耐心兒賢賢易色。

【梁州】撇罷了二十年詩云子曰。結識到一千箇翠袖金釵。爲風流乾把名聲壞。張君瑞飄零了家業。鄭元和典賣了莊宅。瘦沈約愁成了病症。俏潘安餓損了形骸。往常時把錢財不當做錢財。到如今有情懷誰愛你情懷。當了箇利市王到弄的赤手空拳。做了箇快活仙偏惹下愁山悶海。尋了箇活菩薩不與你免禍消災。近來。數載。行藏寂莫年華邁。你看那燕燕嗔鶯鶯怪。小小門兒不放開。那裏去賣俏撾乖。

【罵玉郎】你看那惜花心撇在青雲外。立志也棟梁材。巤衣淡飯黃虀菜。守清貧。休妄想。權寧耐。

【感皇恩】任著這草舍茅齋。不勝似閬苑蓬萊。琴養伯牙心。字寫羲之體。詩展少陵才。麗春園殘花休採。廣寒宮丹桂常開。有一日占鰲頭。鳳閣不勝似穿花街。

【採茶歌】讀書人索明白。背地裏自裁劃。梁山伯只爲祝英台。試向花間聽杜宇。聲聲叫你早歸來。

【尾聲】常言道一張錦被漫天蓋。半路收心不當災。做一箇負意的王魁休怕那桂英怪。你若把同心扣猛開。鴛鴦帶頓解。我與你站立在十字街頭大聲喝采。

賀生子

【北黄鍾醉花陰】恰對南山排燕几。驀聽得兒童報喜。道貴子産金閨。瑞靄霏微。繡榻填朱翠。排玳宴奏鸞竽。只今日畫閣風光無限美。

【喜遷鶯】彩雲初霽。晝氤氳竹影徘徊。庭幃鼓淵淵。賓朋濟濟。翠袖盈盈捧玉杯。笑吟吟齊賀喜。賞玩在梅花院宇。安排著湯餅筵席。

【出隊子】幕天席地。一箇箇抱銀缸醉似泥。更有那堂前穉子舞斑衣。花底金仙品玉笛。座側紅粧歌度曲。

【幺】看了他少年風味。端的是一身閒百事齊。椿萱無恙慶桑榆。鴻雁成行樂友于。琴瑟調和偕鳳侶。

【刮地風】富貴榮華天付與。真箇有萬福相隨。只今番遂稱平生意。有子岐嶷。承繼著萬千宗系。情受了千鍾禄位。鳳有雛。麟有種。藍田玉掌中珠分外美。不負了夢裏熊羆。等閒間長就燕山桂。比徐卿事更奇。

【四門子】從今後箕裘有托心無繫。壯生兒不當遲。□□□□□□。□□□□□□。行處也將。坐處也隨。影兒般一時不暫離。習一會詩。講一會禮。教與他循規蹈矩。

【古水仙子】咳咳咳聞笑語。是是是酒友詩朋引玉姬。翩翩翩屏張着百子靈圖。謹謹謹門迎著七賢高會。稱稱稱花生香月有輝。拚拚拚夜厭厭不醉無歸。樂樂樂盛世人逢充閭喜。好好好王孫胤子傳家日。敢敢敢祖宗種福有根基。

【尾聲】玉牒重添太平瑞。說甚麼麟趾騶虞。共保護皇圖萬萬里。

重陽滸西宴集

【北商調集賢賓】對西風又一回閒眺賞。佳節過重陽。畫闌中黄花堆砌。雕簷畔緑桂飄香。常記的去年時坐西齋怨雨愁風。也合該今日箇過南川走斝飛觴。繞黄山四圍清興爽。彌遊人萬里秋光。素雲橫暮嶺。鴻雁度寒塘。

【逍遥樂】棲霞台上。對景題詩。臨風鼓掌。醉矇騰望斷斜陽。見荒丘斷隴成行。知他是周秦漢與唐。都做了衰草茫茫。論不的誰貧誰富。誰聖誰愚。誰弱誰强。

【梧葉兒】遮莫教勞攘在風雲會。崢嶸在名利場。都不如放浪在水雲鄉。九日登高節。百年能幾場。蝎粟粟好時光。挫過了教人倒想。

【醋葫蘆】你看那顫巍巍糕葉兒甜。脆生生菱角兒香。軟膿膿胡麻飯浸蝌羹湯。五秋亭鬧轟轟席面兒敞。名園景象。翠紅堆簇擁著費長房。

【後庭花】一會家步東籬興趣長。一會家眺南山眼界廣。一會家樹底簪花飲。一會家風前落帽狂。細思量。古今豪放。李太白賞龍山明月光。杜子美醉新亭濁酒觴。陶淵明攜尊在五柳莊。康太史邀朋在漆水陽。

【青哥兒】都一般乾坤清光。是多少風流醞釀。看了他樂意消閒事幾樁。酒滿銀缸。詩滿吟囊。菊繞回廊。竹繞幽窗。紫雲小玉杜韋娘。争把新詞唱。

【浪裏來煞】趄趨的青山日脚沉。疏林月色朗。丹楓白露叫寒蛩。我可也避飲歸來在山這廂。回頭凝望。端的是茱萸會占滿了滸西莊。

中秋夜宴集

【北大石調青杏子】明月上瑶階。過雕闌半隱平臺。晴光掩映浮雲色。桂林散影。冰壺落魄。玉宇無埃。

【歸塞北】清宵永。景物暢奇哉。載酒攜尊北海至。題詩問月謫仙來。瀟灑夜宴開。

【好觀音】人月團圓花陰外。奏雙清對舞金釵。碧碗瓊漿不住醲。放開懷。好景難長在。

【幺】寶篆氤氳團輕靄。稱花香徙倚琴臺。砧杵聲飄塞雁哀。夜凉來。露溼青荷蓋。

【尾聲】玉漏遲遲銀河側。風和月滿地清白。酒暈微消醉眼開。似覺神遊廣寒外。

賞牡丹

【北大石調青杏子】莫怪賞來頻。牡丹亭苦覓東君。連朝風雨催花緊。茜霞爛熳。雙頭綽約。五色停匀。

【歸塞北】黄山塢。占斷萬花春。金谷園中他旖旎。沈香亭畔那精神。落在渭川濱。

【好觀音】玳瑁筵開雕闌近。歌清平一曲停雲。楊柳風飄翡翠裙。鬧紛紛。花也增嫣潤。

【幺】天時人事無憑準。想人生幾度青春。一度花開幾日新。怕明晨。花片凋零盡。

【尾聲】不住呼童開新醞。殢歡娱不覺黄昏。深院重門月色新。歌扇生凉舞衣困。

平臺待月

【北大石調青杏子】何處隱冰輪。黑模糊夜色迷人。醉魂慘淡詩魔困。佇看碧落。空歌皓彩。悶對青尊。

【歸塞北】人間。與天上會無因。昨夜月圓人負月。今宵人在月辜人。把酒一傷神。

【好觀音】悲管寒蛩聲相稱。露華濃暗溼湘裙。坐側仙娃笑語紛。座中人。好興權休盡。

【幺】誰把嫦娥相牽引。不離了海窟雲門。倚闌干望眼昏。夜平分。素魄纔生暈。

【尾聲】破鏡飛來浮雲褪。搗殘輝玉兔精神。又一度青霄月近人。直賞到金井梧桐影兒盡。

閨情

【南正宮雁過聲】十二樓中月正圓。整殘粧獨對嫦娥面。有銀屏繡几同誰玩。爇檀煙理冰絃。憶知音淚雨潸然。凄涼桂樹前。占西風奏罷深閨怨。懷抱瑶琴月下眠。

【風淘沙】花底相逢憶去年。攜素手並香肩。湖山與俺成姻眷。殢歡娱嫌夜短。人如玉痛惜輕憐。山爲盟。海爲誓。萬語千言。薄情霎時生變轉。意去也怎留連。

【前腔】容易恩情輕易捐。這些時雲雨散魂夢牽。覩梅字問金錢。和淚寫詩篇。空教我頻寄彩鸞箋。〔三〕

【一撮棹】當初你説下永團圓。今日我獨自受熬煎。每日焚香告。默默告蒼天。他倖短。正遇我無緣。

【尾聲】緣不盡志越堅。怕甚山遥路遠。單等開花月再圓。

九十自壽

【北正宮端正好】門外水如環。屋上雲如蓋。對南山錦障當階。有五陵車馬三川。客盡把壺觴載。

【滚綉毬】白蓮社趁曉開。虎溪人也到來。老淵明愧無管待。百忙裏剪蓬蒿整頓茅齋。魚共蝦正好烹。棗和梨不用買。更有那幾般兒山蔌野菜。省人情隨分安排。你看那苑中瑶草春長好。洞口夭桃秋尚開。景物奇哉。

【塞鴻秋】小棊亭只用白茅蓋。矮籐牀都把丹書載。舊交遊留得洪厓在。瘦身軀到此比蒼松耐。樵歌鹿豕隨。水調魚龍愛。有黄金不肯把青山賣。

【脱布衫】選清幽花鳥亭臺。謹收拾土木形骸。玉女泉斜通月厓。木郎祠遠聞天籟。

【小梁州】千首新詩百樣裁。對景徘徊。句中得意笑咳咳。紅塵外。那討是非來。

【幺】野鷄村趕罷牛王賽。醉朦朧帶月歸來。紅樹遮。青霞蓋。臨風解帶。和露卧蒼苔。

【上小樓】喜的是容顔未改。詫的是年華已邁。想著我早歲飛騰。中年落魄。今日塵埋。七步才高。萬貫財盡。都是浮雲草芥。争似俺返元陽玉山不壞。

【滿庭芳】當日箇身沈宦海。心驚市虎。力倦燕臺。一封書除却蒼生害。倒做了惹禍招災。薛公城三千劍客。謝家樓十二金釵。都撇在雲霄外。向終南渭北。甘寂寞子雲宅。

【朝天子】以下佚

跋

□□□□□□□□□□□□□□□□□□□□□□□□□□□□□□□□□□□□□
□□□□□□□□□□石圍碁。當是時也，志忘馳騖，景會幽便，人生取適，云胡不樂。樂而有言，言而成聲，復命二青衣，教數童子，被之管絃。然擊壤之歌，非求膾炙；滄浪之

詠，用暢性情而已。意之膚舛，詞之蕪諺，非所恤也。嘉靖丙寅五月望日雙溪漁人

〔一〕北宮詞紀題作「壽康對山太史」，注呂涇野撰。按：〔聖藥王〕開頭三句「你看這弟與兄。舅與甥。人如美玉酒如澠」的語氣，頗不類甥與舅祝壽之詞。兹姑互見張、呂二家曲中，不出校語。

〔二〕北紀題作「壽康對山太史」。

〔三〕以下疑有脱文。

薛廷寵

薛廷寵，字汝承，號萃軒，福建福清人。嘉靖十一年（一五三二）進士，由行人選刑科給事中，遷工科左給事中，奉使朝鮮，擢吏科都給諫，卒於官。

小令

【南正宫喜遷鶯】

詠江一桂旌獎辭

聖主弘仁，守令重親民之選；憲臣貞度，寮工嚴旌淑之規，故德意所加，無人弗奮，而臺章惟敕，有善必揚。恭惟大寅伯，閥閲高騰，才華遠駕。鍾英靈于海嶽，王國克生；護骨相于紗籠，庶民利見。詩降毛魯，獨探□□之源；學本新安，爰接諸儒之緒。雖巍科蚤□，□韜洛陽年少之鋒。及太學壯遊，益勵伏波□□□□。□深涉世，寔始效時。銓注入天曹，名□黼座；符章分壤土，宿□□官。月掛花城，百里溪山滿照；風行蔀屋，萬□□犬無聲。警桀黠以撫良民，法行自近；斥紛華以崇正俗，弊絶在源。桑田勤勸課之巡，棫樸妙作新之化。青州荒救，富公之策稱奇；鄭國盜奔，子産之威克立。棠陰樹樹，人歌召伯之仁；絃誦家家，我喜言游之教。蓋全牛已空眼底，鷄割何勞；而鳴鳳終在朝陽，棘棲匪久。政成期月，諒寬臨寧之懷；聲震八閩，先激當臺之獎。幣書鄭重，恩數優蕃。士庶鼓舞以郊迎，翰墨淋漓而帛紀。某江右書生，濉陽末佐，辱在寅恭之雅，慚無贊畫之能。晝静聽琴，仰高風于有素；夜明擊柝，仗餘武以無虞。盛事欣逢，休元荐被。張旗導吹，奉節喻以彰賢；列幃陳詞，採塗歌而獻頌。大才當大用，小試其端。爲善不爲名，勉圖厥實。更續短長之韻，庸終勸祝之誠。

山城歲暮。正禾稼倉□。□歌藹户。擊鼓椎牛。輸租辦賦。都道南陽召父。□□八閩憲府。旌書千里馳赴。輝綵幣。揭高旗老□。□□當取。（安南來威圖册）

天子定名。紀□御屏將。□□□□。□職明年。去思千古。遺愛甘棠南土。慇□□歌酌酒。莫待轅攀轍卧。這場事。是章縫遭際。□□怎召。（安南來威圖册）

張舜臣

張舜臣，字熙伯，山東章丘人。嘉靖乙未（一五三五）進士，累官户部尚書、左都御史。卒，贈太子少保。

套數

惜別

【南商調集賢賓】懷珠袖璧空暗投。多應是運值辰勾。錦鯉春鴻逐浪漚。望音書恐難便有。溪邊路口。反一似夢中分手。何須又。向湘雲楚峽追求。

【前腔】恩情總是不自繇。風塵慣使人愁。事到其間應掣肘。眼睜睜割斷綢繆。人前背後。禁不住熱心挑逗。難罷手。眼中血心上空流。

【黄鶯兒】牽惹恨悠悠。慘江聲不斷流。情多淚染楓林瘦。離歌馬頭。離人渡頭。欲言難語空僝僽。恨悠悠。團圞夜月。羞捲上簾鈎。

【前腔】心事暗藏鬮。向誰行計去留。歲華苦共寒燈守。芳春艷遊。紅香酒籌。如今都被天除扣。事空謀。桃花流水。歸路隔丹丘。

【琥珀貓兒墜】山長水遠。拚命寄浮蝣。此路分明是斷頭。門前何日繫驊騮。今後。單剩箇故園幽夢。舊日風流。

【前腔】西風雁字。天外信難修。心債何年是了休。如今欲會兩無繇。難剖。教我名躭實受。事出虛收。

【尾聲】青蛾愁簇絲絲柳。紅淚啼殘葉葉秋。怎禁這淚短愁長教人不耐久。（吴騷合編）

按：此曲吴騷二集、詞林逸響俱注張孺彝撰。未知孰是，兹姑從吴騷合編録之。

許應亨

許應亨，字子夏，號石屋，浙江錢塘（今杭州）人。嘉靖甲辰（一五四四）進士，官至刑部主事，爲詩具六朝初唐風韻，與兄應元時稱「二許」。著有石屋存稿。

套　數

題　情

【南南吕梁州新郎】仙橋星耿。銀河光爛。織女支機初見。夢魂驚起。渾疑沁玉清泉。最愛春風楊柳。秋水芙蓉。夜月梨花艷。嬌羞雲亂綰。羽衣蹁。今日飛璚下九天。〔合〕沉玉漏。催銀箭。千金難買良宵宴。金屋裡。貯嬋娟。

【前腔】沉香烟裊。湘波簾捲。月色花陰零亂。鳳簫聲咽。霓裳一曲曾傳。一似隋珠微暈。趙玉生香。楚峽神仙見。多情多恨種。又相牽。腸斷魂消離别天。〔合前〕

【前腔換頭】五百年恩債勾填。十二樓風光獨占。整西風玉勒。醉花金椀。漫道江湖踪

跡。風月襟懷。山水幽盟戀。功名緣分淺。且留連。萬里扶摇尺五天。〔合前〕

【前腔】九迴腸離恨重添。五色絲命魂難綰。幸今生半世。與伊爲伴。這的是風流情債。歡喜冤家。好惡姻緣案。尋思真業障。總前緣。試向那難兜率天。〔合前〕

【節節高】雙鈎控玉環。映朱顔。弓彎試踏蒼苔遍。春風面。翡翠簾。桃花扇。何時得遂風流願。畫樓同鎖鴛鴦暖。〔合〕只恐光陰易蹉跎。姻緣百歲驚飛電。

【前腔】徘徊歌舞筵。勝三千。杏花春雨人難見。真嬌豔。煞可憐。增腸斷。月明同倚雕闌畔。緑烟低鎖垂楊院。〔合前〕

【尾聲】落花無數情撩亂。愛殺香迷玉戀。只怕宋玉多愁素帶寬。（群音類選）

邢一鳳

邢一鳳，字伯羽，號雉山，南直隸江寧（今江蘇南京）人。嘉靖二十年（一五四一）進士，授編修，官至南太常少卿。工詩，擅度曲，嘗與馮惟敏、金鑾、許穀、盛時泰、余孟麟、倪民悦等於金陵結文酒之會。有雉山集。生於正德四年（一五〇九），卒於隆慶六年（一五七二）以後。

套數

燕山重九

【南南吕梁州賀新郎】三秋天氣。時當重九。與客相攜尊酒。向翠微深處。憑闌目斷高秋。但只見落霞孤鶩。遠水長天。霽靄明疎柳。他鄉逢令節。恐難酬。醉把茱萸插滿頭。〔合〕開口笑。舒眉皺。對西風人比黄花瘦。塵世上。幾人有。

【前腔】燕臺塵土。燕山依舊。望裏層巒疊岫。白雲紅葉。人間自有丹丘。恰正是與來今日。抱病登臺。落日同杯酒。幾回搔短髮。晚風柔。破帽多情却戀頭。〔合前〕

【前腔換頭】想人生百歲蜉蝣。不如意十常八九。問明年此會。玉容安否。只恐怕老侵潘鬢。愁入庾腸。枉自慚衰朽。相逢拚一醉。更何求。莫向斜陽嘆白頭。〔合前〕

【前腔】戲馬臺落日荒丘。龍沙會孤城衰柳。怪牛山何事。淚盈衫袖。争似我振衣千仞。一俯乾坤。萬里頻回首。酒醒山欲暝。且淹留。昏黑還須到上頭。〔合前〕

【節節高】清秋爽氣浮。豁吟眸。東籬采菊真堪嗅。香風透。三徑幽。南山秀。良辰佳會難消受。洞天福地非虛謬。〔合〕登臨常有杖頭錢。也勝騎馬紅塵走。

【前腔】閑身傲五侯。好風流。此情肯落他人後。歸來又。秉燭遊。重攜手。只愁滿城風雨多僝僽。無端歲月空馳驟。〔合前〕

【餘音】一年好景君知否。但把清尊斷送秋。明日黄花蝶也愁。（南宫詞紀）

【南商調金絡索】金鈎蕩繡簾。綺幕遮雲檻。盼望多才。悶倚雕闌遍。靈犀一點。將扇兒傳。怎做無心雲水看。怕豫章沉没魚和鴈。因此霄漢羈遲鳳與鸞。心縈戀。魚箋把玩淚偷彈。爲甚麽恨鎖眉尖。空自把恨鎖眉尖。怕那人隔在天涯畔。

【前腔】銀箏罷桂絃。綺袖停歌扇。蟬鬢慵梳。翠黛含愁怨。勾欄少甚麽。俊嬋娟。

獨喚佳人舞繡筵。他離琴獨抱聲悽惋。指望鸞鏡雙棲影共圓。休遲緩。想多情懸望眼將穿。怎教他憔悴孤眠。好慰他憔悴孤眠。須蚤到巫山畔。

【前腔】他採花住錦軿。我拾翠離芳院。空返行車。自恨姻緣淺。詩裁錦句題。染花箋。我曾和陽春白雪篇。同心欲結迎風斷。竝蔕將開着雨殘。中心願。一腔幽恨對誰言。爲伊家好結良緣。爲伊家暫結良緣。那人已在臺畔。

【猫兒墜桐花】爲伊懸念。消渴病文園。手握齊紈玉筋懸。你假做閑行金谷拾花鈿。洛浦傳情把珠獻。教他片時暫把愁懷遣。

【前腔】情懷繾綣。兩下意相牽。指望連理裁成永合歡。却似荷錢滴露暫時圓。哄誘檀郎豈奴願。相逢怎把愁懷遣。

【前腔】烟花下妓。幸得使君憐。只索改姓移名到綺園。春風一度片時妍。强似相思不相見。新歡好把愁懷遣。（樂府先春）

李春芳

李春芳，字子實，號石麓，南直隸（今江蘇）興化人。嘉靖二十六年（一五四七）進士第一，以修撰超授翰林學士，累官禮部尚書，參預機務。隆慶初年（一五六七）拜首輔，旋進吏部尚書。有貽安堂集十卷。正德五年（一五一〇）生，萬曆十二年（一五八四）卒，年七十五。

複出

套數

【南中吕好事近】東野翠烟消。

樂府先春注李石麓作。吴歈萃雅、詞林逸響、樂府珊珊集、古今奏雅、吴騒合編、南音三籟俱注高東嘉撰，疑誤。詞林白雪署名謝海門。兹姑輯於謝讜卷中，不重出。

馮惟敏

馮惟敏，字汝行，號海浮，别署海浮山人，山東臨朐人。嘉靖十六年（一五三七）舉於鄉，久困禮闈；四十一年（一五六二）進京謁選，授淶水知縣，因得罪豪貴，屢遭貶謫，仕止魯王府官。棄職歸。工詩，與兄惟健、惟重、弟惟訥同有詩名，時稱「臨朐四馮」。散曲尤有名。著有馮海浮集、石門集、海浮山堂詞稿，及雜劇玉殿傳臚、僧尼共犯等。生於正德六年（一五一一），卒於萬曆六年（一五七八），年六十七。

小令

【北雙調胡十八】

辛未量移東歸 四首

每日價説歸田。誰子待苦留戀。急回頭恰過年。有花有酒是神仙。弟兄每比肩。兒女在眼前。喜歡的無是處。一日醉兩三遍。（海浮山堂詞稿）

每日價説歸家。到如今省牽掛。息奔馳免波查。東隣西舍慰安咱。打一個耳擦。使一個手法。行的去轉的來。拿的起放的下。（海浮山堂詞稿）

每日價説歸休。這其間剛罷手。已往事盡都勾。十年世路夢中遊。到深山裏頭。有薄田幾丘。儘自在儘安然。惜性命延吾壽。（海浮山堂詞稿）

每日價説歸湖。忘不了訪仙路。烟月艇水雲居。悠悠蕩蕩小蓬壺。載的來豔姝。釣的來好魚。也會吃也會頑。人道俺儘豪富。（海浮山堂詞稿）

【北中呂滿庭芳】四首

天官賜福。地靈有待。人事相扶。循良已上功勞簿。名滿皇都。望吾鄉官遷東魯。尋勝境舟泛南湖。清閑趣。從前受苦。今日且歡娛。（海浮山堂詞稿）

急流退勇。兩畿奉職。三仕成功。白雲一片相隨送。對面東風。這便是前呵後擁。緊跟着去迹來蹤。清閑夢。從前俗冗。今日得從容。（海浮山堂詞稿）

中年知止。一官如寄。兩鬢成絲。當年無復飛揚志。老更何之。分明是山人樣子。怎會做仕路腔兒。清閑事。從前故紙。再不費神思。（海浮山堂詞稿）

陞官道好。酒雖有味。不飲爲高。從今不走長安道。也免塵勞。名利途何時是了。

是非場其實難逃。清閑樂。從前懊惱。今日且逍遥。（海浮山堂詞稿）

【北中呂朝天子】

將歸得舍弟書二首

去春啊你回。今春啊俺歸。正與春風會。青山綠水有光輝。喜的幽人至。賢主佳賓。吾兄我弟。笑談多情意美。你回也不遲。我歸也不疾。遲和早都得計。（海浮山堂詞稿）

你去年入山。俺今年棄官。同氣長爲伴。浮名不到水雲間。從此無羈絆。日日相過。時時厮見。省傳書千里遠。看時文幾篇。和新詩幾聯。課子姪親筆硯。（海浮山堂詞稿）

【北雙調清江引】

八不用八首

烏紗帽滿京城日日搶。全不在賢愚上。新人换舊人。後浪催前浪。誰是誰非不用講。（海浮山堂詞稿）

紫羅襴披的破盧蘇。也非是值錢物。縫聯無掛搭。拆洗難重做。送與他故衣行不上

數。（海浮山堂詞稿）

拖天帶繫的没顛倒。總是虚圈套。一條死牛皮。幾塊生牛角。拖拉的有上梢無下梢。（海浮山堂詞稿）

皂朝靴磨擦了半截底。也有個登開日。驢前馬後行。簷下堦傍立。近新來丢剥了如湫屣。（海浮山堂詞稿）

擺頭搭一雙雙開路神。引入迷魂陣。翻回安樂窩。遠離京畿郡。俺如今是山中自在人。（海浮山堂詞稿）

三簷傘兒不用遮。仰看天心月。雪中戴斗蓬。雨裏擎荷葉。好向王維畫兒上寫。（海浮山堂詞稿）

花藤轎兒行的緊。遠路多勞頓。顛的心緒慌。摇的頭皮暈。總不如瘦驢兒騎的穩㈡。（海浮山堂詞稿）

黄堂上自來公座高。無福誰能到。夜闌人未歸。早起寒猶峭。總不如熱炕頭還是好。（海浮山堂詞稿）

東村作

懶慢無堪病也宜。鎮日常貪睡。黑甜一覺中。萬事無縈繫。醒來時便有些閑是非。

（海浮山堂詞稿）

一折一磨病也該。清福無邊界。不欠酒家錢。不少詩家債。受用的癢兒無處擱。（海浮山堂詞稿）

一片白雲常在山。忽被風吹散。風來雲不知。雲去山無伴。爲甚的從前出岫懶。（海浮山堂詞稿）

絮絮叨叨何處聲。攪亂幽人興。鶯兒嘴又尖。燕子舌偏佞。搬弄的好年華不暫停。（海浮山堂詞稿）

庭下雙槐枝葉齊。生長在清幽地。玄冬蔽冷風。朱夏遮炎日。冷暖相交都是你。（海浮山堂詞稿）

舊日親朋不甚多。靜裏思量過。榮華固不長。貧賤都彫落。好相知再結交三四夥。（海浮山堂詞稿）

一月招邀一兩席。也吃個醺醺醉。柴桑處士家。洛社耆英會。歲歲年年稱壽杯。（海浮山堂詞稿）

彎曲律連皮柳木叉。搭一座葫蘆架。涼如避暑宮。廣似連雲厦。客來時坐石牀清趣煞。（海浮山堂詞稿）

沽來青州酒一壺。浸入泉深處。勝似蜜淋漓。賽過金盤露。不愛涼甜只愛苦。（海浮山

堂詞稿）

土酥出畦白似霜。甘脆真堪尚。宜烹玉葉羹。善解梨花釀。自古道菜根滋味長。水蘿蔔（海浮山堂詞稿）

待不看書又看書。畢竟閑不住。難將紙上言。盡得其中趣。俺不看他誰是主。（海浮山堂詞稿）

待不作詩又作詩。改不了詩言志。閑時口内吟。静裏心間事。怕只怕索詩人來到此。（海浮山堂詞稿）

待不撰文又撰文。翰墨吾之分。姻親贈遠行。社友傳高論。不由人謾尋思睡不穩。（海浮山堂詞稿）

待不唱歌又唱歌。唱的是村田樂。年成減半收。家業安貧過。樂處尋來愁處躱。（海浮山堂詞稿）

大雨時行日日晴。荒旱天之命。難醫眼前瘡。又抱心頭病。爲均輸倒加糧二頃。（海浮山堂詞稿）

水旱相仍六七年。自昔誰曾見。田園没養活。糧草乾陪墊。窮鄉官近來無俸錢。（海浮山堂詞稿）

老龍王安心忒好閑。不管頻年旱。溪頭水脈乾。井底泉源斷。要一瓢水下鍋難上難。

（海浮山堂詞稿）

去年七月初行雨。今歲歸何處。連宵有暴風。長夏無甘澍。懶龍眠到幾時天上取。

（海浮山堂詞稿）

過今年向平婚嫁少。五嶽終須到。眼前有子孫。手内無錢鈔。趁閑時不遊山何日了。

（海浮山堂詞稿）

出門自然兩脚輕。閑坐三分病。悶時渴睡多。樂地精神勝。總不如訪名山到處行。

（海浮山堂詞稿）

【南商調黄鶯兒】

病　起二首

陋巷少人過。問先生病若何。經旬學得陳摶卧。新麥飯喫多。村薄酒飲多。這些兒醉飽消得過。敵詩魔。從今説破。休要苦吟哦。（海浮山堂詞稿）

抱膝水邊亭。避炎蒸遠市城。悠然物外山林興。此身呵已輕。此心呵更清。多因詩瘦非因病。勸先生。肥從口味。酒飯一齊行。〔三〕（海浮山堂詞稿）

午　憩

庭樹影交加。掃蒼苔設小榻。頽然一枕消長夏。待觀書眼花。要題詩手麻。老妻閑說家常話。問莊家。麥收幾許。快沽酒賞葵花。（海浮山堂詞稿）

懷　所　知

牆外轆轤鳴。似轔轔車馬聲。高軒恍忽臨荒逕。試披衣起聽。待抽身出迎。多應是佳客乘詩興。憶交情。逢時對景。獨自立中庭。（海浮山堂詞稿）

【南商調黄羅歌】

樹下留客

小隱在山林。客來時坐緑陰。團團芳樹垂清蔭。静悠悠趣深。冷颼颼〔三〕氣森。解衣散髮無拘禁。共知音。狂歌痛飲。酒到莫停斟。堂高數仞。也索費心。食前方丈。也索費心。此身之外圖些甚。閑中過。樂處尋。一枝藜杖一牀琴。由人笑。信口吟。佳山佳水遍〔四〕登臨。（海浮山堂詞稿）

示姪

高枕卧林間。衆賢姪來問安。睡魔即漸都消散。早來也喜歡。晚來也喜歡。不來必定多縈絆。克家難。耕讀勤幹。何必遠來看。各安生理。經書勉旃。及時耕耩。種豆滿山。麥秋減却多一半。天猶旱。地正乾。商霖何日遍人寰。田糧重。民力殫。常將辛苦濟時艱。（海浮山堂詞稿）

灌園

流水遶人家。灌田園開〔五〕小閘。隨灣就曲增堤壩。罷河陽種花。效東陵賣瓜。行人〔六〕笑俺擡高價。自矜夸。纍纍滿架。五色絢雲霞。充飢當飯。解渴當茶。客來款待。臨溪坐沙。謾條條共説無憂話〔七〕。機心盡。樂意洽。漢陰抱甕舊生涯。秋葵葉。春韭芽。四時佳味度年華。（海浮山堂詞稿）

觀雨共酌 椿林堂〔八〕

小雨潤如酥。遠霏霏近却無。空濛斜向疎簾度。雲行太虚。風飄玉除。絲絲點點成甘露。荷沾濡。瀟然無暑。滿座笑歡呼。梁園詞客。高陽酒徒。詩成共賞。飲盡再

沽。千金不賣長門賦。〔合〕勤學稼。慣種蔬。一蓑一笠一張鋤。天心轉。民命蘇。從今不悔作農夫。（海浮山堂詞稿）

多病故人疎。有誰來問索居。蕭條長夏東村路。田園半蕪。禾苗半枯。老農一望無情緒。命巾車。閒遊城府。談笑有鴻儒。相逢不飲。高情又孤。何須投轄。無勞曳裾。及時好雨留人住。〔合前〕（海浮山堂詞稿）

竹裏有行廚。煑新茶泛翠盂。清香嫩剖蓮臺肉。襟懷不俗。形骸不拘。擎杯對景聯詩句。問通儒。從今至古。不飲豈吾徒。劉伶五斗。阮籍百斛。相如滌器。文君倚壚。陶淵明種黍逢甘澍。〔合前〕（海浮山堂詞稿）

雨過洗平蕪。染南山列畫圖。雲門地鏡添膏沐。荷花錦鋪。榴英火簇。山翁醉倒在花深處。正歡娛。胡曾懷古。張翰憶蓴鱸。秋風將至。暑氣漸徂。興來不淺。陶然一壺。慶豐年共享天之禄。〔合前〕（海浮山堂詞稿）

【南仙吕入雙調朝元歌】

述　懷四首〔九〕

長歌短歌。盡日逍遥樂。詩魔酒魔。到處盤桓坐。明月清風。同咱三箇。常把世情

參破。萬慮消磨。清閑壘成安樂窩。奉勸儍哥哥。休爭少共多。〔合〕隨緣且過。權當做東山高卧。（海浮山堂詞稿）

心不戀三台八座。生來福相薄。勉强待如何。休想豪華。且耽寂寞。防備臨時失錯。難免張羅。會飛騰也將翅兒縛。宦海有風波。平生涉歷多。〔合前〕（海浮山堂詞稿）

到處裏追歡行樂。山童歌舞着。拍手笑呵呵。帽插巖花。酒斟江糯。慢把風騷酬和。信口開合。新詩小詞積漸多。烏兔走如梭。都將今古磨。〔合前〕（海浮山堂詞稿）

也不管花開花落。年年一短蓑。寒暑飽經過。順水推船。隨風倒舵。雲影天光攤破。碾碎銀河。煙村幾家趁〔一〇〕碧波。喜聽採蓮歌。山花賽綺羅。〔合前〕（海浮山堂詞稿）

按：此四曲從第二首起换頭。此調四隻連用可作一套，但海浮山堂詞稿將四曲列入歸田小令，題「述懷」；南宫詞紀則作套數，題「恬退」；南詞韻選録第四首，無題。本書以小令録之。

【北雙調玉江引】

閲　世四首〔一一〕

我戀青春。青春不戀我。我怕蒼髯。蒼髯没處躲。富貴待如何。風流猶自可。有酒當喝。逢花插一朵。有曲當歌。知音合一夥。家私雖然不甚多。權且糊塗過。平安路上行。穩便場中坐。再不惹名韁和利鎖。（海浮山堂詞稿）

一品高官。朝中待漏寒。萬里兵權。將軍夜過關。名利不如閑。奔忙爭似懶。誰會鑽天。休嫌胳膊短。誰好綿纏。休嫌膝蓋軟。世路如同天樣遠。就裏多坑塹。曾將古人評。再把今人勘。一樁樁上心來重點檢。（海浮山堂詞稿）

論地談天。逢人說一篇。希聖希賢。空聽口内言。心迹總茫然。經綸方大展。妙旨通玄。教人打啞禪。外貌清廉。生來只愛錢。好一似鷺鷥兒毛色鮮。素質無瑕玷。包藏吞噬心。兩脚忙如箭。零碎魚兒嗉兒裏攢。（海浮山堂詞稿）

世路悠悠。誰知短共修。歲月如流。忽然春復秋。肥遯且藏頭。功名甘罷手。浪迹遨遊。撑開范蠡舟。擺脱閑愁。休登王粲樓。生涯只須詩共酒。莫自嫌卑陋。鶯花又換新。山水還依舊。這其間要追歡隨處有。（海浮山堂詞稿）

紀　笑〔一〕

學問才華。看如大海沙。利口伶牙。聽如井底蛙。財旺主通達。粧窮都是傻。空自嗟呀。安排不到家。枉受波吒。休嗔我笑他。我笑他恰便似臨崖馬。不早收韁罷。

回又不敢回。下又不敢下。脚踹〔一三〕着賺人坑不是耍。（海浮山堂詞稿）

百口分跋。難參尖嘴佛。百計騰挪。難逃毒害哥。成敗是簫何。英雄無結果。一折一磨。誰知死共活。一仰一合。休嗔我笑他。我笑他恰便似撲燈蛾。自取焚身禍。雙眉化作煙。兩翅燒成末。眼睁睁飛將來不見火。（海浮山堂詞稿）

有眼無睛。何曾識好人。側耳聽聲。强將假當真。舉世見錢親。窮胎爲禍本。滿口胡云。休言清慎勤。一味貪嗔。休嗔我笑君。我笑君貪財不顧身。晝夜無窮盡。更不辨蒼白。何處尋公論。把英雄折倒的沿地滚。（海浮山堂詞稿）

立定根基。出門多路歧。説甚相知。從來知我希。人面逐高低。迂儒不度己。今是昨非。誰能早見機。秉性難移。休嗔我笑伊。我笑伊一文錢纏到底。算甚麽名和利。堪嗟枉費心。可惜乾淘氣。總不如望雲山歸故里。（海浮山堂詞稿）

【北正宫醉太平】

遂　閑二首

誰説俺不平。俺元無宦情。秋收田地到春耕。從來是本等。懶驢愁治不了傳槽病。

餵貓食救不的殘生命。使牛歌改不了舊音[一四]聲。急歸來笑聽。（海浮山堂詞稿）

沉顛先擔子。軟兀刺身奇。擔驚受怕有差池。那裏是中喫的果兒。空教我喘吁吁濟不的星兒事。悶攧攧伸不的平生志。急煎煎挨不的那些時。喜今番到此。（海浮山堂詞稿）

【北雙調天香引】

送陳震南二首

送君行匹馬西風。別思綿綿。去路匆匆。塵鞅空囊。雲山逸興。宦海孤蹤。徘徊處寒花舊壠。指顧間斜日離宮。稽古桓榮。識字揚雄。金石文章。錦繡心胸。（海浮山堂詞稿）

足音稀空谷跫然。不是詩翁。便是神仙。氣味相投。風情迥別。議論通玄。感知遇綈袍戀戀。說行藏光景年年。瘦聳吟肩。小設離筵。遠客悲歌。野水寒煙。（海浮山堂詞稿）

謝張誠菴雙調之贈

解塵纓笑入詞林。最喜同聲。偏愛知音。水檻霜清。山堂月冷。竹塢雲深。裁麗曲

工如蜀錦。按新腔價重南金。險韻侵尋。雙調沉吟。四海傳流。千古胸襟。（海浮山堂詞稿）

柬東沙呂僉憲

樹勳名劍閣嵯峨。歸去雲山。笑入煙蘿。處處新詩。時時小酌。日日高歌。共知音天仙素娥。同得道月老黄婆。塵世消磨。春色融和。進步蓬萊。回首風波。（海浮山堂詞稿）

柬劉後溪

興飄然杖策何之。數首唐詩。幾曲元詞。關塞書懷。山川寫景。鄉國題思。玳筵上傳授與明腔雪兒。畫屏前準備下妙翰張芝。名起當時。紙貴京師。建羨清〔一五〕才。珍重嬌姿。（海浮山堂詞稿）

柬董信溪

任逍遥洛下耆英。曾作鹽梅。爲國調羹。一脈家傳。三齊閥閲。累世簪纓。樂琴書

心田坦平。愛山水眼界分明。地接蓬瀛。路出燕京。退隱漁樵。進取功名。（海浮山堂詞稿）

【北雙調仙桂引】

壽董北山七十一

鷗盟常共水雲親。鶴算偏宜海屋隣。蝸軒更與蓬萊近。奉身安行步穩。古希年再數重巡。亨清福三齊耆俊。樂清閑十洲舊隱。遇清時萬曆長春。遇清時萬曆長春。南極生輝。北海開尊。賢主嘉賓。金昆玉季。桂子蘭孫。論宦業調羹補袞。振家聲善武能文。麟閣功勳。鳳藻絲綸。與國同休。奕世承恩。（海浮山堂詞稿）

【北雙調河西六娘子】

癸酉新春試筆

獻歲山翁六十三。老馮唐懶去朝參。功名簿上閑磨勘。呀。袖手且粧憨。退步有何慚。世態炎涼已飽諳。（海浮山堂詞稿）

【南正宮玉芙蓉】

益姪家宴

千金一刻春。良夜三更近。滿華筵骨肉之親。海浮山下煙霞潤。椿桂堂中氣象新。清香醞。三巡五巡。一家兒老少醉醺醺。（海浮山堂詞稿）

【南仙呂桂枝香】

臨姪家宴

疎星淡月。好天良夜。玳筵前兄弟排行。畫堂中兒孫羅列。把金杯滿些。把金杯滿些。合家歡悦。銀壺漏永。玉繩斜。去歲人何在。今春景又別。（海浮山堂詞稿）

【南仙吕入雙調朝元歌】

蒙姪家宴

條風谷風。春意花梢動。三鍾兩鍾。春酒筵前奉。銀燭高燒。湘簾不控。忽聽的歌聲輕送。皓月當空。良宵不眠興未窮。子姪笑相從。殷勤醉海翁。天倫情重。寂寞了西堂清夢。時舍弟逝矣（海浮山堂詞稿）

【北雙調折桂令】

咸姪家宴

海雲收雪霽山青。旭日初長。文運方亨。五桂重芳。一椿未老。四葉傳經。開夜宴休離酩酊。聽春弦最喜輕清。伐木歌聲。行葦親情。樂意綢繆。笑語丁寧。（海浮山堂詞稿）

【北中呂朝天子】

答陳李二君二首

陳子昂古詩。李太白律詩。字字相傳示。錦心繡口冠當時。滿紙龍蛇字。掌筆騷壇。游情文事。海山間三數子。俺如今淺思。編幾句小詞。也當做詩言志。（海浮山堂詞稿）

一遭兒菊籬。輪莊兒酒席。老兒當常相會。〔一六〕淵明得意便啣杯。笑向花間醉。好景凝眸。深山屏迹。棄浮名如脱屣。喚奚奴〔一七〕自隨。遞詩筒再題。就裏〔一八〕多風味。（海浮山堂詞稿）

洞厓、芝巘，悉示詩章。懶漫無堪，未能仰和。聊占小令，用謝高篇。媿鐘缶之殊音，將唱酬之無當也。

【南中呂駐馬聽】

晚　浴二首〔一九〕

晚浴晴川。正是炎蒸六月天。葛巾斜掛。芒履雙拋。野服高懸。科頭跣足腹便便。柳陰深處涼無限。名利休纏。頂冠束帶。許多不便。（海浮山堂詞稿）

坐傍溪橋。一派清漣暑氣消。風生雙腋。爽透煩襟。浄滌塵囂。水邊難解紫羅袍。枝頭怎掛烏紗帽。散誕逍遥。如今喜得。林泉高蹈。（海浮山堂詞稿）

【南南吕懶畫眉】

樂　閑二首

水邊林下一閑人。無慮無思自在神。功名富貴等浮雲。春光秋月無窮盡。日日看山日日新。（海浮山堂詞稿）

清風明月兩閑人。笑傲煙霞洗世塵。無邊光景滿乾坤。涼生暑退秋光近。日日吟詩日日新。（海浮山堂詞稿）

【北正宫塞鴻秋】

喜　雪二首

雪花兒飛。風力兒催。隔窗兒凜慄透寒威。土坑蘆席。濁酒山妻。賽羊羔勝党姬。念窮民肚裏無食。歎寒儒身上無衣。高山成玉壘。平地起銀堆。嘻。看來歲得便宜。

（海浮山堂詞稿）

雪填門。人斷魂。少柴無米怎温存。喜殺官人。盼殺黎民。撒梨花都是春。滿天街瑞氣氤氲。舞簾櫳玉屑繽紛。今冬難湊手。來歲好安身。貧。那有隔年陳。（海浮山堂詞稿）

【北雙調仙桂引】

甲戌新春試筆

大年初一好晴明。初二初三氣候清。迎春士女如雲盛。問勾芒仔細聽。願今年五穀豐登。願今年八方寧静。願今年糧差輕省。願今年黎庶安生。聽勾芒應答衆生。天有神靈。官又廉明。吏不違條。民不犯法。盜不縱横。四夷安齊輸款誠。三光正推驗昇平。從今後歲歲收成。户户充盈。託賴着萬曆皇朝。倚仗着九棘公卿。（海浮山堂詞稿）

燈　夕

元宵十五好晴天。十六十七景物妍。觀燈士女貪歡宴。喜孜孜笑語喧。幸遭逢盛世豐年。風不動芝蔴賤。月交輝百穀全。好燈光萬事安然。謝朝中宰相調元。官不勞民。吏不貪錢。糧不重徵。差無偏累。銀不加添。感逃移心回意轉。恤貧窮復業歸田。左右無權。書算絶奸。喫緊的郡守廉明。委實的邑宰仁賢。（海浮山堂詞稿）

【南南吕一江風】

益姪家宴二首

入新年。日日開春宴。幸得身强健。喜團圓。椿桂重芳。蘭惠香風滿。新詩和幾聯。新詞和幾篇。堂前又覩奎光現。（海浮山堂詞稿）

入新春。又值文明運。咫尺三臺近。慶風雲。聖主臨軒。齊魯登賢俊。春光占幾分。春觴勸幾巡。耳邊廂忽聽的春雷震。（海浮山堂詞稿）

【南仙吕入雙調玉抱肚】

臨姪家宴

一年嘉慶。北堂前芝蘭向榮。把金甌淺泛流霞。和春詞變入新聲。歌喉響遏碧雲行。

雪月風花滿郡城。（海浮山堂詞稿）

【南仙吕入雙調朝元歌】

蒙姪家宴

花香酒香。且把愁顔放。風光月光。頓覺詩懷暢。笑語綢繆。篆煙飄蕩。春滿尊前席上。琴瑟高張。清歌一聲繞畫梁。昔日紫薇堂。今朝翠竹房。男兒志向。休負了前人名望。（海浮山堂詞稿）

【北雙調折桂朝天令】

咸姪會試二首

燦文星世世重輝。酉中秋闈。戌中春闈。看東華金榜名題。解却儒衣。換上朝衣。羡沖舉九苞鳳起。任扶摇萬里鵬飛。聖主登極。賢俊來儀。投至得捷報南宫。不枉了聲震東齊。設席。舉杯。元旦成佳會。長行直到曲江池。方稱遊春意。桃浪千層。杏林十里。這風光真箇美。對燈花此夕。步雲程有期。大家拚一箇醺醺醉。（海

浮山堂詞稿）

十年來一介書生。頗擅才名。也擅科名。五朝中累世簪纓。方顯文星。又顯官星。論黼藻堪稱國英。談道義克振家聲。纔入新正。即便登程。一步步足躡天梯。不移時身上瑶京。此行。準成。金榜標名姓。出門相送弟和兄。勸酒多嘉慶。棠棣連枝。鴈鴻接影。到京師趨華省。耳邊廂細聽。唱的是渭城。和一闋折桂朝天令。時履姪在駕部（海浮山堂詞稿）

【南商調黄鶯兒】

勉　姪二首

掛一段狀元紅。占春光錦繡叢。書生仰荷君恩重。望金門鞠躬。近天顏改容。傳宣京尹排騶從。狀元紅。前遮後擁。攔不住五花驄。（海浮山堂詞稿）

簪一朵狀元花。這風流實可誇。長安走馬人如畫。金貂客手插。玉樓人眼𥌓。杏園春色真無價。狀元花。來回顧影。不覺的側烏紗。（海浮山堂詞稿）

【北雙調折桂令】

春　陰

寫春聯遍帖柴門。詩也宜春。酒也宜春。跨毛驢笑入煙村。風也撩人。雪也撩人。環海岱生意鼎新。滿乾坤和氣氤氳。行雨行雲。富國安民。準擬西成。多謝東君。（海浮山堂詞稿）

焚柏子

翠巍巍柏子浮煙。清似鷄舌。潤比龍涎。芸草窗中。芝蘭砌畔。椿桂堂前。遇道人偏宜講玄。對高僧最好談禪。案上丹鉛。坐下青氈。對此觀書。對此鳴絃。（海浮山堂詞稿）

燒榾柮

燒榾柮老瓦盆中。煖氣烘烘。樂意融融。煙透軒窗。寒銷院宇。春滿簾櫳。煨嫩芋紅爐謾擁。點清茶白雪新烹。冷淡家風。瀟灑山翁。受用無邊。熱酒三鍾。〔三〇〕（海浮山

堂詞稿）

閱報除名

喜朝中一旦除名。俺纔是散誕山人。自在先生。湫屣離身。扁舟抵岸。飄瓦忘形。若不是忽刺八開豁的清白。怎能够生圪查倒斷的分明。（海浮山堂詞稿）

苦奔波三萬里迢迢遠征。花打算四十年小小前程。蜀道難行。齊瑟誰聽。若不是忽

嘆人情不繫之舟。隨水東西。蕩蕩悠悠。把似俺二意三心。總不如一刀兩斷。才是箇萬了千休。信同僚苦勸着莫得要輕輕罷手。聽親戚攛斷的怎能勾早早回頭。到底是賦性優柔。遇事遲留。止不過蝸角虛名。又不是都督王侯。〔三〕（海浮山堂詞稿）

笑吾生天地之間。半紙功名。六品王官。百樣參差。十分潦倒。一味孤寒。破砂鍋換蒜皮有何希罕。死鷄兒爊白菜枉受艱難。從今後雲水青山。竹杖黃冠。遠離了世路風塵。跳出了宦海波瀾。（海浮山堂詞稿）

看人情世態偏別。禍福無端。好惡隨邪。歧路亡羊。塞翁失馬。弓影成蛇。拾了箇破包頭有何難捨。打了箇昏斯謎費盡周折。雖不是豪傑。也不是癡呆。豈不知這樣兒清高。那樣兒巴竭。（海浮山堂詞稿）

【北中吕朝天子】

喜客至

喜羣英赴席。看五星聚奎。百里内賢人會。甕頭新釀帶糟皮。到手休辭醉。東省齊名。南宫高第。兩同年情更美。酬勸了幾杯。穿换了一迴。中不盡東君意。（海浮山堂詞稿）

候客不至

敬心兒往來。用意兒刮劃。爲只爲兩世通家愛。寒儒那有大安排。鷄黍相陪待。廚下休忙。東君莫怪。請着他佯不采。有酒兒自釃。有肉兒自噇。頓忘了炎涼態。（海浮山堂詞稿）

拜客不答

遠迢迢出城。静悄悄到廳。再拜申微敬。覓人擡轎費經營。買柬兒通名姓。往而不來。幡然自省。敞着門終日等。俺如今已惺。也學的寡情。閉了門推乾净。（海浮山堂

詞稿）

喜客相訪

掩柴門不開。有高賢到來。又破了山人戒。斯文一氣便忘懷。笑傲煙霞外。雅意相投。誠心款待。酒瓶乾還去買。你也休揣歪。俺也休小哉。終有箇朋情在。（海浮山堂詞稿）

【南仙吕桂枝香】

雨後雪

小春將盡。寒風傳信。恰纔聽雨點無聲。又早見雪花成陣。静悄悄閉門。静悄悄閉門。新開香醞。自釃自飲。意欣欣。堂前十月汪汪水。不怕來年一日辛。（海浮山堂詞稿）

雪　晴

一天飛絮。萬山堆玉。霎時間掃盡同雲。又添上無邊清趣。任幽人品題。任幽人品

題。錦囊佳句。探〔三〕梅歸去。意何如。消磨歲月詩千首。笑傲乾坤酒一壺。（海浮山堂詞稿）

【北雙調胡十八】

刈麥有感四首

八十歲。老莊家。幾曾見。今年麥。又無顆粒又無柴。三百日旱災。三千里放開。偏俺這卧牛城。四下里忒〔三〕毒害。（海浮山堂詞稿）

不甫能。大開鐮。閃的箇。嘴着地。陪了人工陪飯食。似這般忒癡。真箇是罕希。急安排種豆兒。再着本還圖利。（海浮山堂詞稿）

穿和喫。不索愁。愁的是。遭官棒。五月半間便開倉。里正哥過堂。花户每比糧。賣田宅無買的。典兒女陪不上。（海浮山堂詞稿）

往常〔四〕時。收麥年。麥罷了。是一儉。今年無麥又無錢。哭哀哀告天。那答兒叫冤。但撞着里正哥。一萬聲可憐見。（海浮山堂詞稿）

【北雙調折桂令】

刈穀有感二首

自歸來農圃優游。麥也無收。黍也無收。恰遭逢饑饉之秋。穀也不熟。菜也不熟。占花甲偏憎癸酉。看流行正到奎婁。官又憂愁。民又漂流。誰敢替百姓擔當。怎禁他一例誅求。（海浮山堂詞稿）

近新來百費俱捐。官也無錢。民也無錢。遠鄉中一向顛連。村也無煙。市也無煙。貧又逃富又逃前催後趲。田也棄房也棄東走西遷。幸賴明賢。招撫言旋。毒收頭先要合封。狠催申又討加添。（海浮山堂詞稿）

【北正宮小梁州】

飼蟻有感

無千無萬聚庭堦。犯險的惹禍招災。那年江省考遺才。人廝躧。多士最堪哀。〔幺〕縱然吾意無毒害。脚到處衆命難捱。撒了把細麩皮。引的他忙成塊。喜的是手疾眼

快。齊入穴中來。（海浮山堂詞稿）

【北中呂朝天子】

東村樓成四首

小樓。地頭。不出户觀耕耨。曉來四面上簾鈎。一覽山川秀。瀟散琴棋。尋常詩酒。

望家。看瓜。小可成間架。四圍禾稼間桑麻。只看到秋收罷。破二作三。少七没八。

避塵囂辭俗友。到秋。頗收。具鷄黍邀親舊。（海浮山堂詞稿）

謾綳拽窮對搭。板笆。草榻。高卧無驚怕。（海浮山堂詞稿）

倚闌。玩山。平穩似連雲棧。門前七里釣魚灘。説甚的磻溪岸。陡展詩懷。高擡醉

眼。性天寬心地坦。避煩。討閑。好受用窮鄉宦。（海浮山堂詞稿）

四方。八窗。高出松梢上。黑甜一枕到羲皇。傲煞陶元亮。長夏風清。新秋氣爽。

好潛修堪静養。坐忘。退藏。息念處消魔障。（海浮山堂詞稿）

自遣

海翁。命窮。百不會千無用。知書識字總成空。浮世乾和閧。笑俺奔波。從他盤弄。

您乖猾俺懞懂。就中。不同。誰認的鷄和鳳。（海浮山堂詞稿）

海浮。命毒。方的俺無錢物。半牀圖畫半牀書。這便[二五]是安身處。論地談天。知今道古。一時人全不數。念吾。寡徒。有句話和誰訴。（海浮山堂詞稿）

汝行。此生。天賦與烟霞性。世間名利兩無成。落得山中静。鳥徑禪關。龍溪釣艇。緑蓑衣披一領。子平。五星。不問卜知前定。（海浮山堂詞稿）

萬緣。聽天。不富貴安貧賤。老妻稚子種山田。骨肉相依戀。家世耕讀。時常過遣。又何須名姓顯。向前。有年。便足平生願。（海浮山堂詞稿）

【南中吕駐雲飛】

此景亭初秋小酌二首[二六]

時值新秋。一雨初晴暑氣收。翠滴山光瘦。紅濕荷香透。嗏。佳客任遨遊。買魚沽酒。醉後狂歌。舞破衣衫袖。不管人間萬種愁。（海浮山堂詞稿）

一段秋光。萬柳陰中納晚涼。風動鷗波滉。雨過龍溪漲。嗏。玉手送霞觴。逍遥亭上。洗耳開懷。試聽紅兒唱。一笑都將萬慮忘。（海浮山堂詞稿）

【南仙呂桂枝香】

贈　人二首

月中丹桂。天花香細。熬盡了萬紫千紅。占斷了奇花名卉。到清秋盛開。到清秋盛開。金風飄砌。嫦娥初會。意徘徊。乞得千年藥。還攀萬丈梯。（海浮山堂詞稿）

冰輪高掛。花枝低亞。恰纔玉兔東升。又早銀蟾西下。折一朵桂花。折一朵桂花。千金無價。香風縹緲。散天葩。分付登雲客。相將步月華。（海浮山堂詞稿）

【南仙呂二犯傍粧臺】

此景亭觀雨共酌[二七]

流水遶孤村。藕花四面吐清芬。坐邀三益友。行樂百年身。輕雷忽送山前雨。暮靄遥連海上雲。解衣沽酒。促膝論文。一談一笑共相親。（海浮山堂詞稿）

七月火西流。湖光山色倍清幽。共拚河朔飲。散步習池遊。兒童莫笑山翁醉。麴米能消杜甫愁。碧筒縱飲。清商朗謳。海天一雨彩虹收。（海浮山堂詞稿）

世恩堂觀雨共酌[二八]

高會畫堂中。瑞煙裊裊雨濛濛。漸看花露重。莫放酒尊空。敲殘棋子消清晝。捲盡湘簾對遠峰。竹溪六逸。商山四翁。至今千載仰高風。（海浮山堂詞稿）

無事且啣杯。相邀一月兩三席。醉翁非爲酒。詩社共分題。德星喜兆賢人聚。膏雨初回造化機。太平有象。豐年可期。逢場作戲便追隨。（海浮山堂詞稿）

李奇坡會不果赴[二九]

三日出村行。青鸞早已報先聲。披衣看月色。欹枕盼窗明。未及赴飲天留客。纔待登車雨滿城。笑余掃興。孤君款情。秀才食肉犯梟星。（海浮山堂詞稿）

涼雨洗平沙。瓊樓對起鎖煙霞。清秋浮爽氣。勝事競繁華。佳山佳水東齊郡。難弟難兄北海家。綺筵候客。銀河泛槎。相看咫尺隔天涯。（海浮山堂詞稿）

【南正宫玉芙蓉】

喜　雨二首

村城井水乾。遠近河流斷。近新來好雨連綿。田家接口藹秫飯。書館充腸苜蓿盤。年成變。歡顔笑顔。到秋來納稼滿場園。（海浮山堂詞稿）

初添野水涯。細滴茅簷下。喜芃芃遍地桑麻。消災不數千金價。救苦重生八口家。都開罷。喬花豆花。眼見的葫蘆棚結了個赤金瓜。（海浮山堂詞稿）

苦　雨二首

衝開七里灘。淹倒磻溪岸。釣臺沉何處投竿。三時不雨田苗旱。一雨無休水潦寬。民愁嘆。號天怨天。這其間方信道做天難。（海浮山堂詞稿）

恰纔慶雨澤。豈料爲民害。〔三〇〕一時間旱潦齊來。牆傾屋塌千家壞。水浸風磨五穀災。多奇怪。時乖命乖。歎吾生畢竟是老窮胎。（海浮山堂詞稿）

苦　風二首

難將風雨調。無計回天道。簸乾坤晝夜狂飈。核科折盡泥中倒。黍穀磨殘水上漂。哀哀告。千勞萬勞。誰承望一年勤苦總無聊。〔三二〕（海浮山堂詞稿）

封家十八姨。毒害能爲祟。撞南牆猛雨如錐。摧殘禾稼饑難濟。壓倒房廊命有虧。民何罪。天知地知。願回心風調雨順霽嚴威。（海浮山堂詞稿）

喜　晴二首

鳩來屋上鳴。雨霽偏靈應。這其間準擬收成。雖然天意人難定。到底民窮運轉亨。簷前聽。三聲兩聲。誰想這小毛團倒好驗陰晴。（海浮山堂詞稿）

陰雲萬里無。積雨千山度。拯羣生脱離了泥塗。青天豈有絶人路。赤日還爲救命符。沽酒處。三壺兩壺。眼見的樂陶陶醉倒了老農夫。（海浮山堂詞稿）

按：「沽酒」，嘉靖四十五年刻本（簡稱嘉靖本）作「沽清」。

【北雙調玉江引】

農家樂次洞厓韻

喜得秋成。新炊乾飯飽。準備冬寒。純棉粗布襖。不怕社官喬。何妨書手狡。無慮無憂。先將官債了。無是無非。休嫌家當少。暖虛虛炕頭睡的好。安穩誰驚覺。消殘水旱愁。唱徹村田樂。若不是這年成何處跑。（海浮山堂詞稿）

農家苦次洞厓韻

倒了房宅。堪憐生計蹙。衝了田園。難將雙手抓。陸地水平鋪。秋禾風亂舞。水旱相仍。農家何日足。牆壁通連。窮年何處補。往常時不似今番苦。萬事由天做。又無餬口糧。那有遮身布。幾椿兒不由人不叫苦。（海浮山堂詞稿）

【南仙呂傍粧臺】

憂復雨 次洞庢韻

喜登山。閑看秋雨自憑闌。誰知巨洋深似海。平地水連天。飄流房屋傷禾稼。傾倒牆垣損藥欄。天難定。民不安。滿懷愁鎖兩眉間。（海浮山堂詞稿）

望雲開〔三二〕。忽驚東北雨聲來。百川齊泛濫。千里盡風霾。甫能六月愁乾旱。恰入三秋告水災。流行到。時運該。家家少米又無柴。（海浮山堂詞稿）

黑雲連。猶如天地尚函三。街前翻巨浪。城下起狂瀾。閭閻生計頻年病。市井謠言何日安。思前事。防未然。千愁萬苦訴蒼天。〔三三〕（海浮山堂詞稿）

暮煙霏。村城四望見應稀。有塵生飯甑。無處覓漁磯。半灣轉過三尺水。一步行來兩脚泥。田園没。生計微。誰將荒政拯羣黎。（海浮山堂詞稿）

喜復晴 次洞庢韻

舉頭瞧。披雲撥霧仰丹霄。開門看小圃。倚杖步荒郊。鳩聲唤徹千林曉。鶴駕飛來

萬里遥。山容瘦。花瓣嬌。野人遊玩也清高。（海浮山堂詞稿）

舉頭看。三竿紅日上青天。且喜天睁眼。不怕水衝田。[三四]雖然[三五]南畝禾生耳。忽見[三六]東隣竈有煙。詩懷暢。酒量寛。願同擊壤樂堯年。（海浮山堂詞稿）

喜輝煌。扶桑擁出太陽光。不愁泥曳履。猶恐露沾裳。牆傾旋插新籬障。屋倒權修破草房。看秋景。納晚涼。一時得意氣軒昂。（海浮山堂詞稿）

對青山。雲霞變幻片時間。清風良夜景。明月早秋天。酒杯到手休辭醉。竹杖隨身不記年。登臨樂。笑語懽。大家同會大羅仙。（海浮山堂詞稿）

【北中吕朝天子】

四　術

醫

把腕兒綽觔。掐杖兒下針。無倒斷差分寸。處心醫富不醫貧。慣用巴霜信。利膈寛胸。單方弔引。幾文錢堪做本。瀉殺了好人。治活了歹人。趁我[三七]十年運。（海浮山堂詞稿）

卜

睁着眼莽謅。閉着眼瞎謅。那一箇知休咎。流年月令費鑽求。就裏多虚謬。四課三傳。張八李九。一椿椿不應口。百中經枕頭。卦盒兒在手。花打算胡將就。（海浮山堂詞稿）

相

對着臉朗言。扯着手軟纏。論富貴分貧賤。今年不濟有來年。看氣色實難辨。膫子封妻。成家蕩産。細端相胡指點。憑着你臉涎。看的俺靦顔。正眼兒不待見。（海浮山堂詞稿）

巫

扇皷兒狠敲。背膊兒碜摇。不住的梭梭跳。五更半夜睡不着。隣舍家嫌聒噪。綽去了三魂。相衝着五道。鬼病兒難得好。買金銀紙燒。請師婆賽了。敬意把邪神報。（海浮山堂詞稿）

【北仙吕寄生草】

四不全

缺唇兒[三八]

娘喫了兔兒肉。兒少了口唇皮。喝茶喝水空勞力。説長説短乾淘氣。吹燈吹火無巴臂。懷胎婦女再休饞。但見了兔兒須迴避。（海浮山堂詞稿）

點脚兒[三九]

一脚長一脚短。一步高一步低。東欹西倒街前醉。歪頭劣肚門傍立。伸腰曲膝牀頭睡。買一條鐵拐早修行。功成插入神仙隊。（海浮山堂詞稿）

秃廝兒

少一綹青絲髮。有幾根喇哩毛。網兒頂線無着落。梳兒篦兒都不要。虱子蟣子無消耗。人人稱道是同知。幾時戴一頂烏紗帽。（海浮山堂詞稿）

瘦膊兒

看着你嗉兒裏有。每日家還要喫。喫的是尿胞裝着些膀胱氣。響的他吁吁喘喘難醫治。愁的是深深唱喏頭着地。連腮帶耳一般粗。做了些揚揚不睬胖張勢。（海浮山堂詞稿）

【北中呂滿庭芳】

四憎

蠅

蠅營半載。跟尋腥腐。變亂蒼白。雖然首尾無毒害。蹤跡胡歪。書案上摇摇擺擺。酒席間鬧鬧垓垓。鼻尖兒快。静悄悄荒郊野外。人坐下一齊來。（海浮山堂詞稿）

蚊

些微形狀。聲如雷動。嘴似針芒。但沾着皮肉不廝放。頃刻成瘡。眼待合又疼又癢。

睡不穩難忍難當。酥胸上。輕輕一掌。汝命早先亡。（海浮山堂詞稿）

蚤

行藏欠穩。尖[四〇]心害物。利嘴傷人。忽然亂跳無音信。磚縫裏藏身。手摸着三魂早殞。口咬着一命難存。那時節無投奔。饒你跟頭亂滚。跳不出破皮褌。（海浮山堂詞稿）

虱

窮生蟣虱。慣欺破襖。頻解高懷。你咬我我咬你都休怪。手到擒來。擒住你開呵喝采。放[四一]了你增福消災。從今後休相害。實指望富而生疥。又只怕癢難捱。（海浮山堂詞稿）

藥　蟲[四二]

紅頭黑嘴。苦中作樂。甜處求食。何曾生冷傷脾胃。無病尋醫。咀嚼的口中最美。補養的身上難肥。秋陽内。攤開曬你。不死也去層皮。（海浮山堂詞稿）

書　蟲[四三]

蠹魚[四四]雖小。咬文嚼字。有甚才學。綿纏紙裹書中耗。占定窩巢。俺看他一生怕了。你鑽他何日開交。聽吾道。輕身兒快跑。捻着你命難饒[四五]。（海浮山堂詞稿）

【南仙吕桂枝香】

冶源大十景十首[四六]

乾坤清氣。林泉佳致。恍疑似方丈蓬壺。端的是洞天福地。暖溶溶玉池。暖溶溶玉池。源頭活水。珍珠亂撒。一片琉璃。海上三山秀。人間萬古奇。（海浮山堂詞稿）

浮山勝概。冶源煙靄。又不是香霧空濛。又不是輕雲靉靆。不移時閃開。不移時閃開。神仙世界。十洲三島。閬苑蓬萊。天上黃金闕。壺中白玉臺。（海浮山堂詞稿）

白鷗輕漾。紅鴛翻浪。恰纔過捉馬潭邊。又早到小龍灣上。緑陰陰兩行。緑陰陰兩行。青絲飄蕩。千條弱柳。萬縷垂楊。好一似連環鎖。牽人入醉鄉。（海浮山堂詞稿）

山居幽静。湖光相[四七]映。翠巍巍四面雲屏。碧澄澄一輪銀鏡。聽悠悠數聲。聽悠悠

數聲。禪林清磬。動人詩興。信步閑行。雨過沙邊路。風來水上亭。（海浮山堂詞稿）

治官遺廟。千山環抱。鑄劍池徹底澄清。飛雲閣半空縹緲。柳陰中小橋。柳陰中小橋。漁樵徑道。遊人登眺。盡日逍遥。上到摩天嶺。方知此處高。（海浮山堂詞稿）

堂開雲岫。泉分石竇。倒坐着水月觀音。生就的净瓶楊柳。有前朝古槐。有前朝古槐。千年依舊。龍蛇技鬬。隱護靈湫。黑水洪洋峪。深藏景最幽。（海浮山堂詞稿）

扁舟一葉。金波摇拽。輕撥開翠藻青蒲。滿載着光風霽月。蕩星河影斜。蕩星河影斜。好天良夜。珠泉萬顆。雲錦千疊。鮮鯽銀絲鱠。年年受用些。（海浮山堂詞稿）

東山高卧。小亭清坐。結識上酒友詩朋。準備下及時行樂。滿池塘緑荷。滿池塘緑荷。紅蓮萬朵。開尊宴賞。信口吟哦。喜得高人至。盤桓安樂窩。（海浮山堂詞稿）

玉泉香院。金仙出現。千年古刹傳留。萬載皇圖永奠。自歸來閉關。自歸來閉關。空門依戀。静聽清梵。醉愛逃禪。石鼎烹茶品。名山第一泉。（海浮山堂詞稿）

秋來春去。四時成趣。家住翠竹叢中。人在白雲深處。看天然畫圖。看天然畫圖。眼前詩句。水芹香稻。鮮酒活魚。見説江南好。江南恐不如。（海浮山堂詞稿）

【南商調黄鶯兒】

美人杯

掌上醉楊妃。透春心露玉肌。瓊漿細瀉甜如蜜。鼻尖兒對直。舌頭兒聽題。熱突突滚下咽喉内。奉尊席。笑吟吟勸你。偏愛喫紫霞杯。（海浮山堂詞稿）

春意透酥胸。眼雙合睡夢中。嬌滴滴一點花心動。花心兒茜紅。花瓣兒粉紅。泛流霞誤入桃源洞。奉三鍾。喜清香細湧。似秋水出芙蓉。（海浮山堂詞稿）

【南南吕懶畫眉】

前題次韻二首

妖嬈人樣酒杯兒。仰面昏沉睡覺兒。纖腰半露那些兒。細看他這點花兒蕋。瀉出瓊漿一線兒。（海浮山堂詞稿）

瑶觴托在手心兒。煖酒輕沾口角兒。杯心正對舌尖兒。消停仔細嘗滋味。滿口香甜有趣兒。（海浮山堂詞稿）

【北雙調折桂令】

送琦孫鄉試

論干支應驗如何。子也登科。丁也登科。喬梓聯芳。祖孫繩盛。世沐恩波。準備就攀月桂當頭一朵。不枉了赴文場鏊戰三合。鵬舉溟渤。鳳起巖阿。佇望飛騰。勉自琢磨。（海浮山堂詞稿）

【北雙調仙桂引】

詠詩匏

靈匏聲價重鴟夷。盤古流傳混沌皮。團圞共結淄沂會。賽郵筒不摘離。叩清音喚醒詩脾。寫不盡風花記。吟不徹雪月題。但登臨滚滚相隨。小壺天玉質冰肌。喜則喜空洞能容。爲則爲囊括無遺。錦重疊滿紙雲煙。光絢爛一天星斗。圓滴溜萬顆珠璣。俺只道混元形未分兩儀。誰鑿透通玄竅肇判三極。付奚童仔細收拾。倩高賢珍重留題。覽詩篇字字精工。詠詞章句句神奇。（海浮山堂詞稿）

喜雪新春試筆

大年初一雪花飄。瑞氣祥光貫九霄。從今已顯豐穰兆。喜三白遍四郊。託賴着臺省賢勞。扶助的朝廷有道。保安的黎民無擾。感召的雨順風調。細繽紛密灑衡茅。海宇生輝。山岳增高。萬朵琪花。千枝玉樹。百尺銀橋。掃蕩了豺狼當道。簇擁着驄馬行軺。清擬冰條。貴比瓊瑤。滿齊城有脚陽春。恰都是柏府人豪。（海浮山堂詞稿）

元宵喜雪夜分而止

元宵十五雪花飛。玉映天街火樹圍。從今再顯豐年瑞。萬民安二麥宜。壓遺蝗入地千尺。喜百穀蒙生意。慶三農更足食。拜謝了天地神祇。草堂開小設筵席。雪裏燈竿。分外希奇。柳絮輕盈。梨花飄漾。梅蕋芳菲。笑談中詩詞並美。轉盼時燈月交輝。夜色何其。兔影沉西。有酒重斟。不醉無歸。（海浮山堂詞稿）

【北雙調河西六娘子】

笑園六詠六首

問道先生笑甚麽。笑的我一仰一合。時人不識余心樂。呀。兩脚跳梭梭。拍手笑呵呵。風月無邊好快活。（海浮山堂詞稿）

人世難逢笑口開。笑的我東倒西歪。平生不欠虧心債。呀。每日笑胎嗨。坦蕩放襟懷。笑傲乾坤好快哉。（海浮山堂詞稿）

閑看山人笑臉兒紅。笑時節雙眼兒朦朧。平白地笑入玄真洞。呀。也不辨雌雄。也不見西東。笑不醒風魔胡突蟲。（海浮山堂詞稿）

玉兔金烏趕的荒。我笑他不住的窮忙。今來古往如奔浪。呀。三萬六千場。日日笑何妨。俯仰乾坤一醉鄉。（海浮山堂詞稿）

笑倒了山翁老傻瓜。爲甚的大笑哈哈。功名不入漁樵話。呀。打鼓弄琵琶。唾着唱楊家。用盡你機關笑掉了我的牙。（海浮山堂詞稿）

名利機關没正經。笑的我肚兒裏生疼。浮沉勝敗何時定。呀。箇箇哄人精。處處賺

人坑。只落得山翁笑了一生。（海浮山堂詞稿）

【北中吕朝天子】

夜聞琦捷口占二首

文運到丙丁。發迹在早齡。越顯的門風盛。神機妙出火牛城。一戰三齊定。耀後光前。連科決勝。赴瓊林拚酩酊。金榜上列名。玉堂中樹聲。又千里傳家慶。（海浮山堂詞稿）

恰辭了桂軒。又到了杏園。早遂却男兒願。連登及第邁前賢。您喬梓都堪羡。四世科名。五朝恩眷。荷天公垂庇遠。清白字祖傳。忠孝事[四八]勉旃。要振起咱門面。（海浮山堂詞稿）

【南越調浪淘沙】

種　樹二首

荒隴枕洋溪。萬木雲齊。堯山翠色兩相依。歲歲年年生意好。手自栽培。甘雨正

淋漓。萬物光輝。滿林紅杏鬬芳菲。寒食清明剛到也。煙草萋萋。（海浮山堂詞稿）

獨自踏青遊。七里灘頭。垂楊嫋娜弄新柔。遍插青枝臨曲水。一種風流。日日掃閑愁。移近高樓。栽培不爲棟梁謀。我愛長條千萬縷。蕩蕩悠悠。（海浮山堂詞稿）

【南商調黃鶯兒】

鞦韆

遥望四[四九]飛仙。半虛空如線牽。天風吹得團團轉。摇落了玉蟬。湯抹了翠鈿。粉香汗濕桃花面。興飄然。湘裙大展。現八瓣妙金蓮。（海浮山堂詞稿）

【北正宫醉太平】

家訓四首[五〇]

勸哥哥學好。休捨命貪饕。聰明伶俐莫心高。只隨緣便了。抹了臉遮不盡傍人笑。腫了手拿不盡他人鈔。放倒身喫不盡小人敲。急回頭自保。（海浮山堂詞稿）

勸哥哥自想。要仔細商量。須知鳧短不能長。再休提勉强。别人肉貼不在腮頰上。

愛便宜見放着傍州樣。怕年年醫不得眼前瘡。悔當時戳莽。（海浮山堂詞稿）

勸哥哥休歹。把兩眼睁開。一還一報一齊來。見如今天矮。人人心地藏毒害。家家事業多成敗。時時局面有興衰。到頭來怎解。（海浮山堂詞稿）

勸哥哥休狠。學性格温存。得饒人處且饒人。退步行最穩。循天理處安吾分。占便宜處甘吾笨。咬牙切齒反吾身。狠讀書爲本。（海浮山堂詞稿）

【南正宫玉芙蓉】

笑園約會二首

山人今又來。雅會猶然在。笑園中羅列羣才。主人駕出無拘礙。坐客淹留盡放懷。真豪邁。悠哉快哉。一箇家醉醺醺齊倒在碧苔堦。（海浮山堂詞稿）

友山醉似泥。角藝難支對。老冰壺伏地哇之。洞厓早跑知迴避。望石留連躲是非。胡先輩。低壺矢棋。勝不的醒山人硬勸了掛紅杯。（海浮山堂詞稿）

會友望石，迎盛眷至宦邸，懽甚。同會慰勞之。有獻嘲者，但投壺對奕，略不爲動。所謂笑而不答心自閑者，非耶？

嘲　贈

他鄉即故鄉。久旱甘霖降。喜團圓無限風光。東藏西躲牽羅帳。後擁前遮入洞房。還掙扎。男兒自强。打算的兩年閑併做了一冬忙。（海浮山堂詞稿）

春光滿繡幃。夜夜乾淘氣。一家兒衆口難齊。使不的調虎離山計。當不得將軍八面威。腰肢瘦。憑誰替伊。這其間險些兒斷送了光頭皮。（海浮山堂詞稿）

【北雙調折桂令】

病憶山中四首[五二]

數年間[五三]投老山村。閑也宜人。忙也宜人。近新來誤入城闉。行也勞神。坐也勞神。從今後再休想出山探親。準備下一納頭懶處安身。隔斷紅塵。占斷白雲。高插荊籬。緊閉柴門。（海浮山堂詞稿）

下山來逐日窮忙。窮也難當。忙也難當。到山中一味清狂。清也何妨。狂也何妨。怎寧耐勞勞攘攘。甘消受踽踽涼涼。雪嵌巖窗。月浸茅堂。四大安然。萬慮俱忘。

（海浮山堂詞稿）

笑當年半紙功名。功也無成。名也無成。急抽身一意歸耕。歸也相應。耕也相應。藥欄兒徐徐理整。草菴兒小小經營。煙月尋盟。雲水關情。細挽湖波。痛濯塵纓。（海浮山堂詞稿）

掛崖龕雲樹叉枒。也有僧家。也有田家。抱山村澗水交加。也有漁槎。也有仙槎。碧雙灣浮沉月華。小八洞吞吐煙霞。不鍊丹砂。不養黃芽。風落枯藤。雪煮新茶。（海浮山堂詞稿）

【北雙調鴻門奏凱歌】

喜　雪二首

荷當陽明聖君。喜燮理多賢俊。正四時風雨調。育萬物陰陽順。呀。浄大地絕纖塵。拍長空結片雲。碾世界千山玉。鑄乾坤一錠銀。來春。享富貴無窮盡。吾民。賴天恩有處分。（海浮山堂詞稿）

慶三白方朔誇。湊四幅王維畫。吟不就灞上詩。壓不倒袁安厦。呀。折一朵浩然花。啜一盞党姬茶。搖一把山陰棹。訪一回安道家。銀槎。緊緊繫浮山下。瑶華。

飄飄在治水涯。（海浮山堂詞稿）

岱翁餽問雪中賦謝

封題了梁苑詞。發付了梅花使。沾濡了鸞鳳箋。飛灑了龍蛇字。　呀。鮮菱肉最甘肥。遠致自楚江湄。涼滲滲黃金橘。嫩生生白玉芝。珍奇。感子建殷勤賜。休辭。恰相如病渴時。（海浮山堂詞稿）

奉謝諸宗枉駕〔五三〕

街前多長者車。門外有賢王輅。忽驚傳梁孝來。又報道陳思顧。　呀。踏破了小茅廬。慌張了老迂儒。有雪茗何曾獻。欠村醪不敢沽。潛夫。再休把書來著。相如。喜從今病已蘇。（海浮山堂詞稿）

謝諸公枉駕

邀的是試春遊張曲江。訪的是耽酒病陶元亮。行的是快吟詩唐翰林。坐的是會射策江都相。　呀。這的是白雲明月謝家莊。抵多少秋風野草鎮邊堂。您子待平開了西

土標名字。俺子待高卧在東山入醉鄉。周郎。耳聽着六律情偏暢。馮唐。身歷了三朝老更狂。（海浮山堂詞稿）

謝諸老枉顧

一箇樂謳歌全盛時。一箇慣領料長生會。一箇輪莊兒獻壽觴。一箇打夥兒閑遊戲。呀。一箇倚玉樹折花枝。一箇扶翠袖當青藜。一箇教二子雙攀桂。一箇濟羣生三世醫。希奇。八老聚魔先退。芳菲。兩娥來春早回。（海浮山堂詞稿）

謝會友枉顧

又不曾費推敲將詩債擔。又不曾閑包攬把風情勘。止不過下山來將公事勾。進城去把高親探。呀。單想着洞天福地紫雲菴。清風明月碧龍潭。但離了聖境多愁病。恰遇着遊人共笑談。意象兒虚涵。默坐處機心淡。魂夢兒沉酣。猛醒來世味諳。（海浮山堂詞稿）

子姪守歲

一箇飭元戎冀北軍。一箇修世業齊東郡。一箇劍雙揮星斗光。一箇筆横掃龍蛇陣。

呀。一箇折丹桂抱經綸。一箇劚藍田課耕耘。一箇近日月承天眷。一箇走關山望海雲。全不厭清貧。守歲錢賒一分。但款敍情親。交年杯換幾巡。（海浮山堂詞稿）

【北雙調清江引】

戊寅試筆十首

换歲交年百事吉。清曉天光霽。午風鼓太和。夜雪呈嘉瑞。唤書童掃文房閑試筆。（海浮山堂詞稿）

雪擁天街免拜年。閉閣開家宴。姪孫箇箇來。兒女團團勸。這便是滿堂春住世仙。（海浮山堂詞稿）

春水春山玉鏡臺。照徹神仙界。舟移島嶼中。人在雲霄外。這風光有黄金無處買。（海浮山堂詞稿）

緑水青山不用多。只容得人三箇。閑隨牧豎歌。醉伴漁翁卧。每年間不暫離他共我。（海浮山堂詞稿）

明月清風何處無。全借山川助。高山更有情。流水都成趣。水山風月光萬古。（海浮山堂詞稿）

風月水山春色早。不近紅塵道。静尋物外遊。遠避人間鬧。出脱的一身安無價寶。（海浮山堂詞稿）

雪月風花細裁剪。又喜年成變。三農到處安。五穀殊常賤。愁只愁折官糧難辦錢。（海浮山堂詞稿）

好年成一文錢一片金。不似今番甚。糶糧没去頭。變産無人賃。一條鞭不弱如十段錦。（海浮山堂詞稿）

穀賤傷農傳自古。並不分貧富。今年下下門。舊歲超超户。抛荒了好莊田千萬畝。（海浮山堂詞稿）

山縣從來民害民。虎一分狼一分。明加又暗加。法盡情無盡。好清官不覷簷下狠。（海浮山堂詞稿）

【北雙調鴻門奏凱歌】

復兒度遼省墓二首

覽雄風北鎮巔。蟠大地東洋甸。近扶桑曙氣通。映析木祥光絢。呀。仰廟貌鳳飛騫。瞻華表鶴翩躚。環瀚海三千里。抱醫閭百萬年。靈源。演世系徵文獻。龍仙。

按圖經授祕傳。（海浮山堂詞稿）

歷三朝寵數優。傳四世文風舊。念焚修總是空。要祭掃乾生受。呀。長撇下萬千愁。冷落了四十秋。那裏也鱗鴻耗。大拚着狐兔遊。承繼了箕裘。早共晚功名就。撞破了煙樓。遲和疾志願酬。龍山駱用卿，浙人，前戊辰榜先公同年友。善堪輿術，嘗按圖相先隴，每奇中。余戊戌東歸一展墓，逮今四十年，始遣子復，寄此勉之，必有濟也。（海浮山堂詞稿）

【北雙調仙子步蟾宮】

解任後聞變有感二首

無官方顯一身輕。有子須教萬事成。歸家便是三生幸。又何愁烹五鼎。豈不聞君子懷刑。可惜了淮陰命。空留下武穆名。因此上急回頭死裏逃生。因此上急回頭死裏逃生。今日的一點英魂。昨日的萬里長城。劍擁兵圍。繩纏索綁。肉顫心驚。恨不能得便處投河跳井。悔不及起初時詐死埋名。口說無憑。眼見分明。再休提大爵高官。且安排淺種深耕。（海浮山堂詞稿）

邊聲初奏紫宸朝。戰血新沾壯士袍。風塵塞滿長安道。顯的俺退閑人有下梢。任他行攘攘勞勞。捨命的當前哨。貪功的赴市曹。俺如今散誕逍遥。俺如今散誕逍遥。也不登城。也不挑壕。避難而行。奉身而退。有託而逃。總然是潑家私無多有少。也不愁舊根基積小成高。世路崎嶢。宦海波濤。險阻經過。平穩開交。（海浮山堂詞稿）

【北中吕朝天子】

解官至舍二十首

不着人眼空。不降錢手窮。故意把家緣弄。早年志氣藐三公。到底無實用。東海荒村。南山舊壠。説歸來非是哄。買三尺小童。學一世老農。悟往事真如夢。（海浮山堂詞稿）

苫兩間草堂。蓋幾箇竹房。小則小合爻象。〔五四〕三冬生暖夏生凉。就裏消災障。水繞山圍〔五五〕。人間天上。遠塵纓遺世網。掛絲桐一張。釀村醪一缸。窮不殺陶元亮。（海浮山堂詞稿）

得意處早辭。稱心事審思。進與退皆天賜。功名富貴要知時。勘千載英雄志。論罪西曹。行刑東市。有傍州新例子。題數首小詩。填幾箇拙詞。嘆古往今來事。（海浮山堂詞稿）

大牙爪虎威。小魃魕鬼皮。睹甚麽才和智。世間到處有危機。知足方爲貴。免死狐悲。功成身退。覷通途漆似黑。謝朝簪拂衣。羨山人着棊。再不戀蠅頭利。（海浮山堂詞稿）

熱烘烘火爐。暖溶溶酒壺。虧不盡杯中物。半酣之後膽兒粗。打疊起憂和慮。濟濟官僚。潭潭帥府。犯邊的纔是苦。住半間草廬。披一身野服。過到老無榮辱。（海浮山堂詞稿）

暴醃肉冷噇。新篘酒暖釃。風雪滿柴門外。塞翁豈有濟川才。論甚的成和敗。踢倒愁山。熬乾苦海。更何憂天地窄。寫新詞遣懷。笑時人揣歪。又恐怕兒曹怪。（海浮山堂詞稿）

也不學側文。也不慣使村。隨分量安時運。埋頭袖手掩蓬門。非便是眈孤悶。斗室天寬。匡牀地穩。有丹方三數本。龍虎陣統軍。麒麟畫策勳。名與勢都休問。（海浮山堂詞稿）

共白雲在山。伴黄石閉關。浮世事成虚幻。翠微深處萬松寒。流水鳴空澗。險阻非遥。歸來未晚。葆天真一味懶。到如今退閑。笑當時耐煩。那答兒無災難。（海浮山堂詞稿）

罷清貧一官。受艱辛百般。千里外音書斷。胡塵滾滾路漫漫。急回首無羈絆。灑淚新亭。甘心舊疃。不關情長共短。繞東流綠灣。看西山翠攢。覓幾箇鷗爲伴。（海浮山堂詞稿）

老妖精愛錢。小猢猻弄權。不認的生人面。癡心莫使出頭船。風浪登時變。扭曲爲直。胡褒亂貶。望君門天樣遠。幸身名保全。竄山林苟延。守本分甘貧賤。（海浮山堂詞稿）

破炕頭暖燒。舊朋情款邀。親狎處多歡笑。衡門不許外人敲。小院宇冰花落。會面嫌遲。抽身要早。悔當初知見少。利名心免勞。是非場且饒。受用足村田樂。（海浮山堂詞稿）

一會家忖度。百般的怎麽。缺世界實難過。識人多處是非多。懶待起東山卧。明月當頭。清風入座。好相交他共我。拚性命死磨。有多少養活。眼底事都瞧破。（海浮山堂詞稿）

叫喳喳早鴉。鬧吵吵晚蛙。混不了漁樵話。溪山環繞兩三家。就裏乾坤大。草舍斜開。蒿籬亂插。有鄰翁同笑耍。煎柏葉當茶。燒蔓菁燙牙。喫不飽由他罷。（海浮山堂詞稿）

土孤堆蟻垤。泥疙疸蚓穴。些小處誇勳業。裝成傀儡像豪傑。越顯的功名劣。莫恨時窮。休嫌運拙。虎離山龍在野。占清溪一絶。斷紅塵兩截。看不厭天心月。（海浮山堂詞稿）

燈挑着竹檠。酒斟酌瓦瓶。霜月小銀河浄。共君一夜話平生。説不盡江湖興。且放疎狂。常拚酩酊。醉了呵還自醒。笑吟吟緩聲。韻悠悠好聽。唱一闋隨心令。（海浮山堂詞稿）

得休處且休。待修來早修。心不足何時彀。是非場上莫貪求。一任龍蛇鬬。月朗風清。天長地久。忙裏無閑處有。種山田一丘。釣滄溟一鈎。養性命增年壽。（海浮山堂詞稿）

看炎涼滿眸。聽風聲點頭。人海内多虚謬。些兒蝸角也稱牛。真共假誰窮究。尺步繩趨。錦心繡口。苦清貧甘自守。富貴兼五侯。聰明通九流。兩下裏難厮湊。（海浮山堂詞稿）

浄巉巉遠岑。疎刺刺晚林。碧水内天光浸。一間草閣一牀琴。從雅淡無些甚。野鳥如簧。巖花似錦。莫蹉跎孤負您。買香醪淺斟。想新詩苦吟。誰待把咱拘禁。（海浮山堂詞稿）

矮鋪他草菴。破盧蘇葛衫。銜一味捱清淡。萬山深處老龍潭。徹底青於藍。爽氣侵人。寒光照膽。有神靈多妙感。窮性分免貪。歹心腸少憨。再休把驪珠探。（海浮山堂詞稿）

趁光風捲簾。看斜陽轉簷。棲隱處雲來占。門垂五柳似陶潛。叢菊開芳豔。樂以忘憂。貧而無諂。到如今不犯險。悔當時出尖。没來由討嫌。急回首無瑕玷。（海浮山堂詞稿）

【北正宫醉太平】

余以癸亥秋解官，自分優遊山水，無意世事。邇於笥中偶檢舊稿，爲之憮然者久之。

李中麓醉歸堂夜話戊午感事十八首〔五六〕

笑山人懵懂。怪野性疎慵。緣何不與世情通。厭繁華俗冗。隱居占一口白雲洞。家私〔五七〕守一隻黄虀甕。奚囊欠一箇孔方兄。下山來打哄。（海浮山堂詞稿）

茅庵無片瓦。石洞有殘霞。青山深處住成家。儘胸懷脱灑。飽嘗世味如嚼蠟。傍觀人海如看畫。閑評物理似搏沙。問山人不答。（海浮山堂詞稿）

比桃源深遠。倣栗里幽閑。侯門有鋏幾曾彈。玩圖書數卷。忘形自有煙霞伴。明時

老却英雄漢。機心不到利名關。看白雲自捲。（海浮山堂詞稿）

望十洲霧斂。與三島雲連。海波曉日湧金盤。見桑田近遠。功名富貴非吾願。詩詞歌賦難興販。風花雪月不須錢。儘逍遥過遣。（海浮山堂詞稿）

二十年不足。三百里無餘。偶然又到子雲居。下山來有主。文章不數三都賦。忠誠不忘千秋録。精通不但五車書。老先生自許。（海浮山堂詞稿）

好光陰有幾。美心事難齊。定知早晚兆熊羆。聽兒童道喜。南山丹竈千年計。東窗紅日三竿睡。西堂白晝一枰棋。老先生自適。（海浮山堂詞稿）

有干雲書閣。伴咏月詩豪。從遊門下盡時髦。展山堂灑掃。天人造化窮玄妙。經書義理都精到。詞章字句細推敲。老先生自考。（海浮山堂詞稿）

喜完名全節。不降志隨邪。中年晝錦儘驕奢。看頑童戲者。高動一點雲明滅。高官一朵花開謝。高歌一片月横斜。老先生笑也。（海浮山堂詞稿）

論功名小可。問道理如何。總然有志也蹉跎。欠明師指撥。願時間省幾箇高軒過。在門牆打一月春風坐。問鄰翁借半壁嬾雲窩。老先生教我。（海浮山堂詞稿）

儘紅塵眯眼。看紫陌摩肩。蠅頭蝸角鬬威權。亂紛紛貴顯。一棚傀儡千根線。一條大路三重塹。一生事業半文錢。問前程近遠。（海浮山堂詞稿）

眼睁睁打盹。跳梭梭發昏。猶如混沌未全分。黑旋風亂滾。皮燈籠挑入迷魂陣。悶葫蘆藏在埋頭囤。渾泥漿插和麵糊盆。不明白似您。（海浮山堂詞稿）

休涎眉瞪眼。怕赤手空拳。要從平地去鑽天。透靈犀一點。細丁星半壁金鋼鑽。團滴溜幾顆琉璃彈。滑禿盧滿把水晶丸。一條繩貫穿。（海浮山堂詞稿）

世不曾下廣。也不走蘇杭。不中販賣老文章。單看他掛榜。開行的有幾箇梳兒匠。使錢的他道是唐三藏。打魚的正撞着斷橋樁。眼睁開撒網。（海浮山堂詞稿）

入嵩山深隱。向北海垂綸。粗衣淡飯守清貧。有殘書數本。搜山的正撞箇精光棍。巡欄的也有箇低時運。告饒的只戴頂破頭巾。血心腸自忖。（海浮山堂詞稿）

喬山神愛寶。老土地貪饕。往來君子把香燒。保前途大好。凡人留一貫鴉青鈔。神仙捨一粒靈丹藥。飛禽抽一撮絳紅毛。急回來再找。（海浮山堂詞稿）

享榮華富貴。遇盛世明時。幹成銅斗好家私。是一生利息。閑花野草田荒廢。抛妻撇子民逃避。拿刀弄仗盜乘機。老官人不理。（海浮山堂詞稿）

包龍圖任滿。于定國遷官。小民何處得伸冤。望金門路遠。嚴刑峻法鋤良善。甜言美語扶兇犯。死聲淘氣叫皇天。老天公不管。（海浮山堂詞稿）

休隨心作歹。莫倚勢胡歪。須知暑往有寒來。不多時便改。强梁自有强梁賽。聰明

反被聰明害。後人又使後人哀。看斑斑史策。（海浮山堂詞稿）

【南仙吕傍粧臺】

效中麓體六首[五八]

醉醺醺。滿懷風月一腔春。閑看烏兔如流水。身世等浮雲。有歌有舞東山妓。無是無非北海樽。休粧假。莫認真。得相親處且相親。（海浮山堂詞稿）

樂陶陶。人生何必苦煎熬。百歲如春夢。萬事似秋毫。重茵怎似春風坐。列鼎争如陋巷瓢。甘吾拙。笑爾勞。得風騷處且風騷。（海浮山堂詞稿）

錦重重。四圍山色畫圖中。是處皆僊景。無日不春風。翠煙籠罩三家疃。緑水環流一畝宫。尋芳徑。曳瘦筇。得從容處且從容。（海浮山堂詞稿）

月溶溶。湖光映徹水晶宫。燦爛沉星斗。寂寞冷魚龍。山藏丹洞青蘿裊。石作琴臺翠蘚封。門常掩。路不通。得潛蹤處且潛蹤。（海浮山堂詞稿）

杳茫茫。周回十里水雲鄉。望日尋蓬島。乘月泛滄浪。追隨陶令白蓮社。嘯傲裴公緑野堂。三山帽。一葦航。得徜徉處且徜徉。（海浮山堂詞稿）

鬧吵吵。甜言美語枉徒勞。再休提空口說空話。虛套[五九]弄虛囂。生財那得唐劉晏。作論争如晉魯褒。休扎挣。自忖度。得開交處且開交。（海浮山堂詞稿）

【南商調黄鶯兒】

仙臺春酌四首[六〇]

和氣暖[六一]天街。喜春風拂面來。東君笑擁嫦娥待[六二]。香馥馥滿[六三]腮。嬌滴滴滿懷。冰肌玉骨非凡態。問仙臺。日邊紅杏。誰去倚雲栽。（海浮山堂詞稿）

瑞色繞蓬萊。散陽和下九垓。風光高出雲霄外。蕋珠宫閃開。瑶池宴早排。逍遥極樂超三界。醉仙臺。蟠桃當[六四]酒。脱骨换凡胎。（海浮山堂詞稿）

攜手步瑶堦。掃雲[六五]霞四面開。閑看人海情[六六]無耐。惜青春不來。歎紅塵苦埋。總不如放浪形骸外。訪仙臺。劉晨阮肇。相伴着到天台。（海浮山堂詞稿）

終日走塵埃。笑他行心性獃。眼睁睁多少成和敗。學時人揣歪。替别人守財。怎能勾滿把花枝戴。上仙臺。吟風弄月。誰似俺好胸[六七]懷。（海浮山堂詞稿）

【北雙調折桂令】

環山別業二首

平泉莊千載稱奇。今也如斯。古也如斯。一登臨便索詩詞。山也堪題。水也堪題。對嵐光重重青紫。觀海市隊隊旌旗。淡菊疎籬。白酒黃鷄。醉也相宜。醒也相宜。（海浮山堂詞稿）

平白地樓閣千尋。天也無心。地也無心。兩三年萬柳垂陰。松也成林。竹也成林。村酒熟呼來便飲。新詩就醉後還吟。從此攜琴。幾度開襟。賓也知音。主也知音。（海浮山堂詞稿）

【北雙調對玉環帶過清江引】

初夏

萬柳千鶯。終朝不住鳴。一水孤清。通宵不斷聲。〔六八〕竹枕醉魔醒。松窗鶴夢驚。樓閣開明。疎簾透曉星。煙靄收晴。輕波漱晚汀。池塘倒入樓臺影。玉宇風初定。一

輪淡月孤。萬里遥天静。恍疑是蓬壺方丈景。（海浮山堂詞稿）

【北雙調雁兒落帶得勝令】

旅夕不眠

空堦上雨兒零。破窗紙風兒勁。悲鴻不斷頭。促織相隨趁。〔六九〕搗練女弄秋聲。深閨婦哭長城。鐵馬兒簷前響。金鷄兒架上鳴。難聽。喬嗓顆無乾浄。閑争。老姚婆鬧到明。（海浮山堂詞稿）

鼓槌兒發死敲。雲板兒連聲報。傳鑼的緊緊篩。喝號的哀哀叫。〔七〇〕漏點兒絮叨叨。鐘聲兒鬧吵吵。破梆子無情打。響鈴噹捨命摇。難熬。捂着耳心中躁。通宵。蒙着頭睡不着。（海浮山堂詞稿）

【北雙調雁陣來】即雁兒落帶得勝令

抗塵容

你休誇衣着新。俺不顯龐兒俊。灰培了兩道眉。土嵌了雙蓬鬢。積垢眼中昏。飛

沙口内吞。面帶磚和色。形如泥塑人。望不斷烟雲。滿路迷魂陣。抖不盡埃塵。多年土地神。（海浮山堂詞稿）

走俗狀

鬆不開牛角絲。判不徹花闌票。踏穿了粉底靴。戴破了烏紗帽。恰纔箇出西郊。又轉的上南橋。來往有三千遍。翻回勾八百遭。好教俺心焦。走不斷長安道。看了這軀勞。成不的老道學。（海浮山堂詞稿）

【北中呂朝天子】

感述八首[七二]

老天。不言。能富貴能貧賤。饒君日日使威權。終有日天心變。行濁言清。機深見淺。到頭來難挣展。一年。兩年。根脚終須現。（海浮山堂詞稿）

鄙夫。利徒。今古無其數。青蠅白璧豈能污。未免成躭誤。磊落英雄。清修人物。前怕狼後怕虎。設謀。使毒。只待把忠良妬。（海浮山堂詞稿）

矯情。撇清。心與口不相應。誰家貓犬怕聞腥。假意兒粧乾浄。掩耳偷鈴。踢〔七二〕天弄井。露面賊不自省。醜聲。貫盈。遲和早除邪佞。（海浮山堂詞稿）

詐邊。弄諠。左右將人騙。聲言不要一文錢。旬日有千來串。百計彌縫。萬般展轉。弄藏拽圖倖免。鬼纏。苟全。反把清名薦。（海浮山堂詞稿）

感君。寡恩。水皮上抽一棍。蒼蠅趕上賣柴人。到底無滋潤。平白地生嗔。没來由下狠。不提防成禍本。您們。俺們。自有人評論。（海浮山堂詞稿）

爾曹。枉勞。恩怨何須較。疏疏天網不能逃。自有神明照。故舊之情。通家之好。正懽娱成懊惱。忖度。禍苗。爲只爲鴉翎鈔。（海浮山堂詞稿）

海翁。老通。時運到官星動。黄堂左右有威風。越顯的君恩重。天地無私。文章有用。保山河大一統。效忠。奉公。莫虚耗堂食俸。（海浮山堂詞稿）

怪哉。又來。公道猶然在。輕車熟路走塵埃。依舊民安泰。齋馬清風。甘棠遺愛。鐵船兒再渡海。揣歪。使乖。枉自把心田壞。唐馮元淑歷浚儀、始平二縣，單騎赴職，未嘗以妻子隨。所乘馬不飼芻豆，民號爲齋馬云。閩〔七三〕賈郁性峭直，不容人吏過。爲仙遊令，及受代，一吏酣酒，郁曰：「吾再典此邑，懲此輩。」吏揚言公欲再作縣令，猶造鐵船渡海也。後郁復典舊邑，時醉吏盜庫錢數萬具獄。郁批榜尾云：「竊銅鑼以潤家，非因鼓鑄；造鐵船而渡海，不假鑪錘。」因決杖徒之。未幾移福清，召爲御史中丞去。（海浮山堂詞稿）

【北雙調仙桂引】

壽賈柳溪

矮團標俯仰弄煙霞。閑世界從容數歲華。老場園美滿登禾稼。是柴桑處士家。傲霜枝菊有黄花。安樂處根基大。笑談間風韻雅。喜年年月映簷牙。小陽春景物清嘉。一水縈迴。萬柳楂枒。直幹穿雲。清波遶砌。幽鳥眠沙。共隣翁傳杯换斝。看稚子燒竹烹茶。洞裏丹砂。天上銀槎。放曠情懷。悠久生涯。柳溪者，太守賈近臯伯翁也。河南嵩縣人，隱居鳴臯山下。植柳以千數，因以自號。余嘗爲柳溪翁小傳。（海浮山堂詞稿）

思歸

想當年怕盤弄這條蛇。笑往事都看成一夢蝶。覷行蹤恰便似風中葉。好功名少了半截。早抽身省去巴竭。猛想起冷清清竹籬茅舍。翠巍巍青山緑野。静沉沉洞府巖穴。静沉沉洞府巖穴。收拾起萬緒千頭。脱離了七嘴八舌。子俺這皓首南來。看了那黄河東去。急回頭紅日西斜。鬧攘攘閑是非誰人待惹。急煎煎惡思量那會周折。不看

眉睫。不下鍬钁。俺如今還待要順水推船。又只怕留不住下坂行車。（海浮山堂詞稿）

【北雙調河西六娘子】

知止

兩字功名過耳風。抵多少傀儡場中。從今纔醒了黄粱夢。呀。衰鬢已成翁。大運幾時通。還守俺天生的一世兒窮。（海浮山堂詞稿）

兩袖清風精利兒光。抵多少衣錦還鄉。長江後浪催前浪。呀。烏兔走的忙。兒女趕的荒。戀不的功名紙半張。（海浮山堂詞稿）

閑上仙臺弄玉簫。抵多少一品隨朝。從今聽不慣花胡哨。呀。一曲碧天高。幾朶彩雲飄。把世上紅塵冷眼兒瞧。（海浮山堂詞稿）

椿桂堂中歲月深。抵多少一刻千金。離鄉背井圖他些甚。呀。你把酒兒斟。我把曲兒吟。骨肉團圓也遂了心。（海浮山堂詞稿）

七里灘頭把釣竿。抵多少拜將登壇。嚴光不夢着韓侯患。呀。博得〔七四〕你身安。争似俺心寬。事到頭來難上難。（海浮山堂詞稿）

水秀山明安樂窩。抵多少萬丈風波。忙時耕種閑時卧。呀。富貴待如何。朋輩已無多。相伴着漁樵唱一會兒歌。（海浮山堂詞稿）

海闊天空此景亭。抵多少樓觀飛鷩。山光水色都承應。呀。也不論公卿。也不問白丁。酒興來時開一瓶。（海浮山堂詞稿）

畫閣摇光碧玉湖。抵多少閬苑蓬壺。洞天載在神仙籙。呀。洗盞泛香蒲。切鱠打活魚。載酒的船兒今有無。（海浮山堂詞稿）

恰坐的三人一葦航。抵多少錦纜牙檣。隨波下去隨風上。呀。明月映滄浪。清夢到瀟湘。只在俺門前楊柳塘。（海浮山堂詞稿）

也有青山也有泉。抵多少陸地神仙。南村北疃沿門兒趓。呀。酌酒瓦盆邊。矮坐地爐前。醉的俺齁齁不怕天。（海浮山堂詞稿）

【北正宫塞鴻秋】

乞　休二首

論形容合不着公卿相。看丰標也没有搊搜樣。量衙門又省了交盤帳。告尊官便準俺

歸休狀。廣開方便門。大展包容量。換春衣直走到東山上。（海浮山堂詞稿）

坐時節顫巍巍高挑嚴陵釣。行時節咿呀呀遠泛山陰棹。悶時節韻悠悠忽聽的蘇門嘯。閑時節消停停遍採天台藥。石壇曬道書。童子看丹竈。那時節冷清清白没箇人來到。（海浮山堂詞稿）

【北雙調殿前歡】

歸　興二首

想歸來。十年奔走困塵埃。何如散步雲林外。笑傲詼諧。窮通命運該。山水平生愛。詩酒尋常債。情懷浩蕩。浩蕩情懷。（海浮山堂詞稿）

自評論。功名富貴似浮雲。從來世路多危峻。禍福無門。青山且負薪。緑水好垂綸。白屋堪肥遁。乾坤有我。我有乾坤。（海浮山堂詞稿）

【北中呂朝天子】

拔　白四首[七五]

老儒。忒愚。白髮添憂慮。神仙自古有方術。擇日修將去。翦草除根。拔茅連茹。

嘴兒光鬢兒禿。再鋤。越疎。濯濯似牛山木。（海浮山堂詞稿）

老君。教人。打扮的龐兒俊。編成吉日與良辰。弟子須尊信。返老還童。虔心有準。按仙方無走滾。一根。兩根。長的快拔不盡。（海浮山堂詞稿）

壽星。墨卿。白黑相攙並。就中檢點莫消停。强把額顱挣。下手猶難。端相不定。錯拔下三兩莖。猛驚。越疼。捽碎了青銅鏡。（海浮山堂詞稿）

細瞧。二毛。粧出商山皓。貴人頭上不曾饒。白髮惟公道。舊恨猶多。新愁不少。咬着牙撏不了。膚撓。目逃。硬死做重年少。（海浮山堂詞稿）

烏鬢四首〔七六〕

費工夫染鬢。老先生弄虛。也不是天然趣。若將人品辨賢愚。不在這些兒處。墨汁塗金。烏霜掃玉。姜太公應笑汝。日居。月諸。搬運的朱顏去。（海浮山堂詞稿）

六十歲老哥。抹調他怎麽。反被人瞧破。真方傳與世人學。倒有陰功大。倍子爲君。銅花爲佐。皂白礬等分和。會合。量着。少許硇砂末。（海浮山堂詞稿）

絹羅兒細篩。瓷鉢兒爛捱。手腕兒多寧耐。重湯慢煮鏡光開。火候勤看待。取次賢勞。佳人休怪。畫眉的尚往來。粉腮。瑩白。也爲你淡掃春山黛。（海浮山堂詞稿）

起一箇五更。水洗勾幾緋。洗殺也無乾浄。雖然染蘸似鴉翎。面貌又不廝稱。展轉嗟咨。來回顧影。對菱花深自省。此形。本清。不做作還真正。（海浮山堂詞稿）

六　友

老張。�腔。豪氣三千丈。少年不住走科場。又早龍鍾樣。腿兒拖拉。腰兒慢仗。甚男兒當自强。面黄。鬢蒼。喫胙肉何曾胖。（海浮山堂詞稿）

老曹。氣豪。骯髒山林貌。麟經傳世好文學。使不慣宜時套。師道尊嚴。門牆清要。愛廬江風景好。勉學。苦熬。不負烏紗帽。（海浮山堂詞稿）

老周。好修。道理都參透。同門儒雅更風流。中歲方馳驟。冀北行臺。江南太守。論功名君占首。一丘。到頭。萬事方成就。（海浮山堂詞稿）

老鍾。古風。太朴今無用。文章道義總成空。枉兆丹山鳳。造物安排。時人搬弄。越尋思越懵懂。自從。廣宗。便做了南柯夢。（海浮山堂詞稿）

一川。命慳。筆力千人彦。天朝甲第有遺賢。宋玉多秋怨。北地蹉跎。南曹偃蹇。妙文章聲價遠。九泉。幾年。有子赴瓊林宴。（海浮山堂詞稿）

老徐。起予。有義氣多聲譽。弱齡同榜便齊驅。走不斷長安路。五馬勤勞。三鱣清

苦。名不登丞相府。受誣。解符。恨塞滿石村墓。（海浮山堂詞稿）

六友者，余兄弟束髮以來同門友也。書史筆硯無不同，小試科舉無不同。所不同者，余弟舉甲午科，登戊戌第。余與宋、徐三人舉丁酉科，周舉癸卯科，登癸丑第，鍾舉丙午科。惟張、曹二子屢舉不第，相繼應貢出身。張爲柘城邑博士，曹爲廬州郡博士。余之判保定也，張以汰冗補定興，來謁余，歎其不遇，而老將至也。因與坐而悉數諸友，皆彫喪矣！周爲御史，終于徽州太守。鍾爲廣宗令，徐爲霸州刺史，俱以忌者免官。宋爲博士，遷南曹司務，二年卒。四友者，或得志而失官，或不得志而失官，或不得志不失官而隕命。嗚呼！其數邪？其心有所不足邪？張、曹雖未得科第，而老於儒官，亦自幸矣。余兄弟浮沉南北，淹滯歲月，竊升斗之禄，感時念舊，異地而同心也。余與張對酌，而口占此詞。酌罷，筆之於簡。

【北雙調折桂令】

下第嘲友人乘獨輪車四首[七七]

問先生歸計如何。也不張旗。也不鳴鑼。小小車兒。低低篷子。款款折磨。蹺的箇腿偎腮軟癱做一朵。敦的箇手搥胸世不得通活。怕待奔波。且謾騰挪。只落的兩眼

迷離。四鬢婆娑。（海浮山堂詞稿）

問先生歸計何如。彈鋏長歌。莫嘆無車。錯認高軒。若非皂蓋。定是肩輿。剛離了冷飯店淒涼無語。又撞着打頭風灌滿蘧廬。仰面嗟吁。搔手踟躕。一任他蓬轉天涯。怎能勾席捲長驅。（海浮山堂詞稿）

問先生何計存身。束手無謀。舉目無親。何處攀轅。幾時攬轡。甚日埋輪。那壁廂睃不上丟不下殘書亂綑。這壁廂死不死活不活瘦骨嶙峋。纔待舒伸。又怕偏陳。受不過硬氣車夫。快不的冷眼家人。（海浮山堂詞稿）

問先生何處安歇。剛要寧帖。又上搖車。休說才華。莫談星命。總是饒舌。赤緊的狀元花狀元紅讓了人也。安排着將軍來將軍去怎肯虧折。未了的冤業。終有箇結絶。投至得捲土重來。那其間再辨龍蛇。（海浮山堂詞稿）

【北雙調對玉環帶過清江引】

訪宋一川　四首

今古名標。雲臺千丈高。社稷功勞。天門萬里遥。綵筆懶題橋。金鈎怕釣鰲。鳳髓龍膏。飢時喫不飽。豸繡麟袍。醉時卧不倒。春來何處無芳草。日日堪行樂。纔下木蘭舟。又上花藤轎。唤遊人數聲林外鳥。（海浮山堂詞稿）

兩袖清風。生來眼界空。萬丈長虹。從來志氣雄。對面不相逢。寸心誰與同。學就屠龍。難成世上功。騎上飛鵬。難逃眼下窮。饒君才學過晁董。且守着黄虀甕。

高山結舊盟。流水牽清夢。愛煙霞常將路兒擁。（海浮山堂詞稿）

笑倚胡牀。杯浮雲日光。醉枕奚囊。衣沾花草香。蝶夢繞黄粱。鶯聲下緑楊。儘我疎狂。乾坤戲一場。看你窮忙。功名紙半張。柴門有客來相訪。銷繳些閑情况。揮毫王右軍。漉酒陶元亮。野花兒大開頭同玩賞。（海浮山堂詞稿）

饒你天才。青春挽不來。饒你仙胎。白頭撇不開。對景且忘懷。傳杯不住釃。聲價高擡。由他心性乖。蹤迹沉埋。由咱心性獃。數椽茅屋簷兒矮。落得個閑身在。風花雪月間。利鈍窮通外。熬盡了繁華千萬載。（海浮山堂詞稿）

【南仙吕入雙調朝元歌】

春　　遊八首〔七八〕

花枝柳枝。牢把春心繫。鶯兒燕兒。唤得遊人至。粉黛三千。樓臺十二。這的是洞

天福地。玉女仙姬。天台武陵在那裏。受用是便宜。勞形待怎的。醒而復醉。才是俺安身活計。（海浮山堂詞稿）

花梢柳梢。豔冶章臺道。千嬌百嬌。嬝娜傾城貌。淡抹濃粧。輕嚬淺笑。迤逗殺五陵年少。忙解金貂。銀屏影遮絳蠟燒。夜夜鬧元宵。時時醉碧桃。百年長嘯。誰承望九重宣召。（海浮山堂詞稿）

花叢柳叢。處處相遮擁。詩朋酒朋。日日厮和鬨。彩筆留題。金尊高捧。好把閑愁斷送。醉眼朦朧。蓬萊咫尺無路通。酒到飲千鍾。筵前一點紅。浮生如夢。勞碌了成何大用〔七九〕。（海浮山堂詞稿）

花英柳英。沾惹風流興。雲情雨情。慣使踈狂性。問俺不言。勸咱不省。怎下的虧心短行。孤負芳卿。別離的話兒不待聽。錦片好前程。如同火上冰。今宵歡慶。便是俺三生有幸。（海浮山堂詞稿）

花妍柳妍。嬌染春風面。人圓月圓。同赴瑶池宴。水陸俱陳。笙歌齊按。一會家參詳一遍。今古流傳。英雄豪傑都枉然。花裏遇神仙。酒中樂聖賢。風光無限。都只在鞦韆庭院。（海浮山堂詞稿）

花遮柳遮。深院黄昏月。雲疊錦疊。暖閣青春夜。曲盡同乾。酒寒再熱。只吃的玉

山趔趄。東倒西斜[八〇]。紅裙手扶嬌又怯。世路下坡車。名韁纏腿蛇。閑中生業[八一]。再不想封侯功烈。（海浮山堂詞稿）

花陰柳陰。滿地鋪雲錦。更沉漏沉。良夜貪歡飲。耍笑如狂。流連未寢。一點香腮紅沁。越展胸襟。時人怎知方寸心。酒盡且重斟。春歸何處尋。無拘無禁。貪戀那功名做甚。（海浮山堂詞稿）

花街柳街。風月隨時賣。陽臺楚臺。雲雨連年債。愛重如山。情深似海。一刻千金難買。分付多才。青春一去不再來。且把錦心埋。常將笑口開。榮枯利害。丟搭在九霄雲外。（海浮山堂詞稿）

【南仙呂入雙調玉交枝】

閑適八首[八二]

春風秋月。送年華何曾斷絶。任飄颻休把紅塵惹。得團圓莫遣雲遮。花香輕颺竹影斜。柳絲摇曳湖光潔。斷閑人權靠後些。喜孜孜先生到也。（海浮山堂詞稿）

清風明月。伴幽人三箇俊傑。喜相逢幾度中秋節。料陰晴費盡週折。紛紛敗葉滿地

趄。迢迢良夜圓光缺。斷閑愁權靠那些。樂陶陶先生醉也。（海浮山堂詞稿）

光風霽月。好襟懷天然自別。對青山緑水甘疎拙。傲今古多少豪奢。饒他機巧三寸舌。難移一點心如鐵。斷紅塵權靠外些。淡呵呵先生笑也。（海浮山堂詞稿）

嘲風咏月。滿腔春無有箇盡竭。儘開懷對景隨心寫。論甚麽筆底龍蛇。花枝低亞雲錦疊。海棠零落胭脂雪。唤紅裙權靠這些。困騰騰先生睡也。（海浮山堂詞稿）

風來月上。共徘徊勸咱舉觴。玩湖山陶寫閑情況。是不是塞滿詩囊。九秋飄墜桂子香。三春掀起桃花浪。問行藏江湖廟堂。費神思沉吟半晌。（海浮山堂詞稿）

風亭月館。惜年芳千金買歡。畫屏掩映芙蓉幔。龍涎香爇金盤。低回星斗夜色闌。

高燒花燭春雲暖。錦重重紅圍翠攢。韻悠悠鸞簫鳳管。（海浮山堂詞稿）

風情月貌。管别離章臺柳條。落紅滿地無人掃。更那堪緑野煙銷。三湘雲盡雁影遥。

五陵人困鶯花老。欹珠簾誰破寂寥。鎖瓊窗孤眠未曉。（海浮山堂詞稿）

風前月下。覓幽期何曾見他。黄鶯兒提着名兒駡。粉蝶兒飛過誰家。青春飄蕩〔八三〕楊柳花。黄昏冷落秋千架。業身軀争些兒害殺。乾相思百無箇治法。（海浮山堂詞稿）

【南仙呂入雙調玉抱肚】

幽　居四首〔八四〕

山青水緑。染生綃天然畫圖。占汀洲一段秋光。更白蘋紅蓼黄蘆。浴鳧飛鷺蘸平湖。五色粧成錦繡鋪。（海浮山堂詞稿）

山明水秀。錦重重那有箇盡頭。愛登臨獨步閑行。每日價蕩蕩悠悠。海邊縱放釣魚舟。不是金鰲不下鈎。（海浮山堂詞稿）

山圍水繞。抱村居遮護了一遭。看兩輪日月交輝。喜白雲翠靄飄飖。年年飽暖頌唐堯。歲歲疎狂託聖朝。（海浮山堂詞稿）

山村水舍。敞柴門紅塵斷絶。矮簷前平野相連。閑亭下魚鳥盤踅。機心已盡利名竭。相對浮鷗没話説。（海浮山堂詞稿）

【南正宫玉芙蓉】

山居雜詠四首〔八五〕

茅簷燕壘合。柳色鶯穿破。問山妻新投濁酒如何。疎籬半缺遊絲過。片月斜沉花影

拖。新來瘦。詩魔酒魔。俺只待樂陶陶不離懶雲窩。（海浮山堂詞稿）

平疇麥浪勻。曲水荷風潤。慣疎慵閑掛羽扇綸巾。北窗高卧常蓬鬢。洞口尋幽〔八六〕不抱琴。盤桓處。松陰竹陰。俺只怕等閑間虛負紫芝心。（海浮山堂詞稿）

天空鴈字懸。水落沙痕淺。過南隣不覺醉了陶潛。黄鷄白酒家家勸。紫蟹金鱗日日鮮。柴門外。山田水田。俺只愛遠紅塵學作地行仙。（海浮山堂詞稿）

千山鳥道無。萬徑人蹤阻。滿乾坤惟有依舊平湖。神仙迷却三山路。煙月分開八景圖。團標内。茶爐酒爐。俺只道海波中現出小蓬壺。（海浮山堂詞稿）

【南仙吕入雙調朝元歌】

山中客至四首〔八七〕

山光水光。寫出瀟湘樣。詩狂酒狂。演就江湖量。小小扁舟。與波下上。〔八八〕眼底乾坤蕩〔八九〕漾。星斗低昂。雙裾捲成風月囊。雨過輞川莊。雲生緑野堂。〔合〕高情相〔九〇〕訪。休負了酒懷詩况。（海浮山堂詞稿）

攜取隨身藜杖。行過芳草塘。步步惹花香。得句拈鬚。咨嗟嘆〔九一〕賞。忽聽村童嘲唱。

一曲滄浪。爭如爾曹信(九二)口腔。閃脱是非塲。登開名利繮。(合前)(海浮山堂詞稿)

收攬煙霞色相。危峰下夕陽。汀蓼纜孤航。醉伴鷗眠。夢驚漁唱。回首東山月上。千頃流光。神遊廣寒桂影(九三)涼。俯仰自成雙。徘徊再舉觴。(合前)(海浮山堂詞稿)

睡穩梅花斗(九四)帳。醒來日半窗。身世兩相忘。旋釣河魚。新篘村釀。常把眉頭開放。散步徜徉。神仙已傳不老方。買斷水雲鄉。相隣蓬島傍。(合前)(海浮山堂詞稿)

【南中呂駐雲飛】

秋日偶成四首(九五)

小小涼亭。高捲湘簾露氣清。遠水連天淨。片月當窗正。嗏。敗葉舞閑庭。一派秋聲。宿雨初收。幾點殘霞映。四面山光冷畫屏。(海浮山堂詞稿)

小小琴臺。松竹交陰鎖翠苔。綠綺依然在。白雪誰能解。嗏。不見子期來。空負(九六)幽懷。幾度攜樽。獨自無人待。坐對芙蓉水面開。(海浮山堂詞稿)

小小漁船。只在煙波七里灘。潮落魚龍堰。霜老菰蒲岸。嗏。占斷水中天。儘日流連。飲罷香醪。再把魚兒換。遥指江村舉釣竿。(海浮山堂詞稿)

小小方塘。石榻花陰午夢涼。一幅羅紋漾。萬顆瓊珠上。嗏。水面奏絲簧。調轉清商。何處白衣。遠送葡萄釀。笑倩佳人洗玉觴。（海浮山堂詞稿）

【北雙調沉醉東風】

繕　室四首

數十年遮風庇雨。兩三世閉户讀書。若不是牆堵欹。怎忘了藏修處。記尋常變化龍魚。燕子歸來覓舊居。還認着先生做主。（海浮山堂詞稿）

莊嶽間先開故里。環堵内再整新基。雖然是蝸殻軒。穩便似螭頭陛。行坐處戀土難移。子子孫孫永保之。這答兒安然到底。（海浮山堂詞稿）

也不羨雕梁畫斗。也不羨紫閣朱樓。人都要所事强。俺子待胡將就。甚的是萬載千秋。仔細思量算到頭。單看您兒孫謹守。（海浮山堂詞稿）

矮簷楹無罣無礙。小庭除閑往閑來。雖無臺閣崇。却有胸襟大。喜相傳家世清白。椿桂堂前好種槐。滿院宇濃陰秀色。（海浮山堂詞稿）

【北雙調水仙子】

偶　題四首

縈麻窩呼作賽朝鞋。土炕頭安如拜將臺。綿布袍暖似飛魚袋。是前生帶得來。小軒窗眼底蓬萊。雲結就香羅帶。雪粧成白玉堦。非是俺巧立名色。（海浮山堂詞稿）

蒼松職掌大夫權。翠竹名標君子賢。寒梅要遂調羹願。鼎立在斗室邊。伴幽人自在安然。藏錦繡書千卷。吐珠璣詩百篇。也算做富貴雙全。（海浮山堂詞稿）

黄金臺下是非多。白玉堂中分福薄。青雲路上時辰錯。好前程有絆磕。急回頭十里煙波。相伴着漁翁坐。閑隨着牧竪歌。且權將歲月消磨。（海浮山堂詞稿）

會談天跳不出一空囊。會論地挨不開四堵牆。會騰雲闖不過千層網。總不如不會强。見如今世道非常。他不放來生帳。俺又無隔宿糧。老先生未卜行藏。（海浮山堂詞稿）

【南仙吕入雙調柳摇金】

風　情[九七]

風花雪月。破工夫耍笑些。不受用是癡呆。嘆光陰千里馬。想人生一夢蝶。好天良

夜。休負了好天良夜。急回頭斗轉參斜。酒杯兒到手都休撤。醉了的時節。只落的耳輪兒常熱。（海浮山堂詞稿）

春花秋月。不多時景別。疾似下坡車。恰花朝香韻杳。又月夕清影斜。東風惡劣。花正好東風惡劣。月才圓忽被雲遮。最難消一刻千金夜。悶了的時節。喚紅梅把酒爐兒燒熱。（海浮山堂詞稿）

惜花愛月。芳心嬌又怯。兩件兒費周折。一春常起早。到晚來剛睡些。盈虧開謝。終有箇盈虧開謝。忽刺八玉兔西斜。怕只怕御水流紅葉。困了的時節。你且把被窩兒温熱。（海浮山堂詞稿）

羞花閉月。天然風韻別。又何必羨驕奢。麗春園不掛眼。廣寒宮靠後些。閑評優劣。俺也曾閑評優劣。他比花添了些乜斜。月比他少欠了風流業。見了的時節。纔顯的知疼知熱。（海浮山堂詞稿）

【南中吕倚馬待風雲】

悼琴仙四首〔九八〕

想像仙娃。不與塵凡共一家。白雲古洞。明月清風。流水桃花。天台深處鎖煙霞。

劉郎採藥迷歸駕。嫦娥閉月華。攔回銀漢槎。再不見乘鸞下。嗏。何處覓仙娃。自嗟呀。萬恨千愁。病體難擎架。悔不當初不遇他。（海浮山堂詞稿）

想像仙姿。秋水芙蓉第一枝。天然標格。改樣風流。分外清奇。腰肢輕裊海棠絲。鬢鬟半嚲秋蟬翅。花開風亂吹。花落春又歸。嗏。何處覷仙姿。自傷悲。盡日忘餐。長夜難成寐。一日相思十二時。（海浮山堂詞稿）

想像仙裳。繡帶悠揚錦瑟傍。一雙彩袖。六幅鮫綃。千縷霞光。步搖玉珮響叮噹。笑攜羅袂香飄蕩。餘香在洞房。悲風繞畫梁。冷落了梅花帳。嗏。何處挽仙裳。自思量。萬里江湖。一簇千層浪〔九九〕。不似悠悠此恨長。（海浮山堂詞稿）

想像仙音。素壁空懸緑綺琴。冰絃已斷。焦尾無聲。玉指難尋。高山流水暮雲深。碧桃紅杏荒苔蔭。文君病已沉。相如惱碎心。琴臺上空擲窨。嗏。何處聽仙音。自沉吟。瓶墜簪折。水把藍橋浸。夢斷高唐淚滿襟。（海浮山堂詞稿）

【南仙呂二犯月兒高】

閨　情八首〔一〇〇〕

小院香風過。踈簾淡煙鎖。舞倦垂楊綫。飄盡棃花朵。懊惱〔一〇一〕今春。偏把俺折挫。

腰肢瘦小瘦小[一〇二]些兒箇。見了憔悴形骸。心疼殺可意哥。哥。喬樣兒託誰學。一似皓月難圓。減容光夜夜磨。（海浮山堂詞稿）

紅粉多薄命。青春半殘景。人去瑶臺怨。花落胭脂冷。嬝娜[一〇三]腰圍。强把繡裙整。弓鞋淺印淺印[一〇四]殘紅徑。正當三月韶光。倚闌干無限情。情。離别幾曾經。再來扯住衣衫。影兒般不離形。（海浮山堂詞稿）

歌罷桃花扇。粧殘翠雲鈿。恨壓春山重。淚滴秋波淺。寶鏡塵蒙。何曾覩顔面。知他那裏那裏貪歡宴。撇的我短嘆長吁。聲聲祝願天。天。靈感鑒盟言。不記的耳畔叮嚀。枕頭兒作證見。（海浮山堂詞稿）

夜夜閑惆悵。時時細思想。才離心窩内。又到眉尖上。萬恨千愁。還不了寃業帳。多情自古自古多磨障。空有翠繞珠圍。總不如薄倖郎。郎。遊蕩在何方。縱有野草閑花。虚飄飄不四[一〇五]行。（海浮山堂詞稿）

月缺重門静。更殘五夜永。[一〇六]手托芙蓉面。背立梧桐影。瘦損伶仃。越端相[一〇七]越孤另。抽身轉入轉入[一〇八]房櫳冷。又一箇畫影圖形。半明不滅燈。燈。花燭杳無憑。一似靈鵲兒[一〇九]虚梟。喜蛛兒不志誠。（海浮山堂詞稿）

門外雕鞍邁。鏡中玉容改。扯碎合歡被。剪斷同心帶。鳳拆鸞分。端的是愁無耐。

良人流落流落天涯外。[二〇]悄没一紙書傳。空留下啞謎兒猜。猜。没亂殺女裙釵。但得箇信息真實。來不來也放懷。（海浮山堂詞稿）

遠樹寒蟾下。長空凍雪撒。風動流蘇帳。冷透凌波韈。夢兒裏温存。熱突突都是假。醒來提着提着[二一]名兒駡。兜的俺惱亂柔腸。閃殺人只爲他。他。一迷的使虚花。想的他一脚兒回來。實心兒[二二]不到家。（海浮山堂詞稿）

玉宇明河漫。瓊窗朔風凛。展轉蝴蝶夢。寂寞鴛鴦錦。閣淚汪汪。長夜捱孤枕。從來不似不似[二三]今番甚。都因一片閑愁。生圪查[二四]惱碎心。心。害得死臨侵。欲待再不思量。急煎煎怎樣[二五]禁。（海浮山堂詞稿）

以上俚曲，石門樂府載之，乃山中舊作也。後數曲在郡作，將歸田矣，因附。

按：「二犯月兒高」，底本只書「月兒高」。

【北正宫醉太平】

庚午郡廳自壽八首

一千里故人。六十度生辰。天涯聚會慰情親。嘆光陰滚滚。乍相逢幾度看衰鬢。自

離别數載無音信。喜團圓今日倒清尊。不覺的夜分。（海浮山堂詞稿）

手接着壽卮。口念着新詞。今年還似去年時。笑依然在此。青雲〔二六〕已負平生志。黄花不管閑人事。滄洲長繫故鄉思。憶商山采芝。（海浮山堂詞稿）

新按院慶都。舊鹽院安肅。南來北往急奔趨。滿身間是土。兩頭恐犯尊官怒。一時顯把生辰誤。三盃又怕故人疎。夜深沉秉燭。（海浮山堂詞稿）

五更頭上堂。三廟裏行香。虔誠默祝訴衷腸。一心呵敬仰。聖人耶保佑俺文詞壯。城隍耶保佑俺家門旺。地靈耶保佑俺一身康。比年時更强。（海浮山堂詞稿）

傳來的羽檄。報到的聲息。分明打攪好筵席。全無些道理。緊催兵馬臨邊地。廣儲糧草隨營隊。笑談尊俎退强敵。仗朝廷德威。（海浮山堂詞稿）

正管着府廳。又署着滿城。忽然夜半報邊聲。自披衣點燈。飛星迅速傳軍令。嚴城倉卒修軍政。通宵誰敢誤軍情。壽筵呵且停。（海浮山堂詞稿）

能賦詩退虜。且閉閣修書。誰知文武有吾徒。論全才敢許。天公自有英雄録。朝廷也有功勞簿。書生還有護身符。常措身坦途。（海浮山堂詞稿）

幾番家告休。只固的攀留。又防水旱又防秋。怎能勾撒手。慌裏忙裏延年壽。茶裏飯裏邀朋舊。風裏雨裏且低頭。得安閑便走。（海浮山堂詞稿）

【北雙調仙子步蟾宫】

四　誓[二七]

翦　髮

整犀梳生怕齒兒抓[二八]。摘鳳髻常憂翅兒刬[二九]。插金釵又恐尖兒岔。一絲絲疼殺咱。怎下的快翦兒髡音肯平聲他。耳輪兒隄防着湯抹音罵。鬢脚兒休當做打耍。頭皮兒留下些根查。頭皮兒留下些根查。赤[三〇]緊的雲鬟鋪蟬。寶髻盤鵶。千里懸情。寸腸掛慮。一世結髮。珠絡索牢拴住心猿意馬。錦纏頭打疊起路柳牆花。你若情雜。休得留他。貨郎兒換兩箇鋼針。打繩的當一綹青麻。（海浮山堂詞稿）

爇　香

雪冰肌淺露紫葡萄。金寶釧斜連紅瑪瑙。麝蘭香正點花穴道。選良時真箇燒。俊生生玉腕相交。齊臻臻香肩並靠。磣可可銀牙碎咬。亂紛紛珠淚齊[三一]抛。亂紛紛珠淚齊抛。你也難禁。我也難熬。一箇價腹熱腸荒。心驚膽戰。肉裂皮焦。瘡兒疼越

疼越好。焙兒大越大越灼。休忌薑椒。留下根苗。香煙兒鑒察的明白。瘡盤兒封裹的堅牢。（海浮山堂詞稿）

刺臂

針尖兒挑繡紫霓裳。墨汁兒淋漓白玉堂。筆頭兒揮灑黃金榜。都盛在錦繡囊。三般兒各逞高强。筆描就同心花樣。針刺的隨胸血潒（潒音倘）。墨粧成透體玄霜。墨粧成透體玄霜。一樣傳情。兩下成傷。刻骨銘心。書名畫字。數黑論黄。寫山盟指證着今來古往。設海誓滿拚着地久天長。那箇遺忘。他便無常。雖不是露面黥卒。見放着貼骨疔瘡。（海浮山堂詞稿）

申盟

雲鬟半嚲翦烏金。玉腕雙擎刺繡針。冰肌一點留香印。這恩情海樣深。常言道十指連心。刀刃兒湯着就滲。針尖兒見了害磣。艾焙兒想起難禁。艾焙兒想起難禁。休悔當初。不說如今。怕的是燒了還燒。翦了又翦。針了重針。添了些瘡上瘡却怎生共枕。受了些苦中苦也不忍同衾。不遇知音。少要癡心。虚撮〔三〕脚雨意雲情。浮

皮頭柳影花陰。（海浮山堂詞稿）

八　美〔三三〕

鞋　杯

高擎綵鳳一鈎香。嬌染紅羅三寸長。滿斟緑蟻十分量。竅生生小酒囊。蓮花瓣露瀉瓊漿。月兒牙彎環在腮上。錐兒欛團圞在手掌。筍兒尖簽破了鼻梁。筍兒尖簽破了鼻梁。鈎亂春心。洗遍愁腸。孤軲軲〔三四〕滚下喉嚨。周流肺腑。直透膀胱。舉一杯恰便似小脚兒輕擡肩上。咽一口好疑是妙人兒吸入胸膛。改樣風光。着意珍藏。是必休指甲兒掐損了雲頭。口角兒展涴了鞋幫。（海浮山堂詞稿）

肩　几

並頭蓮栽向碧窗紗。連理樹移來翠繡榻。比目魚寫上丹青畫。合和仙手兒搭。喜孜孜語笑歡洽。眉兒梢不離了腮頰。鬢兒邊打了個耳擦。舌兒尖遞了箇香茶。舌兒尖遞了箇香茶。唇啟朱櫻。臉印紅霞。交頸綢繆。齊眉款曲。並體褻狎。燈兒前一

雙俊雅。鏡兒裏兩箇冤家。他也親咱。咱也親他。從今後俺不索悶倚欄干。你休得獨抱琵琶。（海浮山堂詞稿）

臂　枕

錦重重繡被展紅鴛。嬌滴滴花容落翠鈿。暖溶溶素腕移〔二二五〕金釧。白如霜軟似綿。偎多才一枕高眠。耳邊廂鳳釵斜嚲。懷兒裏鸞儔燕婉。夢魂中蝶翅蹁躚。夢魂中蝶翅蹁躚。勝似行雲。真似游仙。緊靠酥胸。仰擎纖手。醉倚香肩。粉汗津一團玉軟。腮痕印幾點紅嫣。珊枕高閑。寶髻斜偏。一任俺臂膀兒酸麻。生怕他頭頂兒虛懸。（海浮山堂詞稿）

手　板

嬌紅新染〔二二六〕鳳仙花。纖素輕抽玉笋牙。清香旋綰鮫綃帕。按宮商實可誇。體妖嬈國色仙娃。天魔舞幾回變化。霓裳曲數聲幽雅。雲陽板一點無差。雲陽板一點無差。似這般掌上清音。索强如扇底紅牙。擊玉敲金。移宮換羽。高手名家。繞梁音自然瀟灑。流水板越見熟滑。聽不上金鼓諠譁。絲竹淫哇。總不如韻悠悠彩袖香飄。

斯〔二七〕琅琅寶釧聲雜。（海浮山堂詞稿）

牙筯

篆香壺常把酒兒描。糯米牙輕將菜兒咬。櫻桃口微向人兒笑。舌尖兒相輳着。却留下半點兒根梢。這意兒誰人知道。這情兒何時是了。這滋味無福難銷。這滋味無福難銷。美似醍醐。貴比瓊瑤。玉液金波。香酥甘露。鳳髓龍膏。養身法神完病少。解酒方魄散魂消。嘴嚼連朝。饜飫通宵。透春心一點靈犀。醉東風兩朵蟠桃。（海浮山堂詞稿）

肉屏

暖雲窩緊把兩邊遮。温香玉先將背後截。長春花正補當陽缺。矮屏風三四摺。任他行顛倒豪傑。紙兒糊怎如〔二八〕他温熱。峥兒光不似您調貼。畫兒好少比俺乜斜。畫兒好少比俺乜斜。玉惜香憐。翠擁紅遮。四座陽春。一團和氣。百樣驕奢。一個價意孜孜指尖兒輕捏。一個價笑吟吟眼角兒偷趄。使不的喉舌。粧不的癡呆。俺便是鐵石人也索温柔。虛怯症不怕風邪。（海浮山堂詞稿）

耳簪

馬蹄金造就耳剜兒。蟬翼鬢單鋪滿面絲。螺頭青細綰香雲髻。倒別着簪一枝。倩佳人央挽多時。擡貴手輕輕摘取。轉秋波低低窺視。啟朱唇款款斜吹。啟朱唇款款斜吹。須要經心。莫得離嘻。俺則索叉手躬身。交頭接耳。苦眼鋪眉。嚇的俺不轉睛斜僉着坐地。儘着他不住手兩下裏施爲。好個消息。幾陣昏迷。俺已則心癢難撓。他還待手下偎隨。（海浮山堂詞稿）

帕箋

汗巾兒展作錦雲箋。淚點兒流成玉露盤。粉盒兒權當金星硯。滴將來一處研。寫封書訴不盡情言。一字字離愁閨怨。一句句緣慳分淺。一行行寡鵠孤鸞。一行行寡鵠孤鸞。千里相思。兩字平安。料應他離恨尤多。鄉心已碎。望眼將穿。我的淚你的淚湮成一點。你的心我的心結做一團。袖兒裏盤桓。手兒上錦纏。酬志了美滿功名。乞求得早晚團圓。（海浮山堂詞稿）

十劣

勒價

小丫鬟吹着盞短檠燈。老鴇兒瞪着雙黑眼睛。醜撅丁扶着桿無星秤。俊多嬌佯不聽。解行囊信意加增。一包兒無零無剩。一盤兒齊齊整整。一家兒喜笑花生。　一家兒喜笑花生。不是争差。非爲嫌輕。似這般俺也輸心。他也樂意。你也馳名。這兩點怕不是鼎。那一塊也欠十成。等待消停。都要煎傾。論親情不索疑猜。交財帛須要分明。（海浮山堂詞稿）

索債

酒大公站立俺門傍。油博士擔來這壁廂。肉擔兒掛在頭直上。欠王屠鈔幾張。姐夫每不索思量。陳酒債秤還三兩。清香油賒過幾缸。平肋肉割了多方。　平肋肉割了多方。一總還錢。零碎爊湯。休怪絶情。何須戀己。莫得粧鎊。也不索三三兩兩。又何必掩掩藏藏。倒斷行囊。準折衣裳。你若是打發的清潔。俺還送半點兒乾糧。

（海浮山堂詞稿）

清　帳

俺也曾買綾羅裁了些可身衣。俺也曾換金寶打了些好首飾。俺也曾賣莊宅受了些腌臢氣。那些兒虧負你。你須索加減乘除。止不過一時半刻。又不曾通宵整宿。頓忘了昔日平時。　頓忘了昔日平時。跌落了錦片前程。折蹬了銅斗家私。你子待累百爲千。逢三道五。見一成十。我和你一椿椿開除箇端的。小九九打算箇真實。除了穿吃。扣了春資。剩下買兩箇猱兒。零頭兒取一箇娼妓。（海浮山堂詞稿）

閉　户

老虔婆準備下意兒歪。小大姐包藏着性兒乖。窮姨夫啜賺在門兒外。叫丫鬟世不開。可憐見放入門來。禱告了家親三代。拜辭了爺娘叔伯。囑咐了俊俏喬才。　囑咐了俊俏喬才。您忒無情。俺也合該。赤緊的典了衣服。花了網帽。破了靴鞋。把似俺無半星也擺劃。還望您老兩口兒躭待。俺子待暗裏偷乖。夜去明來。打扮着點卯官身。扎挣着挑水擔柴。（海浮山堂詞稿）

問年

鬼胡尤打扮箇俏冤家。歪扭捏粧成朶解語花。喬相識問了句衷腸話。猛低頭難對答。歷年來都是十八。未成人偷咊了幾下。已成人逃走了幾乏。不成人販弄了三家。不成人販弄了三家。一捏青春。半把年華。也索收心。不消現世。還待撑達。奶兒長低留答臘。孩兒多皮燃扒查。只等待眼兒昏花。腿兒塌撒。保佑你活到一百。終不成還是十八。（海浮山堂詞稿）

賀生

虔婆禱告拜神祇。子弟安排賀壽儀。嬌羞沐浴迎新歲。生辰㝯年紀希。袁天罡算了箇端的。有一年三番壽日。把三年呼作一歲。每一歲九度生時。每一歲九度生時。辦炷名香。擺列筵席。敬謝神明。虔邀宗祖。敦請親戚。遞一杯添兩件首飾。行一禮奉一套羅衣。今日佳期。來歲休移。俺也有本命元辰。單看你那日回席。（海浮山堂詞稿）

下　橋

剛團圓一片月兒斜。正豔冶三秋樣兒別。恰芳菲幾朵花兒謝。順風船下坂車。舊人兒見了情絶。猱着頭姐兒的火者。眵着眼鴇兒的候缺。放倒身撅兒的幫貼。放倒身撅兒的幫貼。再休提幼小風流。美滿驕奢。俺則索袖手埋頭。低聲下氣。做啞粧呆。他正是宜時的風花雪月。俺落得末脚兒感歎傷嗟。雨散雲歇。瓶墜簪折。若能勾再到陽臺。除非是夢裏蝴蝶。（海浮山堂詞稿）

回　爐

再來不值半文錢。昔去何須一溜烟。翻回不滿十年限。被人嗤惹俺嫌。生饅頭怎入籠嚴。做不的油頭粉面。乾出上涎眉瞪眼。只落箇赤手空拳。只落箇赤手空拳。活是他人。死和他纏。俺如今這樣時光。又無接手。不比常年。雖然是答臘些殘湯剩飯。却不道盤繳的少米無鹽。姊妹行閑談。小大兒難言。鴇兒道死了倒是乾浄。子弟每見了不到跟前。（海浮山堂詞稿）

留僧

俏姨夫換了箇禿姨夫。舊施主做了箇新施主。化緣簿改了箇姻緣簿。倒陪錢當積福。花藤兒纏住了葫蘆。手問心道了箇萬福。百衲衣打了箇窩鋪。齋饅頭券了箇胸脯。齋饅頭券了箇胸脯。鴇兒開言。行者餔謀。俺子索早起腰胱。午間中袖。夜晚包袱。巧藏拽金面皮觀音老母。偷夾拿銅法身彌勒尊佛。總不如剃了頭顱。做箇尼姑。這世裏配一對光頭。那世裏變兩箇毛驢。（海浮山堂詞稿）

鑽龜

白綿單展做了黑泥條。紅繡鞋沾上些緑水毛。素羅衣印下對烏龜爪。正撞着這一遭。也不必屈打成招。天靈蓋生生揭了。搭撒頭緊緊搐着。麻種眼慢慢偷瞧。麻種眼慢慢偷瞧。嚇殺多情。疼殺多嬌。我和他比蜜調油。如魚得水。似漆投膠。也子道爺兒們合家歡樂。止不過夥兒裏本分窩巢。誰承望官法難饒。一世耽囂。罵幾場似沒嘴的葫蘆。打幾頓似沒氣的尿胞。（海浮山堂詞稿）

大鼻妓

堂堂相貌土星高。一寸山根三掉腰。搽胭粉多使些錢和鈔。因此上淡梳粧懶畫描。費擎擡壓損妖嬈。竪一道擎天柱。搭兩孔駕海橋。怕則怕對臉兒支磽。怕則怕對臉兒支磽。不能勾倚翠偎紅。恰便似水遠山遥。費口閣舌。歪頭側腦。自有方略。比鷹嘴微争些大小。似羊頭少一對觭角。回子根苗。癩象軀牢。雖然是眼罩兒重遮。也則索遠遠的舒着。（海浮山堂詞稿）

清源妓名無瑕玉，獨擅時望，遠近傾慕，以一面爲快覩。嘗以地主拉至其家，將示衒耀之意。適暑，方浴，出稍遲，心鄙之。既出見，果尤物也。欲議之，無所摘。然準頗隆，遂占此詞，出而示人，頃刻傳以爲笑。自後見之者色萎矣。余再至，則已轉徙，不知所在。

【南商調集賢賓】

題　怨六首〔二九〕

斜陽滿樓簾半捲。空教我望眼連天。千里雲山人共遠。望不斷衰草寒煙。危闌倚遍。忽聽的賓鴻哀怨。愁怎遣。怎不將一紙書傳。（海浮山堂詞稿）

孤幃幾時捱到曉。聽不上畫鼓頻敲。惱恨寒鷄啼不早。急睁睁業眼難交。心中焦躁。盼不到參横月落。如何是好。怕只怕夢斷魂勞。（海浮山堂詞稿）

百般苦情誰像我。閣不住淚似懸河。恨壓眉梢雙黛鎖。又不是病染沉疴。心如刀剜。誰降下這場災禍。如何是可。每日家難死强活。（海浮山堂詞稿）

思君不來何處耍。空教我數盡歸鴉。何處垂楊閑繫馬。貪戀着路柳墻花。君情忒寡。見放着鮫綃羅帕。真共假。誓盟言須有箇監察。（海浮山堂詞稿）

這場屈情非小可。受不盡小性兒哥哥。冷語閑言尋趁我。平地上就起風波。是誰之過。不住的將人折挫。眉黛鎖。有話兒不敢分駁。（海浮山堂詞稿）

說來的話兒都是謊。好着〔一三〇〕人無處隄防。休信傍人將俺講。他那裏〔一三一〕背後輪鎗。全無遮當。〔一三二〕俺只有青天在上〔一三三〕。君細訪。枉了人算甚麽高强。（海浮山堂詞稿）

【南正宫玉芙蓉】

題　怨四首〔一三四〕

言合意不合。和你實難過。你分明特故的。將俺揉搓。俺何曾敢把針兒錯。尺水翻

成一丈波。雜情貨。心多話多。聽不上絮叨叨常把嘴兒磨。（海浮山堂詞稿）

難將性兒拿。就裏多虛詐。料應他看承做。敗柳殘花。幾曾有半句知心話。已則是十分虧負咱。登開罷。情差意差。儘着你戀別人另結好緣法。（海浮山堂詞稿）

喫他無限虧。滿眼傷情淚。這其間受不盡。瑣碎參差。他一心要做虧恩事。全不想從前溺愛時。巴心誓。天知地知。只願的一樁樁報應謝神祇。（海浮山堂詞稿）

因他意兒〔一二五〕別。把俺閑羅惹。進門來一迷裏。打草驚蛇。在誰家調的情兒熱。臨到咱行冷似鐵。從今夜。恩絶愛絶。把一方汗巾兒裂做兩三截。（海浮山堂詞稿）

【北雙調蟾宫】

四景閨詞 四首

正青春人在天涯。添一度年華。少一度年華。近黄昏數盡歸鴉。開一扇窗紗。掩一扇窗紗。雨絲絲。風翦翦。聚一堆落花。散一堆落花。悶無聊。愁無耐。唱一曲琵琶。撥一曲琵琶。業身軀無處安插。叫一句冤家。駡一句冤家。（海浮山堂詞稿）

小湖山分外清幽。飛一對沙鷗。宿一對沙鷗。怕斜陽偏照西樓。上一掛簾鈎。下一掛簾鈎。畫堂深。清[一三六]晝永。坐一箇無休。盼一箇無休。晚粧殘。雲鬢亂。戴一隻搔頭。卸一隻搔頭。無倒斷情思悠悠。夢一段風流。想一段風流。（海浮山堂詞稿）

洗炎蒸玉露金風。滴一葉梧桐。落一葉梧桐。意沉吟倦理針工。繡一朵芙蓉。撇一朵芙蓉。展香奩。臨寶鏡。看一番粉容。惜一番粉容。數歸期。思往事。屈一遍春葱。舒一遍春葱。望雲山音信難通。看一會歸鴻。送一會歸鴻。（海浮山堂詞稿）

雪花飛密灑瓊窗。助一派淒涼。又一派淒涼。更那堪簷鐵悠揚。緊一陣叮噹。慢一陣叮噹。瘦伶仃。愁展轉。温一邊象牀。冷一邊象牀。被兒閑。枕兒剩。東一箇鴛鴦。西一箇鴛鴦。盡頭來虛度韶光。牽一股柔腸。斷一股柔腸。（海浮山堂詞稿）

【北中吕朝天子】

風　情二首

得頑。且頑。放不下風流擔。萬花深處小桃源。信步兒從頭串。笑臉乜斜。歌喉圓轉。撒紅牙三四板。不喫醋的眼酸。不喫酒的量寬。只爲他相迷戀。（海浮山堂詞稿）

得謅。且謅。舞破了春風[一三七]袖。月明纔上柳梢頭。把手兒湖山後。共結[一三八]同心。齊

開笑口。弄精神百事有。面軟的不羞。心窄的不愁。只爲他相拖逗。（海浮山堂詞稿）

鞋杯二首[一三九]

環兒脚一彎。花兒瓣兩邊。做了箇飛鍾勸。半新不舊軟如綿。少欠下風流願。手澤猶存。香塵不斷。細端相重檢點。擦破了的口圈。蹴損了的底尖。跌綻了的根兒線。（海浮山堂詞稿）

熱突突酒傾。白溜溜水清。照見箇人兒影。金蓮小巧掌中擎。到口無餘剩。苦眼鋪眉。參詳内景。口不言心自省。心坎兒裏踢蹬。肚囊兒裏款行。腸禶兒裏穿芳徑。（海浮山堂詞稿）

嘲誚二首

你説我艮支。我説你作鴟。誰的是誰不是。紐箍兒別棒費神思。道不出箇真實字。使口兒[一四〇]傷人。挑牙兒斡刺。有的些歪樣子。叫你聲妮子。笑你箇鬼屍。再休得胡行事。（海浮山堂詞稿）

你嫌俺老成。俺嫌你寡情。性格兒天生定。黄毛兒黑尾鬼胡伶。口兒裏無乾浄。賣

治不了傳槽病。罵着又不聽。叫着又不應。轉彎兒没了影。將咱來傒倖。弄你乖覺。（海浮山堂詞稿）

【北雙調清江引】

閲世四首

過一日少一日要上一日。省了些閒淘氣。一日十二時。倒在花前睡。及早的風流些便宜你。（海浮山堂詞稿）

過一春了一春要上一春。打疊起閑愁悶。一春九十日。日日胡廝混。去了青春呵盼望殺您。（海浮山堂詞稿）

過一年是一年要上一年。再不去歪廝戰。四時共八節。到處貪歡宴。歲月無情哄不了俺。（海浮山堂詞稿）

過一生只一生要上一生。休替别人挣。三萬六千場。醉倒煙花徑。每日價醒了醉醉了又醒。（海浮山堂詞稿）

閨思四首〔一四二〕

手托香腮心兒裏想。淚滴闌干上。無情也有情。見不的喬模樣。靈鵲飛來撒一箇兒謊。（海浮山堂詞稿）

枕上淚痕窗外雨。總是傷心處。淚點兒滴不乾。雨點兒聲〔一四三〕不住。一點一聲愁萬縷。（海浮山堂詞稿）

起初只説相交好。枉惹傍人笑。與了箇甜棗兒。丢下箇虛圈套。恨上來常將香盤兒咬。（海浮山堂詞稿）

恰纔朦朧眼兒瞑。成就了合歡令。一雙彩鳳飛。兩朶紅蓮並。明知是夢兒中生怕醒。（海浮山堂詞稿）

省悟四首〔一四三〕

明知煙花路兒上苦。有去路無來路。惡狠狠虎巴心。餓刺刺狼掏肚。俺如今前怕狼後怕虎。（海浮山堂詞稿）

一箇家張眉多睃眼。單給飄風漢。田産已盡絶。家業都零散。搊來大坑兒填不滿。

（海浮山堂詞稿）

再不去掃雪填枯井。心兒裏明如鏡。摳了眼不嫌瞎。哄殺人不償命。豈不聞人的名兒樹的影。（海浮山堂詞稿）

再不去火上弄湅湅。霎時間没的弄。總是一場空。到底成何用。只落的兩隻手一箇搦。（海浮山堂詞稿）

【北中呂紅繡鞋】三首

五閻王不嫌鬼瘦。二菩薩那管人愁。甜食内下一把倒鬚鈎。只憑着巴心咒。哄了些帽兒頭。俺如今醒了腔只枉的空着手。（海浮山堂詞稿）

一家兒穿衣喫飯。要别人破産填還。門兒外樹一朵引魂旛。納命的齊來到。偷生鬼閃在一邊。現放着萬人坑填不滿。（海浮山堂詞稿）

又不是官糧科派。動不動折變田宅。翠紅鄉掌一面虎頭牌。火焰似追錢債。也須俺賣得來。生子怕儍村驢不肯買。（海浮山堂詞稿）

馮惟敏

【南仙吕桂枝香】

春閨四首[一四]

容光消瘦。非因病酒。見不上燕子將雛。聽不上鶯兒求友。任飛鳴自由。任飛鳴自由。將人迤逗。黄昏清晝。恨悠悠。蝴蝶三更夢。烟花萬種愁。（海浮山堂詞稿）

危樓倚徧。天涯人遠。望不斷嶺樹重遮。空自把湘簾高捲。又韶光一年。又韶光一年。鶯花爛漫。滿懷心事。告人難。身外春如海。眉尖恨似山。（海浮山堂詞稿）

萬花開放。同誰歡賞。名園内緑暗紅稀。芳徑裏蜂喧蝶攘。亂紛紛過牆。亂紛紛過牆。春光飄蕩。千條弱柳。綰柔腸。夢醒人何處。愁來夜未央。（海浮山堂詞稿）

瑶臺寂静。銀河耿[一四五]耿。長空碾萬里冰輪。深院鎖一簾花影。咨歎[一四六]了幾聲。咨歎了幾聲。芳心不定。凌波露冷。步閑庭。欹枕難成寐。憑闌無限情。（海浮山堂詞稿）

贈妓桂香二首

廣寒宫内。天香月桂。香飄蕩玉兔風清。影扶疎銀蟾光碎。問嫦娥愛誰。問嫦娥愛

誰。清宵凝睇。今秋得意。步雲梯。月中丹桂連根拔。不許傍人折半枝。（海浮山堂詞稿）

商飇初動。天香飄送。看今秋步月登雲。到春來騰蛟起鳳。喜身遊月宫。喜身遊月宫。香魂入夢。三分色相。狀元紅。探花榜眼都成配。淺白深黄總不同。（海浮山堂詞稿）

贈　行二首〔一四七〕

君行保重。妾身陪奉。比目魚一躍成龍。交頸鳥雙飛化鳳。望雲山萬重。望雲山萬重。空勞魂夢。分開連理。各西東。不愁我冷落深閨裏。只念你風塵遠路中。（海浮山堂詞稿）

長途勞頓。有誰偢問。拚着你萬里鵬程。撇下俺一腔春恨。漏沉沉夜分。漏沉沉夜分。金爐香盡。夢魂飛繞〔一四八〕楚天雲。君如夢妾難留妾。妾夢君來不見君。（海浮山堂詞稿）

月夜小集二首

彩雲何在。銀蟾堪愛。恍疑是桂子飄香。猛見了嫦娥下界。喜秋光滿懷。喜秋光滿

懷。無拘無礙。清歌勸酒。手齊拍。一箇箇愁眉展。一雙雙笑口開。（海浮山堂詞稿）

高情訪舊。清宵如晝。一箇箇志氣軒昂。一箇箇功名成就。一箇箇女流。一箇箇女流。香飄紅袖。半輪斜月。掛城頭。酒醉三更後。笑吟吟攜素手。（海浮山堂詞稿）

夢　想二首

冤家心變。將人坑賺。半夜裏枕冷成冰。兩道兒淚痕如線。你成雙我單。你成雙我單。如何不怨。癡心妄想。來到身邊。做一個團圓夢。也强如獨自眠。（海浮山堂詞稿）

喬才鬼詐。全無拘怕。起初時做小伏低。到如今心粗膽大。夢兒中等他。夢兒中等他。將他留下。陽臺雲雨。會巫峽。雖然不是真歡慶。也當春風刮一刮。（海浮山堂詞稿）

【南商調黄鶯兒】

曉　霞二首〔一四九〕

一點曉霞紅。閃祥光映碧空。神仙早出扶桑洞。上蓬萊幾峰。飲蟠桃幾鍾。喜朝陽展翅丹山鳳。錦雲重。把金烏簇擁。高捧在九霄中。（海浮山堂詞稿）

一點曉霞嬌。赤煦煦暖似燒。〔一五〇〕東窗紅日相輝耀。扶胭脂怎調。染丹青怎描。巧天工粧出如花貌。細量度。陰晴先兆。雲雨在今宵。（海浮山堂詞稿）

嘲妓葵仙

猛見蜀葵花。隔牆頭賣弄他。風吹雨打全不怕。單開頭似喇叭。粗枝葉似檾麻。花心兒到有些娘大。忒拉揸。鬢邊怎插。折挫了好頭髮。（海浮山堂詞稿）

解　嘲〔一五一〕

轉眼盼多情。表丹心向日傾。更無柳絮顛狂性。嬌滴滴紫英。顫巍巍碧莖。香肩常把雕闌並。耐炎蒸。開花結子。到底不凋零。（海浮山堂詞稿）

嘲妓蘭池

遥望一鋪籠。馬蓮墩更不同。亂紛紛茅塞成何用。莎草是祖宗。蒯草是老兄。假名託姓精胡弄。瓦盆中。連根兒倒出。真箇是麥門冬。（海浮山堂詞稿）

解　嘲[一五二]

清淺小池塘。潤幽蘭壓衆芳。天然一種非凡相。花兒異香。葉兒細長。香風翠帶齊飄蕩。傍瓊窗。歲寒三友。無此不成雙。（海浮山堂詞稿）

文　卿二首[一五三]

談笑有鴻儒。小桃源當隱居。書中有女顔如玉。性格兒出俗。美名兒不虛。不知人在花深處。漢相如。向文君笑語。要只要幾行書。（海浮山堂詞稿）

及第杏園春。掌書僊降紫雲。玉堂人物常親近。唱詞兒忒新。呼字兒忒真。多才比的俺無學問。卓文君。念相如正窘。愛只愛一張琴。（海浮山堂詞稿）

梅　英

花裏有魁元。賞名園第一仙。南枝早把春風占。雪和成粉團。月籠着玉顔。風花雪月不廝辨。伴孤寒。喬松修竹。青眼笑相看。（海浮山堂詞稿）

月季

一月一芳菲。論花容不似你[一五四]。千紅萬紫難匹配。花不歇枝。香無了時。四時八節皆春意。最嬌姿。自從初會。直與歲寒期。（海浮山堂詞稿）

弱仙[一五五]

軟款妙人兒[一五六]。顫巍巍花一枝。海棠睡起嬌無力。風兒柔怕吹。步兒輕懶移。藕絲兒牽的人兒至。細腰肢。春衫可體。尚自怯羅衣。（海浮山堂詞稿）

韶仙[一五七]

音律壓齊城。更妖嬈體態清。輕歌妙舞都相稱。奏蕭韶九成。按絃歌幾聲。洋洋盈耳穿芳徑。午風輕。花枝弄影。莫不是鳳來庭。（海浮山堂詞稿）

翦髮

玉手解青絲。鳳頭釵初卸時。頂心一翦烏雲墜。黑鬒鬒似漆。長鬖鬖過膝。單根兒

都是心肝繫。好收拾。紅絨兒辮起。每日看幾遭兒。（海浮山堂詞稿）

嘲　僧

得意笑青天。把瑤琴對你彈。趙州平地神仙見。受用殺浩然。快活殺浪仙。耳邊厢不住秋風灌。四蹄攢。窟窿橋上。現世上刀山。（海浮山堂詞稿）

【南雙調鎖南枝】

眊　妓二首

打趣的客不起席。上眼皮欺負下眼皮。强打精神扎挣不的。懷抱着琵琶打了箇前拾。唱了一曲如同睡語。那裏有不散的筵席。半夜三更路兒又蹺蹊。東倒西歆顧不的行李。昏昏沉沉來到家中。睡裏夢裏陪了箇相識。睡到了天明纔認的是你。（海浮山堂詞稿）

涎瞪了眼。答刺了頭。打一箇呵欠大張着口。也不想軟款温柔。也不想丢可留修。也不想拿堂扭柳。眼皮兒怕待睜開。手背兒不住的搓揉。也不着人也不勸酒。請將來上不的臺盤。擡舉你扶不上牆頭。大家開交纔是了手。（海浮山堂詞稿）

【南正宮玉芙蓉】

次韻贈妓少蘭二首[一五八]

花神送異香。飛到瑤堦上。喜秋蘭嫩蕋幽芳[一五九]。千條翠縷隨風漾。一段清標帶月光。何須羡。新紅海棠。這些時春花無主盡收藏。（海浮山堂詞稿）

幽蘭擅國香。曲奏瑤琴上。與知音千載流芳。滿斟緑蟻金波漾。掩映朱唇琥珀光。何須羡。春風野棠。争如這畫堂中盆景好珍藏。（海浮山堂詞稿）

【北中吕朝天子】

贈田桂芳八首[一六〇]

桂卿。麗情。所事兒堪咱敬。惺惺自古惜惺惺。愛的是人恬静。兩意相投。同聲相應。眼微朦心自省。細聽。幾更。怕不盡今宵興。（海浮山堂詞稿）

小田。妙年。月裏嫦娥面。瑶池宴會大羅仙。不許凡人見。玉斝高擎。檀槽輕捻[一六一]。似鶯聲花外囀。向前。悄言。甚日尋方便。（海浮山堂詞稿）

太真。出塵。畫兒上曾斯認。重重疊疊挽烏雲。薄設設鋪蟬鬢。曉月雙彎。秋波一瞬。窄金蓮尖玉笋。見人。便親。心繫兒擰成緊。（海浮山堂詞稿）

戀他。寸家。萬種情牽掛。霎時形影隔天涯。悔不盡輕沾抹。强打精神。丟開他罷。想殺人休當耍。笑咱。傻瓜。忘不了臨明話。（海浮山堂詞稿）

想他。爲何。頃刻貪歡樂。不明不暗便開豁。自是咱之過。意兒留連。心兒傒落。近別來一月多。盼着。念着。怎再得同衾卧。（海浮山堂詞稿）

這詞。好詞。〔一六二〕口口相傳示。賞音幸遇妙人兒〔一六三〕。滿座皆同志。盼盼風情。鶯鶯心事。雪兒歌難似此。念兹。在兹。只兩箇相思字。（海浮山堂詞稿）

自別。似呆。還不了前生業。傍人笑俺忒隨邪。俺不比乾風月。那值殘春。難捱今夜。口無言書怎寫。這叶。那些。敢一樣腸兒熱。（海浮山堂詞稿）

桂芳。蕙芳。一對神仙降。秋花春草噴鼻香。喜得相親傍。月下風前。人間天上。說無雙也有雙。北腔。繞梁。慢掃着琵琶唱。（海浮山堂詞稿）

【南中呂駐雲飛】

贈潤仙名玉塊

美質良材。體似羊脂膩又白。碾就獅蠻帶。結就瓊瑤珮。嗏。琢就鳳凰釵。精神光彩。剔透玲瓏。所事堪人愛。軟玉温香抱滿懷。（海浮山堂詞稿）

贈麗江名金塊

百鍊真〔二六四〕金。麗水生來席上珍。富貴相〔二六五〕親近。高價難評論。嗏。正遇着買金人。偏他識認。九紫十赤。成色銷鎔盡。細細絲兒�到心。（海浮山堂詞稿）

贈李沂仙

樂意陶然。勝日尋芳沂水邊。冠者閑遊衍。童子相陪伴。嗏。正遇暮春天。東風拂面。痛飲高歌。醉倚花嬌豔。將謂偷閑學少年。（海浮山堂詞稿）

贈劉一兒[二六六]

一段風流。一點情牽兩意投。一曲銀箏奏。一股金釵溜。嗏。消遣一春愁。一番花柳。一顧傾城。一笑天然秀。一度含情一上樓。（海浮山堂詞稿）

贈于少蘭次韻

緩步蹣跚。玳瑁筵前見少蘭。嫩蕋初分瓣。不許蜂蝶亂。嗏。莫惜好花殘。芳心一點。恍惚相逢。枉把東風怨。要上陽臺休怕晚。（海浮山堂詞稿）

緩步蹣跚。一段香風送楚蘭。口啟胭脂瓣。曲度行雲亂。嗏。酒到莫留殘。把閑愁檢點。醉伴花眠。懶賦長門怨。回首歸來還恨晚。（海浮山堂詞稿）

【南仙呂入雙調玉抱肚】

贈牛月娥二首

月娥風韻。廣寒宮天生妙人。換鍾兒款敘幽情。奉詞兒宴樂嘉賓。相逢不飲負青春。洞口桃花也笑人。（海浮山堂詞稿）

花容月貌。白生生越添豔嬌。玉螳螂倒插烏雲。粉蝴蝶斜壓鮫綃。春葱款撥紫檀槽。側耳聽聲魂暗消。（海浮山堂詞稿）

贈趙今燕二首

趙家今燕。賽昭陽舊時管絃。聽悠悠音律清揚。喜飄飄舞袖翩躚。琵琶輕掃動人憐。須信行行出狀元。（海浮山堂詞稿）

南詞北唱。錦堂中清音繞梁。曲江池陪奉明公。秀春園占斷排場。高擎暖酒換新腔。不是情人也斷腸。（海浮山堂詞稿）

贈小妓孫曉臺二首〔一六七〕

曉臺如畫。擁扶桑紅雲彩霞。麗春園姊妹馳名。平康巷歌舞傳家。暖風長養〔一六八〕牡丹芽。玉露輕沾菡萏花。（海浮山堂詞稿）

妙齡之際。女孩兒天生世奇。嫩生生百樣妖嬈。細條條一捻腰肢。雲情雨意假推辭。燕約鶯期佯不知。（海浮山堂詞稿）

寄示潤仙四首〔一六九〕

潤仙喬勢。誓盟言全然不依。甜話兒記在心頭。假意兒認做真實。行思坐想盼佳期。提起東來忘了西。（海浮山堂詞稿）

負心玉塊。兩三番不見你來。許着俺席上傳情。誰承望啞謎難猜。東君試問女裙釵。誰是癡心誰賣乖。（海浮山堂詞稿）

走頭没路。買花錢分文又無。愛的是寶鈔金銀〔一七〇〕。用不着〔一七一〕者也之乎。書生枉自費工夫。每日空勞定計謀。〔一七二〕（海浮山堂詞稿）

難捱長夜。呆答孩白没話說。閃的人冷冷清清。哄的俺半半截截。烟花簿上有分別。自古及今不放賒。（海浮山堂詞稿）

題　情十首〔一七三〕

單身獨自。盼情郎盼到幾時。往常間强打精神。至如今學害相思。憑誰寄與斷腸詩。只怕翻成絶命詞。（海浮山堂詞稿）

冤家心變。這些時誰家鬼纏。打聽的有箇真實。我和他兩命難全。神靈監察誓盟言。

不叫寃家只叫天。（海浮山堂詞稿）

心中焦躁。好恩情全無下梢。俺這裏受盡淒涼。你那裏自在逍遥。更長漏永眼難交。枕冷衾寒睡不着。（海浮山堂詞稿）

喬才薄倖。枕邊言全然不聽。實指望常遠相交。怎下的這樣無情。狠將來罵了兩三聲。你倒不疼我倒疼。（海浮山堂詞稿）

多時不見。夢兒中到咱眼前。急慌忙扯入蘭房。雙手兒摟抱身邊。醒來知是假姻緣。落的安然一夜眠。（海浮山堂詞稿）

抽籤討[一七四]卦。叩神靈都是[一七五]哄咱。玉手[一七六]兒扯斷蛛絲。寶釵兒打落燈花。簷前喜鵲叫喳喳。撒謊虚囂做一家。（海浮山堂詞稿）

饒人一命。告哥哥陪箇下情。你若是意轉心回。俺纔得死裏逃[一七七]生。但存陰隲有前程。洗却青樓薄倖名。（海浮山堂詞稿）

無聊無賴。眼乜斜自家死捱。捱的我情思昏昏。杳冥中雲雨陽臺。鷄聲三唱夢回來。棒打鴛鴦兩下開。（海浮山堂詞稿）

蛾眉雙皺。淚汪汪何曾斷流。倚遍了十二[一七八]欄干。禁不的一段閑愁。三朝兩日懶梳頭。從到春來不下樓。（海浮山堂詞稿）

立心不善。把奴家閃在一邊。俺當初悔效文君。你如今狠似龐涓。琴心何日再偷傳。飛鳳求鸞續斷絃。（海浮山堂詞稿）

【南商調集賢賓】

頂真敍情二首

冤家狠心將俺閃。閃的人叫苦連天。天道無私靈聖顯。顯着你負了盟言。言辭改變。變了心神明照監。監察俺。俺虧心性命難全。（海浮山堂詞稿）

虧恩負義全是你。你須當服罪知非。非是俺如今不懊悔。悔只悔一向着迷。迷人難治。治不的真心實意。意兒美。美姻緣再也休提。（海浮山堂詞稿）

【南中呂駐雲飛】

題贈小娥二首

燕舞鶯歌。弄月吟風錦繡窩。咿軋冰輪過。皎潔銀蟾墮。嗏。飛下小嫦娥。忽驚四座。謫降天仙。權遂人間樂。仙不風流圖甚麽。人不風流待怎麽。（海浮山堂詞稿）

玉質冰姿。又是蟾宫第一枝。小桂多風致。嫩蕋偏嬌媚。嗏。根自廣寒移。化生塵世。天上人間。一樣貪歡會。仙不貪歡圖甚的。人不貪歡待怎的。牛小娥者，月娥女也，初爲名妓，詞以嘉之。（海浮山堂詞稿）

【北中吕朝天子】

又　贈

月娥。少娥。一輩兒傳一箇。能彈能舞又能歌。品竹誰能過。妙手名家。知音在坐。擺筵席賀客多。伴明月養活。共白雲結夥。好挾上東山樂。兩娥來謝品題，果尤物也，再此答意。（海浮山堂詞稿）

【北雙調水仙子帶折桂令】

嘲　友

青天白日打燈籠。照見南來小相公。涼衫大帽粧朝奉。搭連包肩後聳。倒垂蓮燭影搖紅。頂着甑是何威重。對着人全無禮容。光着腿怎打秋風。光着腿怎打秋風。

步履郎當。舉止疎慵。豈是清修。雖然簡便。也欠温恭。入公門鞠躬時誠惶誠恐。在家中習禮處無影無踪。假若是越女吴童。月貌花容。一迷裏前後通行。不枉了邂逅相逢。〔一七九〕（海浮山堂詞稿）

【南雙調錦堂月】

偶　書〔一八〇〕

山閣蕭條。花枝瘦損。難同舊時容貌。雨淚盈盈。空有寄來鮫綃。將萬縷蘭麝微熏。記一點櫻桃紅小。歸期早。看取月下花前。那時歡笑。

【南商調高陽臺序】

落花有感〔一八一〕

半畝蒼苔。一番紅雨。韶光滿眼〔一八二〕拋擲。立盡東風。可能容易收拾。狼籍。留他不住春歸也。問那人歸在何日。望天涯。暮雲千里。杳無消息。

按：右二首輯自汪廷訥環翠堂選本。

套數

李中麓歸田

書備五朝，簡贍可知；易更四聖，質文易睹。此非往牘少文，後聖寡要。推移不禦，惟世爲然。昔也盤庚詁之愚民，曲禮行之鄉鄙；今也析句詁字，老儒困之，豈惟民哉！若夫文字之變，詩又甚焉，三百篇中，變居其二。既又變爲騷，爲五七言，爲律，爲今樂府。嗟乎，變極矣！詩由性出，存乎其人；聲與政通，繫諸其俗。古近遞降，如鱗次然。軒古輊今，不煩審辨。然而作者可以適性，聞者可以考俗，感發鬱陶，激昂偷靡，其用一也。間出淫慝，古亦有之，放之而已。操觚之士，騖心爾雅，樂府有作，力究兩京，得其文，逸其義，得其義，亡其聲，要之，文固未通釋也。即文義酷肖，不協鍾律，不足以爲樂。即併得之，必今人弗聽也，亦何貴於導善滌邪者哉！夫楚音隕江東之涕，胡笳起漠北之思，易其地則不爲動。世葉遐絶，又何啻此。孔子删詩之後，被之管絃，要必審五方之音，各歸本調。後之誦者，一以江左聲協之，其能合乎？離騷多禮神之辭，漢魏皆絃歌之曲，音響節奏，自出一機，繩以今韻，然且不可。律體既盛，始嚴沈法，雖云格力非古，而李唐樂歌，即多近律，如太白清平調曲，及郭氏諸所收集是也。唐律大法固在，然其聲之舒疾高下，不得而聞。且以渭城短律，婦人稚子，知誦其句。至使文士興歌，人自爲疊；琴師按譜，不一其聲。則他所依放，例可知也。宋曲見於今者，有辭無聲，其僅存者，一二而止。漢志曰：周衰，禮樂俱壞，樂尤微眇，後世之聲，既非盡美，又奚傳焉！嗟乎，聲音之道，不在雅頌，而在今樂。有識病之。其機緘變易，關乎人理，亦氣運然與？故每域於本朝，不相流襲。豈直聲音，文亦不逮，四言盡於三百，五言極於漢魏，唐律宋詞，各臻其工。模擬雖逼，定不及也。僕性嗜古，凡文章度數，遊心無礙，獨於正樂，有夙憾焉。移風無自，寄興靡依，一有感發，莫能遂歌，微吟不絶，姑託近調。嘗見鴻筆大家，顧或爲之，何也？予聞之，今之樂，猶古之樂也。又云，古人之詩，如今之歌曲。往竊疑之。乃孔子有志三代之英，又曰：「吾舍魯何適矣！」固亦有不得已者。吾鄉中麓李公，博學正誼，予心慕之。都中邂逅，彼此塵鞅，未緣請益。頃抗疏歸田，娱情述作，紹作大雅，討論秘文，雜興所及，時涉新譜，其亦游戲翰墨故邪？抑定樂之無繇也？僕因得而聽之，意真味婉，氣正聲平，借使達者屬耳，擊節賞音，里人聞之，亦足以發流通之妙，不在兹乎！秋夕共語[一八三]，悉所未聞，偶論樂聲，深契予意。途次無聊，遂成俚闋如左。

【北仙呂點絳唇】瀚海洪流。岱宗神岫。英靈湊。淑氣充周。醞釀盡乾坤秀。

【混江龍】山河依舊。其中自古聖賢州。似您這天才傑出。真箇是無愧前修。霎時間對客揮毫風雨響。世不曾閉門覓句鬼神愁。囊括了三墳五典。八索九丘。網羅了百家衆技。三教九流。席捲了兩漢六朝。千篇萬首。彈壓了三俊四傑。七步八斗。俺也曾夜到明明到夜聽不徹談天口。則爲他心窩兒包盡了前朝秘府。舌尖兒翻倒了近代書樓。

【油葫蘆】多少詞林翰府儔。則被他一筆勾。乾坤豪士眼中收。這其間能說會道堪居首。剛道箇真材實料難禁受。說甚麽琴遇知音。再休提棋逢對手。每日價自歌自飲嫌孤陋。乞求的黄卷上結交游。

【天下樂】千載名賢儘應酬。風流。意氣投。短檠長夜三更後。話高情曲一腔。賞雄篇酒滿甌。消繳些天長和地久。

【那吒令】掃鸞牋運肘。試錦心繡口。望龍顔拜手。犒金花玉酒。宴瓊林上首。折天街御柳。瑞烟開金馬門。香風嫋銅龍漏。擺鵷行緩轡聲幽。

【鵲踏枝】論功業比伊周。論文學擬曹劉。憑着你柱石彤庭。黼黻皇猷。會談間把前賢考究。羨君家自古傳流。

【後庭花】你本是那佐唐虞賢聖胄。皋陶爲理，後世以李爲氏。有幾箇正綱常清議友。膺劾治了背闕將軍罪。勉判倒了太平公主讐。元紘聖恩優。受用些酴醾賜酒。絳只吃的醉朝天拜玉樓。汝陽王璡中興功第一流。光弼丹宸箴取次投。德裕避賢詩歸去休。適陳情表不自由。密北海尊任意酬。邕西崑體到處謳。商隱

【青歌兒】坐卧間牙籤牙籤萬軸。繁行動間錦囊錦囊千首。賀便做了三朝卿相也索意休。昉怎癡心寧耐。白首封侯。廣我則待鶴背雲頭。八極周遊。少君函谷騎牛。聃采石登舟。白烏鳥相投。白鹿爲儔。涉少室藏修。渤盤谷清幽。愿可正是龍眠高隱百無憂。公麟無福也難消受。

【寄生草】漢文皇空拊髀。酬國志難罷手。牧你從來紗籠就裏埋名舊。藩投至得御樓側畔承恩厚。昉終有箇凌烟上面圖形秀。靖你道是八磚學士懶朝參。程我道是十年宰相須承受。泌

【賺尾】四海覓知音。五嶽尋朋舊。赤緊的馮唐不偶。至如今手把陰符覽未休。嘆韶華又早大火西流。氣横秋。笑看吴鈎。則待要向長安函送單于首。俺這裏帶斜陽倚

樓。只落的伴黄花勸酒。約定了清風明月兩悠悠。是年北虜始寇邊（海浮山堂詞稿）

謝少溪歸田[一八四]

少溪翁與先兄治泉公同薦於鄉，意氣甚相得。既舉進士，爲侍御史，侃侃有聲稱。視學畿内，累官大中丞，晉司馬，督戎政，威名大顯。一旦上疏，求解兵權，歸休於繡水之上。余適過章丘，薄暮詣訪約，主賓野服相見，繾綣話契誼。酒數行，令余爲歌詞，以志高逸。余笑而謝曰：「今之詞手，章丘人擅場矣！余於此蓋難乎爲詞哉。」

【北南吕一枝花】慵聽玉殿鞭。怕待金門漏。承恩雙鳳闕。拜表五龍樓。笑解歸舟。打疊起麟袍袖。收藏了寶帶鈎。閒時節尋一片繡水漁磯。悶時節訪幾箇青山道友。

【梁州】人道是前朝王謝。俺道是當代伊周。生平事業都成就。對丹墀三千禮樂。擁畫戟百萬貔貅。綱羅轂公門桃李。羽扇麾帥府諸侯。酬志了三十年廊廟分憂。準備着數千里湖海遨遊。也不戀大官羊列鼎鳴鐘。也不厭家常飯粗茶淡粥。也不嫌小村莊瓦鉢磁甌。書樓。筆疇。調停歲月閑消受。酒三杯詩數首。有時節高卧東山不可留。念蒼生也索回頭。

【尾】者麽您惠連康樂争馳驟。明月白雲共宴遊。樂事賞心隨處有。俺則待畫山光一丘。寫行樂一軸。唱一會歸去來辭開笑口。（海浮山堂詞稿）

憶弟時在秦州

余弟在秦州，五年不得調。前此及今，浮沉五品秩凡七任，歷十有五年，五品以下不論也。余居山中，秋風四起，油然興懷。憐濡滯之迹，觸離隔之情，而不自知其身之濩落無當也。形神千里，意緒萬重，書所不盡，申之詞章。山中簡册不攜，韻或出入，弗計也。

【北雙調新水令】金風飄杳隴雲寒。惜分飛兩行征鴈。碧連芳草渡。紅綻蓼花灘。須有箇北向南還。經幾度春老秋殘。只聽的失羣聲遍霄漢。

【駐馬聽】悶倚闌干。宿酒初醒月露寒。慵拈筆硯。新詩欲寄海天寬。紅塵迢遞鶺鴒原。黄昏冷落棠棃院。凝望眼。側身西塞情無限。

【沈醉東風】受盡了半生偃蹇。乞求的兩字平安。他那裏爲我思。我這裏因他盼。大丈夫撼海推山。憑着頂觸佞嫉邪獬豸冠。且不問眼皮上前程近遠。

【鴈儿落】蕭颯颯風吹函谷關。淅零零雨洗連雲棧。熌溶溶烟封兩漢宫。明皎皎月滿三秦甸。

【得勝令】呀。爲甚麽懶把素書看。止不住常將寶刀彈。顯不得冰玉聲名響。跳不出金銀世界寬。自離了長安。一步步音書斷。纔到了關山。一程程道路難。

【沽美酒】見如今坐不寧卧不安。衣不解飯不餐。只待要遠播天威蕩了塞垣。指日間生擒了可汗。平躧了土西番。

【太平令】二十載風霜冷淡。數千里山水瀰漫。望君門空瞻霄漢。盼家音難憑魚鴈。我呵到如今意懸。夢牽。不由我淚彈。呀。生被這不做美的雲山離間。

【川撥棹】一會價謾俄延。可知我功名薄緣分淺。總不如袖手高閑。閉口無言。冷眼傍觀。那答兒鶴長鳧短。且埋頭山水間。

【七弟兄】每日價竹邊。水邊。任盤桓。對芳尊數轉嬌鶯勸。插綸巾一朵野花鮮。採瑤芝幾箇幽人伴。

【梅花酒】嘆光陰撚指間。怕皓首蒼顔。恨遠水遥山。想鷺序鵷班。悔當初容易別。至如今見面難。望燕臺不可攀。有一日九天上舞青鸞。五雲裏捧花箋。萬里外促雕鞍。千官隊拜金鑾。

【收江南】呀。烽塵寂静玉門關。恩波蕩漾錦江山。滿天兵甲一齊閑。把干戈盡偃。

邊臣歌舞入長安。（海浮山堂詞稿）

此詞作於嘉靖庚申之秋，筆未竟，不覺淚下。時舍弟方奔走障塞，得而覽之，復余曰：「車中讀未竟，輒淚下。」夫兩地之淚，豈以功名下哉！明年，弟稍遷河南參議；又明年，相見於京邸，余亦授官矣。自是南北分攜，往復相左者七年，始遇於郯，旅舍不寐，戀別無計，復分袂去。又二年，弟以入覲，便道求晤於保郡，而歸志遂由此定。從前感懷，可以消遣。是知天倫之樂，合並之趣，不在仕路，而在山中。

徐我亭歸田

我亭徐子守霸郡，甫再期，乃輒歸田間。先是道路宣言，徐守召遷京曹，吾弗聽也。輿望當遷，其如時事何！居無幾，又言徐守以論免，吾又弗聽也。即多口如公論何！已而守果東歸。匝一月，余始知之。輾然笑曰：「公論竟不能與時抗哉。」郡故有名，而業已瘵敝，邇益敝甚矣。公私仰給者，循其名而責之備，持之日益急，歲且大侵，民弗堪命。守以節用愛人四字平其政，若之何勿論且免也。時余偃蹇卧茂林深巖中，聞徐子免官不足惜，獨惜其不能徑造山人，濯塵容於清泠之淵，而猶有依依兒女子情耳。然幸高堂重慶，方罄至歡，余又以苦熱，憚於獨往，即未知先發者誰，且恨無五尺童走相訊也。客有言及徐子者，輒作不平氣。或曰：

「二十年科名，博官二年耳，是古人什一之法。」或曰：「節慎憂民，而坐此廢放歸，無以自謀，奚什一法也？」余則笑止之曰：「客之爲徐子計，是不知徐子者；爲余言之，是不知余者。客且休矣，余將洗耳於清泠之淵。」客謝不敏去。余乃臨流沃潁，爲填此詞。後有知徐子者，必使歌之。

【北正宮端正好】跳出了虎狼穴。脱離了刀槍寨。天加護及早歸來。甫能撮湊到紅塵外。總是超三界。

【滚繡毬】磣可查荆棘排。活撲刺蛇蝎挨。打週遭擠成一塊。謊得俺脚難挪眉眼難開。一箇虛圈套眼下丟。一箇悶葫蘆腦後摔。踩着他轉關兒登時成敗。犯着他訣竅兒當日興衰。幾曾見持廉守法垛了冤業。都子爲愛國憂民成了禍胎。論甚麽清白。

【叨叨令】見了箇官來客來。繫上條低留答刺的帶。又不是金階玉階。免不得批留鋪刺的拜。恰便似天差地〔二八五〕差。做了些希留乎刺的態。但沾着時乖運乖。落得他稽留聒刺的怪。兀的不磣殺人也麽哥。兀的不磣殺人也麽哥。單看你胡歪亂歪。粧一角伊留兀刺的外。

【脱布衫】謝天公特地安排。感吾生苦盡甘來。熱還了蠅頭利債。再不把文章零賣。

【小梁州】也是俺八字生時小運該。捱過了月值年災。等不得滿頭風雪却歸來。清江外。鷗鷺免相猜。

【幺篇】雲深三逕無邊界。急回頭滿地蒼苔。不負咱。多寧耐。年年相待。松菊手親栽。

【上小樓】風光未改。規模猶在。不由俺眼兒端相。口兒嗟咨。意兒裁劃。爲着那料不開。劃不來。功名草芥。險把俺潑生涯丟答在九霄雲外。

【幺篇】多虧承廉訪司。乾生受御史臺。倒惹的百姓攀留。妻子埋冤。隣里疑猜。假若是弄不諧。這一排。大驚小怪。怎能勾安樂窩通轟自在。

【滿庭芳】田連滄海。門垂五柳。院列三槐。從今不受人禁害。事事丟開。弄機權聽他喝采。隨本分看俺偷乖。垂堂戒。低頭自揣。再不説濟川才。

【快活三】帶清風兩袖來。喫緊的少金帛。雖然不得世人財。也省了花打算胡支派。

【朝天子】薅鋤了草萊。掃除了小齋。破漏處重苫蓋。軒窗窈窕忒幽哉。就裏無拘礙。儘俺粧酣。饒他作歹。笑呵呵佯不采。丟一箇眼色。唱一會哈咳。雲去也青山在。

【四邊静】霎時間龍歸大海。蝦笑泥蟠。蚓笑塵埋。誰識俺放浪形骸。寄傲乾坤外。須不是閉户窮愁傻〔一八六〕秀才。一納裏無聊賴。

【耍孩兒】浮生但得閑身在。一萬兩黄金難買。今日箇月明千里故人來。抵多少位列三臺。無官纔是神仙福。有道難爲將相才。爲甚麼跳出樊籠外。這的是急流勇退。須不是早發先衰。

【十七煞】追魂牒拜相麻。捨身崖拜將臺。未央宫慣把忠良害。粉蛾投火休言命。錦鯉吞鈎不是災。貪心所使非無奈。怎似這赤松伴道。也免得黄犬唧哀。

【十六煞】高名重似山。通途黑似海。鵬程反被蛛絲礙。無心出岫閑雲散。捲翼投林宿鳥來。悠悠世事皆身外。盡是些虚舟飄瓦。斷梗枯荄。

【十五煞】當初錯認真。而今且買獃。爲只爲到頭不把心田壞。鞭箠赤子情難忍。奔競朱門眼倦開。甘心兒不染炎涼態。自古道貧而無諂。義不存財。

【十四煞】見尊官陪小心。入公門怎放懷。烏紗緊按忙搊帶。竦身疾走還嫌慢。對面低頭不敢擡。壓簷石離不了雙膝蓋。那怕他淋漓風雨。也子索跪倒塵埃。

【十三煞】帶銅鈴馬上馳。提鐵繩部下來。城狐社鼠真無賴。一箇道稽遲糧餉賫飛票。一箇道緊急軍情奉火牌。閑言碎語須躭待。真心兒貪圖小利。謊話兒毆打公差。

【十二煞】官清氣不長。財多福自來。見如今顛倒觀成敗。奴顔婢膝終須貴。義膽忠肝反見猜。俺如今只落得丹心在。打疊起經綸手段。展放開風月情懷。

【十一煞】抱摇琴彈袖低。插巖花壓帽歪。尋幽散步雲林外。攔迴緑水挑了坑塹。隔斷紅塵立了界牌。勿得相侵害。喜年年深耕淺種。願歲歲增福消災。

【十煞】迎神三上香。虔恭一字排。山童野老齊來拜。岔聲鑼鼓喧天響。美味村醪就地釃。當莊兒敬把牛王賽。俺這裏隨班行禮。不强如納陛升階。

【九煞】蜂屯散晚衙。鴉羣放早牌。山鳴谷應威名大。閃開皂蓋蒲葵扇。换却朝靴芒草鞋。吕公絛緊浄似鑴花帶。人都道清閑刺史。瀟灑蘭臺。

【八煞】又無牌票追。又無官長來。又無節年號件多粘帶。又無獄囚干係擔驚怕。又無倉庫查盤費剖劃。又無凶荒水潦難徵派。俺不是承行接管。官史當該。

【七煞】老太君近九十。老尊堂多半百。壽萱重茂光三代。祖孫空切陳情表。母子遥懸陟屺懷。到如今謝天謝地全恩愛。喜孜孜承顔旦夕。笑吟吟戲綵庭階。

【六煞】弟兄友愛情。親朋契闊懷。東隣西舍相陪待。從今但説陰晴話。此後惟愁水旱災。再不提世路多毒害。盡都是一場瞎[一八七]帳。滿口胡柴。

【五煞】南州有故交。東君無俗客。時時下榻相親愛。常餘鷄黍供佳會。剩有鶯花破悶懷。小園旋摘時新菜。一茶一飯。閑往閑來。

【四煞】也不説胸藏萬丈虹。也不想腰懸三尺[一八八]白。課耕教子功勞大。也不求世上千鍾禄。也不羡牀頭萬貫財。但願年年歲歲人常在。受用些粗衣淡飯。準備些細米乾柴。

【三煞】唤青衣花滿簪。倩紅裙酒滿釃。剛纔破了官箴戒。時興麗曲傾心聽。適意新詩信口來。狂歌痛飲真豪邁。相伴着花仙酒聖。説甚麽閬苑蓬萊。

【二煞】清風到碧梧。斜陽下緑槐。千山列嶂烟横黛。幽窗正與雲門對。别業遥連地鏡開。寒流一縷拖裙帶。想前朝鴉盤寶髻。鳳插金釵。

【一煞】龍池百代清。牛山萬古哀。笑當時登覽心無奈。三千珠履英雄盡。十二山河霸業衰。龍争虎鬭人何在。你看那王侯高冢。都做了蔓草荒臺。

【尾】山林識趣高。功名局面窄。放歌古調烟霞外。誰會把白雪陽春下註兒解。（海浮山堂詞稿）

邑齋初度自述[一八九]

余始試邑於淶，重以禄不迨親爲永憾。不攜家累，衹一童自隨。杪秋初度，壺漿奠獻之餘，舉觴致語，自祝心切，感慕不釋，命筆填詞，至三煞，潸然淚下不可止。童竊覘之，後傳於山中，只謂思鄉然耳。外人每歲物色余初度日，竟不能得，詞亦不以示人。

【北正宮端正好】不圖名。非干禄。無心也待價而沽。只因趕上紅塵路。此地逢初度。

【滚繡毬】俺本是漢高陽舊酒徒。魯諸生小架局。逞粗豪風流人物。欠磨礱狂簡迂儒。幾曾誇俺德能。也難攀彼丈夫。更不出三門四户。單守着者也之乎。眼見的争名奪利眉兒先皺。耳聽着受職爲官膽兒便虚。俺子當似有如無。

【脱布衫】想黄花三逕香鋪。望白雲千里光浮。遠迢迢家山何處。悶懨懨此情無據。

【小梁州】俺子索獨對秋燈賦索居。展轉躊躕。便做了三槐九棘待何如。無情緒。枉自受拘束。

【么篇】上琴堂端坐如泥塑。下廳堦尺步繩趨。倉庫經。循環簿。那裏也知新温故。曉夜念文書。

【上小樓】酸甜辣苦。中心難訴。辨的是卷案招詳。錢穀刑名。笞杖流徒。親也無。朋也無。誰行扶助。斷送的這壁廂走投無路。

【么篇】升早堂夜未闌。放午衙日已晡。酩子裏忘了生時。躭了歲月。錯了機謀。形也孤。影也孤。誰行看覷。却不道細思量有何緣故。

【滿庭芳】天涯間阻。秋光冷淡。夜色蕭疎。卧看牛渚空延佇。情景誰〔一九〇〕俱。撇下俺錦胡同真仙洞府。玉闌干方丈蓬壺。空孤負。鶯歌燕舞。檀板繡氍毹。

【朝天子】水連天碧湖。草含烟緑蒲。家住在名山處。天然一幅輞川圖。滿眼皆詩句。畫舫移風。紅裙染露。翠波中聞笑語。紫霞觴滿浮。玉壺春有無。只喫到青山暮。

【耍孩兒】年年此日神仙聚。都來會烟霞洞主。相傳王母宴蟠桃。争似俺竹裏行廚。來時共折瑶華贈。醉後還憑彩袖扶。獻一卷修真賦。琅函錦字。玉簡金書。

【六煞】往常時開壽筵。到如今入宦途。官箴謹守遵侯度。朝廷有道追呼少。門第無私來往疎。爲民爲國非干譽。赤緊的君恩未報。民命難蘇。

【五煞】省刑罰當放生。理沉冤替念佛。丹心願受長生籙。排衙奏罷三通鼓。畫戟粧成五福圖。官僚左右相扶助。衣冠濟楚。禮度閑熟。

【四煞】公堂半載忙。私衙一事無。閉門猶恐人知悟。凄清單父琴三弄。酩酊彭澤酒一壺。也權充作樂陳樽俎。自釃呵自飲。誰勸也誰扶。

【三煞】愧不及跪乳羔。恨不如返哺烏。雙親永感悲風木。香飄寶篆無人見。酒滴茅沙有淚俱。紙灰飛〔一九一〕起歸何處。擺列着三牲五鼎。止不住短嘆長吁。

【二煞】念平生手足親。耐尋常骨肉疎。天南地北多歧路。長空萬里衡陽鴈。尺素千金湘水魚。何時固結連枝樹。每逢佳節。遍插茱萸。

【一煞】俺那裏霜前紫蟹肥。牀頭白酒熟。正期着秋飽家家富。胡歌野叫村田樂。樵父漁翁慶壽圖。來來往往諸親故。到晚來安排燈火。和睦宗族。

【煞尾】康寧福自生。清閑樂有餘。俺如今江湖廊廟隨時遇〔一九二〕。博得這兩字平安萬事足。（海浮山堂詞稿）

訪沈青門乞畫

青門之名，余耳之舊矣。壬戌早春，歷城邂逅，西館燕嬉，時余猶書生也。余今以曠官赴調，復得周旋談笑京邸間，因乞作畫。有感昔遊，情不能默。青門藝苑博雅，兼善北譜，故以投之。

【北雙調新水令】數年前遊冶秀春樓。正花時綠肥紅瘦。新詞挑玉質。香醑寫金甌。意氣相投。一見寸心透。

【駐馬聽】五岳遨遊。山水都歸摩詰手。兩都馳驟。文章直與馬班儔。向來三載客燕州。幾番曾憶東山否。尚兀自抱笠篌。花開花落人依舊。

【鴈兒落】俺子怕胸填宋玉愁。料應他眉鎖西施皺。不〔一九三〕承望衣憐范叔寒。只落的帶覺休文瘦。

【得勝令】呀。怎不上仲宣樓。也不駕剡溪舟。冷落殺顔回巷。蒙茸了原憲裘。望千里滄洲。笑南渡新學究。種五色瓜疇。羡東陵故國侯。

【水仙子】青門地接鳳凰樓。綠水波縈鸚鵡洲。朱英香泛麒麟囿。寫生綃紀勝遊。一行書鐵畫銀鈎。一聯詩郊寒島瘦。一度曲評花判柳。一腔春醖藉風流。

【折桂令】一腔春醖藉風流。不入山林。不事王侯。過一橋又一橋遠市離塵。訪一回又一回潛踪隱迹。遶一灣又一灣曲徑通幽。則今日倚玉樹步芳園齊開笑口。待何時上金山遊古寺共豁吟眸。雲樹綢繆。萍水飄流。渭北江東。楚尾吴頭。

【離亭宴歇指煞】故園此日花如繡。蘭舟〔一九四〕蕩漾閑春晝。憑君卧遊〔一九五〕。抹一帶海浮山。染一溪滄浪水。蘸一點雲門岫。幽人不出村。抱膝因何瘦。按圖寓眸。朗誦着北山文。乍醒了西堂夢。苦憶的東籬菊。繪松雪畫的〔一九六〕屏。題沈謝詩引首。願騎鶴更〔一九七〕上揚州。笑殺俺不知機待怎生。敢子是託〔一九八〕芳名傳不朽。（海浮山堂詞稿）

改官謝恩

初解邑綬，臺章諭以量才改邑。章下，天曹覆奏，謹按臣敏疎簡不堪臨民，文雅猶足訓士。制曰可。遂攝鎮江教事。昧爽陛謝，喜而製此。既抵任，列職惟五，獨臣館與孔氏鄰，他館次第堂門之外。孔氏弘申，宣聖六十一代孫也。先固不知其人，況其居哉。由此觀之，聖恩天命，通一無二，知非偶合。天下樂後句，實亦不知其然而然。

【北仙呂點絳唇】拜命天朝。敬敷五教。興學校。輔翊唐堯。立天德行王道。

【混江龍】欽承明詔。縣郎官新改郡文學。前程萬里。仕路千條。常言道今日不知明日事。俺怎肯這山望見那山高。脱離了簿書期會。穰穰勞勞。樂得些英才教育。擺擺搖搖。再休提徒流笞杖。鬧鬧吵吵。單守着詩書禮樂。寂寂寥寥。子今日沐恩波海闊從魚躍。也是俺癡人有癡福。小可的無福也難消。

【油葫蘆】俺也曾宰制專城壓勢豪。性兒又喬。一心待鋤奸剔蠹惜民膏。誰承望忘身許國非時調。奉公守法成虛套。没天兒惹了一場。平地裏閃了一交。淡呵呵冷被時人笑。堪笑這割鷄者用牛刀。

【天下樂】俺也曾手把絲綸掣六鰲。漁樵。氣韻高。俺也曾醉上蓬萊看八表。駕滄溟眼界空。登泰岳衆山小。緊靠着孔孟宅鄰舍好。

【那吒令】七八歲勉學。淡虀鹽一瓢。二千里枉勞。路途債九遭。四十年苦熬。冷板凳兩條。世不愁文運衰。生不怕窮星照。打精神再把書教。

【鵲踏枝】聖天子重英豪。四海内集時髦。則您這宰輔公卿。都是俺功績勳勞。雖是俺文章欠好。索强如立草爲標。

【寄生草】非是俺功名鈍。分福薄。盈虛消長天之道。榮華富貴人之好。清貧冷淡吾之樂。子俺這孤燈耿耿照書齋。一任他諸公袞袞登廊廟。

【幺篇】尊經閣凌雲漢。明倫堂跨赤霄。詩書子史窮玄奥。君臣父子全忠孝。齊家治國諳經略。蘇湖德業重真儒。唐虞聖化存吾道。

【後庭花】若不是那年時擔懊惱。怎博得這其間能湊巧。且休提夕貶潮陽路。子俺這謫黄州聲價好。恰上任立科條。幸遇着文衡文衡考校。舊題目撞了箇着。老文章記的牢。唱名時取的高。賞呈文紙一刀。筆三枝五彩毫。半截紅纏滿腰。插雙花上馬嬌。共生徒擻了一遭。

【青歌兒】呀。方顯俺書生書生榮耀。不枉了平生平生才調。雖不得萬里封侯建羽旄。子俺這燕頷班超。食肉丰標。二八元宵。十月之交。鄉飲嘉殽。祭品盈庖。親友招邀。兒女支銷。又子怕清白門第富而驕。未若貧而樂。

【賺尾】謹保守舊家聲。便看做無價寶。赤緊的脚跟兒立地實着。世世清名答聖朝。

甚的是富貴崇高。冷瀟瀟。不染塵囂。儘有些暮史朝經道義交。再不讀律條。誓不追糧草。罄丹心迎官接詔睦同僚。（海浮山堂詞稿）

贈許石城[一九]

丙寅春，余以移官京口，參謁留臺，過訪奉常許石翁。夜話亹亹，論及聲律。凌晨趨伺官府，卓午弗得見。卜肆借筆，爲填一闋，草具求正。而翁業已先遣童子折簡索贈，不知余所往。翌日，復詣官府，又弗得見。即肆中題姚園十八景，付之秋澗，亦初稿也。概不是正，顧輕許可，何耶？

【北南呂一枝花】跡雖羈霄壤間。心直在羲皇上。客常來談藝圃。塵不到草玄堂。二十年晝錦還鄉。居帝里山河壯。荷皇圖氣運昌。且休提仰泰山北斗齊名。單只看震春雷南宮放榜。

【梁州】想當時冠羣英賢科第一。到如今抱孤貞國士無雙。老山濤到底留清望。空自秉松筠節操。更不開桃李門牆。玩一會蜉蝣世界。笑一棚傀儡排場。起甲第休看做許史金張。論詞華並不數盧駱王楊。有時節千仞岡高整雲衣。有時節七里灘輕移雪舫。有時節百花叢痛飲霞觴。也不索比量。短長。閑忉騷不閣在咱心上。仰聖君託賢相。四海昇平振紀綱。醉也何妨。

【尾】望滄海[二〇〇]萬頃瓊瑶漾。遶鍾阜千峰繡幙張。這佳水佳山足吟賞。任烏兔且忙。幸身軀儘康。看庭前春草年年長。（海浮山堂詞稿）

題市隱園十八景[二〇一]

始余客上京，得内交市隱主人。主人方致身清班[二〇二]，顧未嘗忘市隱園也。乃以湘帙標十八景，彙諸名家題詠數千百言。示余徵詞，以備一體。余笑而應之曰：「主人以十八景示余，余卧遊乎，余夢遊乎，余恐詞之支離而無當也。」主人既得請改南曹，廊廟江湖，一旦合併矣。乃余以謫至南徐，乘興詣白門，輒馳入園中，歷撫十八景，從而賦詠，用償夙託，復請主人稍更其額曰：仕隱。

【北雙調新水令】彩[二〇三]鸞飛詔下丹霄。滿園中萬花歡笑。新恩辭北闕。舊隱改南曹。衡一味清高。占盡了世間樂。

【駐馬聽】露浥蘭皋。步惹幽香濕錦袍。風生芸閣。聲隨流水響金鑣。依然束帶立於朝。一般走馬長安道。這其間無限好。樂田園俯仰登廊廟。

【雁兒落】俺子見玉林抽鳳尾摇。茶泉煮龍團鬧。春雨畦歲歲收。海月樓年年照。【得勝令】呀。俺子見串鶴逕午烟銷。翦鷗波晚風飄。閑揮灑鵝羣閣。慢行吟浮玉橋。歸雲洞新鑿。開頂上通天竅。洗硯磯清標。見池中有鳳毛。【水仙子】中林堂美景一週遭。容與臺平臨四望遥。觀生處勘破千年調。柳浪堤春意好。芙蓉館絶勝江皋。借眠菴黑甜一覺。思玄室丹心未了。秋影亭黄葉飄飄。【折桂令】有時節上吟壇滿座風騷。句句評駁。字字推敲。歌太平韶護之音。聚耆英山川之秀。傲王侯湖海之豪。論才華也不亞金鑾視草。愛清閑又何妨玉珮趨朝。混迹漁樵。懶出城郊。際鍾陵萬代昌期。聽長江千里春濤。【離亭宴歇指煞】雲深怕近紅塵道。日高懶[二〇四]整烏紗帽。憶當時六朝。鬬富貴金谷園。弄詞藻華林宴。嘆埋没銅駝草。争似這座中小洞天。眼底真蓬島。又何須解嘲。也不勒北山文。也不攜東山妓。也不隱南山豹。浮沉金馬門。出入石渠閣。有時把溪上清言念幾條。謝皇恩吏隱兼。慶仙園遭際好。秋澗輯古人玉壺冰數種，彙爲一書，名曰溪上清言。（海浮山堂詞稿）

留别邢雉山[二〇五]

僕垂髫隨宦，皓首重來，慨舊識之無多，樂新知之畢聚。傾蓋言志，擊節賞音。華燈與雪月交輝，笑語共笙歌雜沸。於是督郵入郡，迅鞅載途。惟奔命之不遑，悵良宵之易曙。塵容俗狀，抑又甚焉。翹首寄聲，聊復爾耳。

【北雙調新水令】憶金陵佳麗帝王州。四十年感時懷舊。看山光洩不盡天地靈。聽江聲流不斷古今愁。單只爲四海交遊。霎時間同氣相求。誰承望利名韁緊拖逗。

【駐馬聽】鳳舞麟遊。雙闕重城十二樓。龍争虎鬭。六朝三國幾千秋。明時閑却濟川舟。良宵兜起談天口。全不減晉風流。賞心樂事般般有。

【沉醉東風】則今日伴漁樵青山緑藪。想當時侍君王紫閣彤樓。那其間常懸捧日心。這答兒且褪拏雲手。趁清朝急早抽頭。白玉堂中第一流。權做箇没是非清心道友。

【鴈兒落】丞相呵不住的施毒手。學士呵蹬脱了牢籠彀。方顯的樂閑人有下梢。一任他使計的乾生受。

【得勝令】呀。準備着打魚舟。收拾了釣鰲鈎。邀夜月芙蓉帳。醉春風歌管樓。暢好是優游。再不待金門漏。也忒煞清幽。勝强如玉殿秋。

【川撥棹】俺這裏恰凝眸。一萬縷秦淮橋畔柳。俺子見雲水悠悠。風竹颼颼。静巉巉深巷景幽。躲過了長安官路口。

【七弟兄】識時的袖手。得便也掉頭。笑宦海等浮漚。只落的對人不把雙眉皺。放懷消盡一腔愁。可正是悟真直撞三關透。

【梅花酒】俺從來好遠遊。恰又到皇州。正日暖風柔。聽麗曲清謳。明晃晃花燈照綵樓。聲細細玉管間箜篌。客難留。席不收。您畫堂中儘消受。俺紅塵中枉馳驟。您三五輩探春遊。俺二千里抱官囚。您常則是傲王侯。俺不能勾訪丹丘。喒這些兒不相投。

【收江南】呀。把似您功成名就百無求。量俺這一官半職甚來由。枉費了玉堂學士好相留。望車塵疾走。俺可甚一心分破帝王憂。

【尾聲】靈臺早晚題章奏。德星今日躔奎宿。俺這裏共春風滿樓。擅詞藻探花郎。慕清議登龍客。樂恬曠談玄友。恰報到四路諸侯。好共歹難喫受。謝學士把盞相酬。直不上半張紙的功名。謊的我心提在口。（海浮山堂詞稿）

酬金白嶼[二〇六]

秋澗雅招，春園好會，得白嶼之老友，聆黄鍾之希聲。賓主罄懽，溪山改色，恨相知之既晚，計信宿之無繇。別路匆匆，睠言脈脈。兹者瑶函韜以南昌，清響佀乎東泠。無言弗酬，倡予和汝，即工拙不論也。

【北黄鍾醉花陰】奎璧連珠現光彩。四下裏祥煙瑞藹。芸閣静玳筵開。雪鬢霜髯。滿座上高談客。和氣動暖風來。這的是一刻千金何處買。

【喜遷鶯】自古道青春難再。喜相逢笑口齊開。英才。廝輳着五湖四海。也有那聖世衣冠伴着草萊。醉披襟斜岸幘。一箇箇周情孔思。一箇箇道骨仙胎。

【出隊子】一箇箇英雄豪邁。縱風情滿壯懷。文光萬丈貫三臺。氣岸孤高壓九垓。聲價千鈞重四海。

【幺篇】數算了金陵詞派。傲梨園蕭爽齋。清歌麗曲寫胸懷。識譜明腔稱體裁。换羽移宫諳韻格。

【刮地風】子聽的江左周郎大喝采。不由俺雙手兒齊拍。見了他一字字堪人愛。一聲聲音吕和諧。一句句六朝感慨。一篇篇千古興衰。慣評花閑判柳十里樓臺。問功名佯不睬。每日價放浪形骸。猛可的遇知音敢子是情無柰。他道俺乍相交何處來。

【四門子】他敢是早年間出落在紅塵外。做了箇散誕仙風月客。撒一會奸。賣一會乖。覷高官大爵怎介懷。撒一會津。賣一會獃。見不上學鸞撇奋。

【古水仙子】他他他繡筵前没刣劃。俺俺俺見面生情暗裏猜。是是是筆陣裏馳名。敢敢敢吟壇上出色。想想想料應是揚子宅。箇箇箇並着肩促膝相挨。談談談玄的玄白的白。悄悄悄俺心中[二〇七]生疑怪。呀呀呀見放着盛世翰林才。

【尾聲】有一日拖着條呂公拐。遊遍了鴈蕩天台。滿拚着七日山中。抵浮生千萬載。

（海浮山堂詞稿）

仰高亭中自壽[二〇八]

平生酷愛山水間，齊南有別墅二，皆名勝之區，每去城市，恒居其中。暨薄遊四方，亦得佳山水處。淶水抱西山之秀，京口擅金焦之美，出處之間，不可謂不遇也。草亭初成，欣然命酌，日精月華，金焦北固，諸峰羅列几席，自謂賢於食前方丈遠矣。遂歌黄鍾之宫，邀名山以自壽。

【北黄鍾醉花陰】細雨輕風淡烟裊。又一帶山圍水遶。搬日月滚江濤。地闊天高。越顯的幽亭小。超北固跨金焦。便做道閬苑蓬萊也只是山水好。

【喜遷鶯】正值着清秋天道。數重陽屈指非遥。登高。咫尺内青山翠島。見放着日月精華龍虎朝。轉頭來遊翫了。一壁廂丹山起鳳。一壁廂赤水騰蛟。

【出隊子】這的是幽居堪樂。冷齋邊山可樵。新苫小巧草團標。旋壘高低流水橋。消遣時光花共鳥。

【刮地風】把多少韶華攛斷了。俺子待撫景逍遥。想人生也有個千年調。怎做的方朔偷桃。笑神仙計拙心勞。是掏摸犯法違條。總不如守清真不染分毫。傲乾坤長壽考。行動處水米無交。爲甚麽懶參禪慵學道。敢子是老先生頓悟高。

【四門子】小亭中説[二〇九]不盡其中妙。喜的是氣韻清風致好。黄菊兒開。紅葉兒嬌。銜一味天香桂子飄。酒盞兒擎。詩句兒敲。獨自個稱觴頌禱。

【古水仙子】當當當雲板敲。是是是空外仙音奏九韶。謝謝謝天地三光。請請請文房四寶。來來來緊隨身齠齔交。看看看掃雲烟展紙揮毫。勸勸勸楮先生滿席都醉飽。慶慶慶遇良辰四友齊歡樂。年年年常伴着老風騷。

【尾聲】仰高亭無一點紅塵到。也不惹酒聖詩豪。子俺這筆硯琴書。一壁廂申舊好。

（海浮山堂詞稿）

五嶽游囊雜詠[二一〇]

往於燕市識五遊山人，既而不復恒見，蓋嘗慕其果於離塵絶俗者。邇登焦山，見山人行窩在焉。訊之僧，則曰頃向岱岳去，不久當還此。閲月，山人果還，輒過書齋，相與話塵外事，且得玩弄游囊六物，及自題雜詠六絶句，余亦以六絶句和之。山人稱善，從而歌焉，弗諳於律。山人曰：「子能轉爲新聲乎？」余曰唯唯，作中呂。

郭山人名苐，字次甫，吴人也，亦號獨往生，善古詩。六物者：五岳真形圖、杖、衲、瓢、鋤、觚。

【北中呂粉蝶兒】五嶽遨遊。滿乾坤一腔靈秀。擅江湖千古風流。覽恒山。連泰華。祝融神岫。不多時回到中州。早又是效嵩高望天祝壽。

【醉春風】萬萬歲再山呼。感皇恩三叩首。俺是箇天朝作養一閑人。遥到處走。走。俺是箇草莽之臣。烟霞之侣。神仙之胄。

【紅繡鞋】四海内漁樵爲偶。三教中道釋同流。這的是唐虞聖世有巢由。也没那高官勢。也没那小民憂。相伴着木石居麋鹿友。

【普天樂】一江清。三山秀。白蘋渡口。紅蓼灘頭。深棲學卧龍。遠舉依靈鷲。漢焦光遁迹還如舊。道高一世。名垂萬古。洞隱千秋。

【脱布衫】煉丹臺彈壓江流。瘞鶴銘湮没滄洲。羅漢岩天長地久。桃花塢緑肥紅瘦。

【小梁州】見了些洗古磨今水上漚。抵多少飄瓦虚舟。分明世事等蜉蝣。閑窮究。人我海浪悠悠。

【幺】雙飛烏兔搬昏晝。手摩天欲挽難留。没事忙。空迤逗。自鴻濛以後。日西下水東流。

【上小樓】想起那陰陽未剖。無聲無臭。俺子索妙契天機。静與天居。動與天遊。因此上覽九州。遍八陬。把興亡看透。端的是好山川古今依舊。

【么】投至得繞葱嶺轉山腰。敢又早向桃源尋洞口。見了些雁蕩天台。碣石龍門。三島十洲。有時節泛槎遊。入斗牛。浮沉宇宙。抵多少利名場黄昏清晝。

【滿庭芳】做一箇煙波釣叟。瀟瀟灑灑。蕩蕩悠悠。水清不怕魚兒瘦。俺子待樂以忘憂。也不羡嚴陵貴友。也不羡渭水封侯。醉把漁船扣。高歌送酒。響遏碧雲流。

【耍孩兒】天風飄起雙袍袖。結束了游囊在手。腰纏跨鶴上揚州。争似俺幾件兒清修。一元和氣懷中抱。五岳真形掌上收。漢皇再拜親承受。東方朔謹請。西王母傳留。

【五煞】杖呵。涉滄浪擔在肩。上青山拄過頭。穿雲步月多生受。一條寒玉扶攜便。九節枯藤摩弄熟。又子怕葛陂水底蛟龍鬬。百錢高掛。萬里閑遊。

【四煞】衲呵。也休誇奪錦袍。也休提集翠裘。粗針大線天生舊。千山熬煉霜和雪。百歲消磨春復秋。夏涼冬暖迎風鬬。到晚來蒲團高卧。權當做布被蒙頭。

【三煞】瓢呵。太極分兩儀。空同涵萬有。從來濩落難求售。單守着門清似水居顔巷。休靠那樹大招風惱許由。歸來飽飯黄昏後。曲肱而枕。鼓腹而遊。

【二煞】鋤呵。明晃晃月上弦。曲彎彎玉作鈎。快生生百鍊鋼磨就。閑刨石髓和雲煮。細斸山精帶露收。藥籃兒挑起香風透。伴劉晨阮肇。訪閬苑蓬丘。

【煞】觚呵。形從三代前。名傳千載久。曾隨瑚璉陳籩豆。雖然不做模稜樣。却也難將圭角留。醉翁之意誰參透。賽金盃玉斝。勝瓦鉢瓷甌。

【尾】悠悠獨往生。年年方外走。閑看世事多非舊。只落的五岳遊囊件件兒有。（海浮山堂詞稿）

壽馬南江[三二]

南江舊尹，早負才名。北海狂儒，晚承契執。適於七月登七秩之壽，猥以一言罄一日之懽。非詩非賦，居然几席少文；有聲有辭，莞爾絃歌在聽。調非寡和，坐有知音。

【北雙調新水令】碧梧金井報新秋。正暑退涼生時候。筵招滄海月。杯引大江流。織女牽牛。共祝長生壽。

【駐馬聽】銀漢雲收。貝闕天開碧玉樓。琅璈樂奏。水晶簾控紫金鈎。羣仙隊隊[三三]下丹丘。青鸞白鹿驂前後。望虚空遥拜手。老人星現朝南斗。

【鴈兒落】惜朱顔有去留。守丹竈無昏晝。銷磨了報國心。拂破了歸山袖。

【得勝令】富貴浪中舟。功名水上漚。才大難爲用。時來不自由。周流。歲月閑消受。交遊。英雄儘唱酬。

【沉醉東風】杏花村呼來美酒。桃葉渡棹入扁舟。人間快活仙。林下風狂叟。掛冠來不事王侯。踪跡難尋境最幽。單認着門前五柳。

【折桂令】細追尋六代風流。高興狂歌。雅志清修。字擬鍾王。詩宗陶謝。賦準曹劉。古稀年從容到手。太平世安穩藏頭。醉卧林丘。嘯傲滄洲。散誕逍遥。泮涣優游。

【水仙子】也曾對西風獨上仲宣樓。也曾乘皓月同登〔二三〕郭泰舟。也曾卧斜陽爛醉劉伶酒。也曾和騷人賦遠遊。也曾度函關穩跨青牛。也曾綰銅章三番結綬。也曾散朝班雙舃回首。也曾事先皇百里封侯。

【清江引】暑往寒來春復秋。就裏閑窮究。幾見百年人。浪説千年壽。老詩翁端的到九十九。（海浮山堂詞稿）

又仰高亭自壽〔二四〕

三年謫宦，兩度稱觴。中間爲萬里之遊，居常談虎；畢竟挾五湖之興，慕在飛鴻。

雖偃蹇於江城，亦優閑於林屋。安隨所遇，樂得其常，吾所以自壽每如此。

【北雙調新水令】憶前年自壽仰高亭。歎滇雲去秋奔命。今朝沽酒處。依舊小山青。身外浮名。浪迹何時定。

【駐馬聽】白首窮經。官舍淒涼老客卿。青氈聽命。江天寂歷少微星。西風又起故園情。南樓忽動新詩興。拚酩酊。休將往事重思省。

【鴈兒落】好回來萬里程。端的是三生幸。心不關杜甫愁。身不惹相如病。

【得勝令】無日不閑情。隨處是前程。詩得江山助。文兼吏隱名。昇平。際聖世朝綱正。長生。羨幽人道氣清。

【川撥棹】呀。俺這裏謾消停。到處裏安然尋聖境。俺可也性體虛靈。耳目聰明。心志精誠。節操堅貞。守定了黃庭内景。向崑崙頂上行。

【七弟兄】一會家細評。此生。也非輕。出風塵改不了煙霞性。在江湖毀不了鷺鷗盟。傲乾坤阻不了山林興。

【梅花酒】正江南秋色澄。恰丹桂流馨。又黃菊舒英。酒淋漓香不斷。花爛漫笑相迎。愛青山傍草亭。俺子索翦鮮蔬煮香羹。汲甘泉試茶經。依古調按元聲。換新詞祝遐齡。

【收江南】呀。謫仙人三載到江城。煉丹臺千里隔蓬瀛。笑蠅頭蝸角一身輕。對良辰美景。正秋來萬寶慶西成。（海浮山堂詞稿）

余以乙丑冬客潤州，丙寅作仰高亭於尊經閣之北，舊膳堂遺址也。雙柏蒼老，對植左右，不知幾何年矣。亭少東爲日精山，峙于周垣之内；其後爲北固山，郡堞倚以爲雄；近西爲月華山，亦峙城中，而日精特爲秀異，長松干雲，佳氣葱蒨。時一登眺，則金、焦、大江之勝，在目中矣。丙寅之秋，自壽於亭中。丁卯應滇闈之聘，其日方燕集黔國，亦歌鹿鳴之詩，余未之有述也。今秋初度，復坐此亭，頹然獨酌，忽憶畏途，爲之動容，并州故鄉之意，固所安心耳矣。若夫左扶桑，右泰岱，嵩沂角其前，渤海帶其後，藐然中處，則有此景亭在焉。他年自壽，不厭煩復者此也。

題丹元樓宗藩誠軒翁〔二一五〕

外史氏曰：吾嘗語於人人，誠軒翁則賢孝君也。被服祖訓，性行麟慈，黼黻皇猷，文藻彪焕。曩事端惠王，備極愛慤，無間朝昏，亹亹翼翼，盍無異於賢士大夫。厥惟終事，必成必信。情文交罄，據禮考俗，巨纖畢集；哀怛之容，悲慘之聲，觀者感動。匍匐稽顙，以謝臨客。客弗敢當，弗變也。即遠之日，環登城陴，擗踊奔號，攀籲無從。執紼之人，還望流涕者以千計。嗚呼！即古之賢士大夫，曷以過焉？而況於邦君者哉。既禫而冕，乃歷臺登樓，拜手稽首，跽祝萬壽。北面拱極，西向瞻雲，前依宗國，左埒頖宮，玆樓臺之大觀也。猥以譾劣，抽毫填詞，逖傳懿美，將使陳詩觀風者采述焉。其詞曰

【北南呂一枝花】常懸捧日心。少慰瞻雲憾。去天欣尺五。入洞喜函三。叢桂毵毵。裊瑞靄香風淡。沐恩光玉露湛。倚南山紫翠千重。俯北海烟波一覽。

【梁州】環眺望雕楹繡檻。荷帡幪珠履瓊簪。簷牙炳燿金珠紺。窗啣旭日。簾捲〔三二六〕晴嵐。奇葩爛漫。怪石巉巖。幕亭臺四面蒼杉。染池塘半畝柔藍。喜修心兀坐端居。好藏書兼收並攬。愛寅賓闊論高談。忠肝。義膽。瞻天戀闕寧辭暫。仰精誠佩昭鑒。卓行芳名播斗南。寵賚瑤函。

【尾】旌賢寶善勤推勘。勑使觀風幾駐驂。指日傳宣聖恩湛。犒〔三二七〕黄封味甘。宴丹元飲酣。賀當今大孝尊親萬民感。（海浮山堂詞稿）

送賈封君約翁南還〔三二八〕

約菴翁來遊上谷郡，深居燕間之室，不與物接，泊如也。居無何，遽命駕歸山中，恐

人之知，秘其行色，無所於訊。余竊以微意偵得之。私念曰：翁之行不使人知，其自處得之矣。余辱通家後進，闕於言别，獨胡能爲情哉！洒拂紙吮毫，作長短句，託之近調。時天高風急，浩然放歌，聲迫霄漢，自謂頗壯行色。翁其與進否耶？

【北南吕一枝花】人間福德全。洛下耆英舊。丹心瞻上國。白首望中州。一雁横秋。雨洗燕山岫。霜清易水流。恰東籬勸插黄花。又南浦催斟緑酒。

【梁州】趁迤邐長亭官柳。儘逍遥短劍輕裘。離歌妙轉清商奏。征雲冉冉。歸馬悠悠。懸情伊闕。寄興嵩丘。老弟兄同氣相投。小兒孫奕世承休。笑談間引滿霞觴。峥嶸處踏開月窟。發達時撞破煙樓。不求。自由。百年晚景閒消受。慶團圓喜成就。傲盡朱門萬户侯。泮涣優游。

【尾】一家獨擅乾坤秀。一世安然福禄優。笑向烟霞尋故友。竹林下宴遊。草堂〔三九〕中唱酬。覷了那利鎖名韁怕沾手。（海浮山堂詞稿）

郡廳自壽

己巳菊月，余至保郡，越半年矣。每念桑梓在東齊，而余又西來，余弟治江南，而姪領北縣。或遠或近，均莫之聚也，恒切憶之。是歲燕、趙、齊、楚大水傷稼，而吾家僉有貢賦之職，不易報塞，更相念也。自筮仕壬戌歲，初度皆有述，在郡無與偶者，乃賦此以自廣。

【北仙吕點絳唇】甲子將周。壯懷依舊。人長壽。知命無憂。五十今增九。

【混江龍】等待的黎明時候。俺子索鷄鳴而起早梳頭。可正是高秋屬序。朔旦焚修。投至得文廟行香先報本。瞻拜了城隍土地祝神休。衆官僚升堂公座。唱一聲擊鼓排衙。兩邊廂分班伺候。各衙裏人馬平安。子俺這黄堂佐職欽除授。統領着三州刺史。兼管着十七諸侯。

【油葫蘆】序立着官吏師生齊拜手。衆鄉耆謹叩頭。俺子索采民風詢民瘼解民憂。修德弭天災。黎庶無逃走。蠲税感皇恩。老幼長相守。只愁政不行。那怕歲不收。不移時德意溥仁風透。端的是和氣滿神州。

【天下樂】俺子見聖旨傳宣五鳳樓。漂流。百姓每愁。衆臣工急將德政修。盡安民一點心。釋官家萬里憂。喫緊的救幽燕十六州。

【哪吒令】愛民心已周。遇荒年不愁。敬天心已投。致中和有由。報君心已酬。望神京稽首。答謝了聖主恩。祝贊了皇王壽。保山河萬載千秋。

【鵲踏枝】消繳了小民愁。分破了帝王憂。宰相每燮理陰陽。不枉了黼黻皇猷。方顯的功名不朽。這其間與國同休。

【寄生草】正值着三秋節。喜孜孜不自由。小臣深感天恩厚。短歌輕轉清商奏。老夫私祝喬松壽。自家悲喜自家知。尋常甘苦尋常受。

【幺】呀。悄無人相過訪。又無人共唱酬。天邊幾點丹霞秀。堦前數朶黄花瘦。眼中千載青山舊。半牀書史浄無塵。一簾風日閒清晝。

【六幺序】嘆骨肉三千里。望雲山十二樓。那裏也拜家園數畝松楸。念功名泛梗浮漚。覷人情飄瓦虚舟。那裏也兄弟相求。子姪從遊。詩酒交酬。笑語綢繆。望不斷斜陽衰柳。掛離懷天際頭。

【幺】呀。四下裏凝眸。那答兒消憂。恰便似宋玉悲秋。王粲登樓。司馬淹留。杜甫窮愁。望不見知心故友。這其間誰與儔。只落得鴻鴈啾啾。風氣颼颼。歲月悠悠。良士休休。一弄兒冷淡清修。乞求的無榮無辱無卑陋。到大來不忝儒流。只願的平安兩字常相守。一壁廂天官賜福。一壁廂海屋添籌。

【賺煞】想吾生豈偶然。把今古閑窮究。到大來天長地久。看了些千載英雄冠九流。感明時夢見伊周。荷天休。上下交修。乞求的爲民爲國躋仁壽。望年年有秋。願家家好收。這的是微軀此外復何求。（海浮山堂詞稿）

庚午春試筆[三〇]

余生於正德辛未，今六十年矣。鳳曆初頒，恭閲一過，余歲侈然冠於干支之首，未嘗不廢册而歎也。自去秋出城，毒霧淫於五内，醫慎宣洩，遂嬰腦疾。雖勉慕微禄，時時强起，然風寒易薄，勤力不任，從此矣。獻歲有將迎之役，返而伏枕，饔飧藥餌，自念無聊之甚，乃浩然憶山中也。呼兒近榻，索片紙試筆云。

【北雙調新水令】從今花甲一周遭。可又早六旬來到。生辰非將相。賦質本漁樵。誤脱藍袍。换頭角改時調。

【駐馬聽】仰荷清朝。七載三遷歷郡曹。俯慚衰貌。一身千里困塵勞。染髭鬢蘸不上兩眉梢。怕風寒閉不了雙鼻竅。見如今難自保。待歸山便採長生藥。

【沈醉東風】走紅塵偏能易老。覷青山去也非遥。休勞七尺軀。妄想千年調。趁明時好做箇開交。一任頭顱長二毛。再不把煤烟暗掃。

【鴈兒落】再不把拾來的擔子挑。再不把不哭的孩兒抱。再不替别人家瞎頂鋼。再不做現世的虚圈套。

【得勝令】俺本是白屋下老文學。怎做的黄堂上好官僚。聽斷呵生子怕虧了情法。擬罪呵又子怕差了律條。旱潦了田苗。怎下的惡狠狠追糧料。重併了差徭。誰能勾實丕丕戀土着。

【沽美酒】他他他生不聊。我我我怎貪饕。總不如兩袖清風歸去好。到山中落魄。拖竹杖住松巢。

【太平令】把世事通然丢𡨴。衠一味散誕逍遥。也不管青紅白皂。也不管高低强弱。我呵還守俺草茅。土窑。一答兒打熬。呀。說甚的江湖廊廟。

【川撥棹】非是俺覓苦李漾甜桃。也子是歎吾生無〔三三〕耐老。看俺這曲脊蝦腰。手顫頭摇。言語刁騷。衣履鏖糟。行動處東趄西倒。一步低一脚高。

【七弟兄】一會家待學。老陶。儘孤高。傍東籬倚杖閑舒嘯。謝彭澤斗米怕折腰。伴南村野老開懷抱。

【梅花酒】顛狂歌託聖朝。恰過了元宵。又值着花朝。特地到芳郊。詩句向閑中得。酒價在杖頭挑。時雨過水平橋。香露滴藥生苗。龍潭浄海通潮。蟾影淡斗回杓。

【收江南】呀。試看了今年新曆好蹊蹺〔三三〕。把俺這元辰本命細裁度。司天臺太史蘸霜毫。標題的倒好。這的是從頭再數聖明朝。（海浮山堂詞稿）

辭署縣印[三三]

郡齋後室，病卧暖榻，遽然午夢未足，方在山中，曠若無營也。忽喧傳郡丞陳大夫到廳上，聲勢甚厲。余謝不任倒屣之罪，呼兒[三四]出捧茗碗授之。將命者，反命云：善視印在也。余聞之，股木彊、肌鷄膚，慄慄若風雨之驟至。兒問余寒乎。亟析薪，噓燃之，納榻底。余乃喜，附暖熟眠。暮而醒，竟不問印所在。徐聽無人聲，印出矣。

【北中吕粉蝶兒】庚午流年。看了會子平書有些兒窰[三五]變。打了箇六壬時正撞着赤口留連。平白地一顆印。没來由丟在咱閑庭前院。子俺也曾被蛇纏。見了條爛井繩諕的我心驚肉顫。

【醉春風】那一箇傷天理害人精。狠心腸幹這樣藹。這藹兒没頭没緒亂絲纏。快送的他遠。遠。諕的我魄散在雲端。魂飛在天外。怎隄防這場兒災變。

【紅繡鞋】我和你是通家的門面。你和我往日又無冤。如何把俺死牽連。心窩上垛了一脚。腦門頭楔了幾拳。倚着你手脚兒强欺壓的軟。

【幺】俺本是山林中貧賤。伴不的臺閣上英賢。逃名躲利怕威權。芥子似心腸兒小。柳絨般氣力兒綿。掉着那筆尖兒可又早吁吁的喘。

【滿庭芳】俺可也學疎才淺。受了這一官半職。離不了斷簡殘編。雖然是管糧廳注定了天曹選。到頭來門第蕭然。午風微琴聲清遠。明月上鶴影蹁躚。取次銷前件。畢罷了簿書消遣。俺可也黄卷内對先賢。

【小梁州】移過那矮矮燈檠小榻前。良夜無眠。圖書舒捲玩先天。驅聞見。得意處每忘言。

【幺】雖不是太史編修院。起來時日轉花磚。案牘清。勾銷遍。縱有那行移粘卷。無經手的半文錢。

【上小樓】職業修須當黽勉。本分外何勞迷戀。你子待南去北來。後擁前遮。東扯西牽。把似你佐三邦。任貳府。還子待户封八縣。憑着這大才能。你可也烈烘烘施逞了一遍。

【幺】俺不慣當攬頭。休把俺向家裏捻。捻的俺立地無存。片甲無歸。疾走無邊。直走到東海沿。治水前。和俺那村莊家相見。感不盡老同僚好心兒方便。

【幺】便做道考察册開了逃。俺也是六十翁罷差遣。也不怕革職爲民。又不犯提問追贜。落得箇晚節成全。正遇着羊馬年。廣種田。多收些絲絹。俺子待按四季納錢糧也不署那親臨的州縣。

【鬬鵪鶉】這印呵你誇他墨綬銅章。俺覷着是撾錘鞭鐧。逢着的肉綻腰折。撞着的身酥骨軟。諕的我躡足潛踪閃在一邊。悄没聲不敢言。他自有那硬漢來擔當。可憐見俺小家兒權時告免。

【耍孩兒】起初時也做了箇喬知縣。只想把經綸大展。誰承望癡心枉使出頭船。顯不的快覩争先。饒他飲的醺醺醉。倒説俺爲官索酒錢。爲嘴食難分辯。俺子索拂衣而去。至如今閉口無言。

【幺】俺也曾循行阡陌中。徘徊里巷邊。農桑種植身親勸。長安大道千株柳。野店荒村萬畝烟。春日暖和風扇。誰承望甘棠起謗。至如今喬木含冤。

【幺】不甫能赴天曹改職銜。掌文衡謝纠纏。没来由帶管丹徒縣。来来往往成了仇恨。唧唧噥噥埰了業冤。有幾起屈枉事行咱辯。開一夥江洋巨盗。盡都是本縣的〔三六〕生員。

【尾】重來此郡中。安心守自然。從今再不去歪廝戰。你不將這印去呵。斷送我走上東山離的你遠。（海浮山堂詞稿）

聽鐘有感

語云：鐘鳴漏盡，夜行不止。蓋古今通禁也。然往往有犯而不校者，無乃家給人足，外户不閉之時乎！春宵病卧東窗之下，月霽風恬，鐘聲清越，稍動天街散步之興，顧强起未能耳。命筆秉燭，漫填此詞，已復欹枕。默然省，惕然驚也，乃竟夕不成寐云。

【北黄鍾醉花陰】短巷長街送車馬。黑鄧鄧飛塵亂撒。收晚景歛殘霞。數盡歸鴉。轉眼夕陽下。人困也馬行乏。只聽得鐘送黄昏一下一下的打。

【喜遷鶯】景陽樓高掛。韻清圓聲不沙。堪誇。響動了人人驚怕。恨不的疾走慌忙奔到家。鎖心猿拴意馬。快做箇抽身罷手。倒免得鬭口磨牙。

【出隊子】猛然聲岔。緊十八慢十八。街坊小户掩了籬笆。酒店茶房上了板搭〔三七〕。便是相府侯門早也拴閉殺。

【幺】疏鐘纔罷。聽梆聲怕怕他。這壁廂提鈴喝號的磣油花。那壁廂劄鋪巡風喬坐衙。擺列着把路攔街尖哨兒馬。

【刮地風】那一箇消停半時霎。動不動就當賊拿。猪毛繩丢在膊兒上掛。齊向那冷鋪裏拖拉。正當門牌樓一架。獸頭房規模不大。窮蓼花。醜土巴。絮聒聒有些閑話。他道你發罷擂撞罷鐘到處行踏。這的是御街頭不是你房廊下。笑你箇不知時大傻瓜。

【四門子】老婆婆提着名兒罵。夜深沉不到家。耳朶兒聾。眼睛兒花。問人呵討不的句真誠話。身子兒沉。手脚兒麻。一步兒剛挪的半扎。【古水仙子】鼕鼕鼕鼓三撾。盼盼盼西望長安不見家。去去去有路兒難行。來來來是人兒須怕。悔悔悔悔從前意兒差。想想想想當初性兒撐達。聽聽聽定夜鐘一百單八下。休休休再休去打鼓弄琵琶。【尾】來到南城見了箇都兵馬。看了這老公公該免科罰。勸你早早回頭一坨兒受活煞。（海浮山堂詞稿）

月食救護

己巳秋，七月之望，月食不見。舊儀，日月入地食，及陰雲不見者，贊拜成禮以俟。是夕，文武方面官涉歷多者，僉以此質議，問於書生，書生漫應之。貿貿然救護無已期，長跪不堪者，手據地匍匐矣。數生者方更迭倚立，或掩口竊笑，又謬置木牌，亂其始終。然陰雲竟夜，迄無明驗云。

【北南呂一枝花】黑呼通陰霾半夜天。硬哥邦石砌當堦地。軟烏刺腿丁骨存了血。磣柯查波羅蓋去了皮。隔重雲日月交食。打不破昏思謎。又不知進退機。可恨那傍觀者樂以忘憂。哄着俺領班的恭而無禮。

【梁州】有一箇執牌的是不是先呈了食既。有一箇上香的來不來又換上初虧。他把那生光食甚都顛置。不分南北。怎辨東西。豈知呑吐。那顯遲疾。一箇價死没騰苫眼鋪眉。一箇價瞎模糊藏頭露尾。一個價呆答孩似醉如癡。其中。就裏。顛三倒四存何意。見了那扒的扒睡的睡。這的是苟且因循不整齊。反褻天威。

【尾】只教他在官人都要齊齊跪。免使他仰面粧憨似不知。他準備下分番倒替堦前立。據他這所爲。全不守禮儀。問着他修省之心無半米。（海浮山堂詞稿）

日食救護

庚午正朔，日有食之。將届期，召書生問禮，無一至者。既就位，拜跪如禮。食二分弱而吐，日者以復圓牌樹案上，贊者相戒默默。移兩晷，班後人嘖嘖不平，私相語云：今非雲掩，日光已復，牌樹久而不贊拜，何也？已而有人報御史臺救護畢，生方狼顧徐走，作狐疑狀；又久之，始徹案。魯論曰：「及其更也，人皆仰之。」生獨不能仰者耶？元夕，月又食，余以病作在告，而僚吏各有所事，出郡城去，惟太守就位焉。

【北南吕一枝花】重逢羊馬年。又值雍熙運。早朝龍鳳輦。同賀聖朝君。叵耐天文。

舜日生纖暈。羲光減半分。衆官僚救護精虔。霎時間團圓證本。那廝每青天白日精胡混。站的站天生的心倴。

【梁州】有幾個歪學究不知分寸。又打上瞎陰陽怎辨時辰。站的似把廟門兩邊獅子。看的似掉鬼臉一隻胡孫。跪一攢老師儒斷送了斯文。卧一簇衆生員歪戴着頭巾。盼一箇報時人全無有定準。發昏。丢盹。復圓牌換上了多時分〔三八〕。烏影全蓋精褪。瞎帳虚頭戲弄人。呆裏粧吞。

【尾】子俺這第一班咫尺天光近。直跪的文章可立身。也是俺一點忠誠存敬慎。有幾箇歹筋。故意弄廣文。他要看那一位先生膝蓋兒穩。（海浮山堂詞稿）

對驢彈琴

有人觀古詩，摘句之工者揭壁間，凡數聯。其友過，見壁上句，怒褫之，拂衣去。主人問故，謝焉。友忿然曰：「汝何詬我之甚哉？」主人笑而解之：「是何與君事也？」其人愈忿，不顧而去。然竟不知其躁妄，而摘句者亦不能自白，以至絶交。嘗以語余，資一捧腹。鄙諺之言，有類於此，是以君子慎所與也。

【北南吕一枝花】知音自古稀。感物非容易。名琴偏愛撫。大耳不曾習。思憶顔回。

怎入驢肝肺。難通草肚皮。俺這裏勾打吟猱。他那裏前跑後踢。氣。

【梁州】他支蒙着兩耳朵長勾一尺。俺摩弄着七條絃彈了三回。子見他仰天大叫喬聲謔的宮商錯亂。聒的音律差池。忽的難調玉軫。兀的怎按金徽。張果老赴不的瑶池佳會。孟浩然顧不的踏雪尋梅。他也懂不的崔鶯鶯待月眠遲。他也省不得卓文君飛凰求匹。他也曉不的牧犢子晚景無妻。看伊。所爲。秋風灌耳空淘氣。不知音不達意。這的是世間能走不能飛。草券一張皮。

【尾】看了他粗愚癡蠢村沙勢。似不的禾黍秋風聽馬嘶。怎怪他不解其中無限意。不遇着子期。誰知道品題。俺索把三尺絲桐收拾起。（海浮山堂詞稿）

六秩寫真〔三二九〕

林山山人數年前以繪事謁余於涞水，今年至保州見余，謂余貌猶昔也。余笑而不答。山人工山水人物，筆意蕭散不俗，又善畫菊。因問之曰：「若能爲海翁畫像乎？」山人笑而諾焉。迺幀綃匀采，作畫二幅，其一則海浮山村圖云。山人石臻，行唐人。

【北正宫端正好】野鶴姿。孤雲相〔三三〇〕。休看做濟楚軒昂。一生瀟灑偏豪放。拙質從天降。

【滚繡毬】巧丹青要主張。老先生不掩藏。你雖然畫葫蘆從來依樣。子俺這老官人你索仔細端相。眉梢有皺紋。懸針在印堂。染渲的十分停當。粧點出滿面風光。髭鬚不是天然黑。鬢髮還添數點蒼。便老也何妨。

【脱布衫】這的是戀功名却老仙方。霎時間一掃烏霜。且休提隨時混帳。只求箇本來模樣。

【小梁州】俺雖然受職爲官佐大邦。四品黄堂。烏紗角帶有輝光。虛名望。俺子待君子道其常。

【幺】俺本是江湖舊隱山中相。又何須珮玉冠裳。總不如綸巾羽扇任清狂。青藜杖。得意儘徜徉。

【滿庭芳】曾魁乙榜。不登甲第。便買田莊。從來不顯公卿相。僅足衣糧。淡富貴天庭高廣。小榮華地閣圓方。銜一味莊家樣。見今職掌。左右廣盈倉。郡城有廣盈左倉、廣盈右倉，凡二所。

【朝天子】米倉。草場。打算些莊頭帳。官閑睡到大天光。紅日高三丈。小可公衙。逍遥宦況。做歪詩没事忙。水荒。旱荒。硬把眉頭放。

【耍孩兒】峨冠博帶威儀壯。託賴着朝廷作養。峥嶸頭角豈尋常。不弱如衣錦腰黄。

一官半職成何事。只爲傳神借寵光。老儒巾早離了咱頭上。人人瞻仰。世世傳揚。籬菊徧宜九月芳。把一枝描寫在輕綃上。膽瓶斜插。芸閣生香。

【二煞】寫一幅行樂圖。高懸在五柳莊。清奇落魄山林相。田家正喜三秋飽。

【一煞】龐兒畫的清。臉兒渲的光。三停五岳十分相。雖無紫袍玉帶功名顯。只有皓首龐眉歲月長。說甚的山東宰相山西將。不圖崇高富貴。博得福壽安康。

【尾】他道是吴小仙。又道是袁柳莊。他道俺官星還有十年旺。那時節另寫真容再相訪。（海浮山堂詞稿）

舍弟乞休〔三〕

余弟少洲子，辛未自江省左轄入覲，尋朝萬壽節。既竣事，私念曰：「竊惟承宣使者，還職十二，罷去十三。臣當罷，然幸留，是曠蕩之恩也。恐奉職無狀，乃請老。」余聞之，忻然曰：「是，可以老矣。吾與爾同歸乎！」蓋平日夙約如此云。自余攝玉川長，不習文墨者五閱月。邇劉廉訪念庵寄詞數種，余覽之心動；又聞弟將歸，乃述此以志喜。

【北商調集賢賓】五湖舡浩然歸范蠡。知止足討便宜。再不提争名奪利。也休誇今是昨非。想當初高竿上貪進無功。子今日急流中勇退知機。荷天朝放臣還故里。成就了歸去來兮。感恩辭鳳闕。報德叩龍墀。

【逍遥樂】山呼萬歲。化比唐虞。聖邁[三三]軒羲。一統華夷。贊皇猷四相扶持。萬里乾坤拱帝畿。慶賀了明良際會。見如今八方寧靖。四海昇平。九有雍熙。

【金菊香】却怎生微臣謝病解朝衣。這的是老馬思鄉路不迷。算人生少年能有幾。事到臨岐。收傀儡散筵席。

【醋葫蘆】早抽身望岱宗。急回頭瞻斗極。這的是孤臣去國意徘徊。雖然是利名心到今無半米。怎忘了君臣之義。不由人淋漓雙淚似杌推。

【幺】到東山春興長。向西疇農事急。數十年重整舊柴扉。把象簡烏紗收拾起。打扮出村翁的風致。拜謝了當今聖主賜臣歸。

【幺】雖無多金與帛。却有些山共水。登山玩水景希奇。四面青山圖畫裏。碧澄澄水緣山勢。把一座小莊兒環遶了兩三圍。

【幺】同胞好弟兄[三三]。挨肩兒廝靠倚。我和你相將塞鴈一行飛。看了他嘹嚦悲鳴天外起。怕的是無情矰弋。再不戀鵝湖山下稻粱肥[三四]。

【幺】當家問老農。知心尋舊識。村南村北共追隨。好友良朋誰到底。空自有黄金浮世。眼見的白髮故人稀。

【幺】清心讀道書。高談窮妙理。這其間早已悟玄機。那其間怎能將塵慮洗。這其間退藏於密。那其間你我兩着迷。

【梧葉兒】也休言人定天難定。文齊福不齊。只争來早與來遲。想當初宦海翻鯨浪。如今春風信馬蹄。相伴着我和伊。直走到神仙洞裏。

【後庭花】俺那裏松窗倚翠微。茅菴依緑水。勝概連三島。危峰壓九嶷。塵世界不相離。又不在山南海北。闢荒田守舊基。課耕讀教子姪。戒兒孫躲是非。量功名值些甚的。

【青歌兒】呀。想着俺逃〔三三五〕名逃名躲利。只爲您隨行隨行逐隊。送的俺半路離家往事違。塵土奔馳。枳棘卑棲。故國依依。望眼離離。海角天低。洞口雲迷。到今番攜手好同歸。結一夥烟霞會。

【浪裏來煞】春分酒剛半熟。清明節將近矣。趁韶華過眼共留題。有幾句詩詞聲韻美。喜遇着太平時世。祝吾皇福壽與天齊。（海浮山堂詞稿）

送李閣老南歸〔三三六〕

石鹿翁之乞罷也，前後章十數上。聖天子眷之，朝列重之，海内士庶之衆，莫不望而惜之。翁陳乞愈懇不止，至是得請。余聞之，乃作而言曰：大哉聖人寵遇之仁，卓哉賢相奉身之道，古今君相，罕聞見者也。余始爲之歎息，歎息之不足，爲之擊節；擊節之不足，而不知歌之詠之，又一唱而三嘆之，若不能以自已也。翁其謂余爲知音乎！

【北雙調新水令】狀元歸去馬如飛。最喜是功成身退。避賢初罷相。樂聖且啣盃。無限光輝。受用足昇平世。

【駐馬聽】帝德巍巍。千載〔三七〕明良安社稷。臣工濟濟。兩朝元老鎮華夷。黄金鑄像甚希奇。赤松辟穀真玄秘。倣張良學范蠡。歸山便是歸湖計。

【鴈兒落】幾番家上封章早見機。喫緊的奉温旨難回對。至如今表誠心有感通。因此上行孝道無拘繫。

【德勝令】呀。最喜是父母兩期頤。爲甚麽恩寵邁倫夷。堪羡也黼藻三公衮。權當呵斑斕五綵衣。盡忠孝無虧。論好事都全備。享福禄駢集。算人生實罕希。

【川撥棹】二十載鳳皇池。一路功名真箇是美。自從御筆親題。便殿承值。每日間經筵講帷。這的是一條冰清似水。

【七弟兄】試賢科第一。論相業〔三八〕誰及。厭紛更尚執持。端的是太平宰相匡時器。

老成人物清朝瑞。爲甚麽聖明天子難輕棄。

【梅花酒】甫能勾謝龍墀。欲又早宣勑。感不盡恩輝。仗銀瓜御路馳。欽給驛錦衣回。遣官僚左右隨。投至得碧雲湖緑楊堤。戧金船雪浪催。望東山訪漁磯。對南薰颭旌旗。

【收江南】成就了臣忠子孝兩無違。眼見的芝蘭累世競芳菲。好便似四時之序有前期。呀。老先生去國。方顯的元臣出處得其宜。（海浮山堂詞稿）

量移東歸述喜〔三九〕

是年春，余弟得旨東歸，余是以有雄州之會，相將同隱南山中。弟不可，曰：「不告而去，非禮也。」余曰：「告則不得去，余既屢告之矣，迄不得請，奈何？」弟曰：「姑徐之，或有擢也。」至是，擢魯士師，遂行。

【北仙吕點絳唇】用舍行藏。浮沉升降。咱心上。萬慮俱忘。一點無遮障。

【混江龍】皇恩曠蕩。青春作伴好還鄉。敝車羸馬。短劍空囊。佐的是千里邦畿頭一郡。輔的是九朝藩國上十王。也會説龔黄事業。也會念董賈文章。端的是長沙太傅江都相。朱門曳履。青史流芳。

【油葫蘆】自古來漢室東平姓字香。賢王。這的是地靈人傑演天潢。謹遵祖訓全忠亮。正靠着孔孟門。這便是鄒魯鄉。少甚麽詩書禮樂與仁讓。似這等封國豈尋常。

【天下樂】便不然匹馬蕭蕭返故鄉。參詳。五柳莊。這陀兒山水園林生意廣。要飽呵泊下田。要暖呵陌上桑。雖然是寒酸改不了窮模樣。這的是知足得安康。

【那吒令】到春來好忙。纔耕呵又耩。到夏來也忙。不鋤呵不長。到秋來狠忙。疾收呵緊搶。忙的忙没是非。搶的搶無遮當。到冬來黍穀填倉。

【鵲踏枝】及早的納官糧。又不去上公堂。做一箇聖世閑人。儘俺疎狂。但來的親朋過訪。笑談間賓主相忘。

【寄生草】也休論村和俏。也休言短共長。莊家不用虚名望。山人自有閑情況。安心怎受乾磨障。青春先到草堂中。白雲常鎖山溪上。

【幺】呀。正遲日江山麗。更春風花草香。高齋睡足梅花帳。輕風細滚桃花浪。清尊滿泛梨花釀。左圖右史有殘書。青松翠竹存幽尚。

【後庭花】許多時耳邊廂空妄想。誰承望好人言都是謊。也不看出馬三條路。只到了推車四堵牆。細平章。成就了幽人幽人長往。啓賢明一字王。感仁恩千歲昌。代陪臣上表章。賜山人歸故鄉。是非叢没兩廂。利名途不四行。

【青歌兒】呀。學不就新興新興時樣。改不了尋常尋常伎倆。一迷裏奔馳走四方。誰弱誰强。何短何長。難比難量。自作自當。子俺這平生意氣忒昂藏。甘疎放。

【賺煞】清福趁人來。好事從天降。儘着俺閑遊戲賞。這的是喫了筵席好散場。休貪戀剩酒殘湯。趁時光。勝日尋芳。離不了海浮山下龍灣上。卧明月滿牀。駕清風一航。長受用地老共天荒。（海浮山堂詞稿）

賀鳳渚公鎮易州[二四〇]

鳳渚公初尹清苑，晉擢廷評，卹刑南圻，出守長沙郡，惠政茂績，課天下治行第一。辛未春，上臨軒賜宴，寵數殊典，聖朝僅再見焉。既而來鎮易州，公舊遊也，吏民愛戴，日深一日，復恐遷去。詩云：「鴻飛遵渚，公歸無所，于汝信處。」

【北雙調新水令】九重宫殿聖人朝。普天下太平時道。綸音傳玉陛。仙樂奏雲璈。御筆親招。賢太守齊來到。

【駐馬聽】德邁唐堯。蕩蕩巍巍光四表。心同周召。雍雍濟濟肅千僚。聖君賢相重英豪。黎民百姓都安樂。那其間真箇好。歡聲塞滿長沙道。

【鴈兒落】一箇箇衡攔着白玉橋。一箇箇緊扯定花藤轎。一箇箇攀轅的不放行。一箇箇卧轍的連聲叫。

【得勝令】呀。只聽的滿路鬧訬訬[二四二]。誰承望太守早歸朝。誰念俺賦重蒼生苦。誰念俺差繁赤子勞。忽聽的民謡。恰受用三年樂。只願你官高。任飛騰萬里遥。

【水仙子】賢聲欽奏紫宸朝。聖旨傳宣彩鳳毫。承恩犒賞烏翎鈔。御筵開都醉飽。受用些内酒仙餚。看卓異聲名振。把循良姓字標。不負了撫字心勞。

【折桂令】十餘年撫字心勞。到處仁聲。一味清操。月照吴江。雲離楚岫。春返燕郊。一處處邊塵盡掃。一家家民病都消。當日箇小試牛刀。至如今大展龍韜。這的是熟路輕車。安穩逍遥。

【離亭宴歇指煞】雲端已下旌賢詔。天曹又貼陞官報。俺民呵怎熬。不甫能盼得來。却又早陞將去。再怎生巴得到。這壁廂去後思。那壁廂來時笑。到處裏等着。只願的八方黎庶安。萬里烽烟息。四海村田樂。方顯得仁賢是寶。大丈夫志四方。保吾民都是好。（海浮山堂詞稿）

歸田自壽 癸酉[二四三]

自壬戌之秋，皆有自壽之詞。其爲郡縣，則恐吏民知之；爲博士，則恐生徒知之。

其詞久而弗傳，故所至無與爲壽者。壬申歸田，方幸親姻弟姪，相與稱壽。而是歲吾弟不禄，吾服期年之制，廢祝壽之禮。今秋逸壽會友招余，即席叩余生辰，笑而不答。諸公笑相向曰：「無乃是日乎？」余默默無以應也。是會也，洞厓大夫爲雲門逸壽會記，余姪子咸叨鄉薦，亦於席上聞捷。是夕家宴，小大畢集，夜分乃罷。

【北商調集賢賓】黍登場釀成桑落酒。交九月入三秋。準備下山翁稱壽。穩情着[一四三]海屋添籌。等閑間暑往寒來。平白地霧散雲收。到城中訪尋同會友。四十年故國交遊。子俺這生辰重慶祝。詩酒共綢繆。

【逍遥樂】雲門依舊。世路更新。鄉情耐久。光景難留。到如今太半白頭。都不羡三公與五侯。出落的抽身撒手。俺子待怡情山水。寄傲乾坤。遁迹林丘。

【醋葫蘆】俺如今度韶華六十三。每年間閲秋光七八九。一時時一處處趁追遊。每日價打呵呵大家開笑口。也算做功成名就。喜孜孜不離了釣詩鈎。

【幺】俺子見大施爲有是非。細評論無好醜。至如今閑[一四四]將冷眼覷時流。看了他覆雨翻雲難罷手。到頭來苗而不秀。總不如得合休處便合休。

【幺】俺這裏買山中百畝田。插門前五株柳。一納裏耕田鑿井度春秋。稚子山妻十數口。正值着收成時候。這的是微軀此外復何求。

【幺】恰纔箇繞蝸居編菊籬。又報道步蟾宫折桂手。端的是前人種德後人收。倣效着北海開尊頻送酒。正對着南山爲壽。一家兒團圓賀喜自相酬。

【梧葉兒】聽靈鵲猶然噪。看燈花不斷頭。喜數世紹箕裘。衆子姪行排鴈。小兒孫氣食牛。擎瓦鉢捧瓷甌。一箇箇齊斟壽酒。

【後庭花】常記的急煎煎塵内走。有時節氣昂昂街上㩳。走的箇喘吁吁無停脚。㩳的箇立欽欽不轉頭。暢好是没來由。頓忘了開尊開尊祝壽。潑家私一向丢。劣身軀不自由。十年間無事憂。到今日歸去休。

【青歌兒】呀。猛想起功名功名馳驟。總不如山林山林清秀。子俺這竹杖芒鞋獨木舟。任意遨遊。信口歌謳。百丈厓頭。七里灘頭。訪仙翁道侣慕玄修。閑窮究。

【浪裏來煞】有青蓮共唱酬。謝白衣來送酒。山中宰相儘清幽。到今年喜從心上有。又寫出新詞自壽。把閑言一筆盡都勾。（海浮山堂詞稿）

題長春園

北山翁寄余長春園集，余既覽之，從而詠歌之，又從而一唱三歎之。則雖未見其人，窺其園，即如接音容，翫奇勝，相與登熙臺，坐春風中也。古人嘗云，神交卧遊者，不空談矣。癸酉二月，余始晤山翁於園亭，傾蓋論心，歷境觀物，殆猶夙遇云。時邑中詞宗騷客畢集，是余嘗竊慕而心醉者。而是日又相與傾倒盡歡，盤桓花下，余乃大醉。詰朝始雨，東沙、後溪、信溪三翁，皆有志喜之作。主人授筆硯，余夙酒初醒，然心醉者未醒也。山翁與余爲世講兄弟，誼不得辭，勉成〔三四五〕此調，附備一體焉爾。

【北商調集賢賓】海雲鄉望春天共遠。花有信景無邊。青靄靄千林芳甸。錦重重十畝名園。往常時迅掃了混沌江湖。至如今出落的散誕神仙。看桑田幾時經變遷。一任他日月流連。這答兒舒遲消永晝。安穩度韶年。

【逍遥樂】東風拂面。北闕懸情。西疇在眼。好雨連綿。霎時間萬物澄鮮。正值着輕暖輕寒二月天。春遍滿河陽花縣。可正是賢侯製錦。聖主登極。良相調元。

【金菊香】從今後安排沽酒買花錢。爲甚麽白日無憂夜穩眠。興來時引杯休放淺。芳草如綿。醉倒處便安然。

【醋葫蘆】錦鳩兒屋上啼。黄鶯兒花外囀。聽聲聲一似向人言。紅杏枝頭春較淺。休只待芳菲零亂。唤遊人早來到看花園。

【幺】到春來碧桃開緑柳垂。到夏來海榴紅翠荷展。到秋來芙蓉亭畔菊籬邊。到冬來雪月風花細裁翦。落的箇歲寒不變。總然是四時八節盡堪憐。

【幺】賞一春又一春。樂一年又一年。受用足春光如海酒如泉。仙苑春長何處顯。托賴着主人康健。草堂深不弱似小桃源。

【幺】晚風前醉月樓。水晶簾雲外捲。趁清光把盞對嬋娟。高駕冰輪天上碾。暢好是相酬相勸。滿拚着一千二百箇月兒圓。

【幺】至誠心有感通。格仙亭神聖顯。靈文寶籙授真詮。一顆金桃丹九轉。凖備着瑶池開宴。紫霞觴沉醉了大羅仙。

【幺】好弟兄宦業成。老夫妻福禄全。喜的是千金難買子孫賢。蓋世功名方貴顯。畢罷了南征北戰。便歸來知足扁吾軒。

【幺】荼蘼棚曲檻幽。牡丹臺國色妍。又輕風細雨養花天。萬紫千紅分近遠。單等待四時開遍。直到了暗香浮動老梅邊。

【幺】羣峰展畫屏。拳石傍几筵。擺列着清奇古怪貌峨然。九雙貞友瀛洲選。每日在山翁前面。都一般磨而不磷秉心堅。

【梧葉兒】結一夥北海奇英會。索强如西京獨樂園。喜緑野遶堂前。那裏也藏金塢。廣開此=種玉田。雖不是李平泉。一簇簇繁華照眼。

【後庭花】人居在小洞天。客追隨平地仙。曲奏陽春調。詩成白雪篇。聚高賢。一箇箇珠璣珠璣滿卷。蘸霜毫拂錦箋。按宮商叶管絃。選歌姬就舞筵。不知音不與傳。

【青歌兒】呀。正值着清明清明遊宴。人都在鞦韆鞦韆庭院。忽聽的牆外人聲越自憐。彩袖雙褰。寶髻斜偏。形影蹁躚。意態留連。汗浥花鈿。露濕金蓮。含情〔二四六〕背立小桃邊。多留戀。

【浪裏來煞】愛烟霞地自偏。傲乾坤心更遠。論英雄何必老林泉。滿腹經綸須大展。休負了蒼生之願。那其間東山高卧聽朝宣。（海浮山堂詞稿）

題劉伊坡壽域

劉伊坡，汴之陳留人，大學士文穆公之孫。博學能文詞，善書法，以世廕官中書，出相周、魯二王國，廉勤有聲稱。嘗謝病家居，作生壙，搆真寧亭、知息堂，築歸化臺、小瑕丘，於其上種花釀酒，時邀親厚，燕飲其中。諸名家記詠其事，刻之木石者甚富。余見而重之曰：「達人哉！達人哉！」諸家之詩文尚矣，余則爲作雙調十一章，爲燕飲樂歌云。

【北雙調新水令】望中原佳氣郁蘢葱。出神仙小瑕丘洞。青龍瞻泰嶽。白虎鎮喬嵩。朱雀奇峰。繞玄武大河控。

【駐馬聽】紫翠重封。萬疊層巒對祝融。雲霞簇擁。千年靈氣隱隆中。伊瀍汴洛共朝宗。夷門少室相陪奉。這的是長命冢[二四七]。到其間衣冠遺世空傳頌。

【鴈兒落】俺只道冷清清養老宮。却原來浄巉巉藏貞洞。栽培的顫巍巍錦片花。擺列的酷烈烈香醪瓮。

【得勝令】呀。人都道拚死命逞英雄。俺則道尋活計覓從容。爲甚麼看日月如飛箭。這其間覷乾坤似轉蓬。心胸。好世界遊仙夢。疎慵。潑生涯過耳風。

【川撥棹】論閥閱有三公。論才華非一種。文擅雕龍。詩比宗工。詞苑稱雄。書法兼通。論事業當朝賈董。都分付黄土中。

【七弟兄】這的是勑封。壽宫。喚良朋。我共你三杯兩盞相傳送。你共我三言兩語敘情悰。索强如三番兩次空盤弄。

【梅花酒】自離了紫禁中。正周魯分封。恰相國優崇。受恩眷方隆。猛然思芍藥圃。驀地想木香棚。怕繁華取次空。寂寞了海棠叢。

【收江南】呀。真寧亭幾度領春風。知息堂無復憶坡翁。歸化臺千里月朦朧。這都是託空。却不道鼎湖弓劍有仙蹤。

【沽美酒】且休題學卧龍。也不必訪崆峒。聖帝賢王世道隆。到如今君臣義重。不枉了效吾忠。

【太平令】有一日天風送[二四八]。直到了閬苑三峰。相伴的蓬萊仙衆。撇颼了小瑕丘洞。那其間駕空。御風。再不落彀中。這墳呵暢好是備而無用。

【離亭宴歇指煞】中州遺却虛梁冢。神仙喚醒邯鄲夢。笑殺時人懞懂。欠分曉死生關。不明白忠孝字。怎識得王侯種。常聞葉底蟬。誰羨鷄羣鳳。試看坡仙壽壠。達者洞玄機。至人通造化。善士承天寵。俺子見青山展素屏。緑水修清供。一簇簇松梧翠聳。端的是知止足得身安。保真元歷年永。（海浮山堂詞稿）

旅況[二四九]

【南仙吕二犯傍粧臺】恨匆匆。一鞭行色片時中。到今記不的[二五〇]臨行話。想不起別時容。影孤惟有青燈對。夢斷纔知翠被空。〔合〕穿窗月。透隙風。一般清冷各西東。[二五一]

【前腔】恨重重。不知何處覓行[二五二]蹤。多應淚似三江水。愁鎖[二五三]兩眉峰。香銷蘭麝金爐冷。玉減腰圍繡帶鬆。〔合前〕

【不是路】見面無從。廢寢忘餐百事慵。添悲痛。捱不過長夜如年盼曉鐘。眼朦朧。

臥看巫山十二峰。望藍橋無路通。〔二五四〕要相逢。枕邊少箇風流種。錦衾誰共。錦衾誰共。〔二五五〕

【掉角兒】聽不上凜冽悲風。聽不上嘹嚦哀鴻。聽不上畫角悠揚。聽不上簷鐵丁東。聽不上〔二五六〕響當當。驚好夢。冷清清。和淚滴。銅壺聲送。〔合〕淒涼一弄。離愁萬重。望雲山。天涯咫尺。此恨無窮。

【前腔】盼不到倚翠偎紅。盼不到酒釅花穠。盼不到水月流光。盼不到烟霧空濛。盼不到碧紗窗。青玉案。捲湘簾。看楚岫。金鈎雙控。〔合前〕

【尾】幾回夢裏廝和閧。單等歸來兩對同。千里神交非〔二五七〕是空。〔二五八〕（海浮山堂詞稿）

寄　情

【南仙呂入雙調步步嬌】暮雨朝雲成虛幻。枉把佳期盼。高唐事杳然。夢斷襄王。鈎惹芳心亂。要寫錦花箋。耳邊廂留不住天邊鴈。

【鎖南枝】離別苦。行路難。回頭阻隔千萬山。孤影有誰憐。清尊有誰勸。教我好難消遣。想的俺情牽。想的俺肝腸斷。想的俺心邪。想的俺神魂倦。衾也寒。枕也寒。窗又寒。燈也照孤寒。

【香柳娘】望迢迢路遠。望迢迢路遠。一聲長歎。離愁滿懷。如何不怨。急煎煎意懸。急煎煎意懸。拆散並頭蓮。分開交頸鴛。撲簌簌淚連。撲簌簌淚連。也是俺年災月限。緣薄分淺。

【園林好】忘不了花容月豔。忘不了酥胸粉面。忘不了拈香發願。忘不了耳邊言。忘不了醉中天。

【江兒水】想起他風流態。有萬千。吹彈所事都靈便。解舞腰肢嬌又軟。怎當他不住秋波盼。誰似他言談舌辯。生爲多才。每日價不茶不飯。

【僥僥令】望眼爲誰穿。淚點爲誰彈。一霎兒作念千千遍。巴不的有情人到枕邊。難捱衾似鐵。怎遣夜如年。恨殺漏永更長聲不斷。好似滴壺銅海水添。

【尾聲】新詞權當音書轉。多囑付青鸞黄犬。是必的拜上花仙。（海浮山堂詞稿）

閨　思〔二五九〕

【南商調集賢賓】離愁滿天没處躲。下香堦權當騰挪。離了重〔二六〇〕幃還較可。見牛郎阻隔銀河。空耽寂寞。眼睜睜一邊一箇。他和我。百般的離不了愁窩。

【前腔】青山淺描雙黛鎖。向天邊望斷秋波。遠樹寒空煙淡抹。畫眉郎那答兒磨陀。

青春擔閣。要相逢陽臺一樂。無結果。糊突夢當甚麽嘍囉。

【黄鶯兒】烏兔轉如梭。急煎煎把俺磨。一年好景都零落。風兒寒奈何。雁兒叫怎麽。雨絲兒哨的窗兒破。冷呵呵。香腮紅沁。只疑是醉顔酡。

【前腔】瘦影伴嫦〔二六一〕娥。呆答孩怎動挪。幾樁兒慣把人折挫。疎剌剌帳羅。虚空空被窩。淒涼涼〔二六二〕長夜捱不過。眼强合。難禁枕冷。又添上淚痕多。

【琥珀貓兒墜】雲鬟重整。宫様綰青螺。何日粧臺展翠蛾。幾時繡榻兩情和。因他。悄一似倩女離魂。病染沉痾。

【前腔】扁舟閑繫。盡日漾金波。水冷霜清舞敗荷。江湖滿地一漁蓑。蹉跎。却不道孤負幽期。對景吟哦。

【尾聲】四時光景〔二六三〕堪行樂。百歲芳春有幾何。及早回還錦繡窩。（海浮山堂詞稿）

勸色目人變俗

【南商調黄鶯兒】中國有戎狄。遡傳流自古昔。華夷一統承平世。喫的好食。穿的好衣。進門來一陣臊狐氣。細尋思。試虚心勸你。休發犬羊威。

【前腔】暇日會親識。狗西番坐上席。五湯三割全不覷。手托着蛋皮。口嘶着蛋喫。

蘸白鹽解不了鷄腸氣。有差池。對青天發誓。拍口喫猪脂。

【不是路】堪嘆回回。生不惺惺死着迷。難存濟。不信陰陽不請醫。愛家私。顧不得衣衾不整齊。下場頭只自知。現放着。有幫無底千家器。是何家禮。

【掉角兒】望西方天遥路迷。在中原看生見死。總不如隨鄉入鄉。早做箇子孫之計。再休提搭不剌。散不撒。荅兒麻。哈兒哇。腥膻滋味。清齋難記。徒勞受飢。最難熬。千金一刻。星月圓時。

【前腔】讀的是孔聖之書。且收拾梵經胡語。穿的是靴帽羅襴。打疊起纏頭左髻。再休提猪爹爹。狗奶奶。胡姑姑。假姨姨。腥膻遺類。更名换字。用夏變夷。勸伊行。還同中國。一樣行持。

【十二時】移風易俗非虚語。出谷遷喬爾自思。休把良言作戲詞。（海浮山堂詞稿）

嘲友人試琴

【北南吕一枝花】也曾將百體篆填滿龍鳳箋。也曾把一腔春點作昆蟲畫。也曾扳萬丈梯探月窟。也曾搦三寸斧砍天葩。高手名家。團弄的琴心怕。搬調的風韻滑。止不過古傳流一派仙音。又打上巧做作千般指法。

【梁州】你試將花閃閃的錦囊兒寬褪。俺索把玉纖纖的銀甲兒安插。不由俺一雙妙手齊齊下。一壁裏抹挑勾剔。一壁裏吟猱撞打。一壁裏往來綽注。一壁裏滚拂潑刺。則俺這手腕兒不識住受了波查。則俺這指頭兒不移時告了消乏。捏挪了雁足蜂腰妙相兒可誇。摸挲了蛇腹牛毛斷紋兒非假。打量了龍池鳳沼闢眼兒堪拿。枕他。抱他。怎下的一霎兒牆頭上掛。下手裏擰。上手裏掐。兜的箇百樣聲音背不的咱。罷了也三弄梅花。

【尾】人都道攛行貨眼前新宜時所事堪抬價。俺則道傳世寶天生舊見廣經多自掩瑕。他是箇古的兒怎與時俗品高下。者麽您撥弄的拍滑。丢答的手乏。使一箇訪友攜琴賣乖法。（海浮山堂詞稿）

琴友郭茂才，納姬名梅花。揮之非愜，遣之弗果，因以琴嘲焉。郭善篆隸法，畫草蟲。

李争冬有犯

【北中呂粉蝶兒】錦繡叢中。隨葫蘆也曾打鬨。俺也曾駕孤航湖海飄蓬。也曾步瑶京。攜玉手。乘鸞跨鳳。也曾伴嫦娥身在蟾宫。也曾泛桃花誤入武陵仙洞。

【醉春風】但有箇詩朋酒友共開尊。少不得倚玉偎香珠翠擁。他那裏倒身下拜笑相迎。我這裏也拱。拱。受用些花逕鶯歌。蘭堂燕舞。松窗鶴夢。

【紅繡鞋】怕的是村沙懵懂。喜的是剔透玲瓏。但遇着拿班做勢是相衝。使盡了氣力兒扭。也挾着膊項兒雄。只因俺好性兒使不的猛。

【滿庭芳】見了那行家不同。丰姿典雅。禮貌謙恭。把似你做喬腔怎得人知重。惹釁招風。又不是賽名花貂蟬愛寵。又不是鎖春風銅雀深宮。又不是襄王夢。巫山翠聳。人在最高峰。

【耍孩兒】只因他鬢邊半露雙釵鳳。鈎引的行人簇擁。春心飄蕩逐西東。元來是浪蝶狂蜂。顛狂體態如飛絮。浪蕩腰肢似轉蓬。長街短巷鑽人空。騎着頭木驢兒戳碜。戴着箇罨眼兒粧聾。

【十五煞】敗風俗情怎饒。壞綱常法不容。須不是平地干戈動。饒他海闊魚投網。一任天空鳥入籠。没來由倒往高枝送。俺則道雲泥間隔。誰承望魚水和同。

【十四煞】老鴉兒一樣黑。窩狗兒一攢風。蓮花盆打在荷花甕。自古道除了當行都是離。拿到當官也是空。一家兒怎着他人弄。謹按着九宮八卦。認定了六弟三兄。

【十三煞】乾人情面皮薄。冷衙門法度鬆。乾坤上下成何用。那廝每龍蛇不辨傷王化。這廝每貓鼠同眠玷士風。喬相識廝和閧。見面錢花銀十兩。答賀禮水酒三鍾。

【十二煞】又無升斗才。又無尺寸功。毛椽兒怎做雕梁棟。龜頭逞起心中大。鱉蓋掀開腹内空。料應走不出烑腰甕。等的你頭兒擂了。敲的你蓋兒生疼。

【十一煞】也不論短共長。又不知吉與凶。到晚來做了箇瓜蘁夢。牀前拖下三魂喪。枕上揪來四鬢蓬。猪毛繩牽出花胡洞。赤緊的項圈兒怎解。紐扣兒難鬆。

【十煞】牽不上窟窿橋。剜不出混腦蟲。前呼後擁相隨從。兩行排列貔貅士。八字分開虎豹叢。一齊下手將人弄。那幾位好哥哥幫襯。看一眼小妹妹着疼。

【九煞】拶指兩頭齊。批頭一片紅。兩般兒任意隨身用。筋連十指鑽心竅。血染雙臀入子宫。皮開肉裂花心動。這其間破了的誰補。綻了的誰縫。

【八煞】初來不詫生。嘗新不犯重。幾乎險把殘生送。說不的肉賤骨頭貴。避不的人生面不同。精皮膚到處人摩弄。戰兢兢聲如酒噤。跳梭梭手似茶風。

【七煞】黑洞洞門牆不見天。密匝匝荆棘不透風。枷杻吊鎖難移動。白日價傷心舉眼無親故。到晚來饒命連聲叫禁公。亂紛紛多少囚徒共。趁着箇就地滚的官舖。巴着箇等飯喫的窟窿。

【六煞】叫一聲取口詞。畫十字填草供。滿堂人呐喊如雷動。小牌子一十還較可。大牌子二十越覺疼。撒花蓋頂程程重。挣了箇鯉魚跌脊。滚了箇蝴蝶翻風。

【五煞】只爲你將磚要比天。是鬼刮陣風。稍螞蚍展作丹山鳳。賴蝦蟆出水金精獸。屎蜣蜋巴山鐵爪龍。麻蒼蠅也把神童弄。元來是三變化的白鮓。兩倒手蛆蟲。

【四煞】又不是嶺頭梅。又不是澗底松。又不是高岡修竹棲鳴鳳。怎似得歲寒三友人争羡。晚節孤芳誰與同。毛條兒敢把輕薄弄。眼見的飛花隨水。幾曾有敗葉争冬。

【三煞】謊花兒世不香。鬧枝兒似草蓬。蘖嗓兒苦李如何用。磣科兒那得好結果。歪根子全無豔冶容。生生的辱没殺桃源洞。也不是中喫的果子。元來是希爛的衐衖。

【二煞】又不是平頂黄。又不是雁過紅。似這般低種誰人種。成不的模樣實難賣。上不的臺盤總是空。眼兒酸蜇的牙根痛。你家有鑽核秘法。誰理論擲果淫風。

【一煞】我道你有眼不見機。無才只死充。那些兒知高知下知輕重。再休提見驚識怪人擡獎。全不想做小伏低自弄窮。爲甚麽扯着拉着人不動。下顧你似靴筩裏摸腿。攀援俺似食店裏回葱。

【尾】忍疼换曉粧。含羞整舊容。一尿脬打醒了胡都夢。從今後再休將大氣兒捅。(海浮山堂詞稿)

官妓李争冬，恃姿容驕怠。嘗騎過市，遇縫掖不爲意。怒付之官，官不能理。士人聞於内，傳令杖之。自後此輩知謹畏云。

十自由[二六四]

【北般涉調耍孩兒】天官賜福宣章奏。遥望着金門稽首。欽尊聖旨莫遲留。把閑人一筆都勾。身心耳目都安泰。手足腰肐得自由。到今纔是閑時候。一箇箇從吾所好。一箇箇愼爾優游。

【十煞】身呵報君恩不憚勞。振家聲不外求。十餘年贏得龐兒瘦。一生勤苦消磨盡。兩字功名歸去休。流行坎止無差繆。遠離塵網。高卧林丘。

【九煞】心呵意懸懸不自安。急煎煎無限愁。愁的是爲民爲國無昏晝。十分如意難爲福。少不應心便是仇。把心腸使碎了乾生受。俺如今何思何慮。無惱無憂。

【八煞】頭呵從來怕見風。虛眩不耐秋。爲甚麽到家中緊把衡門扣。再不去長安道上頻回首。也不向文武班中三叩頭。戴的是綸巾箬笠天然秀。把烏紗帽請起。將展翅兒權收。

【七煞】眼呵望君門天又高。盼家鄉淚暗流。看文書一夜一箇三更後。看了那招詳輕重難服罪。覷了那人面高低懶待瞅。看不上參的透。把似那京塵迷目。争如這野景凝眸。

【六煞】耳呵不平言懶待聽。耳不聽心不憂。勞勞攘攘龍蛇鬬。一箇家喬聲頽氣情難忍。一箇家美語甜言話不投。論理法難聽受。總不如粧聾塞耳。一任他呼馬呼牛。

【五煞】口呵濕津津皮裹纏。硬邦邦到處謅。每日間念條説欵歪窮究。一會家噙唇左嘴喬粧碜。一會家張口巴舌不害羞。這些時打疊起閑聲嗽。一任他淘乾了氣頽。叫破了咽喉。

【四煞】鬚呵許多時白似霜。一時間黑似油。磠砂銅末安排就。事從忙裏尋刀鑷。狠上心來着手揪。疼不過精皮肉。近新來蒼顔有喜。白髮無愁。

【三煞】手呵檢行移無了期。弄刀筆不斷頭。指尖兒酸困了難禁受。一壁廂忙〔二六五〕把文書判。一壁廂常將角帶搊。至如今高抄起雙袍袖。若要揎拳露掌。除非是把釣垂鈎。

【二煞】膝呵見官人軟似綿。到廳前曲似鈎。奴顔婢膝甘卑陋。擎拳曲跽精神長。做小伏低禮數周。俺如今出門兩脚還如舊。見了人平身免禮。大步搊搜。

【一煞】足呵任高情行處行。趁閑時走處走。脚跟兒蹬脱了牢籠扣。潛蹤洞壑尋深隱。濯足滄浪揀上流。皂朝靴丢剥了權存後。再不向鵷班鵠立。穿一對草履雲〔二六六〕遊。

【尾】閑居日月長。静觀天地久。閑中静裏安年壽。更一段清福綿綿詩共酒。（海浮山堂詞稿）

僧尼共犯第一折

【北仙吕點絳唇】苦海無涯。業根難化。空悲咤。無室無家。一點心牽掛。

【混江龍】都一般成人長大。俺也是爹生娘養好根芽。又不是不通人性。止不過自幼削髮。一會價按不住春心垂玉筯。一會價盼不成配偶咬銀牙。正諷經數聲歎息。剛頂禮幾度嗟呀。要求箇善男信女擔驚怕。總不如空門浄土。當夥兒戀酒貪花。

【油葫蘆】自古道僧尼是一家低答。每日價。撞頭磕額有根查。一箇遮陽局斜倚回廊下。一箇挑春情偷將禪杖打。按不住齷齪心。聽不上腌臢話。誰道俺頭陀每不光滑。

【天下樂】口念着救苦救難善菩薩。冤家。可喜殺。發慈悲單等你和咱。開禪堂燒一炷香。入禪房遞一盞茶。上禪牀結一段好緣法。

【那吒令】俺到了您家。人子説是他。您到了俺家。人子説是咱。混做了一家。半星兒不差。頂老兒一樣圓。撇道兒一般大。胡廝賴一迷裏虚花。

【鵲踏枝】分不出我和他。辨不的真共假。恰便似兩箇尿胞。一對西瓜。蘑菇頭一弄兒齊磕打。精禿驢越顯的圓滑。

【寄生草】呀。一箇念波羅密。一箇念摩呵薩。鼓搥兒敲打的鼕鼕乍。鐃鈸兒拍打的光光乍。鉢魚兒瓜打的膨膨乍。昏沉了半晌出陽神。這其間色膽天來大。

【幺】他他他纏着俺。俺俺俺纏着他。瓢頭兒比着葫蘆畫。光頭兒帶着葫蘆欛。枕頭兒做了葫蘆架。拜佛席權當了象牙牀。偏衫袖也做的鮫綃帕。

【六幺序】呀。釋迦佛鋪苫着眼。當陽佛手指着咱。把一尊彌勒佛笑倒在他家。四天王火性齊發。八金剛怒髮查沙。搊起金甲。按住琵琶。捻轉鋼叉。切齒磨牙。挪着柄降魔杵神通大。子待把禿驢頭攤了還攤。羞的箇達摩面壁東廊下。惱犯了伽藍護法。赤煦煦紅了腮頰。

【幺】哎。你箇渾家。不要瞅他。銅鑄的菩薩。泥塑的那吒。鬼話的僧迦。瞎帳的佛法。並無争差。儘着撑達。也當箇春風一刮。兀的不受用殺。月浸曇花。燈照禪榻。不近諠譁。不受波查。儘通宵喜笑歡洽。不枉了閑過竹院逢僧話。索强如路柳牆花。說來的磨研碓搗都不怕。見放着輪迴千轉。也子索捨死捱他。

【賺煞】想人生夢一場。且不上西天罷。鎖不住心猿意馬。便做道見性成佛待子麽。念甚的妙法蓮花。當袈裟。告了消乏。到頭來踢弄的風聲大。衆街坊識瞰。扣膊兒

一拿。呀。法門中拴出一對耍娃娃。（海浮山堂詞稿）

十美人被杖〔二六七〕

【北雙調新水令】買歡追笑遣流光。近新來一番惆悵。搜尋風月館。點檢翠紅鄉。博選羣芳。十樣錦真堪賞。

【駐馬聽】鶯燕雙雙。風送春心度畫牆。芙蓉兩兩。天然秀色映秋江。有誰搬遞是非場。無端牽扯平康巷。因被訪。低眉俯伏霜臺上。

【雁兒落】一箇顫巍巍玉蕋着棍兒湯。一箇嬌滴滴紅英着捧兒抹。一箇香馥馥酥胸襯碧堦。一箇軟穠穠膩體捱牙杖。

【得勝令】呀。一箇露春葱〔二六八〕解羅裳。一箇嚲烏雲卸殘粧。一箇粉面皮如澆蠟。一箇劣身軀似抖糠。當堂。一箇紅繡鞋跟朝上。收場。一箇醉扶歸不姓楊。

【幺篇】子弟每攔街立捧酒漿。姨夫每沿城走找藥方。老虔婆氣瞞〔二六九〕心跳八丈。醜撅丁手捶胸淚兩行。哭一聲親娘。五百刧冤業障。叫一聲情郎。八千人惱斷腸。

【沈醉東風】往常時牙印兒摩挲半晌。香盤兒恐怕成瘡。捏一捏骨肉酥。摟一摟心胸脹。沾麻着做勢拿腔。似這等凶神不可當。跳不出天羅地網。

【水仙子】又不曾做真賊偷了賈充香。又不曾放潑火燒了祆神像。又不曾駕虛詞遞了王魁狀。怎隄備〔二七〇〕這禍殃。三般兒委實難當。合歡被輕翻紅浪。凌波襪高擎玉掌。小鸞腰妙舞霓裳。

【折桂令】又不是乾相思鬼病羸尫。赤緊的閉閣垂簾。伏枕着牀。俺則索款款依從。頻頻問候。悄悄商量。或是茶或是飯你隨心勉强。或是行或是卧俺着意扶將。禱告穹蒼。保佑安康。俺若是替得些兒。怎教你獨自禁當。

【離亭宴歇指煞】俺則是笑吟吟走馬章臺巷。誰承望急煎煎累手煙花帳。因他這場。頭皮兒陣陣麻。指尖兒箇箇冷。心坎兒梭梭撞。眼皮兒睡不合。淚道兒揩不上。越加慘傷。憔悴了玉精神。清減了花體態。改變了嬌模樣。也則索枕兒上慢温存。被兒裏乾摩盪。不多時身安氣爽。那其間有恩的將好情兒酬。行孝的着甜話兒獎。（海浮山堂詞稿）

翦髮嘲羅山甫

十年前暴虐扇禍，以訪捕爲一切之政。民無良賤，隸於法率無辜人。十美人一時受杖而出，觀者如堵，而爲之奔走前後，不知其幾也。走筆貽羅山甫，憐其翦髮者與焉。

【北黄鍾醉花陰】矮髻盤鴉玉簪彈。黑鬒鬒香雲一朵。金鳳小寶蟬薄。一抹紅羅。翠葳蕤珠絡索。描不就遠山螺。子爲這三綹兒青絲纏上了我。

【喜遷鶯】花間行過。粉蝶兒箇箇隨着。仙娥。真乃是一塵不涴。恰來的走馬章臺可意哥。見了這濃粧豔裹。不由人魂銷魄散。只落的喜笑吟哦。

【出隊子】却不道傍人瞧破。急攘攘怎柰何。香堦眷戀一心着。花徑同行兩意合。繡榻交歡百事可。

【刮地風】不多時雨意雲情熱似火。便待要同死同活。滿承當一世隨緣過。他則將花翦兒偷挪。解烏雲四鬢婆娑。理青絲兩手分撥。耳邊廂猛聽的一下枝柯。呀。翠紛紛雲鬢零落。不由俺兩淚如梭。好教俺血淋淋心膽如刀剁。也比那死一遭爭不多。

【四門子】他道俺脚跟無線空躭閣。赤繩兒繫〔二七二〕戀着我。淚點兒湮。指頂兒搓。茜紅絨固結重重裹。心坎兒揣。手掌兒托。好一條連環套鎖。

【古水仙子】他他他志不奪。俺俺俺扯肚牽腸怎動挪。罷罷罷將意馬牢拴。準準準把心猿緊鎖。行行行纏腿帳難開脱。步步步絆脚索不離行窩。管管管提着心做事無失錯。懸懸懸吊着膽到底没災禍。睡睡睡將魂夢兒繞身縛。

【尾】收拾的日久年深非小可。相守到兩鬢如皤。到底團圓纔是好結果。（海浮山堂詞稿）

清明南郊戲友人作[二七二]

【北黄鍾醉花陰】錦繡江山畫圖裏。端的是皇都第一。人旖旎景芳菲。堪賞堪題。來往向花前立。心没亂眼迷離。見了些百媚千嬌真箇是美。

【喜遷鶯】豔陽天氣。花朝過了又寒食。相攜。齊蓁蓁成羣逐隊。恰便似萬紫千紅散緑堤。鬧垓垓人似蟻。管甚麽蜂喧蝶攘[二七三]。暢好是翠遶珠圍。

【出隊子】天仙聚會。去一回來一回。雲霞縹緲暗香飛。花柳扶疎麗日遲。車馬倥匆樂事急。

【刮地風】一箇價粉鼻兒馥郁聞芳蕋。一箇價檀口兒喞盃。一箇價手兒勤常怕金釵墜。一箇價脚兒懶寸步輕移。一箇價並香肩指東説西。一箇價折回頭推整羅衣。一箇價笑語嘻。一箇價音律低。一箇價喜孜孜幕天席地。一箇價醉醺醺苫眼鋪眉。一箇價轉秋波無耐挑人意。一箇箇引人魂三不歸。

【四門子】使不的調虎離山計。兩眼兒急上急。恰看了東。又誤了西。急煎煎四下裏難支對。才顧了南。又忘了北。眼面前悲歡得失。

【古水仙子】他他他他不癡。你你你你的中腸只自知。去去去去的無情。來來來來的不理。猜猜猜猜不破昏思謎。受受受受不過來往臨逼。休休休傻書生休得同兒戲。天天天天不從人意。看看看看的眼飽肚中飢。

【尾】我道你見面生情不度己。到晚來感歎傷悲。夢兒裏相逢拖逗煞你。（海浮山堂詞稿）

詠所見

都下舊俗，清明日展墓。士女冶遊郊郭之外，而南郊爲尤盛。四方之人，雜然往觀，一國之人，皆若狂焉，殆類于此。

【南商調集賢賓】湖山那邊瞧見你。好交俺心下驚疑。何處神仙來這裏。又不是同赴瑶池。忽然相會。近前來越添標致。真箇美。不由人軟了身軀。〔二七四〕

【前腔】恰纔相見方懊悔。悔只悔會面猶遲。悔到其間還是喜。動人處淺淡粧飾。他有斯文風味。掩不盡千嬌百媚。今日裏。這場事委實希奇。

【不是路】玉質冰肌。蟬翼輕鬆四鬢齊。多清氣。釵梳不用金珠翠。步輕移。緊凈丟修可體衣。正當時。覷了他青春一捏嬌年紀。纔是妙齡之際。

【掉角兒序】嫩超超百樣嬌姿。細彎彎兩道蛾眉。竅生生三寸金蓮。瘦亭亭一捏腰肢。最相宜雪窗前。書舘内。擁紅爐。斟暖酒。良宵清會。這場心事。應無了期。沒來由。不疼不癢。惹下相思。

【前腔】待和他月底吟詩。待和他燈下敲棊。待和他較量輸贏。待和他比並高低。待和他按金徽。調玉軫。譜新詞。依古調。傳情適意。知音交契。相逢有期。乍相識。心乎愛矣。何日忘之。

【尾】從來翫賞煙花地。南北東西任所之。不似今番念在玆。（海浮山堂詞稿）

縣官賣酒

余治邑核最，忌之者因而媒蘗必無之事，竟解官。聞之者爲之一笑，見之者未嘗不相對笑也。真定道中，行吟馬上，口占雙調一闋。或索所著作，遂書此以示。歌未竟，乃鼓掌大笑不可止。余曰：「客何笑之甚哉？長者停車下邑，猝無以爲具。我有斗酒，藏之久矣，於此不以奉其上，不可謂忠且敬也。脱有民酬其直，拒而弗受，自立於峻絶危疑之地，亦太傷廉哉！其直誠儉，其事誠細，獨不聞劉寵一錢，相如滌器哉！然則爲之者非妄爲，議之者非浮議，聽之者非過聽，笑之者非真笑矣。以直道黜，不猶愈于失己；以微罪行，不猶賢於顯斥哉！」客乃歛容踧踖避席曰：「先生之言良是也。」余既送之出户，客乃仰天而視，掩口而顧，捧腹踉蹌而歸。余爲之延佇目送者久之，亦逌然解頤曰：「狂客之笑若是，是余之賣酒，信然哉，信然哉！」詞不可傳而事可傳，必能博天下後世同一笑云。〔二七五〕

【北雙調新水令】喜皇風醇美運熙洽。太平年釀成玄化。醉翁亭真快樂。酒泉郡儘繁華。生意堪誇。這店主設施大。

【駐馬聽】畫戟高牙。不比尋常賣酒家。香車駟馬。非同小可潑生涯。草刷兒斜向縣門插。布帘兒飄颯譙樓下。忒清高真秀雅。把廳堂浄掃新裝榨。

【雁兒落】一箇酒大公將象簡拿。一箇店小兒〔二七六〕把金魚掛。一箇打壺瓶使了錫鑞牌。一箇盛碗盞占了文書架。

【得勝令】一箇掌櫃的坐官衙。一箇寫帳的判花押。一箇承印吏知錢數。一箇串房人曉算法。這一個獃瓜。不喫酒便要當堂罵。那一箇油花。不還錢就將官棒打。

【沉醉東風】一箇箇攘賬的翻盆弄瓦。一箇箇少錢的帶鎖披枷。假若係良民且索休。是窮鬼饒他罷。賬難清屢次駁查。展轉那移下筆差。定問擬知情枉法。

【水仙子】也曾見漢相如水洗的手兒滑。也曾見畢吏部繩纏的腿兒麻。也曾見李翰林寵幸的心兒大。也曾見賀知章掉下馬。幾曾見這樣豪華。月臺上排銀甕。丹墀裏傳玉斝。琴堂中滿泛流霞。

【折桂令】琴堂中滿泛流霞。喜的是海量寬洪。愛的是民意和洽。醉漢升堂。糟頭畫卯。酒鬼排衙。五更籌雙雙一迷裏投壺打馬。三通擂鼕鼕都做了擊鼓催花。鈔不料罰。價不争差。只圖箇脱貨求財。勝强如害衆成家。

【離亭宴歇指煞】韻悠悠絃歌聲裏觀風化。樂陶陶醉鄉深處無驚詫。由他笑咱。過幾箇快活年。行幾樁平穩事。説幾句安然話。壺中日月長。醉裏乾坤大。非咱自誇。一不欠起存糧。二不欠京鎮草。三不欠丁夫價。除非人可(二七)憎。到了天不怕。勸飲呵休辭莫假。酩子裏好裝憨。葫蘆提不爲傻。（海浮山堂詞稿）

楊龜山語録云：「設法賣酒，所在官吏遂張樂集妓，以來小民，此最爲害政。而必爲之辭曰：與民同樂。豈不誣哉！」按此事宋朝乃實有之，亦可笑甚矣。故龜山深疾之如此。

縣官賣柳有引見文稿

【北南吕一枝花】荒城小過活。僻邑胡將就。清官窮計策。瑣事細搜求。日用堪憂。俸少飢難救。民貧債不酬。每日價三曹案紙上栽桑。總不如一命官堂前賣柳。

【梁州】一箇箇銅錢扣手。一張張寳鈔當頭。青枝翠幹安排勾。官與民兩平買賣。本和利加倍交收。土要厚根深條望。水要勤葉密陰稠。第一年嫩生生大似車軸。第二年圓混混粗如巴斗。第三年直立立好做梁頭。凝眸。倚樓。灞陵橋弄影篩清晝。馬嘶風鶯喚友。飛絮垂絲散客愁。嬝娜輕柔。

【尾】自古道河陽一縣花如繡。臺城十里烟如舊。争似這召南萬載春常有。喜棠陰久留。樹芳名不休。也强如陶令門前五株柳。是時撫臺李公，檄州縣各樹道路如法。六郡州縣，奉行（海未至，而余所課樹已暢茂矣。忌者因而中傷之。

右二詞是爲縣官賣酒賣柳而作也。縣官既行其政，而民心亦歸。使者以其異己，深忌之。又使者至，謂之曰：「爾福人也。」使者謝曰：「余胡爲乎福哉？」又使者曰：「至此邑，溝洫治，途樹茂，他事稱是，百里改觀焉。吏之良也，非公之福哉？」使者默然不應，呼酒與之飲。執事者以金華進，惡其甘而叱之。邑小無他異酒，則以市醞進。使者怒，叱執事者。主簿曰：「今京師一時尚黍釀，何不以青州從事進乎？」余曰：「是大不可，且懼無繼也。」簿曰：「事急矣，禍將及我，公獨不爲動邪！」力請鑰，跨馬去，致一罌而獻之。二使者欣然大釂，俄而竭。再釂，則非也。復怒，索黍釀益急。執事者慄慄，稽顙請罪。既得其實，促車而去，密遣人偵縣官過。久之，亡所得，遂以二事爲聯而緘詒當事者。當事者拒弗信，而使者持之益力。反覆不得已，論調焉。或者嘆曰：「此禍水耶？禍本

浮山堂詞稿）

耶？何以至是也。」

吕純陽三界一覽

嘉靖丁酉春，一道士挾箕仙之術驗休咎。今中丞康川冀公，余弟觀察使，時尚未第，偕余往叩焉。道士戒以精舍齋沐，翊日乃可祇事。厥明而道士至，題位焚香符咒，降神應禱，書事忽誤字。余曰：「焉有不識字鬼能書休咎哉？」余遂扶箕祝曰：「必真純陽公來也。」所書辰戌科第名數，後皆奇中。是歲秋，余果領鄉薦，竟不許甲第，亦既驗矣。迨戊午丁巳間，有酷吏按治齊魯，大獵民貲，以填溪壑，累歲無饜。人人自危，莫知所止。咸謀攝問箕仙，而不得道士所在。衆乃强余禱之，既降筆，但書不可言不可言六字而止。余曰：「神仙亦畏人哉？如果畏之，諛詞隱語，何不可也！」乃歷草二十一段而大書，以命之曰三界一覽。次而録之，正宫套詞也，亦不正言齊魯事。諺云：鬼怕惡人。詎不信然！

【北正宫端正好】恰離了玉皇前。早來到金門上。衆仙官列坐巖廊。有靈有聖無偏黨。總是忠良將。

【滚繡毬】作善的降百祥。作惡的降百殃。禍福司分毫不爽。免不的自作自當。有勢的休使威。無錢的休妄想。便休提東遮西擋。使不的口大舌長。雷門斷斷無虚斧。

天綱恢恢不漏網。立見存亡。

【脱布衫】遍天宮飛繞祥光。下塵寰歷覽封疆。垂衣的唐虞聖上。補袞的呂周賢相。

【小梁州】慶了這萬載隆平國祚昌。大振朝綱。諸司百職總循良。仁風蕩。德教被遐荒。

【朝天子】紙不罰半張。帕不受一方。便是一池水難形狀。官清吏瘦小民康。處處有傍州樣。寬緩追徵。辨明冤枉。説虧人實是謊。掛靴的滿牆。豎碑的滿堂。一箇箇留名望。

【四邊静】霎時間咨嗟嘆賞。躂住閑雲。倚遍斜陽。枕畔黄粱。一覽山河壯。知他森羅殿在那廂。索把雲頭降。

【耍孩兒】撥開地軸躬身望。黑洞洞沉吟半晌。出生入死判陰陽。總是些糊突行藏。邪神假仗靈神勢。小鬼粧成大鬼腔。胡廝混歪廝攘。坐不的金門寶殿。分不出地府天堂。

【十三煞】那吒每擺兩班。夜叉每列幾行。牛頭馬面狼牙棒。後宮收訖金銀錁。前殿交盤寶鈔箱。打路鬼來索帳。盡都是張牙餓虎。露爪貪狼。

【十二煞】爪撈兒十把鉤。筆尖兒一桿鎗。那判官舉筆擡頭望。金銀橋上休歡喜。刀劍林中慢慘傷。從頭細審聽明降。管教您行兇的壯膽。作福的着忙。

【十一煞】女孩兒枉訴冤。老將軍忒自强。這兩人休把金橋傍。鋼叉緊守銀瓶姐。套索牢拴武穆王。秦家兩口兒齊疎放。屈枉了南朝元宰。相府糟糠。

【十煞】埋兒的望得財。卧冰的待喫湯。這兩人怎在銀橋上。三年乳哺傷和氣。一片瓊瑶破碧江。免不的遭魔障。佯慈悲的郭巨。假孝順的王祥。

【九煞】鬧吵吵毆丈夫。淚漣漣怨始皇。古來列女虚名望。身投濁水秋胡婦。哭倒長城美孟姜。這潑賴難輕放。着落他疎通河道。找補邊牆。

【八煞】鷄黍邀好弟兄。金寶分欠忖量。誰知禍害從今降。范張閉口難分訴。管鮑低頭不省腔。喚左右忙供狀。這兩箇同謀上盜。那兩箇坐地分贓。

【七煞】趙瞎漢聦他爺。錢啞巴罵他娘。孫聾親聽的姪兒謗。李没牙咬下半邊耳。周禿廝髮拔一寸方。吴瘸兒踢折了將軍項。這一起干名犯義。那一起鬭毆成傷。

【六煞】王道人〔二七八〕告出妻。高内官犯宿娼。閨門不整楊和尚。老鴇兒半身不遂胡行逕。小大兒兩腿瘋癱莽跳牆。這男女實淫蕩。依律還俗發遣。照例貨賣從良。

【五煞】這賊情問的真。那囚徒謊的慌。當頭見放着真贜仗。飢寒憑盜爲活計。晝夜看財合謹防。誰是你看家將。開豁了强人復業。比較着失主追贜。

【四煞】這人命也不虛。那身屍實有傷。四隣六證難欺誑。李三帽兒張三戴。張四名兒李四當。斷不倒無頭狀。少不的供明的擬罪。平白地招詳。

【三煞】又一干放火情。牽連着衆地方。焦頭爛額都呈樣。却不合收拾不浄柴一垛。又不合準備不及水兩缸。各有力應折杖。上納了工食紙穀。追奪了核桯房廊。

【二煞】有錢的快送來。無錢的且莫慌。尋條出路翻供狀。偷與我金銀橋上磚一塊。水火爐邊油兩缸。殘柴剩炭中燒坑。若無有這般打典。脱與我一件衣裳。

【一煞】這幾場對三曹。那兩邊列六房。能神惡鬼喬模樣。三番下雨三重濕。一遍求神一上香。腦後帳全不當。有幾箇東洋大海。成不盡實犯真臟。

【煞尾】剛離了鬼府關。早看了天門榜。伏章奏請金堦上。把這三界源流細細的講。

（海浮山堂詞稿）

骷髏訴冤

三界一覽既録，人争傳誦，咸謂幽明之際可畏哉。繇是乞卜者紛紛矣。黄海岳至自歷下，館于書舍，竊慕其事，自謂可致也。閉室私攝焉，再三之而弗應。余叩門而入，因拉與扶之。余曰：「汝奚卜，奚不祝也？」曰：「願乞長生術耳。」已而箕運甚力，或問息焉。嗣而録之，不詳其義。余叱曰：「汝何鬼，此何説也？」迺徐書骷髏訴冤四字。余嫚罵曰：「此何關於問答哉！急去毋留。必純陽師來，乃受教。」又祝而降，詞語大相似，自稱我東方財神也。余與黄子相視而愕，且惑其爲吾鄉財神也，不敢詆呵；而骷髏者，亦必吾土冤鬼矣。事固可惻，姑併存之焉。

【北般涉調耍孩兒】饒君使盡英雄漢。免不得輪迴一轉。雖然跳不出死生關。也省了些離合悲歡。三魂早上泉臺路。七魄先歸蒿里山。深埋遠葬塵緣斷。自古道蓋棺事定。入土爲安。

【九煞】猛聽的一片聲。撲鼕鼕振地喧。鋼鍬鐵钁團團轉。又不是山衝水破重遷葬。又不是吉日良辰再啓攢。原來是官差一夥喬公幹。霎時間黄泉曬底。白骨掀天。

【八煞】雠徒慣放刁。贓官莽要錢。鋪謀定計歪廝戰。非干人命伸冤枉。只要身屍作證間。山東六府都跑遍。少可有一千家發塚。八百處開棺。

【七煞】又不曾争一言。又不曾交一拳。又不曾本家親屬來陳辯。子孫祭掃三兩輩。桑梓栽培數十年。没來由到處差官勘。耳邊廂神號鬼哭。眼見的地覆天翻。

【六煞】今日王家莊。明日李家園。南來北往迎知縣。坑中滿把乾柴熰。鍋内忙將滚水煎。亡靈何苦遭烹鍊。粉身碎骨。瀝膽披肝。

【五煞】無傷要有傷。非冤却報冤。富家郎免不的遭刑憲。這的是不見死屍不下淚。要了官司要使錢。清平世界登時變。説甚麽昭昭白日。湛湛青天。

【四煞】常言道錢出急家門。財與命相連。將錢買命非輕賤。王員外過付銀一萬。李大舍交收金一千。招詳改擬銷前件。執法司倒做了枉法。洗冤録却做了啣冤。

【三煞】千家墳做了七寶山。一張狀强如騙海船。金銀財寶齊興販。每日價廣搜故紙追贓杖。到晚來獨對孤燈打算盤。開了門偷睛看。抱狀的是招財童子。訪事的是利市仙官。

【二煞】生民有處逃〔二九〕。死屍無處鑽。陽人反把陰人陷。誰家冤孽將咱垛。你的窮坑着俺填。百骸九竅都零散。誰與俺修齋作福。枉受了萬苦千酸。

【一煞】一箇道管送不管埋。一箇道丢開不在官。一箇道提防後日還來驗。炎天露暴蠅蟲咬。淺土浮坵鴉雀餐。俺也曾替你掙了千千貫。他和你一併歸結。閃的俺兩不相干。

【尾】告知富家郎。少把金銀攢。大家都做箇精窮漢。免使他圖財連累着俺。（海浮山堂詞稿）

財神訴冤

【北般涉調耍孩兒】三皇聖世傳堯舜。治國生財爲本。裝修萬里錦乾坤。全仗俺一位尊神。年年打算牀頭帳。日日奔忙世上人。一心兒都要與俺相親近。掌管着金銀寶藏。看守定福禄財門。

【九煞】人人下苦求。個個忒認真。却不道財星拱照時和運。時來共喜石崇富。運去偏憎原憲貧。一家兒寫一本錢神論。誰不待黄金過了北斗。白璧降了西秦。

【八煞】自古道財多身有傷。身安不怕貧。怎當的濕肉熬乾棍。面前插水真成假。紙上栽桑假作真。一日一箇迷昏陣。一箇箇哭天無淚。一箇箇入地無門。

【七煞】鐵掃帚便是掃地王。皮笊籬做了箇聚寶盆。瞞天一網都撈盡。蚰蜒穴内難逃命。狼虎唇邊怎脱身。狠心腸還道無滋潤。頭髮根兒裏數算。牙齒縫兒裏搜尋。

【六煞】不怕頭上有青天。只説書中有黄金。大家撞着梟神運。雲殘風捲三齊土。水净鵝飛六郡民。還不捨心中恨。千人下淚。萬户傷心。

【五煞】一家掌着霜刃鍘。一家湊下雪練銀。兩家見了情兒順。十分足色傾成錠。一樣精絲逩到心。霎時間銷了心頭悶。他便是追魂使者。俺做了救苦天尊。

【四煞】俺本是尋常百姓家。怎伴的威嚴九棘臣。雲臺凛凛難投進。幾番家盤詰無夾帶。一迷裏交收有禍因。顯些兒犯了天條禁。怕的是黏污風憲。擅入公門。

【三煞】他教我星馳徑到家。火速取回音。千山萬水難尋問。中途又怕强人手。半夜還憂獨宿身。眼睁睁又犯了天條禁。各不合擅離信地。私渡關津。

【二煞】不多時到地頭。正遇着大開門。東隣西舍來存問。一箇道兩年過付全憑俺。一箇道每日交通不避人。眼見的都一分。買命錢一時了事。護身符半紙迴文。

【一煞】財源向北流。財星直北奔。迢迢遠過漁陽郡。從今休想回來路。此去誰扶困苦民。低頭懶把蒼天問。坑的俺有家難奔。送的俺舉眼無親。

【煞尾】他來俺這裏做了官。俺去他那裏爲了神。離鄉背井都休論。終不道天網恢恢尋不着您。（海浮山堂詞稿）

嘉靖丁巳戊午間，有墨吏某，每按郡縣，輒羅捕數百千人，囹圄充塞，重足而立，夕無卧處。計民産百金已上，必坐以法竭之。凡告人命，雖誣必以實論，有厚賂，雖實必釋。由是誣告伺察之風盛興，而倚法强發民塚者不可勝計。塚主自陳無冤，則坐以私和；縣官勘報無傷，則論以枉法。有葬七十餘年者，塚巔之木合抱矣，子孫乞哀於縣官。縣官垂涕而掘之，不敢後。某自謂山東之民易於殘虐，密請于故相，獨留二年，六郡之財悉歸私室而後去。嗚呼！訴冤二詞，人所不敢言者，而仙言之，亦異矣哉！

【南仙呂金盞兒】因他去減我風流。悶來時懶上粧樓。萬斛春愁。鎖盡眉頭。空教我望斷秋波眼。數盡了殘更漏。紅葉無情知他沉與浮。我因他俊龎兒。寂寞梨花朶。丁香掩過芙蓉扣。裙掩纖腰。睡損胭脂皺。半掩重門。半掩重門。又是黄昏時候。

【誤佳期】心事寄銀鉤。空惹下這場羞。沉吟無語暗低頭。海棠落盡。滿地花如綉。宿鳥枝頭。宿鳥枝頭。杜鵑啼血三更後。謾凝眸。只見畫橋流水。目斷歸舟。

【丞相服】病覺今番是陡。悶懨懨無了無休。薄情何處繫驊騮。多因他別戀章臺柳。從他去後。魚書未投。相思魂斷。淚珠暗流。至今被冷鴛鴦綉。

【玉抱肚】歸期虚謬。想多才別戀秦樓。見陌頭楊柳青青。頓交人不堪回首。柔絲難挽別離愁。昨夜青春今白頭。

【琥珀猫兒墜】新愁舊愁。何日離眉頭。舊恨新愁無了休。愁多愁少總成愁。病酒。甚日得歸來。再整鸞儔。

【餘文】薄情弄巧多參透。今日相思到盡頭。受過凄凉一筆勾。〔二八〇〕（詞林白雪）

山堂詞稿引

山人與老農語，或共野客遊，不復及文字，亦不説詩。乃間以近調自寓，取足目前意興而止。而好事者喜聞之，傳至名流鉅工，亦未始不粲然擊節之。壬戌春，余策款段出山中，遂浪迹風塵雲水間。每有知遇，尚論古文辭，亦或及此，輒徵稿不止，然稿不恒留。余弟往在秦州刻詩紀，以其羨刻石門樂府。余今刻山堂輯稿於潤州，既迄工，乃别輯此卷刻之，亦惜其羨耳。第不欲以序辱作者，漫筆是語於簡端。丙寅閏月，海浮山人題。

〔一〕「的穩」，汪廷訥環翠堂刻《坐隱先生選本》（簡稱汪本）作「上穩」。

〔二〕末二句汪本、南宫詞紀作「從今强飯，高唱踏莎行」。

〔三〕「颼颼」，汪本、南紀作「蕭蕭」。

〔四〕「遍」，汪本、南紀作「便」。

〔五〕「開」，四卷鈔本《海浮山堂詞稿》（簡稱底本）作「間」，兹從《海浮馮先生詞稿》（簡稱刻本）、南宫詞紀。

〔六〕「行人」上原有「路」字，南紀同，此從汪本、任訥《散曲叢刊》本（簡稱任本）。

〔七〕「無憂話」，汪本、南紀作「無生話」。

〔八〕南宫詞紀題作「椿林堂觀雨」。

〔九〕南紀題作「恬退」，南詞韻選無題。

〔一〇〕「趁」，汪本、南紀、韻選作「依」。
〔一一〕汪本題作「恬退四首」，北宫詞紀録第一、四首，題作「恬退二首」；第二首（一品高官）屬下一題中，汪本同。
〔一二〕汪本題作「悼世四首」。北紀録首二曲，題作「悼世」。
〔一三〕「跴」，底本作「哂」，兹從詞稿、刻本。
〔一四〕「音」，汪本作「時」。
〔一五〕「清」，汪本作「仙」。
〔一六〕此句汪本作「共野老成高會」。
〔一七〕「奚奴」，底本作「奚囊」，兹從汪本。
〔一八〕「就裏」，汪本作「林下」。
〔一九〕南宫詞紀收第二曲，題目同。
〔二〇〕末二句汪本作「詩思千言，酒量千鍾」。
〔二一〕末二句汪本作「只今日遠離風塵，落得個高卧林丘」。
〔二二〕「探」，底本作「將」，兹從刻本。
〔二三〕「忒」，底本作「成」，兹從刻本。
〔二四〕「常」，底本作「當」，兹從刻本。
〔二五〕「便」，底本作「伊」，兹從刻本。

〔二六〕南宮詞紀題作「初秋此景亭小酌」。
〔二七〕南紀題作「此景亭雨酌」。
〔二八〕南紀題作「世恩堂雨酌」。
〔二九〕南紀題作「李奇坡見招雨不果赴」。
〔三〇〕首二句汪本作「顔纔得雨開。心轉憂霖害」。
〔三一〕末三句汪本作「將封姨告。三農最勞。休只管飛沙走石恁呼號」。
〔三二〕「開」，底本作「門」，兹從刻本。
〔三三〕第三句以下汪本作「翻街惟巨浪。沉竈盡狂瀾。漂來萍藻侵禾稼。隱見魚龍泛藥欄。鳩啼屋。民籲天。不知何計慰閭閻」。
〔三四〕首四句汪本用下文「對青山」一曲之四句。
〔三五〕「雖然」，汪本作「莫愁」。
〔三六〕「忽見」，汪本作「且喜」。
〔三七〕「趁我」，汪本作「趁着我」。
〔三八〕北宮詞紀題作「嘲缺唇兒」。
〔三九〕北紀題作「嘲點脚兒」。
〔四〇〕「尖」，底本作「失」，兹從刻本。
〔四一〕「放」，底本作「故」，兹從刻本。

〔四二〕北宫詞紀題作「詠藥蟲」。
〔四三〕北紀題作「詠書蟲」。
〔四四〕「魚」，汪本、北紀作「蟲」。
〔四五〕「鐃」，汪本、北紀作「逃」。
〔四六〕南宫詞紀録第四首，題作「冶源别業」。
〔四七〕「相」，汪本、南紀作「交」。
〔四八〕「事」，底本作「争」，兹從刻本。
〔四九〕「四」，任本作「肉」。
〔五〇〕北宫詞紀收第一、三首，題作「勸世」。
〔五一〕北紀收第一、二首，題目同。
〔五二〕「間」，汪本、北紀作「來」。
〔五三〕「諸宗」，汪本作「諸宗候」。
〔五四〕「合爻象」，汪本作「玄情悒」。
〔五五〕「圍」，底本作「闈」，兹從刻本。
〔五六〕北宫詞紀收第十、十五、十七、十八首。
〔五七〕「家私」，汪本作「生涯」。
〔五八〕南宫詞紀收前五首，題作「漫興五首效李中麓體」。

〔五九〕「虚套」，底本作「虚圈套」，兹從任本。

〔六〇〕底本此四首重見卷三，題作「贈妓仙臺」，兹删。首曲吴騷二集題作「贈妓」，彩筆情辭題作「携妓春酌」。

〔六一〕「暖」，底本卷三作「轉」。

〔六二〕「待」字底本缺，據刻本補。

〔六三〕「滿」，底本卷三作「兩」。

〔六四〕「當」，底本卷三作「釀」。

〔六五〕「雲」，底本卷三作「烟」。

〔六六〕「情」，底本卷三作「愁」。

〔六七〕「胸」，底本卷三作「情」。

〔六八〕首四句汪本作「柳岸千鶯。終朝睍睆鳴。漁浦揚舲。通宵欸乃聲」。

〔六九〕「隨趁」，汪本作「呼應」。

〔七〇〕第三、四句，汪本作「雨珠兒緊緊傾。雁陣兒哀哀叫」。

〔七一〕北宫詞紀收前六首，題作「感時」。

〔七二〕「踢」字底本缺，據刻本補。

〔七三〕「閩」字底本缺，據刻本補。

〔七四〕「得」，底本作「待」，兹從刻本。

〔七五〕北宮詞紀收第一、四首，題作「嘲拔白」。

〔七六〕北紀題作「嘲烏鬚」。

〔七七〕北紀收前三首，題作「嘲友人下第乘獨輪車」。

〔七八〕南宮詞紀收第二、三、七、八首題作「閑情」。南詞韻選收第七首，無題。

〔七九〕「成何大用」，汪本、南紀作「竟成何用」。

〔八〇〕「西斜」，底本作「西欹」，兹從汪本。

〔八一〕「生業」，底本作「歎業」，兹從汪本。

〔八二〕南宮詞紀收第五、六首，題作「閑情」；第七、八首題作「風月思」。彩筆情辭收第六首，題作「追歡」。

〔八三〕「飄蕩」，南詞韻選作「亂飄」。

〔八四〕南宮詞紀收第四首。

〔八五〕南宮詞紀題作「山居四時漫興」。

〔八六〕「幽」，汪本、南紀作「花」。

〔八七〕南宮詞紀題作「述隱」，南詞韻選無題，太霞新奏題作「閑適」。

〔八八〕「與波下上」，汪本、南紀、韻選、新奏作「隨波來往」。

〔八九〕「蕩」，汪本、南紀、韻選、新奏作「溶」。

〔九〇〕「相」，南紀、韻選、新奏作「見」。

〔九一〕「嘆」，汪本、南紀、韻選、新奏作「欣」。

〔九二〕「信」，汪本、南紀、韻選、新奏作「隨」。

〔九三〕「桂影」，汪本、南紀、韻選、新奏作「仙桂」。

〔九四〕「斗」，汪本、南紀、韻選、新奏作「孤」。

〔九五〕南詞韻選收首曲，無題。南宮詞紀收第二首，題作「秋興」。

〔九六〕「負」，南紀作「自」。

〔九七〕南紀收前二曲，題作「閑情」。

〔九八〕吴騷二集、南宮詞紀收末曲，題作「悼妓琴仙」。

〔九九〕「浪」，卷三重出者作「網」。

〔一〇〇〕吴騷合編八首全録，南紀收第一、三、五、八首，吴騷二集收第二、四、六、七首，南音三籟録第六、七首，俱題「閨怨」。南詞韻選收第二、五、八首，無題。又吴歈萃雅收第二首，南音三籟收第二、五首，皆題作「情思」，俱誤注楊斗望作。

〔一〇一〕「惱」，南紀、合編作「恨」。

〔一〇二〕「瘦小」，嘉靖本不疊。

〔一〇三〕「娜」，三籟作「裊」。

〔一〇四〕「淺印」，韻選、萃雅、三籟不疊。

〔一〇五〕「四」，吴騷二集作「思」。

〔一〇六〕此句汪本、南紀、韻選、萃雅、合編、三籟作「香消漏聲永」。
〔一〇七〕「端相」，南紀、韻選、萃雅、合編、三籟作「覷」。
〔一〇八〕「轉入」，韻選、萃雅、三籟不疊。
〔一〇九〕南紀、韻選、萃雅、合編、三籟無「兒」字。
〔一一〇〕此句首字「良」，合編作「那」。「流落」，三籟不疊。
〔一一一〕「提着」，三籟不疊。
〔一一二〕合編無「兒」字。
〔一一三〕「不似」，韻選不疊。
〔一一四〕「跎查」，韻選作「擦擦」。
〔一一五〕「樣」，韻選作「地」。
〔一一六〕「雲」，汪本作「春」。
〔一一七〕北宫詞紀題作「詠四誓」。
〔一一八〕「抓」，嘉靖本、北紀作「瓜」。
〔一一九〕「刬」，彩筆情辭作「剗」。
〔一二〇〕「赤」，彩筆作「吃」。
〔一二一〕「齊」，北紀作「同」。下句同。
〔一二二〕「撮」，北紀作「授」。

〔一二三〕彩筆情辭題作「題青樓八美」。
〔一二四〕「孤轤轤」，彩筆作「骨碌碌」。
〔一二五〕「素腕移」，底本誤作「青躭二」，據刻本改正。
〔一二六〕「染」，汪本作「惹」。
〔一二七〕「斯」，彩筆作「撇」。
〔一二八〕「如」，汪本作「比」。
〔一二九〕南宫詞紀收第一、二、四首，題目同。南詞韻選收末曲，無題。
〔一三〇〕「着」，韻選作「教」。
〔一三一〕「那裏」，韻選作「那壁廂」。
〔一三二〕此句韻選作「難遮怎擋」。
〔一三三〕「在上」，韻選作「在頭上」。
〔一三四〕太霞新奏收第一、四首，題作「情鬧」。
〔一三五〕「意兒」，新奏作「情意」。
〔一三六〕「清」，汪本作「春」。
〔一三七〕「風」，汪本作「衫」。
〔一三八〕「結」，汪本作「話」。
〔一三九〕北宫詞紀、彩筆情辭收首曲，題同。

〔一四〇〕汪本此句無「兒」字。下句同。
〔一四一〕北宮詞紀收末曲，題目同。
〔一四二〕「聲」，汪本作「流」。
〔一四三〕北紀收第一、三首，題作「風情省悟」。
〔一四四〕南宮詞紀收第一、四首，分别題作「春怨」、「愁怨」。
〔一四五〕「耿」，汪本、南紀作「清」。
〔一四六〕「歎」，汪本、南紀作「嗟」。下句同。
〔一四七〕南紀收第二首，題作「春怨」。
〔一四八〕「繞」，南紀作「近」。
〔一四九〕底本此二曲前有「贈妓仙台四首」，重見卷二，今删。彩筆情辭收第二首，題作「贈妓曉霞」。
〔一五〇〕此句汪本、彩筆作「閃祥光映碧霄」。
〔一五一〕汪本題作「葵仙解嘲」。
〔一五二〕汪本題作「蘭池解嘲」。
〔一五三〕彩筆收第一首，題作「贈妓文卿」。
〔一五四〕「你」，汪本作「伊」。
〔一五五〕彩筆題作「贈妓弱仙」。
〔一五六〕「妙人兒」，汪本、彩筆作「似難支」。

〔一五七〕彩筆題作「贈妓韶仙」。

〔一五八〕彩筆録首曲，題作「贈妓秋蘭」。

〔一五九〕首三句汪本、彩筆作「蘭開大國香。曲奏瑶琴上。與知音百代流芳」。

〔一六〇〕彩筆收第二、六首，第六首另題作「懷田桂芳」。

〔一六一〕「捻」，彩筆作「撚」。

〔一六二〕首二句汪本作「花詞。月詞」。

〔一六三〕「幸遇妙人兒」，汪本作「多在半酣時」。

〔一六四〕「真」，汪本作「精」。

〔一六五〕「富貴相」，汪本作「重竇難」。

〔一六六〕南宫詞紀題作「贈妓劉一兒」，南詞韻選、太霞新奏題作「贈妓一兒」，彩筆情辭題作「贈妓劉一」。

〔一六七〕彩筆題作「贈孫曉臺」。

〔一六八〕「長養」，汪本、彩筆作「生長」。

〔一六九〕南紀收第三首，題作「嘲子弟」。

〔一七〇〕南紀此句首襯「他」字。「竇鈔」，汪本、南紀作「珠翠」。

〔一七一〕「着」字下南紀有「你」字。

〔一七二〕末句汪本、南紀作「百計空勞捉日烏」。

〔一七三〕太霞新奏録第二、六首，題作「閨怨」。南紀録第六首，題作「怨別」。
〔一七四〕「討」，汪本、南紀、韻選、新奏作「卜」。
〔一七五〕「都是」，汪本、南紀、韻選、新奏作「無非」。
〔一七六〕「手」，南紀、韻選、新奏作「纖」。
〔一七七〕「逃」，底本作「還」，茲從刻本。
〔一七八〕「十二」，汪本作「九曲」。
〔一七九〕以下兩首據汪本補。碧山續稿題目同，注王九思撰。未知孰是，茲互見王、馮兩家曲中。
〔一八〇〕碧山續稿題同，屬渼陂。南紀題亦同，屬海浮。
〔一八一〕碧山續稿題同，吴騒二集題作「春怨」，俱屬王渼陂。南紀題同碧山，注馮海浮撰。
〔一八二〕「眼」，二集作「地」。
〔一八三〕「語」，刻本作「話」。
〔一八四〕北宫詞紀題作「謝司馬少溪歸田」。
〔一八五〕「地」，嘉靖本作「帝」。
〔一八六〕「傻」，底本作「俊」，茲從刻本。
〔一八七〕「瞎」，底本作「杳」，茲從汪本。
〔一八八〕「三尺」，嘉靖本作「三寸」。
〔一八九〕北紀題作「涞邑初度自述」。汪本、北紀無小梁州、幺篇、上小樓、幺篇四曲。

〔一九〇〕「誰」，北紀作「難」。

〔一九一〕北紀奪「飛」字。

〔一九二〕底本作「過」，刻本、嘉靖本、北紀作「遇」。

〔一九三〕「不」，北紀作「誰」。

〔一九四〕「舟」，北紀作「臺」。

〔一九五〕北紀奪「遊」字。

〔一九六〕「的」，汪本、北紀作「作」。

〔一九七〕北紀奪「更」字。

〔一九八〕「託」，底本、刻本、嘉靖本作「傳」，茲從汪本、北紀。

〔一九九〕北紀題作「贈許奉常石城」。

〔二〇〇〕「海」，汪本、北紀作「江」。

〔二〇一〕北紀題作「題姚秋澗市隱園時姚改南容臺」。

〔二〇二〕「班」，刻本作「斑」。

〔二〇三〕「彩」字原缺，據北紀補。

〔二〇四〕「懶」，汪本、北紀作「慵」。

〔二〇五〕北紀題作「金陵留別邢雉山太史」。

〔二〇六〕北紀題作「姚秋澗園讌集酬金白嶼」。

〔二〇七〕汪本、北紀無「中」字。

〔二〇八〕北紀題作「仰高亭自壽」，注「亭在潤州學舍」。

〔二〇九〕「説」，底本、刻本、嘉靖本作「該」。

〔二一〇〕北紀題作「詠焦山郭次甫五嶽游囊六物」。

〔二一一〕北紀題作「七夕壽馬令尹南江」。

〔二一二〕「羣仙隊隊」，汪本、北紀作「安期子晉」。

〔二一三〕「登」字原缺，據北紀補。

〔二一四〕北紀題作「仰高亭自壽」。

〔二一五〕北紀題作「題丹元樓贈誠軒宗藩」。

〔二一六〕「捲」，北紀作「抱」。

〔二一七〕「犒」，北紀作「稿」。

〔二一八〕北紀題作「送賈封君約菴來遊上谷南還」。

〔二一九〕「堂」，北紀作「亭」。

〔二二〇〕北紀題作「六十新春述懷」。

〔二二一〕「無」，汪本、北紀作「不」。

〔二二二〕「蹊蹺」，底本脱，據刻本補。

〔二二三〕北紀題作「郡丞命署縣印病中戲辭」。

〔二二四〕「兒」字底本奪，據刻本補。
〔二二五〕「窰」，嘉靖本作「摇」。
〔二二六〕汪本無「的」字。
〔二二七〕「搭」，底本作「達」，今從汪本。
〔二二八〕「分」，底本作「外」，今從刻本。
〔二二九〕北紀題作「六秩林山山人爲予寫真」。
〔二三〇〕「相」，汪本作「像」。
〔二三一〕北紀題作「喜弟少洲以江省左轄乞休」。
〔二三二〕「邁」，北紀作「返」。
〔二三三〕「弟兄」，汪本、北紀作「兄弟」。
〔二三四〕「肥」，底本作「把」，今從北紀。
〔二三五〕「逃」，底本作「還」，今從刻本。
〔二三六〕北紀題作「送李閣老石鹿歸田」。
〔二三七〕「載」，底本作「里」，兹從汪本、北紀。
〔二三八〕「相業」，北紀作「宰相」。
〔二三九〕北紀題作「量移魯士師東歸述喜」。
〔二四〇〕北紀題作「送長沙守鳳渚公課最擢鎮易州」。

〔二四一〕「訬訬」，汪本作「炒炒」。

〔二四二〕北紀題作「歸田生辰自述」，並注云：「是日席上報兒姪鄉薦。」

〔二四三〕「着」，汪本、北紀作「取」。

〔二四四〕北紀脱「閑」字。

〔二四五〕「成」，嘉靖本作「希」，從抄本。

〔二四六〕「含情」，刻本、嘉靖本均作「含無情」。

〔二四七〕「家」字刻本漫漶，據北紀補。

〔二四八〕「送」，北紀作「吹送」。

〔二四九〕吳騷二集、南宮詞紀、吳騷合編題作「旅思」。

〔二五〇〕「記不的」，合編作「空記着」。

〔二五一〕末第二句二集作「敲透隙風」。末三句合編作「穿簾夜月。敲窗曉風。可憐清冷各西東」。

〔二五二〕「行」，合編作「芳」。

〔二五三〕「愁鎖」，合編作「愁鎖着」。

〔二五四〕「卧看」二句，二集作「巫山十二迷歸夢。路隔三千棹未通」。

〔二五五〕末句底本不疊，兹從汪本、二集、南紀、合編作疊句。

〔二五六〕「聽不上」，汪本、南紀無此三字。

〔二五七〕「非」，二集作「豈」。

〔二五八〕【不是路】以下四曲與合編異文頗多，兹録於下：

【不是路】見面無從。廢寢忘餐百事慵。添悲痛。漫將心事問長空。怪飄蓬。巫山十二連雲湅。路隔三千棹未通。擔愁重。枕邊少個風流種。錦衾誰共。錦衾誰共。

【掉角兒序】淅零零堦前候蛩。嗚咽咽角聲三弄。嘹嚦嚦樓頭塞鴻。韻悠悠曉鐘聲動。好一似怨孤鸞。傷別鶴。叫哀猿。泣麟悲鳳。〔合〕凄涼萬種。雲山幾重。望鄉關。天涯咫尺。別恨無窮。

【前腔】想當初情投意濃。到如今一場春夢。甫能勾那步步追隨。只落得這心心珍重。多應是前生緣。今生債。命中該。將人磨弄。〔合前〕

【尾聲】望天公。憐哀控。願歸去滕王風送。看取春時挹翠紅。

〔二五九〕南紀、二集、合編、三籟題作「秋思」，俱注馮海浮撰。昔昔鹽題作「秋意」，不署作者。

〔二六〇〕「重」，昔昔鹽作「香」。

〔二六一〕「媏」，二集、合編作「姮」。

〔二六二〕「凄涼涼」，二集、合編作「慘凄凄」。

〔二六三〕「四時光景」，合編作「好時光」。

〔二六四〕此套底本植入「歸田小令」。

〔二六五〕「忙」，汪本作「難」。

〔二六六〕「雲」，底本作「雪」，兹從刻本。

〔二六七〕彩筆情辭題作「嘲美被杖」。

〔二六八〕「葱」，汪本作「笋」。

〔二六九〕「瞞」，汪本作「滿」。

〔二七〇〕「備」，汪本作「防」。

〔二七一〕「繫」，北紀作「緊」。

〔二七二〕北紀題作「都下清明仕女郊遊嘲友人往看」。

〔二七三〕「攘」，北紀作「嚷」。

〔二七四〕「軀」，嘉靖本作「奇」，兹從刻本。

〔二七五〕北紀題作「治邑考最忌者誣以賣酒調官因戲爲縣官賣酒」。

〔二七六〕「兒」，北紀作「二」。

〔二七七〕「可」，北紀作「不」。

〔二七八〕「人」，汪本作「士」。

〔二七九〕「逃」，底本作「還」，兹從刻本。

〔二八〇〕此套詞林白雪注馮海浮撰，兹姑録之。

謝讜

謝讜，字正卿，又字獻忠，號海門，別號蓋山子，浙江上虞人。嘉靖二十三年（一五四四）進士，授泰興令。歸傍蓋湖，築白鷗莊於荷葉山中，朝夕惟讀書吟詠爲事，不入城市者二十年。著有謝海門集、古虞集、草言及四喜記傳奇等。正德七年（一五一二）生，隆慶三年（一五六九）卒，年五十八。

套數

遊春

【南中呂泣顏回】東野翠烟消。喜遇芳天晴曉。惜花心性。春來起得偏早。教人探取。問東君肯與春多少。見丫鬟笑語回言。道昨夜海棠開了。

【前腔換頭】今朝。特地到西郊。端的是萬紫千紅争巧。花情酒債。我一生被他縈惱。靚雕鞍駿馬。會王孫貴戚謾把金尊倒。有時節沉醉花前。把金丸墜落飛鳥。

【千秋歲】杏花梢。間着梨花雪。一點點梅豆青小。流水橋邊。向流水橋邊。只聽得賣花人聲聲頻叫。鞦韆外遊人鬧。又聽得粉墻内佳人歡笑。笑道春光好。把花籃旋簇。食罍高挑。

【前腔】俊多嬌。只顧貪歡笑。却不道冷地裡有個人嘲。緑柳陰中。向緑柳陰中。藏羞暗折花枝來到。低聲問奴容貌。比花貌争多少。故被才郎惱。道奴貌勝似。花貌妖嬈。

【越恁好】鬧花深處。鬧花深處。滴溜溜酒旆招。牡丹亭左側。尋女伴鬪百草。翠巍巍柳條。翠巍巍柳條。見忒橚橚曉鶯兒飛過畫橋。撲簌簌落紅。撲簌簌落紅。舞翩翩粉蝶兒飛過樹梢。一年景。四季中。惟有春光最好。向花前暢飲。月下歡咲。

【前腔】乍晴還乍雨。乍晴還乍雨。暖溶溶景致饒。見遊人往來。貪歡笑舞鮫綃。鬧咳咳笑高。鬧咳咳笑高。骨碌碌小車兒乘着豔嬌。滴溜溜眼兒。滴溜溜眼兒。曲灣灣小脚兒一捻舞腰。十分俏。畫怎描。教人把春心蕩了。遇美景空辜負年少。

【紅綉鞋】聽一派鳳管鸞簫。鸞簫。見一簇珠圍翠繞。翠繞。捧玉鍾。飲香醪。歌金縷。舞細腰。任明月。上花梢。

【前腔】花枝異樣堪描。多嬌。三分湊成妖嬈。波俏。聚仙子。下蓬島。花陰下。鬧炒炒。醒來時。夜深了。

【尾聲】從教酩酊眠芳艸。高把銀燈花下燒。韶光易老。休把春光辜負了。（群音類選）

按：盛世新聲、舊編南九宮譜、金瓶梅詞話、樂府争奇、盛世詞林無題，新編南九宮詞題作「景」，南詞韻選題作「春」，詞林摘艷題作「賞春」，群音類選題作「游春」，南宮詞紀題作「春游」，昔昔鹽題作「游女題情」，俱不注撰人。吴歈萃雅、詞林逸響、古今奏雅、樂府珊珊集題作「游春」，吴騷合編、南音三籟題作「春游」，皆屬高東嘉，未必可信。樂府先春無題，署李石麓。詞林白雪無題，注謝海門作。南曲九宮正始注南戲子母冤家。未知孰是，兹姑以之屬謝讜。另李子昌卷有南北中吕合套「春游」一篇，除首曲〔四園春〕外，其餘四隻南曲與本套同。又：首曲〔泣顔回〕原誤作〔好事近〕。「撲簌簌落紅」、「滴溜溜眼兒」兩句原不疊，兹據吴梅譜補。

張誠菴

張誠菴，山東章丘人。邑茂才。久困荆闈，李開先嘗以詩慰之。善曲，與馮惟敏相倡和。

小令

【北雙調折桂令】

譏愚而詐且無恩者

小哥哥大樣村筋。捏殺鴛鴦。打死麒麟。一字無能。半星不識。滿口胡云。倒叉子門裏出身。作孤堆掌上觀紋。冷臉留賓。惡語傷人。寸箭無功。點水無恩。（詞謔）

秦時雍

秦時雍，字堯化，號復菴，南直隸亳州（今安徽亳縣）人。嘗官憲副。工散曲，曲品云：「秦大夫中原儒雅。」著有秦詞正訛二卷。約萬曆初（一五七三）前後在世。

小令

【北正宮小梁州】四曲

碧紗窗外月朦朧。疎影梧桐。憑闌幾度問歸鴻。霜華重。水透小酥胸。〔幺〕玉人今夜知誰共。一思量一陣心疼。眼角酸。眉頭縱。浮雲情性。飄泊任西東。（秦詞正訛）

碧紗窗外月光華。砧杵誰家。敲殘心緒亂如麻。低聲罵。何處戀嬌娃。〔幺〕喬才做事多虛詐。哄人精利齒伶牙。枕上情。腮邊話。總然乾罷。天也不容他。（秦詞正訛）

碧紗窗外月團圞。香裊爐煙。嫦娥今夜有誰憐。回頭看。一樣影兒單。〔幺〕赤心女子忘恩漢。再休題頭上青天。展轉焦。思量遍。哄人腕範。丢的謊兒圓。（秦詞正訛）

碧紗窗外月昏黃。人在西廂。晚凉侵透綺羅裳。空惆悵。搔首恨才郎。〔幺〕何時再

得同鴛帳。盡今生蜜裡調糖。口内噙。心頭放。百般供養。不敢氣兒湯。（秦詞正訛）

【南中吕山花子】

四曲為高幽蘭

從來不見幽蘭面。多應前世無緣。喜今宵餓眼飽看。頻教饞口流涎。瘦身軀漸覺軟癱。蟾宫此日謫降仙。恍疑家在南海邊。官樣風流。堪愛堪憐。（秦詞正訛）

尋芳愛把幽蘭採。香風直透襟懷。恠狂蜂浪蝶亂猜。知心自有多才。嘆光陰那能再來。相逢但得魚水諧。眉頭悶鎖須放開。今古英雄。多才沉埋。（秦詞正訛）

幽蘭不比閑花柳。移來種我心頭。兩相憐話兒暗勾。舌尖蜜裡調油。喜相逢正值早秋。琵琶一曲聲韻悠。相思調苦却轉羞。惱亂多情。腸斷蘇州。（秦詞正訛）

幽蘭不比閑花草。移來種我心苗。逞歌喉鶯聲細嘲。令人心痒難撓。把沉沉風月擔挑。周郎何必愛小喬。恩情從此莫易抛。有限風光。無福難消。（秦詞正訛）

【南仙吕入雙調玉抱肚】

贈雪仙

性兒裂瓦。我從來疼他怕他。賽阿嬌金屋嬋娟。是消災水月菩薩。多情後主作冤家。愛殺當年張麗華。（秦詞正訛）

意兒慵懶。下牙牀千難萬難。向粧臺亂挽烏雲。靠丫鬟斜嚲香肩。元和不覺墜絲鞭。愛殺當年李亞仙。（秦詞正訛）

龐兒聰俊。再休題朝雲彩雲。華清池洗罷凝脂。海棠花睡足濃陰。三郎自是有情人。愛殺當年楊太真。（秦詞正訛）

人兒清爽。又何須脂香粉香。廣寒宮謫下仙姝。曲江池占盡春光。曾教子美弄詩狂。愛殺當年黃四娘。（秦詞正訛）

【南正宮玉芙蓉】

之汴憶蘭畹[二]

郵亭曉發

紅塵車馬諠。碧落雲山遠。短長亭青青。客舍幽然。輕寒尚怯春風面。仗劍休歌行路難。冤業債。花邊柳邊。我這裡望㳟珠探的頸兒偏。（秦詞正訛）

野店晨炊

牧童遥指時。野店孤煙起。繫青驄經尋。舊舘晨炊。離情塞滿愁腸胃。茶飯將來似土泥。冤業債。天知地知。我這裡爲㳟珠落的肚兒飢。（秦詞正訛）

夕陽道中

行人陌上心。啼鳥林間恨。把青衫淋漓。濕了前襟。迢迢誰寄南州信。一段梅花辜負春。冤業債。逢人對人。我這裡念㳟珠叫的口兒頻。（秦詞正訛）

夜宿杞縣

寧陵月正明。杞國風初定。嘆人生東西。流水浮萍。窻前明滅燈兒影。一半鴛衾冷似冰。冤業債。三更四更。我這裡想玠珠做的夢兒靈。（秦詞正訛）

【南南吕一江風】

憶雪仙

悔當初

悔當初。人被功名誤。把手臨長路。恨征夫。抵死催行。血刃剜腸肚。夕陽人影孤。嬌容轉眼無。教人錯把煙林惡。（秦詞正訛）

到京華

到京華。獨坐寒燈下。往事思量罷。嘆天涯。風景凄涼。旅况難支架。昨宵夢見他。覺來恨轉加。教人錯把鄰鷄駡。（秦詞正訛）

雁南來

雁南來。怕有音書帶。悵望闌干外。謾疑猜。數盡行行。飛過燕山塞。多情重遠懷。雲箋怕待裁。教人錯把征鴻恠。（秦詞正訛）

病懨懨

病懨懨。迤邐春將半。寂寞誰經慣。倚闌干。似醉如痴。懶待思茶飯。踉蹌步履難。伶仃怯曉寒。教人錯把東風怨。（秦詞正訛）

【南仙呂桂山秋月】

春

和風如扇。百花開遍。當年花底。有個人同玩。春光總似前。春情太不然。冤家別有看花伴。何處尋芳。將人暗拋閃。天。甚日着歸鞭。只恐來時。春光太遲晚。（秦詞正訛）

夏

薰風如燠。新蟬高噪。香肌苦暑。不似當年俏。離懷那樣焦。齊紈怕待搖。冤家誤我芳年少。珊枕藤牀。夢魂怕顛倒。嬌。酷吏倩誰消。荀倩不來。曹娥病中老。（秦詞正訛）

秋

西風落葉。愁人時節。誰家砧杵。斷續敲殘夜。明明窗外月。飄飄枕上蝶。冤家何處登高榭。迷戀新人。難爲舊人也。嗟。翠袖成血。冷落丹楓。幽情爲誰寫。（秦詞正訛）

冬

朔風如箭。江梅吹綻。孤形吊影。羞對殘燈焰。衾餘翡翠寒。香消蘭麝煙。冤家最是忘恩漢。睡起無聊。圍爐自消遣。難。這病九分添。捱盡殘冬。巴巴盼郎轉。（秦詞正訛）

【南商調鶯集畫臺】

寢

綉閣下幃簾。任東風花事闌。困來睡得烏雲亂。恨難消。枕上重斑。模糊淚眼。恰團圓鏡裡孤鸞。早驚覺梁間雙燕。愁無奈。病漸添。千回萬轉下牀難。（秦詞正訛）

食

茶飯不經思。做將來似土泥。未曾動箸先生氣。共誰人。舉案齊眉。肥甘縱美。恰纔箇到口沾唇。却又早撑心掛肺。臨粧鏡。比帶圍。嬌容日日瘦些兒。（秦詞正訛）

行

花影印空庭。啟朱扉信步行。徐徐轉過荼蘼徑。最多情。枝上流鶯。閑啼數聲。風流韻搗耳淒涼。可意種鑽心刁蹬。金蓮褪。玉體傾。無言倦把畫闌憑。（秦詞正訛）

坐

蘭麝爇爐香。漏沉沉夜未央。悄然獨坐流蘇帳。見梅花。橫上紗窗。芳心自想。托瑤琴寫我憂思。將玉指撥他飄蕩。情如訴。調可傷。當年錯認鳳求凰。（秦詞正訛）

【南商調黄鶯兒】

席上扮西廂人名口占一曲贈之

把酒問鶯鶯。賣風流小鬼精。忍心當面厮禁正。話頭兒洗清。臉皮兒丢冷。紅娘落得推乾浄。笑張生。粧聾做啞。任他使嘴兒丁。（秦詞正訛）

把酒問紅娘。倩奴才忒逞強。一張快嘴并刀樣。鼻尖上點糖。心窩裡燥痒。往來勾引春心蕩。呸張郎。書齋人静。且把你頂回缸。（秦詞正訛）

把酒問張生。直恁般不硬撑。由他顛倒厮傒倖。簡帖兒可憑。紅娘作証盟。花陰寂寂人初静。甚難成。只消一摟。不信他敢高聲。（秦詞正訛）

把酒問夫人。許張生作近隣。乾魚送與饞貓枕。昧着心負恩。白着眼悔親。不妨腦

後抽一棍。壞人倫。先姦後娶。全是你老三村。（秦詞正訛）

得言而信。省教人。出乖弄醜。辱末了好家門。（秦詞正訛）

把酒問將軍。既爲媒欠主婚。何須餘黨收除盡。趂當時感恩。早完成眷姻。夫人只

把酒問禪師。假慈悲方便誰。不應擅主婚姻事。没多大面皮。强躭些是非。悔親難

挽夫人意。做私媒。當官問理。先拖犯老沙彌。（秦詞正訛）

【南商調山坡羊】

甲午下第歸村居秋水適至賦此以懷人亦蒹葭蒼蒼之意也

湛清流碧天垂象。送歸舟西風生浪。煙波渺渺欸乃漁歌唱。經霜蘆葉黄。連雲山色

蒼。傷情對景倚遍危樓望。有箇人眼睁睁天一方。淒涼。縮不來道路長。汪洋。漂

不去雲水鄉。（秦詞正訛）

惹長空晴雲如絮。遡流光蘭篙擊玉。風生别渚沙鳥驚飛去。樓臺村落居。溪山景物

殊。茫茫煙水何處題佳句。望斷衡陽無由寄雁書。何須。向源頭再問渠。躊躇。嘆

浮槎總是虚。（秦詞正訛）

捲絲竿寒波不釣。破長風孤舟初到。白頻渡口幾點漁燈照。排空浪雪消。驚寒雁陣遥。懶鄉深處有箇人長嘯。隔斷銀河憑誰架鵲橋。難挑。整相思擔一條。無聊。困英雄水一瓢。（秦詞正訛）

晚風狂晴光不定。棹歌聲長天相應。殘霞落水紅點玻璃浄。飛騰白鷺驚。團圞皓月明。清罇紫蠏誰共三秋興。水國仙鄉相捧一段情。分明。望陽臺只數程。難逢。隔蓬山幾萬重。（秦詞正訛）

【南仙吕二犯桂枝香】

四景閨情四首㈢

韶光似酒。醉花酣柳。無端幾許閑愁。贏得芳容消瘦。休休。雲情雨意無盡頭。三春有約君記否。倚闌干凝翠眸。鶯兒有偶。燕兒有儔。青鸞孤影。教人可羞。薄倖今何在。空餘燕子樓。（群音類選）

池塘晝永。薰風南送。春纖倦撥冰絃。懶把霜紈摇動。眉峰。堆堆積積愁萬重。翻思往事如夢中。好姻緣難再逢。竹摇新粉。榴噴火紅。荷香浮動。緑陰正濃。自别

東君後。金尊幾度空。（群音類選）

月懸冰鏡。疎星耿耿。良宵院落沉沉。立盡梧桐清影。傷情。西風敗葉和雁聲。銀床冷落秋漸深。數歸期心暗驚。紅蓮落盡。黄花滿庭。海棠開後。望伊到今。恨殺音書斷。秦樓怕有人。（群音類選）

鴛鴦霜重。翠衾寒擁。香肌半貼珊瑚。一線紅水含凍。浮踪。飄揚柳絮心性同。無些準繩西復東。海山盟都是空。窻兒裡月。簷兒外風。相思滋味。這回轉濃。正好朦朧睡。寒山寺已鐘。（群音類選）

【南南吕懶畫眉】

寄物與愛妓

特將心事彩毫題。寄與情人表意兒。雖然難比五言詩。卿卿務必休輕視。一曲清歌懶畫眉。（詞珍雅調）

初初相會一遭兒。脈脈廝投兩意兒。懨懨害了幾場兒。恨天不肯從人願。辜負冤家好意兒。（詞珍雅調）

梭梭跳動眼皮兒。點點流成淚道兒。薰薰熱透耳輪兒。爲伊鎮日躭憔悴。到底難猜啞謎兒。（詞珍雅調）

瑶琴怕解錦囊兒。黄卷深藏書櫃兒。淚痕重染汗巾兒。茶飯全無味。終日何曾動筋兒。（詞珍雅調）

不長不短那人兒。無了無休這病兒。難吞難吐恁鈎兒。乾挑風月空箱子。枉擺憂愁滿舖兒。（詞珍雅調）

紙條拈就錦鬮兒。蓍草占成卦象兒。竦簷垂下喜蛛兒。眼前空報春消息。何日團圓好夢兒。（詞珍雅調）

殘春落盡好花兒。瘦影裁成喬樣兒。新詩題遍短牆兒。空懷杜牧三生夢。争見嫦娥一夢兒。（詞珍雅調）

逢人常自皺眉兒。閉户偏宜擁被兒。挑燈獨自剔牙兒。杜鵑啼老春歸去。正好重重埰業兒。（詞珍雅調）

【南正宫玉芙蓉】

隱　興[三]

新詞信口歌。好句同聲和。問人生浮雲。富貴如何。鶯花隊裏休嘲我。名利場中且讓他。神仙眷。清虛大羅。喒兩個宴瑶池莫惜醉顔酡。（南宫詞紀）

【南仙吕入雙調玉抱肚】

惜　别[四]

河梁分袂。霎時間投東向西。愛刀兒割斷柔腸。業風兒吹散于飛。歸來各自掩重扉。翠被生寒有夢知。（南宫詞紀）

【南仙吕一封書】

寄少華

雍生拜少華。把春心托素帕。從别後到家。掩重門寂寞殺。爲愛相思滋味好。縱有

靈丹不治他。錦如霞。淚成花。點污鮫綃爲甚麽。（太霞新奏）

【南商調山坡羊】

思情

只爲功名牽掛。生把冤家撇下。這些時在我心頭倘着。倩谁人下手與我摘開罷。怎按捺。不想殺須害殺。天長日久那一刻丢得下。便做勉强觀書争奈一行行都是他。冤家。只好捉影拿風紙上撾。冤家。急得我冷汗渾身教誰打發。（太霞新奏）

【北仙吕一半兒】

重會〔五〕

幾年遊子負歸期。何處風兒刮到你。進得門來意似癡。扯羅衣。一半兒驚惶一半兒喜。（群音類選）

合歡共勸手中甌。乘興相偎心上有。面赤慵將彩扇收。懶擡頭。一半兒佯羞一半兒酒。（群音類選）

套數

四時閨思

【南正宮錦纏道】記當時。舞春風團花綵裳。誰拆散錦鴛鴦。到如今空教夢遶瀟湘。又一番柳拖金脂凝海棠。怎當得步花陰佩冷琳琅。燕子語雙雙。猛聽得神魂飄漾。花飛怯露涼。又蚤是杜鵑枝上。一聲聲叫月斷人腸。

【前腔】好時光。過池庭風牽翠香。惆悵日初長。最苦是菖蒲空泛瓊漿。我待學赤澄澄葵心向陽。怎當他亂飄飄柳絮顛狂。驀地汗沾裳。羞見那綵鴛池傍。蛙聲鬧暮塘。又蚤是菱歌溪上。一聲聲唱月渡滄浪。

【前腔】透紗窗。淅零零金飈薦涼。掩袂聽寒蛩。最難禁是連宵月轉迴廊。他本是映歌樓當年皓光。今日箇照長門偏惹栖惶。桂窟冷霓裳。好似我孤單一樣。寒砧夜搗霜。又蚤是孤鴻天上。一聲聲帶月過衡陽。

【前腔】傍銀缸。朔風嚴寒威怎當。一瞬淚千行。況又是漫空雪蕋飄揚。想當時擁鴛衾春生象牀。今日裏抱寒綢萬種淒涼。澹月襯梅粧。數更籌越添悽愴。高唐夢渺茫。

又蚤是鄰鷄陌上。一聲聲啼月恨更長。

【古輪臺】景堪傷。苔封錦砌篆消香。四時風月和誰賞。參商兩兩。況盼斷歸鞭。把那前言都謊。虛度花朝。慵登月廠。苦相思兀自懶梳粧。凝眸凝望。算程途水遠山長。音沉魚帖。歌閒鳳管。酒闌瓊席。展轉費思量。粧樓上。殘絨慵理綉鴛鴦。

【前腔換頭】郎當。怎得愁除與病强。撇得我影隻形單。心慵意攘。春盡秋闌。荏苒間韶光反掌。怕那桃李春風。反增悽愴。又見梧桐秋雨滴空廊。孤燈相傍。儘題情寄却萸囊。薄衾孤帳。如何捱得。淒風苦雨。此際總徬徨。想是前生帳。斷頭冤債合相償。

【尾聲】巫峽迷。藍橋漲。隔斷處紅塵千丈。只落得煙樹蒼蒼雲水茫。（吴騷合編）

憶　情〔六〕

【南南吕香羅帶】去年三月中。花香酒濃。合歡喜貪春夜永。今年三月嘆飄蓬也。各自隨風轉任西東。香消麝蘭翠被空。寂寞黄昏也。萬種離愁兩地同。

【醉扶歸】語呢喃紫燕驚塵夢。舞翩翩蝴蝶撲香風。叫月明花底怨啼鵑。怕更深枕上傷孤鳳。盼佳期枉費念頭多。惜殘春陡覺相思重。

【香柳娘】任花如錦叢。任花如錦叢。尋芳誰共。憑欄有恨無人懂。牡丹亭迤東。牡丹亭迤東。見朵竝頭紅。俄然轉心痛。恨無端化工。恨無端化工。不把離人。生成一種。

【江兒水】漫道心如繡。争看氣吐虹。奇才撼得天關動。也難跳出脂膩衕。急流會把人攛送。無限愁來簇擁。薄命柔軀。赤緊處谿他剔弄。

【園林好】有條路陽臺可通。似阻隔巫山萬重。信那個傍人讒訟。誰爲你繫青驄。徒使我怨蒼穹。

【玉交枝】愁眉頻縱。意中人如何放鬆。心頭没箇相思空。怎禁得碎搗零春。聽殘晚鐘聽曉鐘。起來日上簾鈎控。把往事閒提幾宗。都記在煙花簿總。

【玉抱肚】梅花三弄。落紅香燕泥煖溶。見狂蜂也解隨人。是游絲畢竟捧風。春光有限恨無窮。難把衷腸訴便鴻。

【貓兒墜玉枝】〔貓兒墜〕惱人懷抱。無奈理絲桐。錯亂宫商調不同。〔玉交枝〕高山流水再難逢。思量往事如春夢。等你呵怕祆祠火烘。待你呵恨藍橋水湧。

【尾聲】武陵春。桃源洞。何時鳴珮下瑶宫。空教我雲想衣裳花想容。（吴騷合編）

暮春初會少華於譙詞以紀之

【南仙吕望吾鄉】合是冤家。恰然遇見他。含羞褪影燈兒下。背人一笑千金價。坐起多文雅。尖纖手。來遞茶。愛殺秦堯化。
【傍粧臺犯】自嗟呀。須從月老簿中查。終有情迷楚岫。恐無分媚吴娃。牙尖漏出三分話。未必真和假。〔合〕心頭跳。身上麻。這喜有天來大。末三句犯望吾鄉。
【前腔】月光華。横斜梅影印窻紗。臉兒生微慚赧。意兒好忒謙洽。洞房嫋嫋薰蘭麝。放下簾櫳掛。〔合〕人雙美。景最佳。好一軸遊仙畫。
【解三醒犯】且消停催拍紅牙。不須斟合歡玉斝。銀缸移近床兒下。的的看海棠花。解舞纖腰無一把。净洗凝脂春水滑。〔合〕揭羅帳。上繡榻。忽刺把肝葉兒乍。犯同上
【前腔】褪仙裳兩情驚怕。靠酥胸一陣風儍。嬌姿軟懦淫聲啞。好一塊玉無瑕。着意温存剛半霎。風雨催殘解語花。釵欹鳳。臉潤霞。弱體難支架。
【掉角兒犯】貪一回又待貪他。親不足那怕親殺。是前生欠了緣法。盡今世還箇七八。從今後連理樹。睤不折。桃源路。走不差。身心一片。有處安插。〔合〕鴛衾解。鳳枕擦。軟兀刺人癱化。犯同上

【前腔】喜良宵儘力撐達。戀多情不告消乏。忒妖邪任意拈掐。弄輕狂那樣擱搭。早不覺譙樓内。皷聲發。紗窻外。月影斜。風流興盡。雲斂巫峽。〔合〕低聲笑。問少華。餳眼睁開罷。

【尾聲】好姻緣難酬謝。明朝回首各天涯。不害相思說甚麽。（太霞新奏）

春閨怨

【南仙吕入雙調步步嬌】雨過園林花如綉。粧點春光透。獨上小紅樓。萬里燕山。一帶長亭柳。人在帝鄉遊。看花不向章臺走。

【鎖南枝】瀛洲選。俊彦流。多少英雄一網收。郎跨五花虬。天衢騁馳驟。記得臨岐執手。淚眼相看冷盡杯中酒。行色相催掩過胸前扣。古渡頭。風馬牛。各奔忙。落日怎生留。

【香柳娘】把柔腸碎揪。把柔腸碎揪。將人迤逗。馬行十步頭迴九。這相思怎休。這相思怎休。人對鏡中愁。病從枕邊湊。怕嬌紅問候。怕嬌紅問候。攬被蒙頭。翻身閉口。

【園林好】瘦形骸見人也羞。翠眉峰對花頻皺。害聲氣臨風長嗽。心耿耿病啾啾。空悔恨覓封侯。

【江兒水】君上絲綸閣。踢翻鸚鵡洲。題橋肯落相如後。歸來肘繫黃金斗。相逢是必休忘舊。料應他長存忠厚。駟馬香車。又只怕我無福將他情受。

【僥僥令】迎門親擁篲。夾道聽鳴騶。滿院花香春風細。簾捲畫堂深。晝錦遊。

【前腔】[七]燈前携素手。花底泛金甌。笑語不知春宵短。明月下西樓。尚未休。

【尾聲】合歡再結心扣。害過的相思一筆勾。官樣風流。圖箇天長地久。（秦詞正訛）

【南黃鍾畫眉序】富貴帝臺春。多少長安看花人。料仙郎此去。不負經綸。文塲戰筆掃千軍。雲路騁風生八駿。柰何人遠天涯近。闌珊了暮雨朝雲。

【黃鶯兒】綉閣强登臨。見青青柳色新。可憐淚洒東風潤。花兒懶簪。香兒懶薰。飯兒不待牙兒印。病兒沉。牀兒清冷。羞把被兒温。

【集賢賓】關山千里勞夢魂。相逢夢裡偏親。一點靈犀傾倒盡。無柰他志在凌雲。功名太緊。魂夢裡也難親近。推鳳枕。醒來時暗中發狠。

【琥珀貓兒墜】猛然轉想。搔首自沉吟。惟有同心可斷金。丈夫何必嘆離群。胸襟。吞吐江淮。嘯傲乾坤。

【尾聲】歸來喜報泥金信。爭羨當年雙美人。夫貴妻榮重教萬事新。（秦詞正訛）

秋閨怨

【南商調黃鶯兒】微雨小池塘。洗新秋一味涼。暫將煩惱襟懷放。强支持下牀。向窗前晚粧。偶然獨上西樓望。兩茫茫。雲山煙水。又惹起舊栖惶。

【傍粧臺】畫眉郎。迢迢身在五雲鄉。十年多藏利器。三策好獻明皇。他那裡春風馬蹄花綻錦。我這裡夜月鸞簫人斷腸。青雲客。黄四娘。人間天上兩分張。

【畫眉序】别後減容光。蘭麝煙薰綺羅裳。恨黄花未吐。梧葉新蒼。呆答孩悶鎖眉頭。熱忽剌人來心上。病根徹夜成魔障。怎能得夢裡成雙。

【黄鶯兒】無柰小紅香。話兒甜蜜和糖。情知解我心頭想。强斟着水漿。兩三番苦央。恨來扯碎芙蓉帳。氣忙忙。連推帶打。獻勢的小輕狂。

【香柳娘】死和生我當。死和生我當。休來打攘。終須薄命因他喪。任傍人短長。任傍人短長。笑我臉兒黄。我還嘴兒强。猛然間感傷。猛然間感傷。一陣心疼。昏迷半晌。

【江兒水】殘月窺朱户。孤松映粉牆。長門寂静誰來往。砧聲鬧醒蛩吟唱。人兒逗起心頭撞。驀地裡將他想像。平步登仙。恐不似舊時模樣。

【僥僥令】功名紙半張。冤業淚千行。兩地經年無魚雁。何日許歸寧晝錦堂。

【前腔】門闌生瑞靄。富貴還故鄉。一笑相逢春無限。何必問良醫覓好方。

【尾聲】迎門一見從天降。割捨的將他熱氣兒湯。把受過的凄涼從頭慢慢講。（秦詞正訛）

【南仙呂入雙調步步嬌】薄命紅顏空長嘆。錯把東風怨。無言倚畫闌。墜素翻紅。上林春晚。也曾寂寞惜春殘。爲郎憔悴春不管。

【鎖南枝】長門靜。鎖獸環。別院歌聲雜管絃。詞賦倩誰編。知心憔老天。細把離愁點檢。塞破乾坤何處尋邊岸。填滿滄溟那些知深淺。恩可憐。愛可憐。惡相思。落得有誰憐。

【集賢賓】西家美人春尚淺。笑他短髮及肩。假髻峨然宮樣挽。嘆東家辛苦年年。只將雲鬟扮演。可恨他先承恩眷。情繾綣。這真僞有誰分辨。

【前腔】春心一點托杜鵑。那堪啼血斑斑。滿院楊花簾不捲。織新愁兩意廉纖。呢喃紫燕。應笑我花容月艷。無侶伴。這情由問天天遠。

【黃鶯兒】夢破五更寒。正君恩一晌〔八〕歡。那知身閉昭陽院。羅衾不暖。羅衣怕穿。臂銷不柰黃金釧。病懨懨。日高丈五。猶自抱愁眠。

【前腔】懶把綉絲撏。認金針又倒拈。傷心樂事成勞倦。畫眉人遠。薰香興闌。粧臺寂寞紅塵暗。許多般。愁愁悶悶。蹙損淡春山。

【園林好】草萋迷王孫故園。雲掩映姮娥月殿。水奔騰夫人臺漸。天賦與惡姻緣。魂杳杳路漫漫。

【江兒水】獨上青樓看。思悄然。一春消息無魚雁。點點飛紅鶯踏亂。日高沙際鴛鴦暖。歷歷韶華轉眼。人在天涯。咫尺蓬瀛隔斷。

【僥僥令】飛空縈柳絮。落地卜榆錢。何處花前歌金縷。應念斷腸人望眼穿。

【前腔】東皇長作主。風雨慢摧殘。但願歸來春猶在。三十六宮人無粉顏。

【尾聲】此情不比閑鶯燕。花貌藏修學待年。留取多情帶笑看。（秦詞正訛）

春　愁

【南仙吕入雙調惜奴嬌】門掩清幽。正三分春色三分僝僽。闌干外。百囀流鶯難留。枝頭。東風一夜颼。飛花萬點愁。恨悠悠。驀忽的淡煙霏霧。斷魂時候。

【前腔換頭】凝眸。珠箔青樓。嘆天涯人遠。暗中消瘦。空聯就。佳句篇篇堪酬。無由。青青梅子稠。迢迢隴信休。病啾啾。常記得去年今日。陡然依舊。

【漿水令】戀殘紅餘香未收。怯輕寒病體正柔。遲遲日影上簾鈎。鴛鴦衾獨擁。怕待擡頭。韶光老。清明又。東皇不把人將就。無心緒。無心緒。拈花弄柳。空相憶。空相憶。鳳偶鸞儔。

【前腔】訴衷情狂吟一首。洗愁腸强斟數甌。東郊兒女恣嬉遊。尋芳拾翠。笑語風流。人何在。意轉愀。萋萋芳草同誰鬭。不能勾天長地久。空教人。空教人。惹恨躭憂。

【尾聲】尋常辜負春如綉。斷送一生惟有。何時纔下眉頭。（秦詞正訛）

憶白蘭畹

【南仙吕入雙調步步嬌】有個人兒何時見。錯恨南州遠。花開又一年。人事蹉跎。韶光荏苒。長是病懨懨。朱顏鏡裡因他換。

【江兒水】想象芙蓉面。滿月圓。蛾眉愛蹙春山淡。柳態輕臨風力軟。蓮踪窄印香塵淺。體段兒不長不短。斷送人生。總爲秋波一轉。

【集賢賓】曾將翰林聲價減。自來不似今番。没影兒相思禁害。俺好名兒常被人傳。傳來活見。終不見妖邪腔範。緣分淺。總饞口有涎空嚥。

【前腔】小窗一枕春夢酬。夢魂曾到巫山。撩亂行雲迷望眼。梁間燕語呢喃。飄然驚散。寂寞了梨花小院。門半掩。悄無人叫聲蘭畹。

【黄鶯兒】此景對誰言。最神交滋味甜。料應蘇小憐雙漸。他仰我似泰山。我思他在廣寒。憑誰勾引東鄰線。兩牽連。春心一點。洩漏到粧前。

【江兒水】落日風歸雁。飛花人倚闌。誰將百里分天塹。半世浮名空絏絆。一春好景難消遣。辜負了偷香手段。瘦損腰肢。無奈東皇不管。

【僥僥令】何時成燕婉。有日遇神仙。花燭房中春無限。一味攬糖甜。和醋酸。

【前腔】恩情恰美滿。笑語喜間關。才子佳人争堪羨。落得兩相憐。百病痊。

【尾聲】籠燈就月相端。羞把丁香細帶寬。着意温存春夜短。（秦詞正訛）

同　前

【南中吕泣顔回】花柳泛晴光。是處堪人遊賞。東風拂面。儘教酒興詩狂。闌干半晌。撚花枝掩映東南望。想㳓珠不負韶華。笑吟吟誰共尋芳。

【前腔換頭】南薰。入坐解襟當。懷抱向乾坤開放。生香不斷。正紅蓮並蒂池塘。槐陰半晌。舉齊紈遥指東南望。想玠珠苦暑無眠。夜深深誰共乘涼。

【前腔】蒹葭。白露已蒼蒼。開遍了芙蓉江上。碧天如水。漸梧桐月下迴廊。亭臺半晌。隔銀河迤邐東南望。想玠珠織女情多。恨悠悠誰共牛郎。

【前腔】同雲。飛雪獻禎祥。辜負了梅花紙帳。北風雁盡。恨無由書寄衡陽。圍爐半晌。啓芸窗袖手東南望。想玠珠錦被重重。喜雙雙誰共更長。

【賺】冷落東皇。一年景物徒勞攘。寂寞高唐。三楚精神成孟浪。忒倉忙。情到埋頭沒主張。兩茫茫。翹首東南空指望。咫尺難逢白四娘。

【撲燈蛾】一箇是懷春女。一個是畫眉郎。蟾宫無百里。鬼病有千塲。行也暗傷。坐也暗傷。捹何時得到他行。將往事從頭細講。縱他無淚也恓惶。

【尾聲】一塲好事從天降。握雨携雲入洞房。莫恠追歡笑語狂。（秦詞正訛）

同　前

【南黄鍾畫眉序】飛夢到南州。錦帳藏春小紅樓。喜素娥纖手。羅帶輕揪。美甘甘濃入心頭。羞答答嬌生眉皺。醒來窗外梅花瘦。依然獨擁衾裯。

【黄鶯兒】慵懶怕明眸。困模糊睡未休。小窗正是愁時候。殘書落手。長吁信口。這般滋味難消受。甚來由。傍人知否。應笑我太風流。

【集賢賓】俺也曾脚尖踢倒鸚鵡洲。俺也曾宮牆目斷曹劉。俺也曾董賈行中尋對偶。也曾在駟馬橋頭題詩一首。畢罷了相如琴奏。幸有文君廝守。再不去傍花隨柳。

【琥珀貓兒墜】陡因蘭畹。惹起這場愁。一掬心猿容易走。何時成就鳳鸞儔。温柔。錦上添花。蜜裡調油。

【尾聲】望風撲影空迤逗。攪肚搼腸心上有。海竭山崩怎肯罷手。（秦詞正訛）

之汴憶蘭畹

【南仙吕甘州歌】幽窗自省。悔多心多性。懊惱多情。思卿不見。見卿時祇可憐卿。温存笑我無軟欵。刁蹬知他不慣經。春宵短。别恨生。匆匆執手話臨行。風塵細。古道平。離歌一曲短長亭。

【前腔】歸來悶轉增。想洞房佳會。夜深風景。濃恩熱愛。翻騰做怨緑愁紅。枕邊蝴蝶顛倒夢。眼角珍珠斷續傾。眉頭鎖。心上釘。從來不似爲他疼。三尺劍。一點燈。黄昏相對到天明。

【解三酲】嘆虛名誤我今生。待偷閑恨未能。年來怕履梁園境。今日箇又西行。南州百二猶嫌遠。更阻夷山五百程。如萍梗。把心情說與。腸斷流鶯。【前腔】那人兒忒煞聰明。比梅花分外清。任他柳暗章臺影。再不去折輕盈。但期溟海迴鵬翼。同向秦樓學鳳鳴。悽涼景。聽不如歸去。杜宇聲聲。【尾聲】倩鱗鴻傳幽興。若教蘭畹惜惺惺。魂夢相隨到汴京。（秦詞正訛）

南北雙調合套

憶王翠筠

【步步嬌南】有箇人兒天生俏。又是冤家了。凝眸仔細瞧。本是王嬙。化生王老。身子兒細長條。可奈弓鞋小。

【折桂令北】忒風流官樣妖嬈。整整齊齊。擺擺搖搖。鴉矗雲鬟。梅粧花面。柳妬纖腰。秋水般胡伶六老。新月樣淺淡眉稍。一曲雲璈。幾幅紅綃。等閑間有筆難描。小可的無福難消。

【江兒水南】狂客三分傲。多情一捻嬌。從來兩好合一好。他肯字兒供成風月招。我念頭兒起下相思稿。空被無端懊惱。去也難留。忽的煙騰祆廟。

【雁兒落帶得勝令北】祇隔着黄河多半篙。剩强似弱水蓬萊島。則被他鼻尖一點糖迷了。我剔透靈犀竅。呀。這些時巫山夢遶碭山坳。避不得惹人談笑被人嘲。都道説卓氏元無意。把一箇漢相如乾病倒。蹊蹺。撞的我顫篤速心窩兒跳。多嬌。念的他熱忽刺耳朵燒。

【僥僥令南】硯水融細草。風調動纖毫。滿紙春心無聊賴。何處覓雙鱗。雁影遥。

【前腔】三生徒夢繞。百里但神交。何日鴛幃同携手。玉體倚周郎。抱小喬。

【尾聲北】淫聲艷語低低叫。試問冤家嬌不嬌。心坎兒上温存親到老。（秦詞正訛）

同　前

【南商調黄鶯兒】終日似癡呆。把真魂勾去也。誰曾一向經着這。臉皮兒火熱。汗珠兒水泄。幾番勉强臨書舍。眼乜斜。没精答彩。怕待把本兒揭。

【憶多嬌】人久别。病漸怯。覺比春煞陡些。展鏡俄然增嘆嗟。眼下冤業。眼下冤業。定是前生欠缺。

【前腔】情已切。燈半滅。好夢驚回簷外鐵。孤枕重沾杜宇血。心境隨邪。心境隨邪。畢竟何時定帖。

【鬬黑麻】無可奈行雲散歸楚峽。捱不到黄昏。海棠上月。愁壓損。太平車。纔下眉頭。又生眼睫。惱得潘郎鬢雪。沈腰寬數褶。忽上心來。忽上心來。最難打疊。

【前腔】猛想起蛾眉翠分兩葉。香馥馥梨花。潤生粉頰。嬌滴滴。眼兒睃。一曲清歌。巧鶯囀舌。摧我三花樹折。此情輕漏泄。只恐春來。只恐春來。〔九〕亂飛舞蝶。

【憶鶯兒】雲樹遮。道路賒。一望南州徒哽咽。兩地經年魚雁歇。人兒怎撇。腸兒寸結。無情虚度花開謝。那時節。輕丟易捨。恠我性兒烈。

【前腔】我見拙。他做絶。直至而今悔不徹。何日相逢細解説。情兒軟貼。腰兒欵折。鸞顛鳳倒無明夜。把冤業。常噙在口。生怕氣兒熱。（秦詞正訛）

閨　情〔一〇〕

【南商調黄鶯兒】轉眼又春歸。奈春歸人未歸。杜鵑啼老楊花細。紅英漸稀。緑陰乍肥。倚窗倦把殘粧理。翠眉低。雲鬟散亂。不覺墜釵兒。

【琥珀貓兒墜】冤家何處。歌館鬬胡姬。想是風情得意時。舊人掛口不須題。天知。誰短誰長。誰醒誰迷。

【皂羅袍】過了清明天氣。早南風扇暑。微透冰肌。青錢浮水貼荷衣。金丸過鳥驚梅子。門兒重掩。簾兒半垂。人兒不見。病兒怎醫。腰兒掩過裙兒衩。

【香柳娘】想當初共伊。想當初共伊。洞房佳會。誰曾經慣翻天覆地。任雲行雨施。任雲行雨施。被底强支持。燈前儘調戲。把虛頭認實。把虛頭認實。一點芳心。糊塗到底。

【江兒水】待説由他罷。終須吃您虧。當初錯信牙疼誓。從今猜破風流謎。再來休吊輕薄鬼。幾番待將他拋棄。沙裡淘金。割捨的這般容易。

【園林好】恠靈鵲簷前亂啼。每常時將人兒戲。這早晚又來聒氣。無定準謊東西。生被你誤佳期。

【江兒水】侍女迎門笑。掀簾入綉幃。聲聲報道人兒至。攬衣推枕徘徊起。下牀迎箇胸廝對。急忙待尋他箇不是。溺愛心腸。遮不過疼他的張致。

【僥僥令】乍驚還乍喜。將信又將疑。只恐相逢猶是夢。銀燭且高燒莫便吹。

【前腔】羞將手腕兒携。笑把臉皮兒偎。悄語低聲從頭問。問你這些時迷戀誰。

【尾聲】冤家件件都瞞昧。怎下的將他逼累。自温存還些業債兒。（秦詞正訛）

憶杜弱蘭

【南仙呂二犯傍粧臺】一别杜韋娘。愛刀割斷九迴腸。啼兩行渾是血。歌一曲不成腔。太清宫裡人何在。（弱蘭送余至太清宫信宿而别）雲雨臺前夢一場。心頭搔痒。鼻尖點糖。何時得見杜蘭香。

【黄鶯兒】當日好風光。趁濃陰醉海棠。情深睡足旒蘇帳。喜良宵未央。放春心正狂。起來猶帶妖邪樣。浴蘭湯。緑窗笑倚。臨鏡理新粧。

【琥珀猫兒墜】翠翹金鳳。偏趁羽霓裳。蓮步輕盈出洞房。乜斜餳眼抹情郎。何妨。推倒英雄。惱亂柔腸。

【皂羅袍】恠底蟾宫謫降。把素娥青女。閉月羞藏。狂蜂何事恁飛忙。閑花未許争開放。銀河玉樹。山高水長。人間天上。魂勞夢攘。從來好事多魔障。

【香柳娘】憶天台阮郎。憶天台阮郎。風流情况。花飛洞口春生仗。最臨岐可傷。最臨岐可傷。撒手太倉皇。仙凡兩分向。嘆歸途渺茫。嘆歸途渺茫。回首雲英。無緣再訪。

【江兒水】攬鏡添憔悴。臨愁没主張。此生懷抱同誰暢。債揭五百年前帳。人從十二峰頭望。不敢時常念想。猛可哩逗醒冤家。撲騰地心頭直撞。

【僥僥令】樓頭引鳳凰。花底宿鴛鴦。有日重揪香羅帶。親後更相親。蜜和糖。

【前腔】被翻紅浪錦。月下碧紗窗。情到歡濃難休歇。不覺透簾籠。近曉光。

【尾聲】那時休想輕輕放。生怕當初閃的慌。美滿恩情百歲雙。（秦詞正訛）

張雪仙晝眠

【南黄鍾啄木兒】幽窗下。暑氣清。寂寂蘭房户半扃。拂綽了冰簟藤牀。打疊起雨意雲情。渾衣睡倒無番正。模糊困久嬌如病。那箇蒼蠅敢作聲。

【前腔】金釵墜。寶髻橫。粉汗香消媚眼餳。露春葱半托桃腮。覆輕紗軟襯酥胸。想應迷戀陽臺夢。夢魂漸入歡娱境。因此上日轉西樓尚未醒。

【三段子】輕敲翠屏。猛可哩翻身戰驚。忙揉鳳睛。悄然的低聲叫應。起來欵把弓鞋蹬。下牀猶自撑不定。恰便似脱瓣秋蓮落地輕。

【前腔】閑行小庭。向雕闌折朶紅英。忙呼乳名。趁才郎簪入鴉翎。心慵怕待臨鸞鏡。來回自顧斜陽影。笑嬉嬉連理枝頭聽囀鶯。

【歸朝歡】空堦下。空堦下。薔薇數莖。黄昏後。黄昏後。流鶯幾星。明月上。明月

上。蟾光對熒。露華清。露華清。芳心自警。風流興盡更深静。倦倚郎懷作困聲。今夜温存必須更盡情。（秦詞正訛）

同前〔二〕

【南黄鍾啄木兒】香風細。綉幔開。春困佳人睡起來。百般嬌杏臉堪描。一窩絲鳳髻微歪。海棠未足妖邪態。乜斜餳眼嬌聲嗌。倦倚幃屏整綉鞋。

【前腔】〔三〕闌干外。花正開。見景無心對鏡臺。下蒼苔柳態輕盈。趁緑陰蓮步徘徊。探身折朵花兒戴。薔薇抓的烏雲解。笑倩才郎插鳳釵。

【三段子】流鶯弄乖。踏紅英落來滿堦。狂蜂浪猜。撲香風飛來滿懷。春光九十知難再。深深笑把東皇拜。切莫使風雨無情打陣摧。

【前腔】幽閑小齋。喜佳遊路入天台。妖嬈俊才。怕羞花半露香腮。眼前見有觀音在。人生何必超三界。端的是一刻能消萬刼災。

【歸朝歡】花陰下。花陰下。香肩並挨。頓忘了。有拘束。折腰的令宰。今生裡。今生裡。良緣早諧。勝跳出。無邊岸。沉身的宦海。黄昏皓月憑闌待。滿身香露沾清彩。只要的斗轉星移睡去來。（秦詞正訛）

雪夜憶雪仙〔三〕

【南仙吕入雙調步步嬌】萬里彤雲堪圖畫。凜冽寒威大。紛紛散六花。沽酒前村。高却旗亭價。人在楚天涯。把闌干幾曲剛憑罷。

【皂羅袍】簾幙重重垂下。恠朔風偏向。近水人家。幾乎凍損牡丹芽。陡然埋盡鴛鴦瓦。月明無影。庭棲暮鴉。年豐有象。誰同玉斝。照人惟有長檠架。

【前腔】記得當年今夜。正時逢美景。情在嬌娃。狂吟柳絮擅才華。笑烹雪乳分清雅。怕冰肌怯冷。懷兒揣他。見蛾眉顰翠。臉兒印他。糖人兒只恐熱騰化。

【黄鶯兒】兜的念頭差。爲功名壁上蝸。冤家送我梅花下。他倚朱闌淚洒。我據雕鞍上馬。别來鬼病難支架。碧桃花。天台人遠。何處泛胡麻。

【香柳娘】捹着箇想殺。捹着箇想殺。放心摔掛。糊塗情性難説話。瘦腰肢一把。瘦腰肢一把。無柰病根發。淹纏休當耍。惡相思半霎。惡相思半霎。煨盡寒爐。如痴似啞。

【江兒水】小院迷幽徑。孤城起暮笳。瀟瀟碎玉窗前打。衾寒冰的人兒怕。心邪題着名兒駡。錯恨誰真誰假。何事經年。直恁鸞孤鳳寡。

【僥僥令】嬌容閉月華。春色妬天葩。好箇人兒無由見。教我也思他。也恨他。

【前腔】何時重繫馬。花底再歡洽。無柰冤家嬌强性。一任軟禁持。碎扭掐。

【尾聲】誠心卜箇金錢卦。點檢六爻多混雜。徹夜挑燈自抵牙。（秦詞正訛）

寓京師寄雪仙

【南商調黃鶯兒】消瘦怯春衣。正東風料峭時。長安古道紅塵沸。春林鳥啼。斜陽馬嘶。聲聲逗落離人淚。苦驅馳。鄉關一去[一四]。轉[一五]眼望中迷。

【傍粧臺】[一六]到京師。懨懨無日不相思。剛經過旬月想。却又早隔年離。客愁頓覺容鬢改。旅况難將晝夜支。風流債。浪子虧。自家懊惱自家知。

【集賢賓】俺也曾大張兩翼圖萬里。俺也曾蟾宫桂折高枝。俺也曾對客揮毫驚坐起。也曾與山斗爭齊。鶯花隊裡。迒逗出□先奪翠。風韻美。似秦娥鳳樓簫史。

【前腔】功名苦爭張半紙。匆匆執手臨岐。柳色青青朝雨細。甚情懷更進一杯。心灰膽碎。眼睁睁搓折連理。天南地北。急囬首斷霞流水。

【解三醒】自分携各在天涯。夢見雖多相見稀。醒來紙上圖描你。倩畫史費心機。鐃他畫出王嬙貌。不似冤家模樣兒。如何是。總陽臺夢裡。夢的真實。

【前腔】掩重門放下簾幃。終日昏昏戀枕席。呼童勉强扶將起。求藥餌問良醫。縱然合得靈丹好。不及冤家甜唾兒。難調治。且時時想念。慢慢支持。

【賺】記得當時。上馬臨行手挽衣。問歸期。過了蕤賓近七夕。怕遲疑。先遣鱗鴻慰所思。臨別慇勤重致辭。莫相欺。見他先説人憔悴。此情爲你。須知此情爲你。

【掉角兒序】〔一七〕愛冤家雲鬢堆漆。愛冤家玉體凝脂。愛冤家十指柔荑。愛冤家八字蛾眉。愛冤家楊柳腰。梨花面。皓齒齊。金蓮小。百般嬌媚。功名未遂。相思漸危。又未知。甚日得再效于飛。

【前腔】想着他蕭寺徘徊。乙卯夏同避暑閒寂寺想着他鳴鹿追隨。是年冬同寓鹿邑想着他寒暑相依。想着他跬步難離。想着他伶俐心。拗强性。會禁持。能刁蹬。有誰陪侍。功名未遂。相思漸危。又未知。甚日得再效于飛。

【尾聲】冤家點檢辭中意。拍拍心頭休昧己。莫使惺惺笑我痴。（秦詞正訛）

同　　前

【南黄鍾啄木兒】人別後。信杳然。煙樹雲山悵望難。記行時粉傅梅腮。到今日青點荷殘。重門静掩空長嘆。皇都佳麗春歸遠。憔悴東風興已闌。

【前腔】愁今夜。憶往年。見説桃源洞裡仙。醉模糊饞眼相逢。熱忽剌濃鰾廝粘。雲情雨意多迷戀。遊仙舞蝶成虚幻。辜負了幾縷柔腸兩寸丹。

【三段子】燕山楚山。動不動千里經年。花邊柳邊。曾不曾一字相干。多情往日温存慣。幾曾經過生抛閃。只落的兩處相思一味甜。

【前腔】多愁厭煩。静悄悄危樓半間。無人往還。困騰騰渾衣午眠。呢喃驚覺梁间燕。無端笑我擡頭懶。却不會飛向他行訴一篇。

【歸朝歡】行雲散。行雲散。高唐夢殘。簫聲咽。簫聲咽。秦樓鳳遠。緑綺琴。緑綺琴。從今罷彈。樂昌鏡。樂昌鏡。何時再圓。飛奴此日當回轉。好把佳音爲我傳。但得句甜話兒捎來。使我病早痊。（秦詞正訛）

觸目書懷 沈伯英改

【南黄鍾啄木兒】遥觀見。一似他。低首沉吟多半霎。翠彎彎眉寫遥山。嬌滴滴臉襯朝霞。行行轉卻湖山下。冤家會教人牽掛。猛可裏還將餳眼抹。

【前腔】俄延處。詳細察。不是我冤家休當耍。仿佛間妖冶微同。分明的腔調全差。

冤家惱人無招架。一場訕殺天來大。那得笑臉生春多喜恰。

【三段子】為他為他。每日家書兒懶拿。害殺害殺。險些兒把命兒刮插。拗人的性兒難說話。没來由把我抑勒怕。莫不是呆裏撒奸。情薄意寡。

【歸朝歡】相思業。相思業。往時埰差。端的是知法犯法。他行怪。他行怪。自來弄假。不提防。今日裡。欺咱賺咱。不如捨卻冤家罷。幾回發狠將他罵。只怕遇著冤家病又發。（太霞新奏）

按：此套太霞新奏按曰：「雖經伯英竄改，純是秦大夫故吾。」

【南黃鍾啄木兒】見了箇人兒。一似他。低首沉吟多半霎。翠彎彎眉寫遥山。嬌滴滴臉襯朝霞。行行轉過湖山下。冤家會使人捧掛。猛可哩還將餳眼兒抹。

【前腔】俄延望。仔細察[一八]。不是我冤家休當耍。彷彿間妖冶微同。分明處腔調全差。冤家惱我無招架。一場煞訕天來大。那得箇笑臉生春恁喜恰。

【三段子】因他爲他。迤逗的書兒懶拿。愁殺害殺。險些把命兒割剮[一九]。拗强的性子難說話。糊涂帳把人刁蹬怕。莫不是呆裡撒嬌。情意兒寡。

【歸朝歡】這業兒。這業兒。當初埰差。端的是。端的是。知法犯法。那人兒。那人

兒。從來弄假。不隄防。不隄防。啜咱賺咱。不如捨了冤家罷。發箇狠兒咬咬牙。只恐怕犯着冤家病又發。（秦詞正訛）

【南仙吕望吾鄉】歸計蕭然。琴書只一肩。黄梅雨歇離亭宴。欲將好句酬知己。詩思愁中減。交游重。恩義兼。回首分天塹。

【傍粧臺】路漫漫。平林落日鳥聲喧。津問來皆楚水。雲破處是荆山。征夫告我長途倦。且脱駕皇華館。難消暑。不耐煩。坐待三更轉。

【解三酲】聽鷄聲寸心如箭。柰高人再四捧挽。荒祠古洞供遊覽。黄昏後不成眠。殘月隨人去遠。盡日驅馳到漆園。浮生短。傲吏閑。蝶夢真堪嘆。

【掉角兒序】兩三朝投轄肆筵。出紅粧主人情欵。柰高堂跂足可瞻。念慈闈倚門雙眼。着歸鞭。臨庭院。卸行纏。陳情膝下。聚首堂前。斑衣戲菽水歡。未許三公换。

【尾聲】嘆行踪如萍泛。臨風騷首望東南。兩地相思雲樹間。（秦詞正訛）

己未夏歸自鳳陽，諸老同寅及群弟子相牽餞于西郊，黯然而別。至懷遠，禹峰拉遊禹王祠、卞和洞，信宿乘月行三十里，薄暮抵蒙城，何老諸公留欵二三日。歸家拜母後柬此寄謝，雖其敍事太促，音節太迫，而意亦懇至云。

南北黃鍾合套

懷　美[二〇]

【醉花陰北】黑海憂心最難寫。没頭緒柔腸寸結。喬掛念歹週折。淚眼乜斜。怕對殘燈夜。細呫筭小冤業。不比尋常容易捨。

【畫眉序南】分首恰三月。轉眼如今半年别。記長亭折柳。玉指輕捻。挽青衫暫爾徘徊。拋紅淚愀然哽咽。幾葉碎把三花扯。離情不在多説。

【喜遷鶯北】自别來時節。惡相思只恁隨邪。喬怯。眼前面風光怪劣。砧韵蛩吟不斷絶。送將人魂去也。剛捱得紅榴錦綻。早不覺黃菊金疊。

【畫眉序南】重九雨聲歇。簫鼓叢中鬭驕奢。總白衣送酒。不禁交接。甚情懷細看茱萸。同那箇高登臺榭。鬱結似火心頭烈。被他顛倒豪傑。

【出隊子北】把簾櫳高揭。望陽臺道路賒。見參差叢樹暗重堞。正靉靆濃雲罩漢闕。更縹緲孤舟横渡野。

【神仗兒南】冤家那些。冤家那些。夢寐難尋。恩情怎撇。想那時粉臉兒廝貼。香噴噴甜津軟舌。肌膚瑩雪。頑一會恁親熱。停半霎似痴呆。

【刮地風北】那世裡才子佳人相遇者。喜今生羅帶重結。任春風幾度花開謝。永遠和協。偶然把夜光殘缺。誰承望寶釵擷折。雲雨臺。桃源路。下了鍬钁。老天心。狠似鐵。姻緣簿暗把名抹。半年來信音如燈滅。呀。這相思債未徹。

【神仗兒南】花下曾將誓盟設。泰山崩。滄海竭。生則同衾。死則同穴。吐膽傾心豈虛捏。並頭蓮。生硬折。

【四門子北】斷交遊懶入白蓮社。掩重門苦自嗟。心性兒嬌。模樣兒怯。乍相逢百般難記切。汗帕兒揾。衫袖兒遮。揩不盡重重淚血。

【鬧樊樓南】白晝看雲。青霄步月。瘦形骸無定貼。喬煩惱不斷輟。幾曾經這軟兀刺病倒也。

【古水仙子北】我我我命本拙。他他他怎不待高乘駟馬車。我我我寫幽情班管差懸。他他他恨離別金蓮頻跌。我我我虛驚破梦裡蝶。他他他憶劉郎洞口雲遮。我我我訪雲英隔溪風浪瀉。他他他怕舊時堂燕辭王謝。我我我虛垛下這場業。

【尾聲南】多嬌若得重歡悅。把思情從頭訴説。朝暮裡雲雨濃遮巫岫闕。（群音類選）

複出

套數

詠素蟾

【北南吕一枝花】噪晴蛙枉叫嚎。

詞林白雪無題，注秦復菴作。筆花集、北宫詞紀、彩筆情辭俱屬湯菊莊。兹已輯於湯式卷中，不重出。

〔一〕彩筆情辭題作憶妓蘭畹。

〔二〕新編南九宫詞題作「景」，群音類選題作「四景閨情」，俱注秦憲副撰。吴騷集、樂府先春無題，吴騷合編題作「四時閨思」，皆署名文徵明。吴歈翠雅、詞林逸響、萬錦清音、南音三籟題作「四時閨怨」，俱注陳大聲著。南宫詞紀無題，注王雅宜作。南詞韻選無題，不注著者。未知此四首是否果爲復菴所作，兹姑屬之，以待續考。

〔三〕南詞韻選無題，注秦復菴撰。

〔四〕南詞韻選無題，注秦復菴撰。

〔五〕原注：「原題四首，實存二首」。

〔六〕此套太霞新奏亦録，注秦復菴撰。

〔七〕【前腔】原缺，兹據律補。以下（【僥僥令】）【前腔】皆不書，不另注。

〔八〕「一晌」，原作「一餉」，兹改。

〔九〕此句原不疊，兹據律補。

〔一〇〕太霞新奏題同正訛，亦注秦復菴作。

〔一一〕此套亦見吴騷合編、太霞新奏，注秦復菴撰。太霞新奏題作「春齋即事」。

〔一二〕【前腔】原缺，兹據律補。

〔一三〕詞珍雅調題作「雪夜憶美人」，不注作者。太霞新奏題同正訛，注秦復菴撰。

〔一四〕「去」字原奪，兹據文義補。

〔一五〕「轉」字原奪，兹據文義補。

〔一六〕曲牌原奪，兹據律補。

〔一七〕【掉角兒序】原作【皂角序】。下同，不另注。

〔一八〕「察」，原刻本無法辨認，兹據文義補。

〔一九〕「剮」，原刻本無法辨認，兹據文義補。

〔二〇〕北宫詞紀題作「秋懷」，彩筆情辭題作「懷妓錦春」，俱注秦復菴撰。

周天球

周天球，字公瑕，號幼海，南直隸太倉（今江蘇蘇州）人。僑寓蘇州。諸生。善畫花卉，尤工蘭草，宗趙文敏。正德八年（一五一三）生，萬曆二十三年（一五九五）卒，年八十三。

小令

【南仙吕入雙調二犯江兒水】

紀情

記得他霧鬢雲鬟。嬌羞半掩門。似湘妃丰韻。巫女精神。俊龐兒羞傅粉。翠黛兩眉分。櫻唇一顆勻。堪愛堪親。宜喜宜嗔。間别來坐不安眠不穩。相思病看看在身。待倩個侍兒通問。又則怕惡搶白斷送人。（吴騷合編）

南宫譜云：此曲本係南調，前輩作此調者甚多，今銀瓶記亦唱作南曲可証也。不知始自何人，將寶劍記諸曲唱作北腔；此後紅拂、浣紗而下，皆作北腔唱矣。然作者本未嘗以北調題之也，今力正之。斷該除去疊句，決不可作北曲唱。蓋北調止有清江引，别名江兒水，與此曲絶不相同，則南北可立辨矣。

按：此曲吴騷二集題作「贈妓」，吴騷合編題作「紀情」，俱注周幼海撰。南宫詞紀題作「懷美人」，南詞韻選無題，皆不署作者。

朱憲㸅

朱憲㸅，遼王植六世孫，嘉靖十六年（一五三七）襲封遼王。以篤奉道教爲世宗所賞，賜號清微忠教真人。憲㸅聰明絶世，行多縱佚。隆慶初，坐罪降爲庶人。有味祕草堂集、種蓮歲稿。

套數

九九消炎圖

【北正宫端正好】正值慶良辰。喜遇蕤賓候。切香蒲滿泛金甌。筵前謾舞紅兒袖。願祝南山壽。夏至

【滚繡毬】喜葵榴遶禁樓。束艾蒲懸户牖。景繁華争如錦繡。散清香寶篆悠悠。坐涼亭臨水池。列芳樽烹異饈。奏一派管絃聲溜。摇八面寶扇風柔。槐陰滿地棋聲碎。月魄當空暑氣收。一九初週。一九

【倘秀才】度人間光陰未久。值林鍾炎威又走。敲破寒冰滿玉甌。紗廚焚麝腦。湘簟

起涼颼。正長天二九。二九

【滚繡毬】見長空火傘張。壯吟魂豁醉眸。袒胸襟晚涼消受。散青絲狂興偏投。蘸狸毫述幾詞。倚雕闌發一謳。清暑殿好風吹透。黑甜濃情契莊周。浮瓜沉李杯光閃。戛玉敲金詩思悠。三九臨頭。三九

【倘秀才】泛瓊漿頻擎玉斗。捲珠簾高懸玉鉤。蠅塵輕揮獨倚樓。山丹開曲檻。菡萏隱方舟。又逢四九。四九

【滚繡毬】夷則更節令催。平生債酒日綢。新雨過簷牙餘溜。弄紗窗蕉影沉浮。搆新詩抱膝吟。檢玄篇沿匱抽。睹榴花紅巾越縐。看荷池翠蓋藏鷗。方塘曲檻幽情廣。酒友詩朋佳會投。五九優游。五九

【呆骨朵】橋成喜見佳期又。渡銀河重會牽牛。上危樓兒女穿針。賀□星王孫進酒。則聽得睍睆歌鶯□。金盤戲巧安排就。綺筵羅列中堂後。□□□王宮賞新。涼過六九。六九

【倘秀才】暑纔消金風正秋。桂將開天香滿樓。白酒黄雞趣又投。紅牙供小令。翠袖捧金甌。喜盤桓七九。七九

【脱布衫】桂花叢香霧初收。小槽頭绿蟻如油。蓮褪紅池塘水淺。是八九仲秋時候。

八九

【醉太平】看青天月浮。泛桂蕊金甌。新嘗紫蟹到林丘。放高懷醉酒。呼兒謾舞郎當袖。試聽雲外簫韶奏。醉鄉風味許誰儔。賞中秋九九。九九

【尾聲】光陰迅速如車驟。過卻炎天九盡頭。秋蒲郊園□物稠。風戰林皋萬木颼。清淺池塘水不流。準備重陽新釀酒。喚起那五柳莊中避塵叟。（種蓮歲稿）

姜寶

姜寶，字廷善，一作惟善，號鳳阿，南直隸（今江蘇）丹陽人。嘉靖三十二年（一五五三）進士，選庶吉士，授編修。以不附嚴嵩，出爲四川提學僉事。遷國子監祭酒，官至南京禮部尚書。清修淳行，不競於物。有周易傳義補疑、春秋事義全考、姜鳳阿文集。正德九年（一五一四）生，萬曆二十一年（一五九三）卒，年八十。

套數

【北雙調新水令】玉堂名姓恰新題。每日家客窗沉醉。當日個杏花紅似火。如今呵驕馬去如飛。轉眼芳菲。又早是暮秋際。

【駐馬聽】白玉崔嵬。鳳闕雙尖盤紫氣。黃金壯麗。龍城一帶晃朱輝。碧天雲淨雁行稀。紅樓風急砧聲碎。這些時孤客邸。蚤教人鈎引起悲秋意。

【喬牌兒】他曾載顛狂柳絮飛。泛輕薄桃花墜。到如今蕭蕭紅樹殘陽内。瀉秋聲在禁城裏。

【雁兒落】看濕津津墨乍題。清楚楚新詩綴。空費他慘悽悽錦繡腸。多半是滴瀏瀏胭脂淚。

【得勝令】是嬌滴滴楚王妃。俊嫋嫋漢宮姬。冷清清描寫宮中怨。恨匆匆消磨心上悲。你痴迷。謾説道千里能相會。我驚疑。這些時傷心知爲誰。

【川撥棹】俺和你都弄虛脾。知道是假和真張共李。隔着這巫峽高低。湘水東西。空閃下一場憔悴。這乾相思難傳示你。

【折桂令】拾霜紅一葉東籬。我也索撮土爲香。再拜親題。央及你□□鶯燕勾差。煙花信使。風月文移。你須索向莽桃源□□符璽。險陽臺急豎旌旗。若能勾成就佳期。我向花柳場中。封你做撮合先魁。

【七弟兄】你豈知這事。罕稀。告神祇。若是三生有幸能相會。便天河一派隔東西。索借一道逆波兒流入宮墻内。

【梅花酒】呀。我待臨行囑付伊。你可趁着青堤。認着紅閨。投着朱扉。到溪頭尋舊主。向水面送新題。則説道出城西。遇紫衣。他見了葉痛傷悲。握着管恨迷離。眼巴巴盼佳期。意懸懸夢靈犀。

【收江南】呀。則見碧波中一葉去如飛。恰便是滕王千里順風吹。詞源三峽倒流推。

這漁郎可有喜。却怎生急煎煎流入武陵溪。

【鴛鴦煞】想藍橋路上瓊漿水。天台山下桃花蕋。他一般邂逅相逢遂于飛。我如今却將這紅葉傳情。新詩做媒。幾時得親近那有情娘。僥倖做風流壻。拚今夜孤棲。向百尺樓頭做個夢兒起。（樂府先春）

王交

王交，字徵久，號龍田，又號同齋，浙江慈溪人。嘉靖二十年（一五四一）進士，選翰林院庶吉士，授刑科給事中，轉户科給事中，官至南京太僕寺丞。有緑槐堂稿，散曲附。生於正德九年（一五一四），卒於隆慶四年（一五七〇），年五十七。

小令

【南商調黄鶯兒】四首并小序

唐婁江少參坐中，聞何春泉大參之訃，相對愴然。追懷館省數年之好，乃自庚戌會讌紫陽山樓，即成永別矣。婁江述其同官蜀時，所爲黄鶯兒詞，春泉有「風雨暗江天」之倡。噫！胡然而有此哉。可悲也，因用歌以挽之云。

風雨暗江天。錦繡詞動三川。依然價重瀛洲選。春去花前。秋歸雁邊。英魂何處傳哀怨。憶當年。看花瓊苑。今伴廣寒仙。

風雨暗江天。嘆高歌空斷編。夜坐燈花和淚剪。三峽啼猿。千山喉鵑。遥寄悲腸還百轉。憶當年。論文秘館。今作玉樓仙。
風雨暗江天。慘聲容朝露先。宋玉秋懷遺九辯。溪咽寒泉。山平暮煙。千古桐江人
不見。憶當年。鵷班禁瑣。今補掌書仙。
風雨暗江天。斷腸聲白雪篇。楚水秋濤悲露冕。金緋鉅員。臺階譽賢。忍辜重宸方
隆眷。憶當年。吟杯具院。今侶紫陽仙。

孫　樓

孫樓，字子虛，號百川，南直隸（今江蘇）常熟人。嘉靖二十五年（一五四六）舉人，授湖州府推官，改漢中，致仕歸。性好書，家有博雅堂藏書萬餘卷，杜門校讎，晝夜不輟。著有百川集十二卷，吴音奇字四卷及麗詞百韻等。正德十一年（一五一六）生，萬曆十二年（一五八四）卒，年六十九。

小　令

【南商調黄鶯兒】

嘲　妓[一]

桃暈兩腮烘。軟腰肢如病中。乜斜雙眼銀波湧。歌兒意慵。舞兒意慵。偎人慢把香肩聳。鬢雲鬆。石榴裙上。翻污唾花紅。右醉妓（南宮詞紀）

春夢海棠嬌。錦重重混暮朝。陽臺一到何時覺。莊周半宵。陳摶半宵。鄰雞唱罷那

知曉。曙光搖。纔臨粧鏡。尚朦着眼兒梢。右睡妓（南宮詞紀）

鵲淚暗中流。豁崖旁草色幽。霞侵鳥道丹泉溜。桃花洞口。紅葉御溝。胭脂濕沁鮫綃縐。遇鸞儔。似霜酣玉樹。粧點梵宮秋。右月妓（南宮詞紀）

雲雨興偏濃。惹靈犀透子宮。桃花落後枝頭重。生男呵命窮。生女呵命通。阿誰留下風流種。恨填胸。無端十月。空守燕樓中。右孕妓（南宮詞紀）

仰面覷多嬌。出蘭房須折腰。牆頭露出如花貌。也不是宮粧髻高。也不是綉鞋底高。拜如綽楔因風倒。對芭蕉。太湖石畔。有個女曹交。右長妓（南宮詞紀）

繡閣俏嬋娟。恨朝朝害粉錢。龐兒亂撲梨花片。千圈萬圈。不方不圓。水漚滿泛清波面。貼花鈿。繁星拱月。點破鏡中天。右麻妓（南宮詞紀）

美盼恨多虧。倚門兒半掩扉。生來隻眼常如睡。這一邊是伊。那一邊是誰。盈盈秋水渾無對。憶人歸。五更珊枕。清淚一行垂。右眇妓（南宮詞紀）

躑躅步難嬌。錦裙襴滿地稍。畫堂咫尺行不到。走時節體搖。立時節腿蹺。怎能匍匐邯鄲學。要風騷。鳳鞋一隻。須襯底兒高。右跛妓（南宮詞紀）

洒墨俊芳卿。粉容鋪點點青。月中掩映婆娑影。莫不是湘妃淚凝。莫不是壽陽翠輕。臉兒堆着貪花性。曉粧成。粉勻雖厚。猶露黑星星。右斑妓（南宮詞紀）

雲鬟已全稀。曉來粧倩麝煤。釵頭金鳳簪還墜。髻兒也是假的。髢兒也是假的。欲盤龍鳳渾無計。入招提。色空空色。一様比丘尼。右禿妓（南宮詞紀）

解語逞花嬌。口兒甜似利刀。如簧鸚鵡聲聲巧。詼諧儘調。是非儘嘲。霎時惹得花街鬧。絮叨叨。席間枕畔。恰是鵲争巢。右佞妓（南宮詞紀）

錦帳鬧寃家。睡來時却又撾。淋漓濕透猩紅帕。金蓮兒上叉。玉纖兒緊拿。一生熬不得三更寡。鵲喳喳。日高下榻。猶弄後庭花。右淫妓（南宮詞紀）

婀娜半佯羞。萬千呼始上樓。潘郎玉貌猶嫌醜。低歌一謳。斜顰兩眸。當筵十度更羅袖。意難投。行雲易變。心事曲如鉤。右者妓（南宮詞紀）

幽會楚陽臺。巧相逢不索財。倉忙攜手花陰外。衣鬆褲開。釵横髻歪。有人來也伊須快。囑乖乖。人前口穩。得空便還來。右偷妓（南宮詞紀）

一氣本相通。笑家雞雌逐雄。孤房有個人填空。蕭郎也是本宗。蕭娘也是本宗。竈兒原入竈兒洞。算春風。知心幾許。多在教坊中。右鑚妓（南宮詞紀）

只要匾兒多。便村郎没奈何。少年兀自尋窠座。是石崇也接他。是范丹也接他。生辰一月三迴做。你知麽。迷魂太歲。不怕鄭元和。右貪妓（南宮詞紀）

並戲水中鴛。不猜枚便蹴圓。皮囊只把邨郎騙。骨頭又牽。髻兒又偏。鬧中頻墜金

釵釧。笑聲喧。短牆遥望。三五賽鞦韆。右頑妓（南宫詞紀）

紅粉擅平康。妒西施忌孟姜。玉郎那許人相傍。哄他時淚流兩行。惱他時氣塞滿腔。時光獨占流蘇帳。醋成缸。烟花浪宕。錯認是鴛鴦。右妒妓（南宫詞紀）

蠢物太懵騰。做衏家全不惺。情人個個忘名姓。抹牌兒也不能。賭色兒也不能。猜謎只把秋波睁。教彈箏。三年五載。半句未成聲。右拙妓（南宫詞紀）

他是負心的。没來由你自迷。臨風空洒胭脂淚。茶來也不知。飯來也不知。花前驀地搥雙腿。强支頤。背燈無語。只是戀王魁。右癡妓（南宫詞紀）

雙淚界紅妝。拭千行更萬行。指彈片片桃花浪。黿兒性狂。鴇兒性剛。一宵無客還遭杖。笑迎郎。强爲容悦。眉宇尚悽惶。右泣妓（南宫詞紀）

飄泊比楊花。鬢雲邊插賣叉。明珠三斛難勝價。昨朝那家。今朝這家。紙鳶一任東風嫁。姓名差。門庭已改。猶抱舊琵琶。右鬻妓（南宫詞紀）

野鶩怎能留。惡姻緣不到頭。傷春每恨當初謬。癡心未收。熱心未休。恩情有限終非偶。整風流。還鄉老馬。猶記舊青樓。右還妓（南宫詞紀）

欲證再生因。悟三途斷五辛。腥餚未許沾香脗。秦樓此身。禪關此心。風塵未脱常縈恨。伴郎君。舌兒相送。難道未開葷。右齋妓（南宫詞紀）

蕩槳出紅粧。喜長途笑語香。推篷躍入中艙帳。舟金易償。稍金怎當。長年僵卧寒江上。宿鴛鴦。凌波春意。只在水雲鄉。右航妓（南宮詞紀）

末路嘆當壚。借春光釀一壺。青帘摇颺輪蹄路。南來的也呼。北來的也呼。酒籌玉指頻頻數。日將晡。高陽醉者。今日是吾夫。右肆妓（南宮詞紀）

貧妓忽妖粧。欲窺人半倚牕。等閑價出平康上。似良不良。似娼不娼。乍逢猶作嬌羞狀。問檀郎。今宵義讓。伴醉卧鄰房。右私妓（南宮詞紀）

薄命粉骷髏。悶沉沉簾下鈎。顛狂惹得朱顔瘦。對花也愁。對月也愁。等閒花月難消受。淚雙流。昨宵薄倖。若個到床頭。右病妓（南宮詞紀）

强作倚門羞。感新粧憶舊遊。緑陰成子鶯啼後。年華水流。鬢華易秋。當年舞袖知存否。問江州。琵琶寫怨。誰是泛茶舟。右老妓（南宮詞紀）

【南南吕羅江怨】

閨　怨[二]

〔香羅帶〕懨懨病漸濃。誰來和哄。春思夏感秋又冬。把滿懷心事訴天公也。〔一江風〕天不憐人。一任你遭磨弄。恩多也是空。情多也是空。都做了南柯夢。（吴騷合編）誰料浮沉。不把我伊西我在東。何時再逢。花箋漫寫封又封。叮嚀囑付與鱗鴻也。誰料浮沉。不把我音書送。思量也是空。埋冤也是空。都做了巫山夢。（吴騷合編）

恩情逐晚風。心意懶慵。伊家做作無始終。盟山誓海耳邊風也。不記當初。多少恩情重。虧心也是空。癡心也是空。都做了蝴蝶夢。（吴騷合編）

惺惺似懵懂。落伊彀中。無言暗把珠淚傾。口心誰想不相同也。一片真情。若個能知重。得便宜也是空。落便宜也是空。都做了邯鄲夢。（吴騷合編）

複　出

小　令

【南仙吕九迴腸】

懷　舊

對燈兒幾番思想。

苦心兒終朝寧耐。

吴騷合編題作「懷舊」，注孫百川撰。南宫詞紀、太霞新奏俱注高深甫作。兹已輯於高濂卷中，不重録。

套　數

秋　閨

【南商調鶯啼序】梧桐一葉初凋。

吴騷合編題作「秋閨」，署孫百川撰。吴歈萃雅題作「秋思」，注王雅宜作。兹已輯於王寵卷中，此不重出。

〔一〕此題中孕妓、長妓、麻妓、眇妓、跛妓、秃妓、鑽妓、妒妓、癡妓、航妓、老妓等十一隻小令，亦見馮夢龍編黄鶯兒一書，不著撰人。

〔二〕詞林摘艷、南宫詞紀題作「閨情（中）四夢八空」，雍熙樂府題作「相思」，金瓶梅詞話無題，太霞新奏題作「閨怨」，俱不注撰人。舊編南九宫譜無題，注散曲。南詞新譜録首曲，注徐稿作林招得傳奇。吴騷合編題同新奏，注舊詞。萬錦清音題亦同新奏，注孫百川撰，或有所據，兹從之。

陳 鶴

陳鶴，字九臯，又字鳴野（一作鳴軒），號海鶴，别號海樵、水樵生，又稱海樵山人，浙江山陰（今紹興）人。穎悟絶倫，甫成童，已知好古，置奇帙名帖，窮日夜誦覽。年十七，以例襲蔭紹興衛百户，非其素志，棄所授官，隱居飛來山之息柯亭。長於畫水墨花草，復工散曲，著有海樵先生集二十一卷，及越海亭詩、息柯餘韻、孝泉記傳奇等。正德十一年（一五一六）生，嘉靖三十九年（一五六〇）卒，年四十五。

小令

【南正宫錦纏道】

惜别

憶風流。醉眠在吴姬酒樓。錦帳控雙鈎。未言時早自覺密意先投。殢殺人蕩秋波含情兩眸。哄殺人綻櫻桃生香小口。玉板按鶯喉。正歡娱子夜萍蹤不久。留宴罷催歸

棹。把一迴歡翻做了兩重愁。（南宫詞紀）

【南仙吕桂枝香】

春　怨

半庭殘雨。一簾飛絮。去年燕子重來。今日那人何處。題詩寄伊。題詩寄伊。只怕花飛無據。春難做主。暗躊躇。怎能夜化身爲蝶。遥隨夢入吴。（南宫詞紀）

【南仙吕入雙調玉抱肚】

相　思

相思難治。似鍼芒鑽人肚皮。軟尖刀割不斷柔腸。蠟槍頭怎透玄機。暗中着箭倩誰醫。笑裏藏刀你自知。（南宫詞紀）

【南商調黄鶯兒】

客中有懷

夜雨半牀寒。那人兒隔萬山。空勞兩下裏把魚書盼。要相逢最難。待丟開又難。終日家淚流揮洒成河漢。客身單。天涯千里。愁對一燈殘。（南宫詞紀）

【南雙調鎖南枝】

夜　懷[二]

黄昏後。方一更。知君點易臨小庭。燈火隔窗明。人聲四鄰静。停樽待。掃逕迎。猛可的月移花。只疑是君影。（南宫詞紀）

天街静。二鼓餘。知君此時還讀書。我寶髻未曾除。你囊螢燦如許。門雙掩。榻半虚。猛可的竹生風。只疑是君語。（南宫詞紀）

三更漏。夜半天。知君展卷猶未眠。鐵馬逐風傳。銀河傍簷轉。披衣起。當案前。猛可的讀寄來書。只疑見君面。（南宫詞紀）

譙樓鼓。剛四鼕。思君不來牀半空。鬼病害得帶圍鬆。佳期數得指頭痛。燈初暗。睡正濃。猛可的共君眠嘆。原來是一夢。（南宮詞紀）

殘更斷。星斗稀。知君出門來也未。隔水一雞啼。喧林亂鴉起。人將至。喜上眉。休問我夜來情。你自去看枕邊淚。（南宮詞紀）

套數

閨怨[三]

【南越調番山虎】夜雨滴空堦。頓使離人愁滿懷。淚滴珍珠在胸前揣。翠屏空自靠。綉衾懶去捱。香消金鼎。燈昏寶臺。空房孤另守。更長夜怎捱。此際實無柰。愁眉不展開。〔合〕短命喬才。命短喬才。去後音書漸乖。

【前腔】身心一派。枉自徘徊。想起情思渺。夢魂到楚臺。又被簷鈴鬭。猛驚覺來。不記得花前語。把盟言盡鎖埋。空自嗟謾自悲。多想他貪歡愛。何時得再諧。〔合前〕

【前腔】他那裡珠圍翠繞。咱這裡形骸漸衰。他那裡戀香腮。咱這裡朱顏改。塵蒙鏡臺。空閑寶釵。瘦得似沈郎腰蕭條羅帶。悶得似潘郎貌雙鬢早白。都只爲分淺緣慳。

總是妾命乖。〔合〕甚日歸來。但得歸來。錦帳鮫綃再解。

【前腔】去時節春花艷色。到如今秋深時屆。全不想恩情重似山。空教我悶懷深似海。懊恨喬才。枕簟無眠。下得人毒害。〔合前〕

【尾聲】一牀錦被空閑在。萬種離愁縈滿懷。寂寞難禁瀟瀟雨洒堦。（群音類選）

客中有懷〔三〕

【南南吕梁州賀新郎】江聲喧枕。月光籠地。遥憶佳人湘水。披衣出户。惟餘形影相隨。羞見雙星並彩。芳樹連枝。自覺身無倚。行雲空在眼。會難期。咫尺陽臺路欲迷。〔合〕恩愛債。風流契。恰纔撇去還牽繫。人獨寢。淚雙垂。

【前腔】燈前瑶琖。花間瓊珮。浪把春光虚費。今日個寒庭斜月。愁看烏鵲南飛。只爲你紅顔絶調。青眼憐才。一見心先會。終宵成繾綣。願相依。耳畔盟言詎可違。〔合前〕

【前腔換頭】想當年笑口歡眉。今日裏苦情酸味。望秦樓楚館。遠隔着烟草凄迷。自恨我相如遊倦。王粲懷鄉。輕把文簫棄。梅花香未破。月空移。一點芳心我自知。〔合〕焚寶鼎。祈天地。今生再續鸞凰會。連衾枕。有光輝。

【前腔】恨萍蹤不住東西。奈風絮飄飆無蒂。把夢中情緒。都付與茅店寒雞。空教我淚添司馬。腸斷蘇州。魂繞闌干翠。何年同放棹。載西歸。做了裙布釵荆萊子妻。

〔合前〕（南宫詞紀）

重　逢[四]

【南仙吕入雙調步步嬌】歡喜冤家重相見。一笑春風面。褰衣玉帳前。兩下相思。和淚都言遍。底事到埋冤。惡狠狠教我難分辯。

【川撥棹】我爲你愁難遣。苦雙眸望欲穿。隔關山有信難傳。隔關山有信難傳。洒啼痕春殘杜鵑。把歡娱地做了離恨天。比翼鳥做了斷腸猿。

【江兒水】眉自今宵展。心非昨日懸。花前未語先留戀。半似含羞半含怨。柳腰低嚮東風軟。把酒殷勤酬勸。早謝絶了千里鱗鴻。結識上三春鶯燕。

【好姐姐】良緣。指雙星在天。錦屏前又同歡宴。瑶琴寳瑟。一似續斷絃。情偏綣。春庭鬭草簾重捲。夜閣看花月再圓。

【尾聲】從此去天長地久心難變。歡娱惟願夜如年。羞殺他又抱琵琶上別船。（南宫詞紀）

贈劉姬

【南商調集賢賓】當年采春元姓劉。看伊一樣風流。不枉名傳文士口。滿門前肥馬輕衾。管鳴絲奏。終夜裏花燈如晝。分緣到手。不由人不戀衾裯。

【琥珀貓兒墜】青天明月。圓缺幾番愁。何似俺恩情長聚首。笑他們楊花心性太沉浮。含羞。全不知□□□□。葉落歸秋。

【尾聲】烟花孽債非常久。樂當濃處好回頭。休直待車馬蕭條。那時纔罷手。（南宫詞紀）

題　情[五]

【南商調集賢賓】相思如水無盡流。那人只在溪頭。落月停雲延佇久。待丟開又哽上咽喉。沈腰似柳。我今番比他還瘦。君知否。願休忘同氣相求。

【琥珀貓兒墜】無眠起坐。殘夜水明樓。南望銀河隔女牛。兩廂音耗尚沉浮。難休。不知他這腮邊別淚。何日同收。

【尾聲】書聲僅隔着梧桐牖。空教人嚮夢裏尋求。不能勾笑擎着杯兒兩唱酬。（南宫詞紀）

歸　田

【南仙呂入雙調步步嬌】上疏辭榮歸田裏。笑傲烟霞裏。茅堂傍宛溪。結社邀賓。做個香山會。眼前世事再休題。只圖日出三竿睡。

【江兒水】樂與漁樵共。行惟鹿豕隨。安排着石牀茶竈向山林地。草衣木石做神仙隊。怎肯褰裳濡足在風波世。説甚麽圖名圖利。試看那古往今來。有幾個全身保位。

【園林好】我畏途中真能見機。急流中偏能勇回。毫不把浮華牽繫。問他們知未知。問他們歸未歸。

【川撥棹】賢堪擬。羡張良和范蠡。把公侯看作途泥。把身名變作鴟夷。這機關韓彭尚迷。赴雲陽却怨誰。醢其軀却怨誰。

【五供養】回思往昔。日侍龍顔抗疏黄扉。越南將郡定。東魯把兵提。文風大振。還栽遍滿門桃李。藩乘雲外馬。肅霜威。都做了邯鄲道上夢魂飛。

【僥僥令】今日個黄花三徑老。紫蟹五湖肥。看酒債詩魔隨處是也。强似分符鎮海夷。

【前腔】林泉隨我住。經史任兒爲。把未了功名憑伊補。又何必家藏封禪碑。

【意不盡】敬亭日暮嵐光起。明月清風滿釣磯。一任我醉問孤山處士梅。（南宫詞紀）

〔一〕吴騷二集、詞林逸響、吴騷合編、太霞新奏題作「夜思」，曲牌爲「鎖南枝」。南宫詞紀原牌作「孝順歌」，今正。

〔二〕昔昔鹽題作「怨入愁腸」，樂府争奇無題，俱不注撰人。樂府先春、吴騷集無題，皆注古調。群音類選題作「閨怨」，署名陳海樵，兹據類選輯之。

〔三〕彩筆情辭題作「客懷」。

〔四〕群音類選題作「歡會」，彩筆情辭題作「復歡」，俱署張解元作。南宫詞紀題作「重逢」，注陳海樵撰。未知孰是，惟兩套曲文差異頗大，兹並收之，互見陳、張兩家曲中。

〔五〕昔昔鹽亦收，不注撰人。

吴懋

吴懋，字德懋，號高河，雲南太和（今大理）人。嘉靖十九年（一五四〇）舉人，授順慶府通判，官至階州知州，尋卒於官。師事楊慎，而從之游，與楊士雲、王廷表、胡廷禄、張含、李元陽、唐錡，時有「楊門七子」之稱。著有乘槎集、南霞集和葉榆檀林志八卷等。正德十二年（一五一七）生，嘉靖四十三年（一五六四）卒，年四十八。

套數

【南黄鍾畫眉序】花月可憐宵。回首風江欲上潮。聽竹西歌吹。猶似前朝。隋堤外一抹山光。夜市裏雙聲水調。纏腰。争買迷樓俏。滿樓紅袖相招。

【金衣公子】城鎖月明橋。舞春風柳萬條。畫欄紅藥家家好。詩人彩毫。佳人玉簫。人生只合揚州老。夜迢迢。隔籬呼酒。揭調務頭高。

【集賢賓】書記平安街子報。掌中偏愛妖嬈。善和坊裏把詩嘲。張公子從來調笑。茶煙鬢嫋。春夢醒舭舡一棹。空擾擾。摠不如大槐宫穩著金貂。

【琥珀貓兒墜】蜀岡鍾梵。禪智舊僧寮。苦海回頭須是早。遠公爲我設香醪。陶陶。正下界林疏。上方月曉。

【尾聲】江南江北無芳草。歎歲莫蓑萉載道。且吟就東閣官梅何水曹。（玲瓏倡和）

偶録得拙詞，便寓我升庵父師一笑。侍翁有爾汝莫逆之愛，不避媟瀆。小子楙頓首頓首具。

案：此曲亦見朱曰藩射陂蕪城詞。兹互見兩家曲中，以俟續考。

吴　嶔

吴嶔，字宗高，號崑麓，别號未了庵，南直隸武進（今江蘇常州）人。工散曲，曲品云：「吴居士會心絲竹。」嘉靖十八年（一五三九）入學籍，師事唐順之。嘗官長垣教諭、國子監助教。有詩經講義，校定南詞引正等。正德十二年（一五一七）生，萬曆八年（一五八〇）卒，年六十四。

小　令

【南仙吕入雙調玉抱肚】

詠　淚（二）

相思潦倒。泣東風何時恨消。海棠絲界破紅粧。梨花雨滴碎瓊瑶。還餘一點在眉梢。留到更深枕上拋。（南宫詞紀）

如夢〔三〕

寃家難見。要見他雲山杳然。抵牙兒想得心痴。猛擡頭似遇嬋娟。又非清夜夢中緣。爲甚白日魂兒常自連。（南宫詞紀）

【南商調山坡羊】

寒夜〔三〕

冷閣餘香猶峭。半壁殘燈空照。衷情萬疊難對丫鬟道。淚暗拋。金釵獨自敲。清清細數三更到。第一關心是麗樵。無聊。中心似火燒。難熬。渾身似水澆。（南宫詞紀）

套數

倚樓恨別〔四〕

【南仙吕桂枝香】畫樓憑倚。綉窗凝思。静聽午夜更籌。數盡了一春花雨。心中自思。心中自思。與你何時相會。使我芳容憔悴。薄情的。約在元宵後。朱明又近矣。

【不是路】燕子飛飛。掠水來尋梁上棲。這的是鳥無知。尚尋着危巢舊壘。可以人而不鳥如。昏沉睡。那堪亂亂愁千縷。除是朦朧一夢裡。教我如何是。看看瘦削温香體。甚藥能治。總有妙藥難治。

【長拍】淡淡湘山。淡淡湘山。悠悠漢水。頃刻間暮雲遮住。這是俺〔五〕五行八字命運中合受分離。對鏡自支頤。怎禁那一點點。粉容消膩。兩蹙愁眉不住鎖。分明是霧擁高峰難展舒。空教奴立化作了望夫石。又不知那天涯浪子。知也不知。

【短拍】簪解螭頭。簪解螭頭。釵分鳳尾。不成雙見了傷悲。誰與我訴淒其。縱然有鸞箋鳳管。難寫我萬愁千緒。若遇多才。傾倒似花向春。皓月重輝。

【尾聲】鵲聲噪。行人至。從此與你同行共止。再不放你獨自離家不肯歸。（昔昔鹽）

複出

套數

贈金陵妓者蔣蘭玉

【南仙吕入雙調步步嬌】小曲幽坊重門啟。

翰苑詞珍題作「贈金陵妓者蔣蘭玉」，注吴崑麓撰。吴騒集目録注王雅宜，曲文中署梁少白。江東白苧、樂府先春、彩筆情辭俱屬梁辰魚。兹已輯於梁氏卷中，此不重出。

秋　閨

【南商調集賢賓】芭蕉冷落秋夜幽。

吴騒合編題作「秋閨」，注吴崑麓撰，惟目次署古調。吴歈萃雅、詞林逸響、古今奏雅、南音三籟俱注劉東生著。兹已輯於劉兑卷中，不重録。

〔一〕南宫詞紀、南詞韻選俱題作「咏淚」，注吴崑麓撰。
〔二〕南宫詞紀題作「如夢」，注吴崑麓著。
〔三〕南宫詞紀、南詞韻選題作「寒夜」，俱注吴崑麓著。南音三籟題作「春寒夜夢」，署名虞竹西。
〔四〕樂府先春、吴騒集無題，皆署名吴崑麓。吴歈萃雅、詞林逸響、珊珊集、古今奏雅、怡春錦、南音三籟題作「春怨」，俱注陳大聲撰，惟不見陳大聲樂府全集，未必可信。新編南九宫詞題作「情」，注舊詞。群音類選題作「閨情」，昔昔鹽題作「倚樓恨別」，樂府争奇無題，皆不署撰人。
〔五〕「俺」，據類選補。

胡以正

胡以正，生平不詳。

套數

端陽

【北中吕粉蝶兒】殿閣生凉。起薰風綉簾飄蕩。正炎天節遇端陽。海榴開。芰荷綻。錦葵争放。囲道湘江。詠離騷楚人悲愴。

【醉春風】虎艾遍門懸。龍舟也齊盪槳。蘭堂時浴應蕤賓。堪宴賞。賞。金字瓜開。銀絲細切。玉壺佳釀。

【紅綉鞋】翡翠蹙宫衣時樣。彩索結紅綉新粧。避兵符斜挑鬢雲傍。擁翠袖筵前立。列金釵擺成行。説蓬萊都是謊。

【耍孩兒】設盃盤水陸涼亭上。別是箇風光畫堂。飛觥走斝莫消停。笑吟吟慶賞端陽。菖華泛酒堯樽緑。菰葉縈絲楚粽香。齊歡暢。一壁廂彈絲品竹。舞袖歌腔。

【尾聲】喜孜孜相勸酬。樂醄醄入醉鄉。直喫的玉山頹斜倚在雕欄上。聽一派仙音動天響。（詞林摘艷）

案：盛世新聲、盛世詞林無題，俱不注撰人。

曹氏

曹氏，其名不詳。明教坊樂伎。

套數

南北中呂合套

冬至

【沁園春南】瑞靄祥雲環禁闈。黄鍾應六琯動浮灰。迎長又喜一陽回。萬國衣冠朝帝畿。太平逢嘉會。嵩祝讚鴻禧。

【普天樂北】望蓬島彩雲垂。賀新冬逢長至。敞金門啓玉殿。引鑾輿車擺列龍旂。玉筍班珮珂聲。共祝讚咸歡會。四海車書今同軌。偏遐邇壽域同躋。争歡娱宴。喜仰千秋萬歲。奉天命永固皇基。

【泣顔回南】晴日鳳凰池。大地陽回春意。九重歡宴。瓊觴更滿泛香醴。歌傳妙曲。

奏鈞天律呂和宫徵。荷皇恩永樂昇平。共仰戴聖明天子。

【紅綉鞋北】聖主承天致治。仁風廣被華夷。太平千載應昌期。春回雙鳳闕。日轉萬年枝。仰天顔常有喜。

【千秋歲南】太平時。幸覩唐虞聖。制禮樂登庸賢士。民物熙和。盡説道四方年豐時序。九重上風雲會。又正遇着履長。慶一陽來至。稽首金門下。效華封人三祝聖壽天齊。

【快活三帶鮑老兒北】喜遇得聖朝熙皡政化美。普天下聲教布恩威。梯山航海盡未歸。似乾坤發育在春風裏。正是那萬國咸賓古來莫比。億萬萬歲邊墩上烽烟息。聖子神孫保祚基。廟社永久安磐石。共祝頌皇圖鞏固。山河帶礪。萬姓雍熙。

【越恁好南】聖人端拱。御天下撫群黎。盡乾坤一統均化育。現祥瑞産嘉禾紫芝。景星明慶雲甘露又垂。郊藪出麒麟。覩騶虞彩鳳重疊獻奇。兩間内四海中總是春和氣。祝皇明萬歲五福咸備。

【紅綉鞋北】總歡慶際遇明時。感聖主德侔天地。奏九成舞干羽。鏘金珮獻壽巵。齊祝讚拜彤墀。

【尾聲】九重殿上紅雲裏。文武班列陳羽儀。山呼拜跪聖壽齊天萬萬歲。（詞林摘艷）

案：盛世新聲無題，不注撰人。曲牌「泣顔回」原誤作「好事近」。

宋登春

宋登春，字應元，號海翁，別號鵝池生，直隸（今河北）新河人。少能詩，善畫。性嗜酒慕俠，里中呼爲狂生。年三十，一歲間妻子女五人相繼亡，遂棄家遠遊。徐學謨守荆州，深敬禮之。後學謨致仕歸，登春訪之吴中，買舟浮錢塘，徑躍入江死。所著詩稱宋布衣集。約生於正德十二年（一五一七），約卒於萬曆十二年（一五八四）。

小令

【北雙調清江引】

糯米酒兒鮮魚鮓。還喜生薑辣。秋天不肯明。只把鷄兒駡。呼童兒點燈來花下耍。

（堅瓠四集）

按：原姓「宋」誤爲「宗」，形似致誤。

梁辰魚

梁辰魚，字伯龍，號少白、少伯，别號仇池外史，南直隸（今江蘇）崑山人。以例貢爲太學生。任俠好遊，足跡遍吴楚間。與莫士龍等人組「鷺峰詩社」。寄寓金陵，和曹大章、金鑾、張鳳翼、潘之恒相唱酬。工詩，精音律。邑人魏良輔改諸調爲崑腔，伯龍作浣紗記傳奇付之。另著有雜劇紅線女、紅綃伎，以及散曲江東白苧、江東二十一史彈詞、鹿城集、梁國子生集等。生於正德十四年（一五一九），卒於萬曆十九年（一五九一），年七十三。

小令

【南仙吕月雲高】

風　情二首(一)

夢魂初覺。閒庭弄花草。見蛺蝶雙雙戲。忍不住將闌干靠。誰料喬才。隔窗兒覷着了。他背地將腰摟。我不合就回身抱。雖是平日秋波眼上招。畢竟是桃花命内遭。

（江東白苧）

匆匆得見。姻緣分還淺。又不曾通音信。難道便相留戀。誰料娘行。霎時間寸心軟。他既把終身許我。豈忍將深盟變。雖是只得郵亭一夜眠。畢竟是藍橋宿世緣。（江東白苧）

【南中呂駐馬聽】

登黄鶴樓有懷故園〔三〕

獨倚危樓。極目鄉關不斷愁。試問天邊驛使。雲裏征鴻。江上歸舟。我故園原住在石橋頭。來時可帶得家書否。詢問緣由。誰知兵戈阻絶還依舊。（江東白苧）

寓居長沙客舍作〔三〕

歲暮馳驅。寂寞江城客寓居。正值雁鴻秋後。砧杵寒初。木葉風餘。江東不見寄半行書。關西更欲向前山去。倚劍躊躕。平原門下今何處。（江東白苧）

閨　怨〔四〕

虚度年華。望斷歸舟不到家。爲你秋捐紈扇。春鎖鞦韆。夜冷琵琶。東園還發舊時

花。垂楊不繫當年馬。一念何差。癡心猶信着臨岐話。（江東白苧）

同漁舟曉泊岳陽樓下作〔五〕

浮世堪悲。一日風波十二時。休笑半竿修竹。一捻空鈎。七尺青絲。斜風細雨久無詩。朝廷莫問玄真子。名姓狐疑。江湖處處詢奚自。（江東白苧）

寄　遠〔六〕

憶別春初。一葉秋聲又報梧。初認暫留南越。誰知再調西秦。不料更戍東胡。霜風吹妾妾憂夫。寒衣破盡終宵補。魂夢糊塗。悠悠難覓遼陽路。（江東白苧）

【南中呂駐雲飛】

雜詠效沈青門唾窗絨體

青門沈山人者，錢塘菁英，武林翹楚。丹青冠於海上，詞翰遍於江南。任俠氣滿，跡類霸陵將軍；自傷情多，家本秦川公子，但峻志未就，每托跡於醉鄉；逸氣不伸，常游神於花陣。聯翩秀句，傾翠館之梁塵；旖旎芳詞，動青樓之扇影。不揣蕪陋，欲窺室堂。乃效苧蘿之顰，敢學邯鄲之步。庶金荃之句，使復見於當年；而香奩之篇，不獨稱於前代。

春　恨

寬褪羅衣。香冷烟消怨別離。粉脆胡蝶翅。黄委遊蜂腿。癡。朝暮盼佳期。幾番憔悴。雙袖依微。都是相思淚。一半纔乾一半濕。（江東白苧）

幽　會〔七〕

昨夜陽臺。珊枕横欹繡帳開。蝶戲花心敗。鳳啄櫻頭解。乖。檀口揾香腮。柳腰輕擺。鬢角梳斜。花墮雲屏外。一半蓬鬆一半歪。（江東白苧）

邂　逅〔八〕

小小寃家。拖逗得人來憔悴煞。雅淡堪描畫。舉止多瀟灑。咱。曾記折梨花。在荼蘼東架。忙訊佳期。到答着閒中話。一半嚚人一半耍。（江東白苧）

奇　遇〔九〕

環珮無聲。瞥見嫦娥花下影。乍遇情不定。笑把身相倩。卿。摟住且消停。君休急性。未慣雲情。怕風横花多病。一半推辭一半領。（江東白苧）

邀　請〔一〇〕

和淚開緘。又不歸來空再三。蛾皺眉峰慘。柳削腰圍嵌。耽。在何處久停驂。要人窺勘。只得再寫封書。定把冤家賺。一半增添一半減。（江東白苧）

寄　遠〔一一〕

試染霜毫。未展花箋淚自拋。舊事縈懷抱。新恨還多少。焦。寫下兩三遭。匆匆未了。被去使連催。不暇多多道。一半連真一半草。（江東白苧）

殘　夢〔一二〕

山外雲横。彷彿巫陽路上行。屈曲烟中磴。依約峰頭影。鶯。驀地兩三聲。遊魂不

定。欲覺還迷。軟把紅兒倩。一半昏沉一半醒。（江東白苧）

密　約〔一三〕

樹隔雕簷。只見萬朶晴雲擁玉蟾。暗想佳期漸。驀見花陰閃。潛。促急下珠簾。怕人瞧見。假意拴門。故把房幃苫。一半開時一半掩。（江東白苧）

曉　粧〔一四〕

出落精神。曉日臨窗逈不羣。掠鬢蟬將襯。拂黛蛾爲準。親。就裏細評論。似海棠標韻。試折傍菱花。比並方纔信。一半臙脂一半粉。（江東白苧）

沈　醉〔一五〕

緑暈紅嫣。楊柳腰欹雲髻偏。宴罷秋香院。飲散春芳館。顛。斜倚侍兒肩。不禁驚戰。被夫婿胡纏。摟定多留戀。一半支吾一半軟。（江東白苧）

【南商調山坡羊】

代謝少藴寄江陵遊客[一六]

亂紛紛簾櫳風絮。慢騰騰紗窗香炷。重疊疊江東暮雲。密匝匝渭北春天樹。途路紆。衡湘絶雁魚。巫陽夢遠夢遠魂千里。獨倚危樓故人何處。嗟吁。目斷關河一紙書。淒其。況復東風花落餘。（江東白苧）

代葛雲卿寄蒼雪主人[一七]

静陰陰夕陽初下。冷蕭蕭重簾高掛。暗昏昏殘燈半明。疎刺刺幾陣西風大。淚似麻。方知一念差。傷心最苦最苦簷前馬。門掩清秋更無些話。嗟呀。何事當初誤信他。冤家。着甚來由辜負咱。（江東白苧）

代王幼玉寄東海王生[一八]

記匆匆霎時成就。喜孜孜連宵抱逗。怨迢迢經年别離。悶懨懨鎮日閒窮究。自浪遊。恩情一旦休。河橋記得記得頻回首。望眼盈盈淚沾羅袖。難留。恨殺西風下水舟。

離愁。流到揚州古渡頭。（江東白苧）

代劉季招寄申椒居士〔一九〕

病淹淹難醫療的模樣。軟怯怯難存坐的形狀。急煎煎難擺劃的寸腸。虛飄飄難按納的情和況。空自忙。全然没主張。盟山誓海誓海都成謊。輾轉書來更無的當。淒涼。爲甚更長似歲長。蕭郎。莫認他鄉是故鄉。（江東白苧）

【南仙吕入雙調玉抱肚】

長沙江上作〔二〇〕

深秋堪賦。遍荒原迷雲斷蕪。帶江東白苧輕衫。渡湘中青艸重湖。長沙南去更蕭疎。方信衡陽雁字無。（江東白苧）

過湘江〔二一〕

長途秋盡。阻西風停橈遠津。聽泠泠寶瑟還傳。看班班修竹猶存。不知何處吊湘君。水盡南天不見雲。（江東白苧）

歲暮登江陵庾信樓作〔三二〕

江關覊旅。似當年庾公寄居。總然受梁園詞賦相知。更不念吴門烽火何如。天涯不見一行書。況復明朝是歲除。（江東白苧）

江陵燈夕筵上留别諸公歸蘇州〔三三〕

滿堂喧哄。向隅人離情自濃。愧今宵同效傳柑。歎明朝獨轉飛蓬。渚宫東去艸連空。細雨瀟瀟古驛中。（江東白苧）

荆州江上别歸舟作

孤身猶寄。對歸舟不勝慘悽。看片帆高掛西風。恨不隨大江東去。故園烽火近何如。爲報家人數寄書。（江東白苧）

昆陵送洪洲龔副使赴鄖陽〔三四〕

故人千里。遠迢迢重來未期。想三秋海上遨游。荷一時幕下相知。金陵驛路楚雲西。

艸色青青送馬蹄。（江東白苧）

代閨人問邊使〔二五〕

衷情冗冗。要分明奈雲山萬重。訊春魚説在關西。接秋鴻又道在遼東。中間差錯字朦朧。爲問昨日來書是第幾封。（江東白苧）

代邊戍寄家人

欲修家信。説邊情誰不斷魂。枕雕戈雪卧龍堆。捲紅旗夜渡狐冰。閨中只是暗傷神。不見沙場愁殺人。（江東白苧）

囑　雁〔二六〕

花箋一紙。略寒暄單題小詩。趂天邊一夜西風。倩孤鴻寄與他知。而今不似洛陽時。瘦得腰肢是柳絲。（江東白苧）

囑　魚〔二七〕

魚兒生受。傍江來略説個意由。你趁春潮切莫稽遲。好留心不宜差謬。郎今移住在

剡溪頭。直至門前溪水流。（江東白苧）

代田瓊英留別〔二八〕

一場恩愛。没來由你道是誰打開。是舟師欲趁歸潮。促登程半晌難挨。留君不住淚盈腮。安得江東風雨來。（江東白苧）

懷江陵舊遊〔二九〕

當年王粲。記樓頭曾留羽翰。宴蓮宫憶閃爍春燈。叩紅房想歷亂雲鬟。而今西望路漫漫。斜日江頭千萬山。（江東白苧）

吴宫詞〔三〇〕

雙雙蘭槳。採蓮歸重催晚粧。看西施舞罷纖腰。半含嬌笑倚東牀。芙蓉帳小更添香。楊柳風多水殿涼。（江東白苧）

銅雀臺懷古〔三一〕

雀臺高峻。看西陵重重暮雲。歎一時霸業何雄。笑千秋荒址猶存。只今凝望已銷魂。

况復當時歌舞人。（江東白苧）

春郊邂逅

爲貪閒耍。向西郊常尋歲華。霎時間遇着個喬才。想今年命合桃花。邀郎同上七香車。遥指紅樓是妾家。（江東白苧）

送屯田員外周胤昌左遷武岡〔三二〕

陽關休唱。望南雲不須感傷。看九疑竹樹還青。更三湘蘭茝猶香。雁飛直欲到衡陽。你莫厭迢遥一水長。（江東白苧）

代江頭留别〔三三〕

行期無定。爲出門陰晴未經。看重重江上濤翻。更層層海外雲生。郎今欲渡且消停。如此風波不可行。（江東白苧）

憶梧桐館〔三四〕

無情獨我。没來由負却了他。將舊情一旦荒涼。把佳期常自蹉跎。匆匆歲月坐消磨。

鴻雁不來風雨多。（江東白苧）

得杜三堂南都寄來書〔三五〕

故人別去。兩三年沉淪雁魚。喜而今聲振留都。比當年逸興何如。春來始得秣陵書。

聞傍清溪江令居。（江東白苧）

聞春至有感〔三六〕

年華夢裏。卧文園匆匆未知。歎紅顔日日霜凋。奈芳郊歲歲春回。東風昨夜到隋堤。

楊柳千條盡向西。（江東白苧）

【南南吕征胡兵】

代閨人寄遠〔三七〕

天涯芳草王孫去。長途短途。近來信下瀟湘。浪游知在楚。夢投何處路。雁飛去且

不到衡陽。我芳魂怎度。（江東白苧）

答閨人[三八]

西江春水舟如箭。歸期應不遠。倩誰寄與卿卿。休只管憂與煎。你暫時聊自遣。繡窗下有日恣歡娛。黄昏小院。（江東白苧）

【南南吕六犯碧桃花】

贈魏湘鴻[三九]

華林百種。玄都千樹。艷色幽香絶異。争如一品。天然淺淡芳姿。未許霜禽覷。還憐粉蝶窺。梨花樹。柳絮池。淡粧濃抹兩相宜。最愛他舞餘涼月霓裳冷。最愛他歌罷陽春白雪飛。香含素袖。烟籠翠裾。重門深鎖無尋處。問僊姬。天台應少。何事阮郎歸。唐戎昱詩：「重門深鎖無尋處，疑有碧桃千樹花。」（江東白苧）

【南南呂七賢過關】

代金壇王四兒錫山渡口曉別作[四〇]

〔梧桐樹〕雕簷風馬馳。粉蝶霜烏起。幾夜留君。想是終難住。〔四犯黄鶯兒〕殘燈尚熾。芳心未灰。〔山坡羊〕只得眼前眼前由他去。路阻關河。往返全憑你。〔香遍滿〕奈衾寒枕冷。畢竟有誰知。〔金絡索〕水遠山長幾日歸。今朝又向江頭別。忍見日落潮平是去時。〔皂羅袍〕思君輾轉。柔腸九迴。〔桂枝香〕一似東流水。日夜東流無盡期。（江東白苧）

此調南九宮不載。起是梧桐樹，想屬南吕宫，分鏡記中有三首，常聞王四兒歌之，音調精絶，爲當代女流第一。檢雍熙樂府亦載四首，比分鏡各多三句，中間第五、第六句，雍熙皆以平聲爲韻脚，而分鏡則前韻仄，後韻平。詳西兒唱法，頗似拜月亭四犯黄鶯兒，寶鏡分破兩句。且第九句作高唱，像荆釵記爲你投江爲你把殘生害句，似非山坡羊。末句作低唱，像琵琶記須信家貧不是貧句，似非桂枝香。又不知四兒何所從來也。但第十三句下面雍熙各多二句，必是金絡索末句，上面雍熙各多一句，必是桂枝香。分鏡不過一傳奇耳。若雍熙乃聖世正音，當據爲正可也。予於古人詞曲中有未諧者，不辨何調，如瓦礫之在懷，必欲求其通暢而後已。戊辰歲游錫山王氏館中，因四兒愛唱此詞，細味音律，聊定七調。遂代其留別，賦此以申睽離之感，殊不知果合作者之意否也？俟審音者再詳定之。

【南仙吕入雙調銷金帳】

夜宿穆陵關客舍[四一]

松窗半掩。月落空庭。暗笑孤身在關門店。争奈夜永不寐。剔殘燈焰。西風透入。透入茅簷破苫。起弄雙劍。驚落疎星千點。誰憐變了。變了蒼蒼鬢髯。（江東白苧）

【南南吕楚江情帶北南吕金字經】

歲暮客中書懷[四二]

春歸在客先。窮途可憐。江東雁轉書不傳。每逢花發記流年也。王孫憔悴。迢迢故園。寒燈旅館人未眠。冷瀟瀟月落西軒。冷瀟瀟月落西軒。夢遶巫峰遍。歸程路幾千。歸程路幾千。何時信馬鞭。直撞入深深院。直撞入深深院。恰相逢曲檻邊。駭得多嬌步欲旋。步欲旋。鞋兜雲髻偏。禁不住春心顫。想今宵人月圓。想今宵人

月圓。（江東白苧）

楚江情即羅江怨。前段是香羅帶，中段似皂羅袍，後段是一江風，但羅江怨少中段三句。

【北雙調二犯江兒水】

莫雲卿携戴膩兒過婁水作〔四三〕

娘行清秀。覷着俺娘行清秀。秦樓誰更有。愛櫻桃注口。秋水凝眸。似章臺風外柳。怯怯啓鶯喉。怯怯啓鶯喉。行雲去欲留。繡被香兜。羅襪雙鈎。喜孜孜軟身軀全是酒。溪邊渡頭。溪邊渡頭。冰河阻溪邊渡頭。黄昏清晝。受用足黄昏清晝。羨君家遇人兒是莫愁。（江東白苧）

贈石城美人〔四四〕

風流聰俊。看姐姐風流聰俊。皇都真玅品。羨身兒窄小。性子温純。不搽朱不傅粉。生怕到黄昏。生怕到黄昏。移燈便掩門。要結姻親。須敍寒温。莫淹留不上緊。願姐姐將懽歛嗔。願姐姐將懽歛嗔。做好事霎時從順。那裏見做貓兒的不喫葷。（江東白苧）

【南雙調孝南歌】

庚午初秋悼亡改定舊曲〔四五〕

情難盡。念怎忘。西風蕭瑟起洞房。明月照空廊。梧桐清影涼。人孤夜長。鞋拆金蓮。鏡破菱花樣。香冷荳囊。被捲芙蓉帳。掩綺窗。倚繡牀。思憶雪衣娘。在何方。（江東白苧）

【南南呂七犯玲瓏】

壬申八月十七夜遇陳芳蘭于虎丘作〔四六〕

〔香羅帶〕琳宮驀地逢。翛然林下風。飛瓊鞚鶴來雲洞。〔梧葉兒〕飄忽入芳蘩。柳撼鶯初識。路紆花未通。〔水紅花〕奈匆匆。一時愁冗。豈料尋踪覓跡。重訪曲闌東。〔皂羅袍〕似賃春孟女托梁鴻。類聽琴崔氏投張珙。空庭月滿。花香酒濃。閒階露下。釵橫鬢鬆。〔桂枝香〕密語還重訂。春詞定幾封。〔排歌〕巫陽夢。恨又空。上方風落夜堂鐘。

〔黃鶯兒〕環堀有無中。（江東白苧）

再寄陳芳蘭〔四七〕

芙蓉翠館偎。別來今幾年。浣花溪畔驚重見。誰發夜深船。野店鷄初醒。水村人未眠。總留連。恩情還淺。不想前生少欠。要了此生緣。解犀梳分却翠鬟蟬。剪湘裙留下生綃絹。相思何處。歸鴻水邊。夢魂飛去。翔鸞鏡前。宿約渾無定。私書未敢傳。初寒日。欲暮天。多應伴月立西軒。愁絶小嬋娟。（江東白苧）

【南仙吕入雙調朝元歌帶朝元令】

送表弟凌升伯遊嶺南

江通五溪。旆拂青羅水。山開九疑。騎入紅蕉壘。鷓首泉飛。馬頭雲起。最喜林花如綺。故惹征騑。清香細細生客衣。山木女郎祠。猿聲十二時。長亭有幾。休回首故鄉迢遞。故鄉迢遞。試聽杜鵑何處。黃陵廟裏啼。只管喚人歸。松篁掩翳。見晚煙深翠微。晚煙深翠微。洞口臨沙際。驛路楚雲西。欲致相思折梅花。動不動人

千里。遠遊更堪悲。千山落照移。湘江鯉魚。好囑付素書頻寄。素書頻寄。（江東白苧）

按：此曲〔朝元歌〕即〔朝元令〕。〔試聽杜鵑何處〕起乃前腔換頭，不當視作帶過曲。

【南南吕六犯清音】

宫怨

綉簾雲捲。曉鶯聲送。睡覺紅光浮動。暗憐孤影。教人悔入芳叢。羅袂添新恨。菱花損舊容。春將半。思轉濃。羞顔不敢笑春風。怎如得盈盈彩袖雲間度。怎如得步步金蓮花下逢。蘭臺已賦。琅帙未通。丹霞枉鎖了秦樓鳳。怨忡忡。鶯花易老。雲鬢欲飛蓬。（南宫詞紀）

套數

詠輕雲贈王秋卿〔四八〕

蘇臺王子，小字輕雲。性度通明，風儀秀整。高歌淩乎白雪，游藝擅乎朱絃。同心學結，似西陵松下之蘇；香翰盈箋，類萬里橋邊之薛。北溪華子，擕之草堂。心聲頓起於筵前，目色橫生乎燈下。悵佳人之難得，感勝會之不常，遂搆斯篇，以應來命。

【南仙呂桂枝香】江東日暮。亂山無數。天邊常鎖春陰。嶺畔半橫秋樹。陽臺夢紆。陽臺夢紆。襄王凝竚。朝行何處。暮天低。迷却南來雁。關河未有書。

【不是路】曾上衡廬。見一片飛來萬里餘。蒼梧遠。飄揚踪跡定何如。路崎嶇。重重隔斷瀟湘渚。何日乘風下九疑。休回顧。翠華不見迷歸路。幾時還遇。幾時還遇。

【長拍】舞按霓裳。舞按霓裳。歌停金縷。送月來被人留住。這是蕋宮僊馭。鬢半偏遊戲天衢。盡駕絳綃輿。引飛瓊控兩兩。綵鸞歸去。幾見瑶池傳曲遠。誰還念黄鶴樓中千載虚。問僊姬何事冒雨濕羅襦。又不知春山淡淡鎖。何日還舒。

【短拍】襯暖成綿。襯暖成綿。催寒做雨。伴茶烟細繞簷隅。何處是郎居。千里隨風遍訪無拘。管浪如春絮。曾渡秋風汾水。至今但和朔雁空飛。

【餘文】山中住。原無侣。數被清風引去。終有日歸來返故廬。（江東白苧）

詠簾櫳[四九]

詠物之作，其來尚矣。模寫之妙，世或鮮焉。非音調之不諧，即情文之未至。既乖舊譜，復累新聲。緬惟楊柳窺青之篇，斯稱作者；繼而芳草春烟之句，不愧前人。余素蹈歌場，兼獵聲囿。因端居之多暇，見筆硯之精良。假微物以適情，托蕪詞而比義。喜於房廓縱步，特以簾櫳命篇。

【南正宫白練序】東風軟。見曲曲迴廊暮靄收。凝粧映幾簇禁烟新柳。春晝。翠羽稠。任滿院楊花不自由。空相叩。芳容阻隔。似無還有。

【醉太平頭換】刺繡。蝦鬚静掩。趂遊絲亂撲。花影閒搊。揚州十里。争露半額嬌羞。纖柔。朝來風静試銀鈎。有誰問海棠依舊。捲舒常在。斜月小窗。暗雨危樓。

【白練序頭換】風流。倚醉眸。湘裙故留。牽情處分明送幾聲鶯喉。綢繆。院宇幽。伴落日陰陰燕子愁。徘徊久。風驚翠竹。故人相候。

【醉太平頭換】宸遊。披香半揭。天顔應近。傍垂紅袖。香籠霧鎖。通幾點隔花銀漏。悠悠。西風高掛漢宫秋。有人似黄花清瘦。九疑雲冷。湘波映着。翠蛾雙皺。

【餘文】低掩重重如彌酒。愁來試捲樓上頭。空目斷長江萬里舟。（江東白苧）

暮秋閨怨〔五〇〕

時喜融和，物傷蕭索。雖由天運，實繫人情。所以九秋之花，不及三春之草。余淪身未濟，落魄不羈。感紈扇之棄捐，每墮班夫人之淚；見草木之摇落，常增屈弟子之悲。非兒女之情多，實英雄之氣塞。因假閨人之意，以開烈士之膺。調寄正宮，序同白練。

【南正宮白練序】西風裏。見點點昏鴉渡遠洲。斜陽外景色不堪回首。寒驟。謾倚樓。奈極目天涯無盡頭。消魂處。凄涼水國。敗荷衰柳。

【醉太平頭換】羅袖。琵琶半掩。是當年夜泊。月冷江州。虚窗别館。難消受暮雲時候。嬌羞。腰圍寬褪不宜秋。訪清鏡爲誰憔瘦。海盟山呪。都隨一江逝水東流。

【白練序頭換】凝眸。古渡頭。雲帆暮收。牽情處錯認幾人歸舟。悠悠。事已休。總欲致音書何處投。空追究。光陰似昔。故人非舊。

【醉太平頭換】颼颼。霜林鬬葉。更風簷驟馬。夜堂飛漏。白雲去遠。那堪值雁南歸後。衾裯。空餘蘭麝伴薰篝。冷落了竊香韓壽。背燈獨守。寒生兔窟。露凝鴛甃。

【餘文】荏苒年華還九九。登臨怕惹無限愁。儘開遍黄花不上鈎。（江東白苧）

補陸天池無雙傳二十折後

吴郡天池陸先生者，華亭遐胄，茂苑名家。珪璋挺其惠心，英華秀其清氣。操翰餘暇，游心傳奇。隱陸姓于平原之間，藏采諱於白受之下。本無雙而作記，借明珠以聯情。摛詞哀怨，遠可方甌越之琵琶；吐論嶇嶸，近不讓章丘之寶劒。但始終事冗，未免豐外而嗇中；離合情多，不無詳此而略彼。謹於二十折後，更增五百餘言。重重誓盟之下，雖了百世之宿緣；匆匆花燭之餘，更罄兩年之心事。庶東牀舊壻猶憶前姻，別館新姬未忘故主。

〔生〕〔白〕小娘子：憶昔畫閣逢迎，屢承接引。書房邂逅，重辱殷勤。豈料王母會宴瑶池，而董雙成獨謫於塵世。不意織女支機銀漢，而梁玉清竊奔於衙城。歎緑窗之金剪在昔空聞，幸朱門之舞衣而今重見。〔貼〕〔白〕深慚薄劣，自愧寒微。宋禕氏吹笛人間，竊慕緑珠之弟子；賈佩蘭圍棋竹下，慚非戚姬之侍兒。内則固未儘閒，敢怠巾櫛。中饋不能無缺，權主蘋蘩。〔生〕〔白〕小娘子：你舉止羞澀，雖云大家婢難作夫人；性格聰明，堪憐小女奴渾如男子。青衣趨走，乳名今已脱。夫丫鬟錦帳綢繆，鍾愛實有同乎結髮。〔貼〕〔白〕蒲柳之質，雖荷高攀；葑菲之微，敢忘下體。豈以新人之寵，遂遺故主之憐。觸目驚心，感今追昔。

【南正宫刷子序】貼追想錦堂别。風波霎時。驚散雙鴛。記金谷繁華。空見芳草芊芊。誰憐。羅袖冷西郊遊輦。鞦韆閉東風庭院。披香小殿鎖嬋娟。繡窗重會是何年。

【虞美人犯】生畫闌前。曾相見。黯澹秋波。密地偷轉。身材小綽約飛僊。風神朗徹。翠翹雙墮宮粧淺。今何處遠隔天邊。心牽在長門晝眠。空羨溝水流紅怨。枉信那邊衣匿翠箋。桃花面。料雙蛾未展。倚危樓有書無雁倩誰傳。

【普天樂犯】貼想掖庭。多悽慘。何日返前春燕。笑寒鴉先占修枝。嗟孤鳳未獲高騫。魂轉故國長留戀。幸喜新知暫懽宴。願鸞膠重續鵾絃。明珠還自宛然。更雙雙百年。偕老永團圓。

【針線箱犯】生淚還滿紅蠟更爇。絲已斷碧蠶成繭。楚岫神僊珮環遠。空留下侍姬作伴。小娘子你多嬌倩。願雙翔霧烟。效飛瓊引將王母下瑶天。

【餘文】携花燭解翠鈿。俺這裏芳情繾綣。莫負深宮宿世緣。（江東白苧）

元宵燈詞（五二）

上元諸作，南北多篇。俱屬黄鍾，再無别調。春城花月，腐語連綿。人際大明，蕪詞稠疊。兹獨宮移南吕，序合畫眉。使星橋火樹，少换見聞；玉漏金吾，重新喉吻。雖不能登之樂府，常侑萬年之歡；亦可以播之教坊，聊博一時之笑。

【南中吕泣顔回】蓬島聚羣僊。玉殿珠簾齊捲。長空雲浄。冰輪瑩然光滿。雪消上苑。正皇都處處春寒淺。絳綃樓宵幸彤芝。丹鳳闕夜遊華輦。

【前腔換頭】忽聞。天上動傳宣。一時放萬盞花燈通點。三千粉黛。飛來笑聲清遠。霓裳隊裏。恣嬉遊盡道今宵短。羨鰲山閃電星毬。駭龍城揭天絲管。

【千秋歲】擁金鞭。月白千門晝。看整整飛騎空轉。火樹銀花。火樹銀花。只見那觸目紅蓮開遍。魚龍戲樓頭見。彩雲内僊人出現。一道祥光顯。駕虹橋誰上。霄漢孤騫。

【前腔】笑嬋娟。他不辨東西路。急穰穰來去游衍。羅綺叢中。羅綺叢中。窺人露出芙蓉嬌面。雙蛾映青團扇。鎖不住春心無限。故折梅花撚。把秋波半瞥。密意偷傳。

【越恁好】鳳城深處。鳳城深處。煖融融起瑞烟。鬧童兒滿街。争打塊旋還轉。翠亭亭錦軿。翠亭亭錦軿。見密叢叢火蛾兒簇着繡韉。骨鼕鼕鼓兒。舞翩翩鮑老兒。挨着醉肩。惟愁曉。不望家。浪逐香風輭。趂燈前鬧炒。月下遊翫。

【前腔】謝娘庭院裏。謝娘庭院裏。錦重重啓玳筵。畫欄邊往來。花作陣錦成團。俏娟娟月底。俏娟娟月底。見滴溜溜悄聲兒花前笑喧。亂紛紛送迎。兩三三打哄兒。不覺髻偏。遺芳珥。墮翠鈿。處處香塵輾。對良宵佳景。莫負懽宴。

【紅繡鞋】聽合城簫鼓喧闐。喧闐。看通宵士女蹁蹮。蹁蹮。任銅壺。下銀箭。長春國。不夜天。總歸去更無眠。

【前腔】太平天子長年。長年。重熙國祚連綿。連綿。懽樂聲。遍幾甸。山齊壽。水同源。如皓月永團圓。

【尾聲】春來此夜是新正半。願歲歲年年放上元陽和布暖。看四海無波聖恩還。（江東白苧）

詠蛺蝶〔五二〕

黄五存和，宿秉惠心。遊情妙染，春日同俞仲蔚丈縱步山麓，得新蝶數十翅於芳草間。黑白異章，大小殊質。歸而圖之，以供戲玩。精如刻畫，勢若飛翻。栩栩然雖莊叟亦忘其爲夢也。周若年氏愛而置之座間，命題小詞。夫窮妍極態，足舒寫物之情；摛翰敷辭，殊未盡物之意。因抽毫以應命，豈弄文而好奇耶？

【南南吕梁州新郎】郊原風暖。園林春霽。日午香薫蘭蕙。翩翻緑草。尋芳競拂羅衣。只見鞦韆初試。紈扇新開。驚得雙飛起。爲憐春色也任風吹。飛過東家知爲誰。

〔合〕花底約。休折對。奈悠揚春夢渾無際。關塞路。總迢遞。

【前腔】差池羅幙。徘徊宫髻。撲着花兒斜綴。金鬟輕展。芳心未露先知。恰似偷香

韓椽。傅粉何郎。慣作司花吏。畫橋風細也賣花回。亂逐餘香過水西。〔合前〕

【前腔換頭】向蘭閨欲作良媒。爲經雨暫飛猶住。况重簾隱隱。欲投無計。枉自相隨油壁。獨叩花房。風勒還空退。殘紅零落也伴香泥。浪撲金鞍送馬蹄。〔合前〕

【前腔】正東城雙宿雙飛。又南浦離羣失隊。歎花溪深杳。再逢何地。應是狂隨香絮。舞入梨花。畢竟無尋處。乍來還去也是和非。何日牆頭接翅歸。〔合前〕

【節節高】誰餘故館基。野花迷。漫尋珠翠投荒砌。空留滯。芳草淒。蒼苔蔽。蹁躚弱態今何處。芳魂應逐秋風去。〔合〕半載分離不多時。春來依舊重相會。

【前腔】輕盈漢殿姬。素蛾眉。粉容旖旎春香膩。迎風倚。着露欹。經烟醉。霓裳舞罷歸環珮。紛紛盡入宫牆内。〔合前〕

【餘文】深宫鎮日重門閉。對簾櫳午漏漸稀。榻得滕玉畫品奇。（江東白苧）

初夏題情改定陳大聲原作

思本幽深，疑無定位。調拘律吕，自有恒裁。苟情詞之相鮮，顧音聲之獨滯。則前通後窒，始合終離。善歌樊素，空逞夫鶯喉；解顧周郎，有同乎龍耳。歌之不振，豈無其由。白下陳公，南都俠客，凝情於可雪，寄傲於梨雲。寔聲苑之通侯，詞林之開士也。但其精專北調，脱略南歌。楚學齊言，殊非本色。婢作家婦，終不似真。故於南吕諸篇，偶定梁州一序。因原詞而稍易其字，做舊譜而略損其煩。庶音騰於耳，纍纍如貫明月之珠；而聲轉於喉，玲玲如振茗華之玉。

【南南吕梁州新郎】西園暮景。南軒初夏。長日端居多暇。樓頭楊柳。陰陰漸可藏鴉。無奈關心杜宇。惹恨鵑鶘。占定荼蘼架。芭蕉分緑也上窗紗。閒看兒童捉柳花。〔合〕珠箔捲。金鈎掛。怪無端一夜東風大。花亂落。謾嗟呀。

【前腔】瑶臺寂静。畫闌幽雅。一樹薔薇低壓。鴛鴦兩兩。飛來暖傍晴沙。爲甚金針閒却。綵線丢開。刺繡都停罷。舊巢新燕子語窗紗。又見蛺蝶雙雙入菜花。〔合前〕

【前腔換頭】枕痕横臉玉生霞。簟烟微麝香消鴨。對銀箏無緒。雁行空駕。幾度閒尋舊譜。試學新聲。欲演還拋下。絲絲梅子雨潤窗紗。無奈少女風前爛熳花。〔合前〕

【前腔】對香奩朱粉慵搽。臨寶鏡青螺羞畫。病懨懨多半。爲他瀟灑。堪笑鸚哥解語。鸜鵒能言。把薄倖提名駡。開遲紅藥滿映窗紗。爲甚送盡春風始見花。〔合前〕

【節節高】蓮舟戲女娃。露裙靫。蘭橈水濺凌波襪。貪懽耍。兩髻叉。雙鬟亞。青青荷葉無多大。折來莫把絲牽掛。〔合〕翠羽飛來緑葉叢。玉盤欹側瓊珠瀉。

【前腔】乘陰傍水涯。扇空遮。玉纖謾解鮫綃帕。音書假。辜負咱。多嬌姹。歸期暗

數垂楊下。而今不信傳來話。〔合前〕

【尾聲】芳時一任東風嫁。對良辰歡情未洽。難道經秋不到家。（江東白苧）

寄王桂父〔五三〕

無翼而飛者，聲也；不根而固者，情也。聲由虛發，故隨地而馳；情自實生，每從恩而使。非今獨爾，自古爲然。余性喜纏綿，意偏感慨。一承他人之微盼，即爲我輩之所鍾。而況以楚館之神姬，値秦臺之逸史。心堅匪石，契同若蘭。陟馬鞍而宵誓，同效弟子之和南；駕鷁首而晨遊，獨憐夷吾之敗北。感投囊之盈袖，悵寄翰之連箱。能無報惠之章，遂著閒情之賦。

【南南呂香遍滿】雲容月貌。尋常淡粧難畫描。出落風神年尚小。一團都是俏。還憐情性調。總然萬種嬌。不易得千金笑。

【嬾畫眉】蘭房聲價一何高。才調當年似薛濤。因此上阮郎不憚路途迢。争奈他枇杷花下音書杳。怎能穀直至成都萬里橋。

【金索掛梧桐】匆匆歲月消。寂寂音容悄。曾記蘭舟。避跡潛移棹。春山暗裏遊。怕相拋。執手偎依廝纏着。偷忙背語回身早。側坐防人驀地瞧。誰知覺。至今猶認夢中遭。今日呵又不是水遠山遥。又不是魚沉雁杳。爲甚麽無消耗。

【浣溪沙】你情自投。我恩難報。最堪憐兩地瀟條。憑誰訴與娘行道。我不似青樓名倖薄。雖見許。恐無憑話未真實。只落得夢斷魂勞。

【劉潑帽】畫樓頻倚想雙蛾悄。對簾櫳凄楚無聊。瑶琴謾寫相思調。音韻喬。彈出兒孤鳳操。

【秋夜月】初夏交。記那日人曾到。蠅頭小字親相召。誰知病滯文園老。空回帖草草。枉歸程渺渺。

【東甌令】難消受。印心苗。未必空亡坐本爻。紅鸞幾日輪佳造。必定有花星照。那時節呵華燈燁燁影摇摇。偷卸翠雲翹。

【金蓮子】鸞鳳交。恩情美滿同懽樂。這一段姻緣兒怎抛。恰正是遇雲英。一雙雙僊子渡藍橋。

【尾聲】共引入蓬萊島。僊源此去路非遥。洞口雙吹碧玉簫。（江東白苧）

秋日登瀔水驛樓感舊作〔五四〕

余幼有遊癖，每一興思，則奮然高舉。癸丑之歲，南遊永嘉，道經蘭溪，徘徊江岸。

凌麗樵之孤聳，見塞羽之長征。川原迢遞，舊會難同。雲樹周遭，故園不見。情來引泣，事往會悲。因動仲宣之懷，敢擬登樓之什。

【南黄鍾畫眉序】金風動南國。撫景悲秋感疇昔。笑年華荏苒。似梭輕擲。光陰記昨日明朝。權會想去年今夕。〔合〕倚樓。無限關心事。都付數聲長笛。

【前腔】銀瓶曉空汲。金井沈沈斷千尺。盼秦臺縹緲。暮雲遮隔。追前恨別雁新聲。傳往信離鸞殘翼。〔合前〕

【前腔】花陰訪踪跡。苔徑留痕未收拾。想環珮何處。畫圖空憶。宫腰細帶眼驚鬆。香袖冷淚花愁積。〔合前〕

【前腔】華堂屢經歷。咫尺簾櫳限南北。翠雲緘封就。欲投無隙。羡當時一霎能逢。恨今日萬方難覓。〔合前〕

【滴溜子】又不是。從前。兩人未識。更非關。別後。兩情不一。爲甚不知箇虛實。教人倩著。誰問端的。未必他心。頓忘往日。

【鮑老催】追思豔質。紅榴繡帶餘麝液。烏絲小箋留翰墨。恨彩鳳單。錦鴛孤。文鸞隻。伯勞東去無儔匹。海燕西飛絶伴侣。塞鴻北度沈消息。

【滴滴金】花開錦樹芳香襲。零落辭枝悔何及。東風横烈春無主。將並蒂分連枝劈。

今生未必。雖然一年花事畢。難道明春。蜂釀房無蜜。

【鮑老催】江南倦客。圖書積來空四壁。扁舟遊處經數驛。奈一字無。兩年別。五侯宅。孤雲天際征鴻急。斜陽江上烟波疾。怎對却西風立。

【雙聲子】昏鴉集。昏鴉集。白露下丹楓濕。寒蛩唧。寒蛩唧。青霜冷黄花泣。書未得。書未得。歲已逼。歲已逼。似落花飛絮。暮秋寒食。

【尾聲】花間有日門兒闔。月暗房櫳歸處黑。把受過凄凉坐相悉。（江東白苧）

過湘江弔屈大夫〔五五〕

余仲蔚云：伯龍素有奇分，千里之遊如在足下。明日告我泛鄂渚，過洞庭，訪懷襄於高唐，弔屈宋於澧浦，以爲異於古之左遷，豈不快哉。雖然楚人多哀，值此秋晏，君其奈何。君歸必挾勝語以廣我異聞，坐我叢蘭芳杜間也。因感斯言，乃有是作。

【南越調小桃紅】星沙舊國。羅水空江。極目多風浪也。爲弔孤忠魄迢遞下瀟湘。携桂酒。奠椒漿。試問放何時。黜何方。魚腹是何年葬也。歲久沉淪徒想像。看烟水微茫。玉殿鎖荒凉。

【下山虎】江籬漠漠。山樹蒼蒼。廟闕精靈肅。殘碑半疊砌傍。神何在月冷蘭橈。香消藥房。應是魂兮歸故鄉。珮環時來往。雲慘江昏徒倚望。遺範空追想。落月屋梁。贏得年年薦客觴。

【蠻牌令】江燕語集危檣。神鴉舞送征航。千載遊魂招不返。只落得淚傍徨。况凄凄鵑啼廟口。更青青竹映船窻。挹清風山高水長。碌碌浮生。甚媿行藏。

【尾聲】孤臣自分波心喪。襄王何事夢中忙。至今遺笑雲雨高唐。（江東白苧）

擬漢宫春怨[五六]

宫詞之作，其來已㵍。與時高下，具體紛紜。援雅琴而變調，方無愧於長門之篇；顧女史以問詩，始有得於自悼之意。沿及南國，降自唐家。香詞滿案，無非怨望之音；秀翰盈箋，盡是嬉游之句。淚痕不學君恩斷，悵怏何深；不是思君是恨君，含冤尤甚。而且密奏入月仲初，已墮於誨淫。近覔祇承禹玉，實淪乎導欲。是皆哀過乎中，樂失其正者也。况唐人調短，急促難歌；漢氏篇長，蔓延無節，何以被之絃管，協之宫商。因檢彤管之編，偶閲掖庭之籍。歲華虚度，永巷幽深。氣候不齊，阿房寥廓。感女弟之進，始焉寵冠乎椒風；悵宫人之斜，終則魂遊乎薤露。於是聲從新調，詞按舊宫。哀不及怨，以寫曠女之至情；樂不逾淫，以述空閨之微意。雖未能盡合夫風人之旨，有不足以少見夫愛君之情也耶。

【南商調二郎神】銅壺轉。奉箕箒又平明金殿。記少小披香曾侍宴。鸞輿別後。椒房寂寞多年。只見風送西宮歌吹遠。歎命薄承恩何淺。恨無緣。總黄金求賦文章更有誰憐。

【前腔換頭】花磚。飛英亂疊。湘簾高捲。奈春鎖重重深小院。怕鞋侵荒蘚。瑶階欲下還旋。何日得碾破蒼苔留玉輦。媿隨例雖朝空見。恨無緣。總黄金求畫丹青竟有誰憐。

【囀林鶯】思家何處魂夢懸。淹淹弱息難延。九十日春光愁過半。病膏肓旦夕牽。纏腰肢瘦輭。宫醫有倩誰呼喚。淚綿綿。書封戰襖。投向阿誰邊。

【前腔】閒宵欲賦紈扇篇。奈秋風篋笥空捐。月過房櫳刺繡倦。這深宮夜午誰諠。怪金鈴小犬。吠花影隔簾空轉。淚綿綿。詩題紅葉。流向阿誰邊。

【金衣公子】錦瑟倦調絃。對春風哭杜鵑。開簾羞覩雙雙燕。他那裏歌臺夜喧。我這裏舞袖晝眠。緣何一宫之内温涼變。會何年。鼎湖龍去。除是共登僊。

【前腔】粉黛浪三千。念當初寵最先。爲甚十年不識君王面。非君故偏。似妾故專。

而今懊悔却又難重見。會何年。翠華雲暗。除是共陵園。

【琥珀貓兒墜】烟横閣道。日落斷傳宣。銀鑰隨收金鎖穿。花房夜擣守宫鮮。天天。又早是門掩黄昏。銀燭空燃。

【前腔】君恩浩蕩。不是誤嬋娟。自恨孤身多命蹇。又今生已矣還結後生緣。天天。又早是月落烏啼。銀漏空傳。

【尾聲】傷心過處還消遣。自甘受一生微賤。聖主從教億萬年。（江東白苧）

秋 懷[五七]

寂然凝慮，思接千年。悄焉動容，視通萬里。蓋時代雖寥，流風猶在。山川徒阻，䂂象可求。是以遊神所至，則上古並於當今；極目所窮，則遐方亦爲近地。而況期不越月，邇可連橋。青鸞西下，無俟於經秋；宋玉東邊，纔堪乎步武。愛同昆季，情逾友生。共約簾前，並遊花下。既無投梭之拒，兼承解珮之勤。能不神走桂堂，精馳粧閣。一等人睡，即投夢中。略俟花開，遂來鏡裏。又何必追蹤往昔，方挹其清芬；遍跡荒陬，始接其逸韻耶。但唇鋒舌劍，一沮於臧倉；而雨陣風旗，再摧於沙利。時更勢變，物换人移。此去故就新，騷人之所以愴怳懭恨。而秋風春草，江生之所以吞聲飲恨也。

【南商調二郎神】相逢久。笑春來尚分飛依舊。記軟弱身兒年紀幼。重簾不捲。蕭條獨坐危樓。爲甚麽懨懨如病酒。空恩愛未曾消受。莫淹留。更不念匆匆歲月如流。

【鶯啼序】錦堂風月今又秋。參辰還自卯酉。定非關途路悠修。不干魚雁差謬。奈花營辰鎗戰争。更錦陣心兵輻輳。無共有。只落得浪傳人口。

【簇林鶯】空挑鬭。難斷頭。爲高唐雲未收。朝朝暮暮在陽臺右。情深怎休。恩深怎丟。因此上明知未偶還拖逗。夢悠悠。三星天外。空戴月如鈎。

【啄木兒】曾留戀。幾浪游。秋水春山常聚首。記花陰清晝攜琴。想燈前午夜藏鬮。更憶他修書漫捲羅衫袖。高歌半解香喉扣。訂約偷回扇底眸。

【滴溜子】天台渡。天台渡。桃花水流。章臺路。章臺路。柳條報秋。誰道落人機彀。崑崙是何處。奴施妙手。把往日恩情。一旦盡勾。

【水紅花犯】正值陽回九九。被何人苦逗遛。奈阻隔去無由。冷颼颼。卿卿知否。多應獨倚小窗幽。柬難投。重門誰扣。四五年光陰虚度。三兩行淚空流。凄悽切切。殢人愁也囉。

【尾聲】景凄涼人僝僽。相思業債幾時休。直待要海燥江枯方罷鈎。（江東白苧）

擬出塞〔五八〕

天限華夷，人分蕃漢。種族固異，風氣亦殊。故自廣漠以南，長城而北，禽心獸性，不入人羣。弓準戟髯，難通法相。而且地饒兵革，代多戰争。遊魄漫空，陰燐遍野。受降城上，無非墮淚之笳；破納沙頭，盡是銷魂之角。水不涅而自黑，雲非繪而長黄。三春落葉，難尋四時之花；萬里飛沙，不見一抔之土。肇自漢室，迄於唐廷。御乏嘉謀，守無善策。遣近貴以通好，羈絡英雄；驅宗女以和親，摧殘窈窕。節旄徒駐，白盡海上之頭；環珮空歸，青遍塚邊之草。捫心痛矣，撫劒凄然。余也智乏孫吴，才慚頗牧。然逸氣每凌乎六郡，而俠聲常播於五陵。魯連子之羽可以一飛，陳相國之奇或能六出。假以樊侯十萬之師，佐之李卿五千之衆，則横行鷄塞，當雙飲左右賢王之頭；而直上狼居，必兩繫南北單于之頸。

【南大石調念奴嬌序】龍荒萬里。正風高紫塞。迢遥千古長城。落日寒原。凝望處茫茫極北雲平。連亘。白狄臨關。黄河夾地。胡兒千隊此馳騁。〔合〕還自許。終軍早歲。獨請長纓。

【前腔換頭】堪哽。陰燐耿耿。見白骨滿野。烏鳶螻蟻相慶。萬疊驚沙。探騎急黑夜移

營傳令。還逞。苜蓿初肥。葡萄新熟。貂裘十萬盡精英。〔合前〕

【前腔換頭】愁聽。破納沙頭。受降城上。斷鴻殘角聽邊聲。烽堠直烽堠直見月下歸來殘兵。飛警。雪迸金笳。雲崩鐵騎。祁連黠虜正憑陵。〔合前〕

【前腔】冥冥。殺氣侵雲。獵聲沉塞。新來降騎說蕃情。麟閣逈麟閣逈莫負三尺青萍。休驚。北接沙居。西通疎勒。班超原是一書生。〔合前〕

【古輪臺】雁南征。西風吹急不堪聞。胡天嘹嚦空相應。音書難倩。况萬里膻腥。更誰訪紅顏薄命。有西遺烏孫。一生孤另。有荒墳烟鎖草青青。霜迷月冷。有崎嶇北汙胡塵。哀笳倚拍。家山何處。淒涼風景。千載恨難平。關河永。遊魂無侶伴孤影。

【前腔換頭】閒評。曾有擒虜王庭。還又有殺敵居胥。戰無不勝。竹帛丹青。細屈指依稀名姓。有年少封侯。奇功難並。也有垂老轅門竟無成。數奇不幸。有白頭北海飄零。淹留朔地。飡氊嚼雪。旌旄落盡。成敗古難憑。但願輸忠藎。君不聞男子重横行。

【尾聲】天王借十萬兵。會看取單于繫頸。直待要踏破燕然再勒銘。（江東白苧）

題居士貞畫金陵王儒卿賽玉卷〔五九〕

鳳姿梟性，不異凡禽。艾質蘭心，終同常卉。故驪姬徒豔，羞稱其頎之碩人。無鹽雖賢，難並窈窕之淑女。留都王氏，南國名姝。玉映而清心，惠中而秀外。謝階之樹，再植江東；陳庭之花，復生白下。由是聲騰戚里，轍遍章臺。稱卿不足而重之以儒，比玉未敷而加之曰賽。吴門風偃，茂苑雲翻。沈元異倡以瑶華之篇，居士貞繼之丹青之作。事因文重，但恨未可播于謳歌；人以畫宣，猶恐不能通之絃管。以余頗解一訛之顧，素諳三變之詞。雖媿無文，難辭不敏。極情擬議，或可少增藴石之光；盡力形容，未知能益連城之價。

【南仙吕入雙調步步嬌】目斷秦樓吹簫侣。温潤還如許。連城價有餘。遥想風姿。似洞林琪樹。素質定如何。笑裴航空覓藍橋杵。

【江兒水】曾記梁園遇。合浦歸。謝家庭下空延竚。似幾點輕盈垂楊絮。一枝寂寞梨花雨。二十四橋何處。教徹鸞簫。縹緲向月中歸去。

【園林好】初疑是在藍田故居。又道是在荆山舊墟。更想像在崑崙深處。誰知生碧府長清都。生碧府長清都。

【川撥棹】瑶臺路。見飛瓊下紫虛。水晶簾隱約冰膚。水晶簾隱約冰膚。雲母屏依稀畫圖。環珮聲疑有無。環珮聲疑有無。

【五供養】酥胸皓齒。更有冰心一片誰知。堅貞還軟弱。光瑩又芬敷。春纖麈尾。試掩映一般無二。琅玕開竹圃。秋水出芙蕖。不讓陳宫後庭花樹。

【僥僥令】梅英春綻後。蕙草雪消初。只見歌斷泠泠山泉溜。舞罷也亭亭海鶴孤。

【尾聲】書中有女應無數。但不似舊家秋娘如故。須待他年善價沽。（江東白苧）

擬金陵懷古

登高望遠，感慨由生。皋古崇今，篇章斯起。故麋鹿走長洲之苑，烈士興懷；鷓鴣飛越王之臺，詞人發咏。秋風渭水，悲二世之有都；衰柳咸陽，歎五陵之無樹。承露金僊，未歸洛下。望陵銅雀，先辭鄴中。珠簾一閉朝元閣，笑梁間燕子空歸；錦帆應自到天涯，問柳外寒鴉何在。金陵佳麗，江左繁華。但數千年後得生聖人，方應東南天子之氣；自二百載前未歸真主，不過奸雄僭竊之徒。追想風物六朝之餘，更值江山九秋之後。感空城之麥秀，傷故國之黍離。因擬懷古之作，陋爾偏安；實寓尊王之詞，欣兹一統。

【南仙吕入雙調夜行船序】萬里濤回。看滔滔不斷。古今流水。千年恨都化英雄血淚。徙倚。故國秋餘。遠樹雲中。歸舟天際。山勢。還依舊枕寒流。閱盡幾多興廢。

【前腔換頭】閒推。江左豪華。羡當年公瑾。小喬雙美。高臺上銅雀暮雲空閉。驅馳。五馬南來。風景不殊。江山獨異。流涕。曾戮力復神州。終作楚囚相對。

【黑蠊序】烏衣。王謝堂虛。見雙雙飛入。尋常宅裏。歎新洲蘆荻。寄奴曾住。休追。宫梅點點窺。金蓮步步隨。世應非。只見潮打寒城。寂寞夜深空退。

【前腔】凄其。商女歌闌。奈烟籠寒水。月籠沙嘴。問臨春飛閣。麗人何處。誰題。亭亭玉樹枝。團團璧月詞。樹降旗。愁殺鐵鎖千尋。一夜盡沉江底。

【錦衣香】射雉場。迷行騎。白鷺洲。餘雲樹。堪笑蕙帳秋風。猿啼鶴唳。令人猶誦北山移。詞臣不見。尋得清溪。想華陽深處。望山中白雲來去。莫把長條繫。風流張緒。而今憔悴。不似靈和殿裏。

【漿水令】石頭城蕭蕭舊壘。景陽宫依依故墟。臺城留得亂鶯啼。松楸遠近。禾黍高低。東山妓。今已矣。鐘聲何處南朝寺。桃葉渡。桃葉渡。凄涼烟水。長干路。長干路。剩殘碑。

【尾聲】奸雄竊據俱塵世。誰信雲龍崛起。方見崔嵬萬載宏基。（江東白苧）

按：第三曲【黑蟖序】原誤作【鬭黑麻】。簡譜【黑蟖序】按云：「舊譜作鬭蝦蟖、鬭黑蟖、蝦蟆序，皆傳訛也。」茲據吴譜正。

辛酉季秋代沈太玄贈金陵楊季真〔六〇〕

【南南吕宜春令】貂裘染。洛下塵。笑浮名棲遲此身。秣陵秋盡。雲衢有路無鴻引。奈江頭一夜西風。都吹上半生愁鬢。堪憐。韶華荏苒。百年一瞬。

【太師引】算前程。畢竟全無準。羡鵬搏何年化鯤。怎消得重門青晝。况值着孤館黄昏。生平意氣休相哂。聊寄跡錦營花陣。平康路。馬蹄車輪。從今後。向陽臺覓暮雨朝雲。

【瑣窗寒】遍青樓尋訪殷勤。邂逅當年第一人。見風儀俊朗。性格温醇。趨承濟楚。衣衫淹潤。淡梳粧不施脂粉。可憎。青團半掩啟朱唇。頓然一座生春。

【三段子】問伊近庚。是楊家初年長成。問伊小名。是楊家當年太真。疑是霓裳隊中金蓮襯。沉香亭畔春醒醒。寂寞闌干。梨花風韻。

【東甌令】我烟霞相。不同羣。好惡相傾越與秦。誰知窈窕還相信。議論多奇俊。笑悠悠世路總浮塵。青眼更何人。

【三換頭】衷腸未明。欲言難盡。姻緣到也。喜兜的便親。書生何幸。這其間只得把那飄蓬此身來儘。一霎成秦晉。春生白練裙。意外良緣。真個一夜夫妻百夜恩。

【劉潑帽】繡牀跟底將鞋兒褪。却匆忙未掩樓門。深深叩謝周公瑾。你莫浪聞。這恩德應難盡。

【大勝樂】問娘行這段姻親。却緣何心便肯。多應宿世緣和分。因此上一時渾。分明是雙雙蛺蝶迷花徑。兩兩鴛鴦護水紋。情真意懇。非干是偷寒送暖。棄舊憐新。

【解三醒】休忘了分香寶鼎。休忘了待月疎櫺。休忘了生辰八字親相訊。休忘了對剪烏雲。休忘了侯門晝索潛投奔。休忘了別館宵分挹淚痕。伊休混。須不是他家行徑。似假疑真。

【節節高】恩情難具陳。未經旬。別離兩字當心撑。歸何迅。杯易傾。情難盡。春明門外程途亘。疎林處處斜陽映。只恐分離在須臾。片時人遠天涯近。

【三學士】都城南出霜風緊。黯然欲別銷魂。君如想妾還愁妾。妾若忘君是負君。歲月蕭條難過遣。書和信莫厭頻。

【大迓鼓】離亭。酒一樽。青衫溼處。盡是啼痕。瀟瀟匹馬投荒徑。嘹嘹征雁渡孤村。雜沓長途。淒涼暮雲。

【撲燈蛾】時開一紙書。每玩雙鈐印。追想那多嬌。不覺迷留没亂也。看腰圍瘦沈。願年年芳草礴王孫。鏡臺前逗留京尹。眉重暈。紗窗着意再温存。

【尾聲】春風再入淮南郡。看行行一騎到都門。肯做青樓薄倖人。（江東白苧）

壬戌季春代朱長孺贈金陵吕小喬〔六二〕

【南中吕好事近】書寄秣陵賒。奈樓前雲水重疊。落花飛絮。那堪暮春時節。淒切。夜雨曉風臺榭。空粱燕誰遣伊來傳説。道佳期休虚度也。絮叨叨恰如。窗下分别。

【榴花泣】追思當日别館酒初設。逢迎處繡簾揭。匆匆禮數甚周折。看趨承舉止羞怯。腰圍一捻。似縈欄弱柳絲牽惹。鬬纖軀掠水蜻蜓。試輕衣逗風蝴蝶。

【錦纏道】玳筵列。滿華堂會當年俊傑。初相見甚干涉。料姻緣前生未定難道就和叶。怎知伊多情好姐姐。含情處眼波雙借。翠帶兩偷結。佳期密邇相將不暫撇。宴罷催歸去。笑蹁蹮同上七香車。

【千秋歲】那冤業。只道難消受。誰知道早便寧貼。公瑾當年。公瑾當年。渾如綴着喬家枝葉。春衣褪。雲鬟卸。相偎處身兒趄。故把羅幃扯。怕花燈斜照。回過桃頰。

【普天樂】向蒼穹把盟香爇。負心的天難赦。繡囊中雙貯烏雲。羅衫上對粘青血。從今記者。這恩情。忍教中道輕絕。

【鮑老催】龍城鳳闕。青樓雖是多懽悅。銀蟾長恨空圓缺。奈山鬱盤。水潺湲。雲明滅。腮懸玉筯啼應裂。胎含荳蔻春方淺。心摧鐵馬秋爭掣。

【古輪臺】記初別。疎林處處下黄葉。那堪逆旅西風夜。孤村茅舍。況枕塊衾鐵。酒醒處依稀蘭麝。敗壁蟲吟。破幃燈射。夢魂中猶記語些些。道我音書頻寫。雁南來早寄回帖。休長恁雨散雲收。冰消瓦解。水流花謝。莫遣坐銷歇。恩難捨。還期同宴錦堂月。

【尾聲】遇良辰。逢佳節。管領着歌臺舞榭。日日春風醉狹斜。（江東白苧）

丙寅初夏為廬陵尹教甫贈金陵蔣蘭玉小字綺霞作〔六二〕

【南仙呂入雙調步步嬌】小曲幽坊重門啓。簾幙濃雲裏。燈前乍見時。旋束腰圍。高盤雲髻。淡淡遠山眉。雙眸細剪如秋水。

【孝南歌】芙蓉面。冰雪肌。生身蔣山年未笄。嬝嬝十三餘。梅花半含蕊。似開還閉。初見簾邊。羞澁還留住。再遇樓頭。欵接多懽喜。行也宜。立也宜。坐又宜。

偎傍更相宜。

【香柳娘】笑書生路迷。笑書生路迷。驀投花底。霎時便拜兄和妹。比蘭玉未奇。比蘭玉未奇。却憶謝玄暉。餘霞散成綺。擬卿卿此詞。擬卿卿此詞。做小名兒贈伊。切須牢記。

【園林好】歌喉振浮雲敢馳。箏絃動流鶯敢啼。看縹緲畫梁塵起。紅袖底雁行低。纖指下鳳凰飛。

【江兒水】窗掩樓兒上。繡帳垂。似桃花浪裏鴛鴦對。偷香峽蝶花房綴。迎風楊柳雕欄倚。不是多情牽繫。愛他俊俏身兒。更性格偏投人意。

【僥僥令】不勞三月雁。誰怕午時鷄。豈止暇日逢場聊作戲。拚夜夜夢巫山。雲雨歸。

【尾聲】撰成一折青樓記。羨才子佳人雙美。留取當年作話提。（江東白苧）

改定武林沈青門作〔六三〕

【南南吕懶畫眉】小名兒牽掛在心頭。總欲丢時怎便丢。渾如吞却綫和鈎。不疼不痛常拖逗。只落得一縷相思萬縷愁。

【不是路】無了無休。鎮日縈牽不自由。難窮究。只因幾度送雙眸。謾追求。假若他不應花前口。爲甚麽還將熱話兜。休相誘。有心待共鬆羅扣。不如早些成就。早些成就。

【掉角兒序】任勾差隨時應酬。趂埋冤總然承受。不争差性命心肝。好一似爹娘骨肉。又可曾氣兒呵。情兒抝。話兒嘲。寵兒訕。一些相鬬。隨衙聽候。朝來暮休。但得個尤雲殢雨。勝是封侯。

【尾聲】憑將風月都投首。不信冤家不轉頭。終有日飛上紅香燕子樓。（江東白苧）

癸亥秋夜同雲房胥姬坐雨西窗感舊作〔六四〕

【南仙吕入雙調步步嬌】半夜蕭疎芭蕉雨。葉葉西風裏。相將夢覺時。一枕華胥。十年心事。細數兩欷歔。柔情不斷如春水。

【忒忒令】論孟浪是生平的大都。説薄倖是少年時活路。野花閒草。幾曾輕回顧。迷魂陣久荒蕪。迷魂陣久荒蕪。又誰知。命運遭。惹閒情萬縷。

【沈醉東風】記當時曾通素書。到年來數傳清譽。奈深户映花關。深户映花關。天涯爾汝。空奔走東西鄰嫗。河橋故居。山城小溪。依稀記得風簾露出繡襦。

【好姐姐】沉倫。數載有餘。更没處問消尋息。他生未卜。此生應見稀。甘拋棄。靈禽久被樊籠繫。誰料秋來放雪衣。

【園林好】病相如在文園著書。曠文君正臨邛寡居。還没有遞春心緑綺。險增出酒家壚。險增出酒家壚。

【江兒水】瞥見深深巷。欸欸扉。緣何欲避還凝竚。初疑施氏西村女。原來宋玉東鄰姝。雅淡裙衫白苧。小立迎風。注目似曾相識。

【五供養】方知是你。這段姻緣會合真奇。遂憑冰上語。竟赴月中期。看他衷情幾許。遍訴出半生憔悴。道幽花經雨蹙。皓月被雲迷。受盡淒涼萬般滋味。

【玉交枝】今朝得遇。感娘行素心不移。渾如枯樹生連理。分明得水遊魚。因思往事多淚垂。從今相守君須記。對西庚明星見知。仗東君鶯花有主。

【川撥棹】會真詩雙文句。楚臺風巫峽雨。笑兒曹既不相知。笑兒曹既不相知。枉奔波磨穿襪兒。弄機關你好痴。破姻親却怎的。

【香柳娘】我而今共伊。我而今共伊。花前月底。願年年同伴春光住。總閒言有些。總閒言有些。任他們自傾欹。和你甘心且包蔽。算人生有幾。算人生有幾。休攢兩眉。試看傀儡。

【尾聲】綠窗人静風兒細。追想當年難遇。可負韶光十二時。（江東白苧）

己巳立秋夜雨悼亡姬胥雲房作〔六五〕

【南中吕瓦盆兒】虚堂坐雨。西風蕭瑟起林臯。聽落葉小窗敲。怎禁他雲房獨掩夜寥寥。空贏得淚痕濃。黯淡了鮫綃。誰憐我破題兒。新秋第一宵。你何處絶無消耗。

【榴花泣】想那裏郵亭稀。雁魚少書難到。愁詠楚些魂斷倩誰招。簾櫳深處常獨伴那多嬌。今只剩影瀟瀟。只見粧臺塵鎖翠鈿抛。羅衣帶結猶繫紫絲絛。記恩多怨少。七年心難對傍人道。謾追他舊日風儀。祇憐伊病來容貌。

【喜漁燈】幾回欲覓巫山廟。恐飛夢杳。陽臺下空雨暮雲朝。雖則是遇伊。遇伊又被鷄驚覺。鴛衾冷轉覺無聊。烟消。風花露草。好添香寒灰怎燒。

【尾聲】蓬山隔雲路遥。何日閒吹月下簫。腸斷東風第五橋。（江東白苧）

庚午孟夏望夕遇虞山月容張一兒於虎丘殿堦作〔六六〕

【南仙吕入雙調攤破金字令】芳容並月。皎潔如明鏡。飛來碧海。常在清墟境。欲問嬋娟。未通名姓。誰想上方深處。一闌花影。相逢彼此無限情。疑排廣寒扃。嫦娥下紫清。林際風生。天畔雲停。孅歌一聲飛露冷。

【夜雨打梧桐】身材小。性格靈。驀地裏乍逢迎。眼波横。况復香肩偷凭。促急寒温難敘。細語惺惺。依稀似聞花外鶯。奈匆匆頓别頓别一天風景。鷄聲五更。月落可中庭。頃刻人何處。鐘開春殿燈。（江東白苧）

題幽蘭

【南商調黄鶯兒】芳館坐黄昏。對幽蘭欲斷魂。微風逗處香成陣。丹心露凝。青苞淚勻。曲欄幽砌常親近。影紛紛。輕盈舞罷。姑射是前身。

【簇御林】疎簾掛。半掩門。向西窗月一痕。牽衣翠帶多風韻。最堪憐潘郎相伴俱清潤。挹清芬。深居空谷。絶代有佳人。（江東白苧）

改定金陵金白嶼蕭爽齋集寄情之作〔六七〕

【南南吕紅衲襖】嚲香肩鬆臂金。削纖腰寛帶錦。這些時嬾把生綃理針絍。羞將寶鴨添水沉。自别來還至今。幾時曾放下心。不能勾一霎徘徊兩意綢繆也。只落得夜孤眠伴繡衾。

【五更轉】冷鳳幃。虛鴛枕。對金尊誰共斟。凄涼此際難消任。誰料冤家。薄情特恁。到今來。猶記得。花前飲。閒窗寂静空顛窨。彷彿逢君。梅花月蔭。

【浣溪沙】他負心。真忒甚。枉教人肺腑簽針。金錢不準年來讖。錦瑟空閒月下吟。身凛凛。不由人不迷魂。没合煞空勞勞吊膽提心。

【東甌令】心中印。口中噙。到向那陽臺曉夢尋。清宵淚滴衫兒衽。桃花冷。胭脂沁。畫闌月轉粉牆陰。無奈漏沉沉。

【大迓鼓】逢人。覓信音。奈衡陽雁杳。湘浦魚沉。傷秋漫把閒愁禁。怎當他夕陽歸鳥下疎林。撇却懽娱。翻成病侵。

【節節高】秋來意更深。漫思尋。音書欲寫還廝噤。空追審。不見臨。因此甚。兔毫血蘸尖兒浸。鸞牋墨洒行兒淋。一緘離思逐雲飛。遍身香汗和衣滲。

【金蓮子】倩塞禽。多情定見機中錦。料應是長吟還短吟。爲甚的惡姻緣。更重重遠水又遥岑。

【尾聲】算來人世多讒譖。大都常是負初心。誰似我海樣相思直到今。（江東白苧）

辛未五月咏時序悼亡作〔六八〕

【南正宫破齊陣】帳掩香消人去。房空珮冷魂歸。桃李春風。梧桐秋雨。又是經年隔歲。忽憶綢繆生前語。夢見依稀覺後疑。人間長別離。

【刷子序】蒲酒啓瑶席。雕梁燕兒。依舊雙棲。奈物是人非。一旦雲鎖空闈。堪悲。香艾梟鬟釵已委。蘭湯膩臂絲曾繫。夜涼倚醉小窗西。半簾殘月曉鶯啼。端午

【普天樂】鵲橋橫。雙星會。玉露潤金風細。羨誰家乞巧樓頭。笑聲喧玉倚香偎。恨獨拆鴛鴦對。目斷盈盈銀河水。妬牛郎織女夫妻。任天長團圞到底。笑人間。爲何途路便拋離。七夕

【尾犯序】長空一鏡輝。萬里全無。一點纖翳。此夜當年。記雙憑玉肌。徙倚。空追念香鬟霧鎖。空追念弓鞋露綴。嫦娥寡。蟾宫獨守天遠信音稀。中秋

【錦纏道】雁來期。正秋風寒雲亂飛。把酒對斜暉。問芳卿爲甚的便蕙損蘭摧。想蕭關黄葉儘起。念漢殿紫萸誰佩。歲月轉淒其。衾餘枕剩。初寒未授衣。辜負登高節。對黄花羞插滿頭歸。九日

【傾盃序】時移。日漸長。轉候灰。又節值書雲歲。捱幾度寒砧。幾聲殘角。幾個孤鴻。别館的滋味。慘年華過眼。暑來寒往。一生無幾。線空添要見伊還共日俱遲。長至

【玉芙蓉】空傾柏葉杯。枉泛椒花蕋。總迎新愁看。斗柄春回。誰憐今歲今宵盡。又

早明年明日催。消長夜。撥寒鑪死灰。這傷心只有歲寒知。除夕

【小桃紅】〔六九〕燈影下人叢裏。火蛾轉笙歌沸。家家盡簇神僊隊。花容誰似娘行比。歸來空倚書幃立。寒窗底獨展畫裏崔徽。元宵

【摧拍】記祓除流觴水湄。記游衍踏青翠堤。記郊原路迷。記郊原路迷。挈榼提壺。處處徘徊。香輦雕鞍。步步追隨。今安在海角天涯。魂欲斷日平西。上巳

【一撮棹】人何處。墓上草新齊。悲風起。棠梨上紙錢飛。孤墳小。殘月冷。走狐狸。青衫淚。盡似杜鵑啼。痛殺青松底。又添一新鬼。天地永。日夕想魂兮。清明

（江東白苧）

辛未八月初四日紅橋莊居作〔七〇〕

【南仙呂二犯月兒高】月冷青松殿。秋開廢宮苑。偃息長林下。滿壁生蒼蘚。瘦比黃花。猶憶那人面。西窗亂葉清霜剪。宋玉悲深。淒涼紈扇。天。絃斷已三年。除非是再續鸞膠。方歸舊庭院。

【桂枝香】秋鴻已遠。春鶯方囀。誰知路入花溪。有個人兒曾見。似東風柳條。似東風柳條。翠翹花顫。玉鈿雲碾。這冤牽。一似韋郎妾。來尋未了緣。

【不是路】何處嬋娟。生在人間二十年。真堪羡。漁郎來趂武陵源。信難傳。重門慣卧金鈴犬。欲扣花房未敢前。閒遊遍。數來簾底尋方便。盡憑春燕。盡憑春燕。

【羽調排歌】白羽霜中。丹楓水邊。輕橈駕破蒼烟。石橋西下響潺湲。楊柳風牽隔岸船。笙歌擁。花燭燃。青鸞飛下入文軒。秋波炯。翠黛鮮。分明花洞小書僊。

【皂羅袍】門掩謝家深院。見紋衾低展。黼帳高褰。燈花碎結畫屏前。麝蘭暗裊金罏片。繡簾風細。深情未言。紗窗月冷。芳心暗牽。女牛對説長生殿。

【大聖樂】入巫陽雨戀雲纏。幙全遮燈半剪。瓊津煖潤春羅薦。濃香沁軟紅鵜。這些時莊周曉夢迷蝴蝶。可正是望帝春心托杜鵑。嬌痴腼腆。盡平生供養。痛惜深憐。

【解三酲】從今去春風茂苑。從今去夜月文園。從今去夭桃栽向河陽縣。從今去玉種藍田。從今去壺觴歲歲郊西輦。從今去簫鼓年年湖上船。常留戀。謝人間離别。和你永遠團圓。

【掉角兒序】念芳卿心專意堅。儘他人海移山變。任飄流水宿風飡。料隨處姓揚名顯。休問咱走西秦。留南越。住東吴。居北海。天涯踏遍。脚跟無線。杖頭有錢。稱遨遊。名山洞府。定是神僊。

【尾聲】而今始信蓬萊淺。青雀争啣海外箋。會看取同赴仇池小洞天。（江東白苧）

代寶界山人寄趙素卿作[七二]

【南中吕好事近】人去莫登樓。况當風景三秋。蘇臺雲冷。教人目斷長洲。悠悠。試看霜空征雁。分明寫一字字離愁。堪悲團圓未久。爲甚匆匆頓拆。燕侶鶯儔。

【錦纏道】記緣由。爲當時情和意投。年少更風流。這姻親朝朝暮暮來往扁舟。意僽姬初難匹偶。誰知道便容消受。遂爾兩綢繆。巫陽縹緲。雲深雨不收。靈鵲千羣駕。似明河織女會牽牛。

【普天樂】性纏綿。心迤逗。永懽娛無僝僽。又誰知霹起風波。驀然間打散雙鷗。終須罷手。怎禁得霎時間絃剪箜篌。

【古輪臺】恨難留。半江斜日放歸舟。淒涼正值金風驟。梧飄時候。看淚洒江洲。空溼透縷金衫袖。料想别來。黄昏清晝。任一簾落葉響銀鈎。渾如病酒。應爲郎望斷雙眸。宫眉細蹙。楚腰纖削。相思依舊。欲説又還休。無限關情事。一時和雨到心頭。

【尾聲】丰姿媚。體態柔。喚飛燕名兒非謬。終有日還向昭陽殿裏游。（江東白苧）

壬申秋何昭華訪余玉山下扁舟西歸賦別[七二]

【南南呂香羅帶】天寒澤國秋。斜陽渡頭。佳期千里一夕休。只見潮平月落水西流也。載個人兒去。竟難留。傷心滿目不盡愁。誰料別院三杯酒。斷送清溪一葉舟。

【醉扶歸】好時光故把情迤逗。惡姻緣何事苦追求。新相知都爲强支吾。舊時交反把人掣肘。金盆覆水總難收。梨花冒雨甘消受。

【香柳娘】漫懷人倚樓。漫懷人倚樓。不堪回首。一林黄葉清霜皺。對孤燈細籌。對孤燈細籌。今夜到湖州。蛾眉暫開否。想心情不自由。想心情不自由。簾櫳下鈎。黄昏清晝。

【尾聲】秋來更比黄花瘦。勸卿卿不須僝僽。有一日遇個人兒定好逑。（江東白苧）

壬申秋日代幻住子寄邢素蘭作[七三]

【南仙吕入雙調步步嬌】一夜梧桐金風剪。敗葉空廊戰。離愁有萬千。夢入蘭心。芳香不變。目斷碧雲天。把西樓東角閒凭遍。別情

【忒忒令】記初見在春風繡筵。又驀遇在夜香深院。花枝婹嫋。似趂風兒顫。人叢裏

信難傳。人叢裏信難傳。又誰知。背晝闌。把秋波暗轉。初見

【尹令】自別去心留意眷。再没處尋方覔便。誰道渡頭重面。還似舊時迷戀。路枕藍橋肯負前生未了緣。重逢

【品令】娘行爲何。再入武陵源。池亭深處。恰是降飛僊。幽期密訂。去留多靦腆。太湖石畔。只恐怕他人瞧見。帶綰同心。共結束林祇樹邊。訂盟

【荳葉黄】夜深沉漏滴。銀鎖兒空聯。挽青鸞翅入重樓。挽青鸞翅入重樓。親受用香温玉軟。一時繾綣。釵横鬢偏。真個是水雲中的鸂鶒。真個是水雲中的鸂鶒。看遺却花鈿。零落在銀瓶錦韉。幽遇

【玉交枝】舞衫歌扇。載卿卿西江畫船。紅衣溼處清波濺。並頭開徹雙蓮。絲絲柳條風渚牽。瀟瀟竹影溪雲淺。擁鴛衾落月未眠。酒初醒猶聞香喘。懽會

【月上海棠】最可憐。懽娛未了生離怨。恨片帆東去。甚日重還。霎時間翠減香消。頃刻裏山長水遠。重罰願。願年年相見。勝是今年。話别

【江兒水】江水明於練。秋雲薄似綿。奈扁舟飄忽如飛箭。看牀頭翠被餘香捲。囊中秀髮和愁纏。怕睹社前歸燕。何日重來。還向舊家庭院。離情

【川撥棹】詩題絹。淚斑斑成翠蘚。夜迢迢輾轉無眠。夜迢迢輾轉無眠。洞房虚孤燈

慘然。似枯枝泣露蟬。似風花哭杜鵑。哀怨

【嘉慶子】腸斷箜篌第五絃。奈萬事傷心在眼前。總風波倏起平川。總風波倏起平川。誓把衷心鐵石堅。願頻頻音信傳。莫教人眼望穿。祈祝

【尾聲】歸舟有日還重見。那時節錦堂懽宴。銀燭高燒繡帳懸。復合（江東白苧）

癸酉季秋代緑蘿居士懷馬湘蘭作〔七四〕

【南仙吕小措大】桂堂東畔。背燈門掩秋宵。孤雁數聲飛落空濠。餘殘夢繞天涯自長干到。寂寞形影誰弔。聽譙鼓南樓天漸曉。香燼消。露冷芙蓉葉半凋。爲娘行頓添縈惱。音書斷絶無聊。

【不是路】暗憶多嬌。別後容顔難畫描。花枝嫋。春生滿座氣何豪。喜揮毫。風流昔日追蘇小。詞翰當年駕薛濤。描蘭艸。秋枝葉葉能奇妙。有這般才調。這般才調。

【長拍】湛湛湘臯。湛湛湘臯。盈盈蘭沼。雲水怎禁迢迢。章華臺館。想裙兒半縮宫腰。目斷帝城遥。向晚煙深處。遠山殘照。別浦歸鴉風正緊。正客棹聚江坳。胡爾錦書縹緲。悵月明古渡。浪急回潮。

【短拍】宋玉愁多。潘郎鬢老。向迴廊遍寫芭蕉。何事女兒曹。只討得秀才家枯槁。

望殺秦樓簫史。直待要吹斷鳳鸞簫。

【尾聲】金陵驛路原非窵。江城日暮好相邀。有一日銀漢星飛渡鵲橋。（江東白苧）

代少室山人九日雨花臺別陳文姝作[七五]

【南中呂榴花泣】長江東注目斷荻花洲。同攜手下青樓。滿城風雨總難留。依依的欲住無由。原非浪遊。笑書生何事歸偏驟。冷淡了馥馥香衾。遺落了小小雲兜。

【錦纏道】羨風流。似石城當年莫愁。嫋嫋更溫柔。翠紅鄉天然生下一種嬌羞。爲憐才情偏耐久。非容易便能成就。眉畫兩山秋。相逢花底。雙波溜不收。驀地傳心處。笑窺人佯整玉搔頭。

【節節高】江東第一流。逞歌喉。天邊遏住行雲走。鶯聲溜。扇影搊。梁塵逗。秋來更比黃花瘦。風流一段難消受。曾聞金屋貯娉婷。生身原是陳家後。

【漁家燈】今日裏別酒長亭。明日向匹馬荒丘。算只是幾夜恩情。比他人數年婚媾。勸伊莫便多僝僽。願歲歲共逢重九。夷猶。終難逗遛。丹陽道寒雲正愁。

【尾聲】長干在望空回首。亂山高下入常州。心似江波不定流。（江東白苧）

代敲臺居士贈徐三瓊英[七六]

【南仙吕八聲甘州】紅樓繡榜。記風情千古猶見徐娘。儀容聰俊。月下素蛾相倣。宫眉秀靨難描寫。高髻雲鬟别樣粧。堪憐。向迴廊花底端相。

【前腔】念年少。綺羅生長。見家常偏愛淺淡衣裳。清歌飛動。天外野雲飄颺。門盈海内文章客。斷盡江南刺史腸。等閑。將羈人忘却他鄉。

【不是路】何處劉郎。引入桃源一徑長。忙投訪。見樓臺罨畫舞鸞凰。珮鏗鏘。分明閬苑飛僊降。邂逅相將入洞房。情惚恍。似鴛鴦一對同飄蕩。踏翻春浪。踏翻春浪。

【解三醒】生受處錦衾羅帳。促急裏蝶趂蜂狂。燈兒剔處歡心暢。東風横燕鶯忙。亂茸茸林花着雨臙脂落。軟欸欸水荇牽風翠帶長。金鈎上。看烏雲嚲處。旖旎聞香。

【前腔】頃刻間霧迷青嶂。霎時裏花落河陽。長亭一曲陽關唱。青衫袖淚千行。最堪憐半江露滴芙蓉冷。恰正是兩岸風凋楊柳黄。情難忘。總笑歌深處。獨自淒涼。

【尾聲】姑蘇東望添惆悵。一騎重看入豫章。却指金陵是故鄉。（江東白苧）

為濱竹姜八懷華亭秋水作[七七]

【南商調金絡索】瑶臺一絳僊。原住朝雲殿。嫋娜腰肢。秋水雙眸剪。塵緣未掃除。

思牽纏。謫向人間十八年。暫辭王母雖真境。聊逐東風上舞筵。垂楊線。眉兒葉葉更堪憐。爲傷春怕立簾邊。愁覩欄邊。零落盡桃花片。

【五更轉】羨畫梁。棲雙燕。奈姻親獨未完。檀郎漫自漫自多留戀。好事蹉跎。光陰如箭。念往回。空逗遛。無方便。蒼天甚日甚日從人願。月轉迴廊。夜香庭院。

【簇御林】今迢遞。路幾千。笑花神未有權。任風開落飄蒼蘚。但芳心至死香不變。恨綿綿。幾多心事。都付十三絃。

【琥珀貓兒墜】那人何處。消渴在文園。贏得文君眼望穿。陰雲終散月終圓。嬋娟。須有日飛向蓬萊。還寤生前。

【尾聲】清宵白晝難消遣。含羞未敢向人言。只恐青樓作話傳。（江東白苧）

乙亥初秋代安茂卿寄南都褚蒨作與暗思昔日同調〔七八〕

【南越調小桃紅】江東逐客。冀北歸鞭。歎來往一似梁間燕也。寥落關河底。飄泊是何年。東風裏哭啼鵑。空奔走會芳亭。麗春園。秋香館。直踏遍朝雲殿也。笑殺漁郎緣分淺。漫回首各風煙。知何處武陵源。

【下山虎】金陵佳麗。粉黛三千。誰喚做司花吏可便。萬中堪羡。怎知有燕乳鷺雛。

花濃柳鮮。似蝶翅翩翩風外軟。沼上湘簾捲。一朵紅粧出水蓮。聞説道名爲蒨。纖柔可憐。未許并刀却把小紅剪。

【山麻稭】[七九]試叩却。深深院。誰知道會你良姻。就我芳緣。嬋娟。天生下一種的芙蓉嬌面。霎時間意猿心馬。玉憐香惜。思惹情牽。

【五韻美】[八〇]向紅樓行游遍。清歌妙舞多懽宴。似娘行真覺衆中鮮。香閨靜掩。羞檢點銀蟬金鈿。但只是描蘭艸展翠箋。傷千古寫出南朝。都是故宫廢苑。

【四般宜】[八一]初掩映夜燈前。衷腸事苦難言。蘇卿情性徹。都付與四條絃。一心念雙生軟欵。那裏管上水茶船。今日裏臨邛路豈偶然。忔錚錚更將琴韻偷傳。

【五般宜】[八二]他肯戀章臺中青驄錦韉。他豈想侯門貴戚翠屏綺筵。他是個新謫的洞中僊。咱是個谷口渡口採芝劉阮。他那裏情何婉孌。咱這裏行當黽勉。雖則是擔閣了盟言。料佳期應不遠。

【江頭送別】[八三]傷春瘦。傷春瘦。別來誰眷。悲秋淚。悲秋淚。會須自遣。不久錦堂還重見。休只管日夕熬煎。

【憶多嬌】[八四]他志堅。咱意專。盈盈牛女一水間。難道月圓人未圓。暗告蒼天。暗告蒼天。有日星迴斗轉。

【尾聲】年華輾轉銅壺箭。但促急音書無便。相憶看雲白晝眠。（江東白苧）

寒宵閨怨〔八五〕

【南羽調四季花】寒氣透疎櫺。正颼兒破風兒猛。背却殘燈。愁聽。高梧露滴秋夜清。南山子規啼一聲。月沉西門暗扃。曉鐘何處。噹噹五更。薰籠坐倚直到明。輾轉夢不成。難道便一生孤另。奈香冷篆冷衾冷枕冷人冷。

【集賢賓】六朝舊事心暗評。消磨多少豪英。朱雀烏衣留話柄。記潘妃蓮步輕盈。景陽宮井。多半是佳人薄命。須自省。盡沉没暮天鴻影。

【簇林鶯】還懷舊。自幼齡。播蜚聲滿上京。長干歷遍諸名勝。鳳皇臺晝登。燕子磯曉行。莫愁湖上春風艇。總無憑。年華已矣。何事負平生。

【琥珀貓兒墜】而今憔悴。獨對短檠燈。眼見淒涼逢暮景。當初誰道又伶零丁。牽情。羞覷那烏鵲橋邊。匹配雙星。

【水紅花】海盟山誓信非輕。數年庚。今成畫餅。一生寂寞竟何曾。問儒卿。甘心誰等。挽不住夕陽西下。遣不去恨難平。這場恩怨不分明也囉。

【尾聲】歎行藏頻看鏡。大都塵世總浮萍。不如静掃花前去學誦經。（江東白苧）

題幽閨女郎此套出商輅三元記戲文春歸後花正卉同調〔八六〕

【南黄鍾啄木兒】誰家女。兩髻丫。滿臉嬌羞將破瓜。聽清聲如柳外雛鶯。覷香鬟似日裏寒鴉。選良姻不便輕婚嫁。守清規常自甘孤寡。好似一朶藏風葉底花。

【賣花聲帶歸僊洞】獨閉房櫳。有誰權狎。伴侶相邀。暫同戲耍。繡鞋剛三寸些兒大。細腰身捻就無一把。避東風簾多下。步花徑欄檻狹。防人覷常驚詫。荆棘抓裙靸。倒閃在荼蘼架。勾引得嫩枝呀啞。討歸路尋空罅。仗舊家巢燕。引入窗紗。

【尾聲】這多嬌真無價。若還情願到人家。準備日夜燒香供養他。（江東白苧）

按：「討歸路」中「路」字原奪，據韻選補。

代瑯玡季子寄白玉英〔八七〕

【南中吕好事近】花館貯多嬌。冠當筵風度飄飄。孅歌飛處。柳外乳鶯春曉。閒宵。换套青袍烏帽。分明是宋玉的丰標。如今恨歸遲去早。爲甚雲迷楚岫。路阻藍橋。與風月兩無功同。前四句似泣顔回，以東野翠烟消作好事近，非。阻字莫作低唱，好接後。

【泣顔回】風雨坐無聊。奈别後憂心悄悄。蘇堤何處。重湖烟水迢遥。料嬉遊興少。有一日定返山陰棹。明知伊誓重盟深。空教人目斷魂勞。與聽説淚交頤同。因前四句似好事近，諸本以東野翠烟消不作泣顔回，非也。

【榴花泣】江州司馬疑是舊根苗。看他樊素口小蠻腰。青衫應是淚痕交。憔悴了雨葉烟條。音書怎捎。笑錢塘路近人難到。倚南樓風色凄凄。夢西堂竹影瀟瀟。與折梅逢使同。前六句是石榴花，後四句是泣顔回。

【石榴花】他世情無奈只得暫相抛。豈貪跋涉戀遊遨。我可不甘心閉户守寂寥。這姻親自分難遭。肯還尋閒花並野草。料花星定然相照。從今後步東山出西郊。調鸞瑟醉鮫綃。南九宫朔風凛凛同。乃石榴花本調，諸本俱未收。

【尾聲】雙雙引入巫陽廟。定看暮暮與朝朝。羞殺人間兒女曹。（江東白苧）

代高平生憶杜隱娘〔八八〕

【南南吕巫山十二峰】〔三僊橋〕〔八九〕院落清明左右。遇花時倍僝僽。關河路阻。雁歸書未有。〔白練序〕〔九〇〕清晝。上小樓。奈觸目雲山都是愁。難尋究。風飡水宿。淡烟疎柳。〔醉太平〕〔九一〕輻輳。雙雙配偶。是誰人打散。覆水難收。離箋恨譜。書不盡舊日根由。

無仇。〔普天樂〕〔九二〕緣何處處藏機彀。誓把菱花生分剖。繫春鴻另趲書郵。掣文鴛還添械杻。絆驊騮。使人更射戈矛。〔征胡兵〕〔九三〕千山萬水親投首。逆來俱順受。自知萬死一生。爲郎甘出醜。〔香遍滿〕〔九四〕認千般斷送。已拚却一命丟。誰知恁這毒劣。却又得神明祐。〔瑣窗寒〕〔九五〕歎如今流落滄洲。何處天南海北頭。料停雲滯雨。似漂渺孤鷗。〔劉潑帽〕〔九六〕想房櫳静掩眉兒皺。應未休。性格兒還如舊。〔三换頭〕〔九七〕風花路岐。暮雲時候。秋深別館。想寒生敝裘。此事明知拖逗。這其間只是我。不合來把伊掣肘。〔梁州序〕〔九八〕致娘行害得無人救。音信遠。有誰叩。〔節節高〕〔九九〕風迴順水舟。坐中流。江頭有日輕帆走。功名就。志願酬。姻緣又。綵雲飛處青鸞驟。〔東甌令〕〔一〇〇〕腰纏騎鶴上揚州。談笑覓封侯。

【尾聲】喜重諧。言非謬。試看織女共牽牛。擬定相逢在歲週。（江東白苧）

代金陵馬瑶姬寄渤海次君〔一〇一〕

【南南吕九疑山】〔香羅帶〕〔一〇二〕江東日暮雲。寒鴉遠村。關河千里勞夢魂。四年不見倍傷神也。〔征胡兵〕〔一〇三〕黛眉多瘦損。往來空寄信。總然要打聽近行蹤。無人可問。〔懶畫眉〕〔一〇四〕鳳城車騎日紛紛。只得勉强支持病裏身。奈蕭郎不是個中人。〔蕭郎瑤姬近友〕〔醉扶歸〕〔一〇五〕最憐有線無針引。因此上杜陵來去没寒温。到不如崔生日夜常親近。〔杜三堂崔澤濱次君密友〕〔梧桐樹〕〔一〇六〕香囊刺繡新。畫扇描蘭俊。自着春衫。束得腰身緊。寄時萬縷縈方寸。〔瑣窗寒〕〔一〇七〕一星星意真情懇。偶聞君與水館有深盟。這忘機鷗鷺休親。〔盟鷗次君新築館名〕〔大迓鼓〕〔一〇八〕相逢。期孟春。上元佳節。燈火黄昏。尺書何事無憑準。〔解三醒〕〔一〇九〕今回首又過春分。長江且是東風順。况一騎丹陽便到白門。還思忖。〔劉潑帽〕〔一一〇〕紅顔定是多薄命。莫負恩。看舊日緣和分。

【尾聲】秋來又見歸鴻陣。倚樓南望正斜曛。拚却和淚緘書再寄君。（江東白苧）

秋閨怨〔一一一〕

【南商調字字錦】秋來怕倚闌。没樣堪經眼。寒鴉點夕暉。曲水縈村岸。指征帆。只見慘淡飛雲。飛雲表砌着幾堆亂山。癡儇。天涯訪故。可曾一想瘦顔。明知別懷。

別懷禁不慣。拋得下影鸞單。拋得下影鸞泣單。況多時未返。他今在那裏。今在那裏。便教苦戀。青樓皷瑟。紅樓把盞。應念取西窗燭冷。東窗葿爛。則枉鳳釵敲綻。裘馬兒如閒。忙回首辨歸鞍。蚤角吟也殘。漸月盈也殘。捱盡淒涼。盡捱淒涼。相逢漫吐。只付與袖浥啼斑。（吴騷合編）

春思鬱懷

【南仙呂錦衣相思】一從他春思牽掛。到如今多少嗟呀。秋波望斷藍橋下。鎖春山又阻巫峽。音書未托魚和雁。凶吉難憑鵲與鴉。成話靶。當時鏡裏花難比。更那堪塵染菱花。佳人已屬沙嗒利。義士今無古押衙。只索向無人處。把鮫綃看。見盟言在。不覺淚如麻。

【前腔】一從他相逢月下。歡娛事能有幾些。眉來眼去情傳話。攬春心一點如麻。恩情只望長廝守。風浪誰知起衆譁。擔驚怕。想生前曾欠鴛鴦債。今世裏合受波查。到做了鏡中鸞影波中月。夢裏幽期霧裏花。誰知我意中愁。心中想。閒中客。獨坐小窗紗。

【針線箱】自別來杳無信音。昨宵裡燈花無準。五行中合受淒涼運。真個是惱人方寸。有時節獨立在垂楊下。争奈枝上流鶯和淚聞。〔合〕愁無盡。縷金衣上一點點都是啼痕。

【前腔】過一日勝似三春。轉眼間春光又盡。害得人不疼又不痛懨懨病。漸覺帶圍寬褪。見落紅滿地香成陣。怕雨打梨花深閉門。〔合前〕

【解三醒】纔寫下滿懷愁悶。待説與那人誰信。迴文錦圖織不盡。誰訴與斷腸人。幾番要撇尋思别事因。又只爲一夜權娛百夜恩。〔合〕今番病。非干是殢酒。只爲傷春。

【前腔】海棠嬌等閑憔悴損。又不見當時花下人。東風不管離人淚。苦吹散楚臺雲。如痴似醉悠悠勞夢魂。恨不得一上青山變化身。〔合前〕（昔昔鹽）

按：本套前二曲曲牌應是【九迴腸】，見沈仕唾窗絨。吴歈萃雅、詞林逸響亦俱注沈青門撰。群音類選、南宫詞紀（收第一首）、南詞韻選、彩筆情辭、吴騷合編、南音三籟、南詞新譜（録首曲）皆屬張鳳翼。樂府争奇不署作者。昔昔鹽題作「春思鬱懷」，不注撰人，在二曲以下加【針線箱】、【解三醒】四曲（録自伯虎雜曲「傷春」套），且不考慮與前曲用韻是否一致，雜湊作套數。詞林白雪無題，注梁少白著。兹姑録之，以見明人選集僞託之伎倆。

複出

小令

【南商調金絡索】

東風轉歲華。

楊花亂滾綿。

閑堦細雨收。

銀臺絳蠟籠。

樂府先春、吴騷集無題，俱作梁少白撰，疑誤。案此四曲見陳大聲可雪齋稿，題作「四時閨怨」。兹已輯於陳鐸卷中，不重録。

【南中吕駐雲飛】

春　思

沉醉京華。

吴歈萃雅題作「春思」，注梁伯龍作，疑誤。案此曲已見陳大聲月香亭稿，題作「題情七首」之第五首，不重出。

套數

【南黄鍾畫眉序】花下見妖嬈。

珊珊集無題，署名梁辰魚。吴騷集、萬錦清音署劉東生著，詞林逸響、古今奏雅屬唐寅，吴騷合編注虞竹西撰。兹已輯於虞臣卷中，不重録。

月下續歡

【南仙吕二犯傍粧臺】今宵月在畫樓前。

古今奏雅題作「月下續歡」，注梁伯龍作。南宫詞紀屬陳藎卿。兹已輯於陳氏卷中，不重出。

咏梅

【南正宫白練序】春光早漏洩。

吴歈萃雅、詞林逸響、南音三籟、古今奏雅題作「咏梅」，俱注梁伯龍撰。新編南九宫詞注顧狀元作，南宫詞紀署名顧禾齋著。兹已輯入顧氏卷中，此不重出。

春怨

【南仙吕入雙調步步嬌】花壓雕簷春風曉。

吴騷二集題作「春怨」，注梁少白撰。群音類選題作「閨怨」，署名金白嶼。兹已輯於金鑾卷中，此不重出。

春怨改定陸包山原作

【南商調高陽臺】萬點殘紅。

按：吴騷二集題同，詞林逸響題作「離恨」，俱注陸包山作。兹已輯於陸治卷中，此不重出。

江東白苧小序

曲之興也，發舒乎性情，而節宣其欣戚者也。自習于道聽者，俚而不文；偏于炫博者，窒而弗達。失之均矣。梁伯子多宋玉之微詞，慕向長之遠遊。觸物感懷，抒情吊古。宫商按而凌風韻生，律吕協而擲地聲作。不俚不窒，雖落索數語，靈瓏百言，有不足謝者。吴中好事，編集成帙，題曰「江東白苧」。將梓以傳，攜以相示。予感夫知音者稀，而喜其予善之切，視彼甘包魚而易家丘者不侔也，爲之題其端而歸之。泠然居士張伯起撰。

〔一〕南宮詞紀題作「春情」，吴騷合編題作「紀情」，吴騷二集、南詞韻選、吴歈萃雅、詞林逸響、南音三籟題皆同江東白苧，俱注梁辰魚撰。古今奏雅題同白苧，惟不注作者姓名。

〔二〕此曲三徑閑題無題，南宮詞紀題作「登黄鶴樓有懷一首」，俱注梁少白撰。

〔三〕此曲三徑閑題、南詞韻選皆無題，南宮詞紀題作「寓長沙客舍作一首」，俱署梁少白作。

〔四〕此曲三徑閑題無題，南宮詞紀、南詞韻選題同白苧，俱注梁少白撰。吴歈萃雅、南音三籟題作「閨怨」，注梅禹金作，疑誤。

〔五〕此曲三徑閑題無題，注梁少白撰。

〔六〕此曲三徑閑題無題，南宮詞紀、南詞韻選題同白苧，俱注梁少白撰。

〔七〕此曲吴騷二集題作「歡會」，南詞韻選、南宮詞紀、彩筆情辭題同白苧，俱注梁少白撰。

〔八〕南詞韻選無題，南宮詞紀、彩筆情辭題同白苧，太霞新奏題作「訊期」，俱注梁少白撰。

〔九〕南宮詞紀、太霞新奏題同白苧，俱注梁少白撰。

〔一〇〕南宮詞紀、太霞新奏題同白苧，南詞韻選無題，俱注梁少白撰。

〔一一〕南宮詞紀、南詞韻選題同白苧，太霞新奏題作「寄遠」，俱注梁少白撰。

〔一二〕南宮詞紀、太霞新奏題同白苧，俱注梁少白撰。

〔一三〕南詞韻選、太霞新奏題同白苧，俱注梁少白撰。

〔一四〕南宮詞紀、南詞韻選、太霞新奏題同白苧，俱注梁少白撰。

〔一五〕南宮詞紀題同白苧，太霞新奏題作「醉態」，俱注梁少白撰。

〔一六〕南宮詞紀題作「代妓寄懷」，吴騷二集題作「寄情」，吴騷合編題作「代謝少藴寄情」，俱注梁少白撰。

〔一七〕南宮詞紀題作「代妓寄懷」，吴騷二集題作「寄情」，吴騷合編題作「代葛雲卿寄情」，俱注梁少白撰。

〔一八〕南宮詞紀題作「代妓寄懷」，吴騷二集題作「寄情」，吴騷合編題作「代王幼玉寄情」，俱注梁少白撰。

〔一九〕南宮詞紀題作「代妓寄懷」，吴騷二集題作「寄情」，吴騷合編題作「代劉季招寄情」，南詞韻選無題，俱注梁少白撰。

〔二〇〕南宮詞紀題同白苧，南詞韻選無題，俱注梁少白撰。

〔二一〕南宮詞紀、南詞韻選題同白苧，俱注梁少白撰。

〔二二〕南宮詞紀題同白苧，南詞韻選無題，俱注梁少白撰。

〔二三〕南宮詞紀題作「楚中燈夕留別諸公歸蘇州」，南詞韻選題作「楚中燈夕留別」，俱注梁少白撰。

〔二四〕南宮詞紀題作「毘陵送洪憲副赴郧陽」，注梁少白撰。

〔二五〕南詞韻選、太霞新奏題作「代閨人答邊使」，俱注梁少白撰。

〔二六〕南宮詞紀題同白苧，南詞韻選無題，俱注梁少白撰。

〔二七〕南宮詞紀題同白苧，南詞韻選無題，俱注梁少白撰。

〔二八〕南宫詞紀題作「代妓留别」，吴騷二集題作「留别」，南詞韻選無題，俱注梁少白撰。
〔二九〕南宫詞紀題同白苧，南詞韻選題作「懷南郡舊遊」，俱注梁少白撰。
〔三〇〕南宫詞紀、南詞韻選題同白苧，俱注梁少白撰。
〔三一〕南宫詞紀題同白苧，南詞韻選題作「銅雀臺」，俱注梁少白撰。
〔三二〕南宫詞紀、南詞韻選題作「送人左遷楚中」，俱注梁少白撰。
〔三三〕南宫詞紀、南詞韻選題作「江頭留别」，俱注梁少白撰。
〔三四〕南宫詞紀、南詞韻選題作「憶舊」，俱注梁少白撰。
〔三五〕南宫詞紀、南詞韻選題同白苧，俱注梁少白撰。
〔三六〕南宫詞紀、南詞韻選題作「春日有感」，俱注梁少白撰。
〔三七〕南宫詞紀、南詞韻選題作「閨人寄遠」，俱注梁少白撰。
〔三八〕南宫詞紀、南詞韻選題同白苧，俱注梁少白撰。
〔三九〕江東白苧無題，今從彩筆情辭作「贈魏湘鴻」，吴騷合編題作「詠璧桃贈魏姬湘鴻」，俱注梁少白撰。
〔四〇〕吴騷二集題作「惜别」，吴騷合編題作「代金壇王姬錫山渡口惜别」，俱注梁少白撰。
〔四一〕吴騷二集題作「旅宿」，注梁少白撰。
〔四二〕吴騷二集題作「書懷」，注梁少白撰。
〔四三〕南宫詞紀、南詞韻選題作「贈妓」，彩筆情辭題作「携戴姬過婁水」，吴騷合編題同白苧，俱注梁少白撰。

〔四四〕吴騷二集題作「贈妓」，彩筆情辭題作「贈石城姬」，俱注梁少白撰。

〔四五〕吴騷二集題作「傷逝」，注梁少白撰。

〔四六〕南宫詞紀題作「遇妓」，彩筆情辭題作「遇陳芳蘭」，吴騷合編題作「遇陳芳蘭於虎丘作」，俱注梁伯龍撰。

〔四七〕南宫詞紀題作「惜别」，彩筆情辭題作「寄陳芳蘭」，吴騷合編題作「再寄芳蘭」，俱注梁伯龍撰。

〔四八〕群音類選題作「贈妓輕雲」，吴騷二集題作「詠艷」，彩筆情辭題作「贈王輕雲」，吴騷合編題同江東白苧，俱注梁伯龍撰。

〔四九〕群音類選題作「簾櫳」，吴騷二集題作「詠簾」，南宫詞紀、詞林逸響題同白苧，俱注梁伯龍撰。

〔五〇〕群音類選題作「閨怨」，南宫詞紀、吴騷合編題同白苧，吴騷二集題作「秋閨」，南詞韻選無題，俱注梁伯龍撰。昔昔鹽題作「暮秋閨思」，不注作者。吴歈萃雅、古今奏雅題亦同白苧，南音三籟題作「秋思」，俱署名楊升庵。

〔五一〕群音類選題作「元夜」，注梁伯龍撰。

〔五二〕群音類選題作「蝶」，南宫詞紀、南詞韻選題同白苧，吴騷二集、吴歈萃雅、詞林逸響、南音三籟、古今奏雅題作「咏蝶」，俱注梁伯龍撰。

〔五三〕群音類選題作「寄妓」，南宫詞紀、彩筆情辭、吴騷合編題同白苧，吴騷二集題作「寄情」，太霞新奏題作「酬妓王桂父」，南詞韻選無題，俱注梁伯龍撰。

〔五四〕南宮詞紀、吴騷合編題同白苧，俱注梁少白撰。昔昔鹽題作「秋日感懷」，不注撰人。

〔五五〕南宮詞紀題同白苧，注梁少白撰。

〔五六〕三徑閑題題作「漢宮春怨」，群音類選題作「宮怨」，南宮詞紀、吴騷合編題同白苧，俱注梁少白撰。

〔五七〕群音類選、南宮詞紀、吴歈萃雅、詞林逸響、怡春錦、南音三籟題同白苧，吴騷合編題作「閨思」，吴騷集無題，俱注梁伯龍撰。昔昔鹽無題，不注作者。

〔五八〕群音類選題作「出塞」，南宮詞紀題同白苧，南詞韵選無題，俱注梁伯龍撰。

〔五九〕群音類選題作「題畫卷」，彩筆情辭題作「題王賽玉卷」，俱注梁伯龍撰。

〔六〇〕群音類選題作「代贈妓」，吴歈萃雅、詞林逸響、南音三籟、古今奏雅題作「青樓佳遇」，怡春錦、珊珊集題作「佳遇」，彩筆情辭題作「贈楊季真」，樂府先春、詞林白雪、樂府争奇，吴騷集無題，惟争奇不注撰人，餘俱注梁辰魚撰。

〔六一〕南宮詞紀題作「寄妓」，吴騷合編題作「代寄呂姬小喬」，俱注梁少白撰。昔昔鹽題同詞紀，不注撰人。

〔六二〕昔昔鹽題作「情洽初逢」，不注作者。吴騷集目次注作王雅宜，文内署名梁少白。怡春錦題作「奇遇」，署名周逸民。

〔六三〕唾窗絨、彩筆情辭題作「麗情」，群音類選、吴騷合編題作「題情」，吴騷二集題作「思情」，俱注沈青門撰。吴歈萃雅、詞林逸響、古今奏雅題作「愁思」，南音三籟題作「情思」，皆注燕仲義著。

〔六四〕吴騷二集、詞林逸響、古今奏雅題作「感舊」，彩筆情辭題作「同胥姬感舊」，吴騷合編題作「秋夜同胥姬坐雨西窗感舊」，俱注梁少白撰。

〔六五〕南宫詞紀、南詞韻選題作「立秋夜雨悼亡」，吴歈萃雅、南音三籟題作「秋夜悼亡」，吴騷合編題作「秋夜傷舊」，俱注梁少白撰。

〔六六〕南宫詞紀、南詞韻選、南音三籟題作「遇張月容於虎丘殿堦」，吴騷二集題作「詠遇」，彩筆情辭題作「遇張月容」，吴騷合編題作「遇虞山張姬於虎丘作」，俱注梁少白撰。

〔六七〕群音類選、吴騷二集、吴騷合編、古今奏雅題作「寄情」，南宫詞紀題作「别怨」，南詞韻選無題，俱注金白嶼撰（奏雅目次缺頁，不詳撰人）。昔昔鹽題同詞紀，不注作者。吴歈萃雅、南音三籟題同類選，注梁伯龍撰。類選題下亦注：「梁少白改定」，兹並收互見金、梁二家曲中。

〔六八〕南宫詞紀、南詞韵選題作「咏時序悼亡」，吴騷二集題作「傷逝」，吴騷合編題作「歲時傷逝」，怡春錦、詞林逸響、古今奏雅題作「懷舊」，萬錦清音題作「題情」，俱注梁少白撰。

〔六九〕原注：「一作山桃犯，非越調小桃紅也。」

〔七〇〕南宫詞紀題作「紀情」，吴騷二集題作「詠遇」，南詞韵選無題，吴騷合編題作「辛未秋日紅橋莊居詠遇」，俱注梁少白撰。昔昔鹽題同詞紀，不注撰人。

〔七一〕吴騷二集題作「寄情」，吴騷合編題作「寄趙素卿」，俱注梁少白撰。昔昔鹽題作「思情寄妓」，不注作者。

〔七二〕彩筆情辭題作「送何姬西歸」，吴騷合編題作「何姬昭華訪余玉山西歸賦送」，俱注梁伯龍撰。

〔七三〕群音類選題作「代寄妓」，南宫詞紀、南詞韻選題作「秋日別情」，彩筆情辭題作「代寄邢姬」，吴騷合編題作「秋日懷舊」，俱注梁辰魚撰。吴騷集、詞林逸響、珊珊集、怡春錦、古今奏雅題作「懷舊」，皆注王雅宜。樂府先春無題，注董玄宰。昔昔鹽題作「秋日秋情」，樂府争奇無題，同屬無名氏。

〔七四〕南宫詞紀、南詞韻選題作「懷人」，吴騷二集題作「懷舊」，彩筆情辭題作「代懷馬姬湘蘭」，吴騷合編題作「秋日懷馬湘蘭」，俱注梁少白撰。

〔七五〕南宫詞紀、南詞韵選、吴騷合編、太霞新奏題作「九日雨花台別陳文姝」，彩筆情辭題作「代別陳姬」，俱注梁少白撰。

〔七六〕吴騷二集、詞林逸響題作「詠艷」，彩筆情辭、吴騷合編題作「贈徐瓊英」，俱注梁少白撰。

〔七七〕彩筆情辭題作「代友懷華亭秋水」，吴騷合編題作「懷華亭秋水作」，俱注梁伯龍撰。

〔七八〕吴騷二集題作「寄情」，彩筆情辭題作「代寄褚姬」，吴歈萃雅題作「代寄南都褚倩」，吴騷合編題作「代寄南都褚倩姬」，俱注梁少白撰。

〔七九〕原注：「此調未定，再查南九宫作二犯鬬寶蟾，近本作繡停針，俱非是。」

〔八〇〕原注：「近本作醉歸遲、恨薄情，俱非是。」

〔八一〕原注：「即蠻牌令。」

〔八二〕原注：「近本作江頭送別、賀昇平、怨東君，俱非是。」

〔八三〕原注：「近本作鬬雙鷄，非是。」

〔八四〕原注：「此調刻南九宮譜，原如魂渺漠唱，近本增出十餘字，不知何調。」

〔八五〕南宫詞紀題作「懷金陵舊知」，南詞韻選無題，吴騷二集題作「冬閨」，吴歈萃雅、詞林逸響、吴騷合編、南音三籟、古今奏雅題作「寒宵閨怨」，俱注梁少白撰。

〔八六〕南宫詞紀、南詞韻選題作「題閨中女郎」，吴騷二集題作「詠艷」，吴騷合編題作「詠幽閨女郎」，俱注梁伯龍撰。吴歈萃雅、南音三籟題作「題女郎」，皆屬王渼陂。

〔八七〕南宫詞紀、南詞韻選題作「寄懷」，吴騷二集題作「寄情」，彩筆情辭題作「代寄白姬」，俱注梁少白撰。

〔八八〕南宫詞紀、南詞韻選題作「懷人」，吴騷二集、詞林逸響題作「憶舊」，彩筆情辭題作「代友懷杜隱娘」，吴騷合編題作「春日題情」，南音三籟題作「憶杜隱娘」，古今奏雅題作「憶別」，南詞新譜無題，俱注梁少白撰。

〔八九〕原注：「一從他們起，暫時略聚首止。」

〔九〇〕原注：「飄颻萬縷長起，畫橋遊舫止。」

〔九一〕原注：「惆悵藏鴉未隱起，堪傷止。」

〔九二〕原注：「婚姻分内緣不到起，使人夢斷魂勞止。」

〔九三〕原注：「百愁萬苦千生受起，飯食何處有止。」

〔九四〕原注：「須索要掙閨起，也只爲糟糠婦止。」

〔九五〕原注：「守孤幃幾度沾衿起，母苦難禁止。」

〔九六〕原注：「烏絲醉寫偎紅袖起，半霎兒渾忘舊止。」

〔九七〕原注：「鸞臺罷粧起，且都拚捨止。」

〔九八〕原注：「嚮冰山起，幾人見止。」

〔九九〕原注：「漣漪戲綵鴛起，人清健止。」

〔一〇〇〕原注：「青山疊疊水悠悠兩句。」

〔一〇一〕南宫詞紀題作「代妓寄情」，吴騷二集、吴歈萃雅、詞林逸響、南音三籟、古今奏雅俱題作「寄情」，吴騷合編題作「代金陵馬瑶姬寄渤海君」，南詞新譜無題，俱注梁少白撰（奏雅因目次缺頁不詳作者）。

〔一〇二〕原注：「一從鸞鳳分起，首飾典無存止。」

〔一〇三〕原注：「飯食何處有起，方纔可救止。」

〔一〇四〕原注：「强對南熏起，流水共高山止。」

〔一〇五〕原注：「只怕爲你難移寵起，心先痛止。」

〔一〇六〕原注：「黄鶯似喚儔起，故把人僝僽止。」

〔一〇七〕原注：「那愁他罄囊虚廪起，賢孝堪欽止。」

〔一〇八〕原注：「姻緣雖在天起，赤繩不曾綰止。」

〔一〇九〕原注：「空回首望孤雲起，還思忖止。」

〔一一〇〕原注：「烏絲醉寫偎紅袖起，渾忘舊止。」

〔一一一〕太霞新奏題同吴騷合編，注梁少白撰。